Y0-BSL-101

Britannica®
ENCICLOPEDIA UNIVERSAL ILUSTRADA

a priori

Antiguo Testamento

Britannica
ENCICLOPEDIA UNIVERSAL ILUSTRADA

Edición en español de BRITANNICA CONCISE ENCYCLOPEDIA

Edición promocional para América Latina desarrollada, diseñada y publicada por Sociedad Comercial y Editorial Santiago Ltda., Avda. Apoquindo 3650, Santiago, Chile.

ISBN 956-8402-79-9 (Obra completa)
ISBN 956-8402-80-2 (Volumen 1)

Impreso en Chile, Printed in Chile.
Código de barras 978 956840280 - 8

Presentación

Es difícil pensar en una fuente de información histórica y general más apreciada que una enciclopedia. Por más de 2.000 años, en prácticamente todas las naciones, en incontables idiomas y diversas formas, desde vetustos rollos de papiro y códices de pergamino plegados hasta colecciones impresas de múltiples volúmenes, videodiscos y bases de datos en línea accesibles por la internet, las enciclopedias han sido un punto común de partida para los lectores de todo el mundo que desean tener una visión amplia de la vida y sus numerosas maravillas del pasado y del presente.

Desde la publicación de su primera edición en 1768, *Encyclopædia Britannica* ha ido a la vanguardia en este campo editorial. Su enciclopedia de 44 millones de palabras se cita a menudo como la obra de referencia más respetada y fehaciente del mundo, y su colección de 32 volúmenes -equivalente a una biblioteca de varios centenares de libros- es, en cuanto a la continuidad de su publicación y revisión, la obra más antigua en lengua inglesa.

Por ello es que hoy nos sentimos muy complacidos de brindar una nueva forma de acceder a la amplísima información de Britannica. La **Enciclopedia Universal Ilustrada** de **Britannica**, edición en lengua española de la *Britannica Concise Encyclopedia*, es la única obra de referencia sinóptica publicada exclusivamente por Encyclopædia Britannica. Esta obra abarca en forma sucinta los temas principales de los estudios académicos y materias de interés general, desde los deportes hasta la historia mundial, desde el cine hasta las ciencias físicas. Tal como la edición principal de la Encyclopædia Britannica, el ámbito de esta edición sinóptica es mundial y de gran envergadura, lo que refleja tanto la globalidad del mundo actual como el rápido crecimiento de la base de conocimientos que deseamos tener como resultado. El usuario puede ser un lector joven que quiere informarse acerca de Julio Verne, un estudiante universitario que necesita una lista de gobernantes del Imperio ruso, un profesional que desea verificar la fórmula de un compuesto químico complejo, o simplemente una familia a la hora de la cena que desea poner fin al debate sobre la altura del monte Everest, los orígenes de los talibanes o el método de calcular la sensación térmica. La **Enciclopedia Universal Ilustrada** de **Britannica** constituye una fuente primordial y confiable a la cual recurrir para obtener respuestas convincentes e información general.

Debido a que las entradas han sido preparadas por los editores de la *Encyclopædia Britannica*, ellas reflejan las mismas normas de calidad que hacen famosa a Britannica. Esta edición sinóptica persigue satisfacer las necesidades circunstanciales de los lectores, estimulando a la vez su apetito de contar con un tratamiento más extenso de los temas relativos a personas, lugares e ideas, que es posible encontrar en los muchos otros productos de Britannica.

Las más de 27.000 entradas de la **Enciclopedia Universal Ilustrada** de **Britannica** varían en longitud, de 50 a 1.000 palabras aproximadamente; las entradas más breves corresponden a las remisiones directas, cuando son variantes del título de la entrada (p. ej., **Aachen** ver AQUISGRÁN), que son de gran utilidad. También existen unas 75.000 remisiones indirectas (referencias cruzadas) que figuran en el texto o al final de este y que remiten al lector a otra entrada relacionada. La obra contiene más de 2.500.000 palabras de texto, unas 4.800 fotografías, 150 dibujos y esquemas explicativos, además de 30 cuadros y tablas.

El lector encontrará abundante información en estos cuadros y tablas de la **Enciclopedia Universal Ilustrada** de **Britannica**, desde descripciones de los períodos geológicos o los meses del calendario musulmán hasta las diversas formas de medición del Sistema Internacional de Unidades, como también los galardonados con premios Nobel, o los dioses y diosas de las mitologías griega y romana.

Confiamos en que cualquiera sea el tema o problema de que se trate, esta obra enriquecerá la comprensión que el lector tenga de la materia y servirá a la vez de guía rápida y fidedigna de las diversas manifestaciones de la vida y del empeño humano.

Notas Explicativas

Alfabetización

Los artículos están alfabetizados palabra por palabra, y luego se alfabetizan letra por letra dentro de una palabra. Los títulos de entradas compuestos por más de una palabra se disponen en el orden alfabético de las palabras siguientes. Los títulos con idéntica grafía se ordenan de la siguiente manera: (1) nombres comunes, (2) personas y (3) lugares. Como ejemplos se presentan el caso de una palabra común y luego, el de un nombre propio:

Bancroft, George
banda
banda ancha
banda, ancho de
Banda de los cuatro
Banda, Hastings (Kamuzu)
Bandama, río

Maimónides, Moshé
Maine
Maine, destrucción del
Maine, Sir Henry (James Sumner)
Maine, Universidad de
Maintenon, Françoise d'Aubigné, marquesa de

Las otras reglas de alfabetización que rigen son: (1) Los signos diacríticos, apóstrofos, guiones largos o cortos, puntos, comas y signo & se omiten en la alfabetización. (2) Los nombres de monarcas y papas que son idénticos, salvo en lo que respecta al número romano que sigue al nombre, se ordenan numéricamente. (3) Los nombres que empiezan con *Mac-* y *Mc-* se ordenan según sus letras, vale decir, los nombres que empiezan con *Mac-* preceden a los nombres que empiezan con *Mc-*.

Estilo de los encabezamientos de las entradas

Las variantes nominales y de grafía de los encabezamientos de la enciclopedia están impresas en negrita cuando son de uso común; las variantes menos conocidas están impresas en tipografía romana.

Se utilizan varios vocablos en cursiva para distinguir entre las variantes. La indicación *o* señala otra posibilidad usual de nombre o grafía. La indicación *orig.* (*originalmente*) precede al nombre de nacimiento de una persona que figura con el nombre que adoptó o adquirió posteriormente. Cuando el apellido original de una persona es diferente del que aparece en el encabezamiento principal, se da el nombre de nacimiento in extenso, sin ponerlo entre paréntesis. La indicación *llamado(a)* precede a una forma común de referirse a una persona que puede no haber tenido nunca la condición oficial de tal. La indicación *post.* (*posteriormente*), por lo general precede al título otorgado a una persona en el curso de su vida. La indicación *ant.* (*anteriormente*) señala un nombre más antiguo, habitualmente desechado, de una entidad, por lo general una localidad geográfica. La indicación *ofic.* (*oficialmente*) designa la versión oficial o legal de un nombre. La indicación *p. ext.* (*por extensión*) precede a la versión completa de un nombre que generalmente aparece en su forma abreviada. Una indicación que denota el nombre de un idioma precede a la versión o grafía en lengua original de un nombre o vocablo.

Los encabezamientos de las entradas biográficas en especial pueden emplear paréntesis de diversas formas. Estos pueden contener partes del nombre de una persona que rara vez se usan, el nombre o nombres de pila originales, una adición posterior, como un título, o la traducción de títulos o epítetos.

tenis de mesa *o* **ping-pong**
Odín *o* **Wotan**
Bacall, Lauren *orig.* **Betty Joan Perske**
Eduardo I *llamado* **Eduardo Piernas Largas**
Comunidad Económica Europea (CEE) *post.* **Comunidad Europea (CE)**
Ho Chi Minh, Ciudad *ant.* **Saigón**
Lituania *ofic.* **República de Lituania**
GATT *sigla de* **General Agreement on Tariffs and Trade**
Boecio *p. ext.* **Anicius Manlius Severinus Boethius**
Aviñón *antig.* **Avennio**
Calais, paso de *inglés* **Strait of Dover**
Antioquía *turco* **Antakya**
Beijing *o* **Pei-ching** *convencional* **Pekín**
Doctorow, E(dgar) L(aurence)
Hughes, (James Mercer) Langston

En los encabezamientos de algunas entradas se usa el guión intermedio cuando sirve para poner en relación dos adjetivos gentilicios que conservan su referencia independiente (p. ej., **anglo-germano, acuerdo naval**). En otros casos, no se escribe guión intermedio cuando el sustantivo al que se aplica el gentilicio compuesto se fusionan los caracteres propios de cada uno de los adjetivos (p. ej., **anglosajona, literatura**).

Transcripción al alfabeto romano

Las palabras de idiomas que no usan el alfabeto romano u occidental por lo general reflejan la grafía que se usa más comúnmente en contextos en español.

Los nombres chinos casi siempre se transcriben según el sistema pinyin. Cuando un nombre o término chino aparece como encabezamiento, se da la antigua grafía Wade-Giles como variante precedida de *o*. Sin embargo, los nombres geográficos y biográficos taiwaneses, por lo general, figuran con la ortografía Wade-Giles y la versión pinyin como variante. Unas pocas palabras chinas de uso generalizado en español (por ejemplo, *taoísmo*) conservan su grafía tradicional en español.

Los nombres y vocablos japoneses generalmente se transcriben de acuerdo con el sistema Hepburn, pero sin los signos diacríticos que indican la longitud de la vocal.

Los nombres y vocablos rusos, por lo general, se transcriben de conformidad con las normas de equivalencia fonética empleadas por el inglés según el sistema del U.S. Board on Geographic Names y transferidas con modificaciones al español.

A los nombres y vocablos árabes se han introducido los símbolos como ayn (ʿ), hamz (ʾ), punto bajo las letras ḥ, ṣ y ṭ, macron (guión sobre letras ā, ī, ū). Salvo en unas pocas transliteraciones occidentales bien establecidas, la *l* del artículo *al-* o *el-* ("el" o "la") no se asimila a la consonante siguiente (por ende, empleamos la grafía *Hārūn al-Rashīd*, no *Harun ar-Rashid*), aunque tal asimilación refleja la pronunciación y a veces se encuentra en algunas fuentes en español.

Remisiones

Las remisiones indican en VERSALITAS el elemento alfabetizado del término o nombre. De ese modo, "R. DE NIRO" remite al lector a la letra D, "J.W. von GOETHE" a la letra G; isla CABO BRETÓN a la letra C, cabo de BUENA ESPERANZA a la letra B, y así sucesivamente. En el caso de nombres de personas en que no hay ambigüedad en cuanto al orden alfabético, el nombre entero aparece en letra versalita. Así, GEORGE WASHINGTON remite al lector a la letra W.

Un término remite en el texto a otro solamente cuando se presume que el lector de la entrada consultada, en el que aparece la remisión indirecta, desee ampliar la información proporcionada en dicho texto. Por consiguiente, muchos términos para los cuales existen las entradas correspondientes no se destacan como remisiones. Por ejemplo, en el artículo sobre Tim Berners-Lee, hemos remitido a "World Wide Web" (cuya invención fue su principal logro), pero no a la internet, a la que naturalmente remite el artículo "World Wide Web". Debido a que las remisiones de este tipo son discrecionales, los lectores no deben dar por sentado que un sustantivo carece de su propia entrada simplemente porque no se remite a él en el artículo que se consulta.

En aras del ahorro de espacio, a muchas personas que tienen sus propias entradas se les ha abreviado su nombre de pila y se les ha escrito el nombre y apellido en VERSALITAS cuando se mencionan en un artículo, independientemente de que el lector del artículo quiera que se le informe o no acerca de la entrada biográfica. En contraste con lo anterior, los nombres de países, estados de los Estados Unidos de América y provincias canadienses prácticamente nunca son objeto de remisiones, sin consideración de su importancia en relación con un artículo dado, en el supuesto de que los lectores darán por sentado correctamente que la enciclopedia contiene artículos sobre todas esas entidades.

Además, existen unas 3.000 remisiones directas, en su propio espacio alfabético, para guiar al lector que busca una variante del nombre o espera que una entrada esté alfabetizada de acuerdo con un elemento distinto del que efectivamente se usa.

inuit ver ESQUIMAL
abrasión litoral, plataforma de ver PLATAFORMA DE ABRASIÓN LITORAL
AC ver CORRIENTE ALTERNA
Abel ver CAÍN Y ABEL
Guillermo el Conquistador ver GUILLERMO I
Gilles de Rais ver BARBAZUL
Gallípoli, campaña de ver campaña de los DARDANELOS
Blanco, Monte ver MONTBLANC
Bergerac, Savinien Cyrano de ver Savinien CYRANO DE BERGERAC

Abreviaturas

abr.	abril
AC	antes de Cristo
acrón.	acrónimo
ago.	agosto
Ala.	Alabama
almte.	almirante
ant.	anteriormente
antig.	antiguamente
aprox.	aproximadamente
Ariz.	Arizona
Ark.	Arkansas
B.A.	Bachelor of Arts
B.Sc.	Bachelor of Science
c.	circa (hacia, o alrededor de)
C	celsius
cal.	caloría(s)
Cal.	California
cap.	capitán
cc	centímetro(s) cúbico(s)
CFA	Comunidad Financiera Africana
Cía.	Compañía
cm	centímetro(s)
cnel.	coronel
Col.	Colorado
cond.	condado
Conn.	Connecticut
corp.	corporación
DC	después de Cristo
D.C.	Distrito de Columbia
Del.	Delaware
dic.	diciembre
Dr.	Doctor
E	Este
E.A.U.	Emiratos Árabes Unidos
EE.UU.	Estados Unidos de América
ene.	enero
est.	estimado(a)
F	Fahrenheit
Fla.	Florida
feb.	febrero
g	gramo(s)
Ga.	Georgia
gob.	gobernador
gral.	general
h	hora(s)
ha	hectárea(s)
hab.	habitantes
i.e.	id est (es decir)
Ill.	Illinois
Ind.	Indiana
Jr.	Junior
jun.	junio
jul.	julio
K	kelvin
Kan.	Kansas
kg	kilogramo(s)
km	kilómetro(s)
km/h	kilómetro(s) por hora
Kw	kilovatio(s)
Kw/h	kilovatio(s) por hora
Ky.	Kentucky
La.	Luisiana
lb	libra(s)
m	metro(s)
m/h	metros por hora
m/s	metros por segundo
m.	minuto(s), muerto(a)
M.A.	Master of Arts
mar.	marzo
Mass.	Massachusetts
may.	mayor, mayo
M.B.A.	Master of Business Administration
Md.	Maryland
Me.	Maine
metrop.	metropolitana
mg	miligramo(s)
mi	milla(s)
mi/h	millas por hora
Mich.	Michigan
Minn.	Minnesota
Miss.	Mississippi
ml	mililitro(s)
mm	milímetro(s)
Mo.	Missouri
Mont.	Montana
M.S.	Master of Science
Mte., Mtes.	monte, montes
n.	nacido(a)
N	Norte
N.C.	Carolina del Norte
N.D.	Dakota del Norte
Neb.	Nebraska
Nev.	Nevada
N.H.	New Hampshire
N.J.	Nueva Jersey
N.M.	Nuevo México
nov.	noviembre
NU	Naciones Unidas
N.Y.	Nueva York
O	Oeste
oct.	octubre
ofic.	oficialmente
Okla.	Oklahoma
ONU	Organización de las Naciones Unidas
Ore.	Oregón
orig.	originalmente
oz	onza(s)
p. ej.	por ejemplo
p. ext.	por extensión
Pa.	Pensilvania
pdte.	presidente
Ph.D.	Doctor of Philosophy
pob.	población
post.	posteriormente
pulg.	pulgada(s)
r.	reinó
R.I.	Rhode Island
Rdo./Rev.	reverendo
R.U.	Reino Unido de Gran Bretaña e Irlanda del Norte
s	segundo(s)
s.	siglo(s)
S	Sur
S.C.	Carolina del Sur
S.D.	Dakota del Sur
sen.	senador
sep.	septiembre
t	tonelada(s)
Tenn.	Tennessee
Tm	tonelada(s) métrica(s)
U.R.S.S.	Unión de Repúblicas Socialistas Soviéticas
US$	dólares
v	voltio(s)
v.	versus
Va.	Virginia
vol.	volumen, volúmenes
Vt.	Vermont
W	vatio(s)
W.V.	Virginia Occidental
Wash.	Washington
Wisc.	Wisconsin
Wy.	Wyoming
yd	yarda(s)

A

a priori y a posteriori En EPISTEMOLOGÍA, conocimiento que es independiente de toda experiencia particular, opuesto al conocimiento a posteriori (o empírico), que deriva de la experiencia. Los términos tienen su origen en el debate escolástico medieval acerca de los conceptos aristotélicos (ver ESCOLÁSTICA). IMMANUEL KANT inició su uso actual, al analogar la DISTINCIÓN ANALÍTICO-SINTÉTICA con la distinción a priori-a posteriori para definir su teoría del conocimiento.

A Ying ver AYING

Aachen ver AQUISGRÁN

Aaiún, El Ciudad (pob., est. 1998: 164.000 hab.) del norte de África. Fue la capital (1940–76) de la provincia española de ultramar del SAHARA OCCIDENTAL y desde 1976, de la provincia marroquí de El Aaiún (aunque la soberanía de Marruecos no es reconocida internacionalmente). Está situada en la zona norte del Sahara Occidental, a 13 km (8 mi) del océano Atlántico. Fue establecida por España en 1938 como centro administrativo y militar para los europeos que vivían en la antigua provincia. Es el único asentamiento urbano importante del Sahara Occidental. Se abastece de agua de los oasis cercanos, donde se cultivan cereales y hortalizas.

Aalto, (Hugo) Alvar (Henrik) (3 feb. 1898, Kuortane, Finlandia, Imperio ruso–11 may. 1976, Helsinki). Arquitecto y diseñador finlandés. Se graduó en el Instituto tecnológico de Helsinki, y en 1925 contrajo matrimonio con Aino Marsio, quien fue su colaboradora. Su reputación se basa en un estilo característico que combina el modernismo clásico, materiales autóctonos (en especial madera) y expresión personal. Su peculiar mezcla de modernismo con un informal carácter regional, tiene posiblemente su mejor expresión en el centro cívico de Säynätsalo (1950–52), con sus formas simples en ladrillo rojo, madera y cobre. Es reconocido como uno de los más famosos arquitectos del movimiento moderno; en hogares de todo el mundo se encuentran reproducciones de sus muebles en madera laminada curvada.

Iglesia de Wolfsburg, Alemania, obra del arquitecto finlandés Alvar Aalto.

FOTOBANCO

aardvark ver CERDO HORMIGUERO

Aare, río *o* **río Aar** Río del centro y norte de Suiza, el más largo de los que se encuentran íntegramente dentro del país. Corre hacia el noroeste desde los ALPES BERNESES, atraviesa el cañón de Aare y pasa por la ciudad de BERNA antes de seguir hacia el nordeste para unirse al RIN, en Coblenza, después de un recorrido de 294 km (183 mi).

Aarhus ver ÅRHUS

Aarón (c. siglo XIV AC). Hermano de MOISÉS y, conforme con la tradición, fundador y cabeza del sacerdocio del antiguo Israel. Según la Biblia, Aarón fue el vocero de Moisés y jugó un papel decisivo en el proceso que obligó al faraón a permitir la salida de los israelitas de Egipto. Dios encomendó a Aarón y a Moisés que conmemoraran esa ocasión con la fiesta pascual. Moisés concedió la dignidad sacerdotal a Aarón y a sus hijos. A pesar de que Aarón fue uno de los personajes principales del ÉXODO, su figura pareciera desvanecerse de ahí en adelante. Es mencionado como uno de los responsables de la idolatría de los israelitas al becerro de oro, mientras Moisés estaba en el monte Sinaí recibiendo la Ley de Dios. Su muerte, a la edad de 123 años, quedó registrada en Números.

Aaron, Hank *seudónimo de* **Henry Louis Aaron** (n. 5 feb. 1934, Mobile, Ala., EE.UU.). Beisbolista estadounidense, uno de los mejores en la historia del béisbol profesional. Luego de un breve paso por las Ligas NEGRAS y posteriormente por las ligas menores, Aaron llega a las ligas mayores en 1954 como jardinero de los Milwaukee Braves. Cuando los Braves se trasladaron a Atlanta, Ga., en 1965, Aaron había bateado 398 *home runs*. En 1974 consiguió su *home run* número 715, quebrando así el récord impuesto por BABE RUTH. Jugó sus últimas dos temporadas profesionales (1975–76) con los Milwaukee Brewers. Aaron alcanzó récords *home runs* (755), batazos fuera de base (1.477) y carreras impulsadas (2.297) aún no superados, y sólo TY COBB y Pete Rose han podido mejorar su registro de batazos conectados (3.771). Aaron es reconocido como uno de los más grandes bateadores de todos los tiempos.

AARP *ant.* **American Association of Retired Persons** Organización independiente y sin fines de lucro dedicada a atender las necesidades e intereses de los estadounidenses mayores de 50 años. Fue fundada en 1958 por la profesora jubilada Ethel Andrus y se fusionó en 1982 con la Asociación nacional de profesores jubilados, también fundada por Andrus (1947). Su revista bimensual, *Modern Maturity*, es la publicación periódica de mayor circulación en EE.UU. Tiene más de 35 millones de miembros. A raíz de su alta participación en las elecciones, esta organización se ha convertido en uno de los grupos de presión más poderosos del país.

ab intestato ver SUCESIÓN INTESTADA

ABA ver AMERICAN BAR ASSOCIATION

ábaco Instrumento de cálculo que utiliza cuentas que se deslizan a lo largo de una serie de alambres o barras fijadas a un marco para representar las unidades, decenas, centenas, etc. Probablemente de origen babilónico, es el precursor de la calculadora digital moderna. Utilizado por mercaderes en la Edad Media a través de toda Europa y el mundo árabe, fue reemplazado en forma gradual por la aritmética basada en los NÚMEROS INDOÁRABES. Aunque poco usado en Europa después del s. XVIII, todavía se emplea en Medio Oriente, China y Japón.

Aarón en "La adoración del becerro de oro", óleo sobre tela de Nicolas Poussin, 1633–34; National Gallery Collection, Londres.

FOTOBANCO

abadejo Cualquiera de las dos especies de peces comestibles del Atlántico norte de importancia comercial y que pertenecen a la familia Gadidae (ver BACALAO). El *Pollachius* (o *Gadus*) *virens*, llamado carbonero en Europa, es de color verde oscuro con el vientre claro. Tiene una pequeña barba en el mentón (protuberancia carnosa), tres aletas dorsales y dos aletas anales. Es un pez carnívoro, activo y se desplaza generalmente en cardumen. Crece hasta un tamaño de 1,1 m (3,5 pies) y pesa hasta 16 kg (35 lb). La otra especie, *Theragra chalcogramma* o abadejo de Alaska, es muy similar a *P. virens*.

abadía Complejo de edificios que albergan a un MONASTERIO o convento, bajo la dirección de un abad o abadesa, que atiende las necesidades de una comunidad religiosa autónoma. La primera abadía fue la de MONTECASSINO en Italia, fundada en 529 por san BENITO DE NURSIA. El CLAUSTRO conectaba entre sí los elementos más importantes de una abadía. Las celdas (dormitorios) estaban generalmente construidas encima del refectorio (comedor), en el ala oriente del claustro, y comunicadas con la iglesia central. El ala poniente del claustro se destinaba al trato con el público, con la portería que controlaba la única salida al patio exterior público. En el ala sur del claustro estaban la cocina central, la cervecería y los talleres. El noviciado y la enfermería se situaban en un edificio que tenía su propia capilla, baños, comedor, cocina y jardín. Durante los s. XII–XIII se construyeron muchas abadías por toda Europa, especialmente en Francia.

Ruinas de la abadía Fountains Abbey, monasterio cisterciense fundado en el s. XII, cerca de Ripon, Yorkshire Septentrional, Inglaterra.
ANDY WILLIAMS

Abahai ver HONGTAIJI

abalón Cualquiera de las varias especies marinas de CARACOL (género *Haliotis*, familia Haliotidae), que se encuentran en los mares templados del mundo. La superficie externa de la única concha tiene una fila de pequeños agujeros, la mayoría de los cuales se rellenan a medida que el animal crece; algunos permanecen abiertos como desagüe para los desechos. Los abalones miden entre 10–25 cm (4–10 pulg.) de diámetro y hasta 8 cm (3 pulg.) de espesor. El abalón más grande (*H. rufescens*) mide 30 cm (12 pulg.). La concha se usa como ornamento debido a su lustrosidad e iridiscencia interna, mientras que el gran pie muscular es consumido como una exquisitez. En California, México, Chile, Japón y Sudáfrica existen industrias pesqueras y conserveras de abalones.

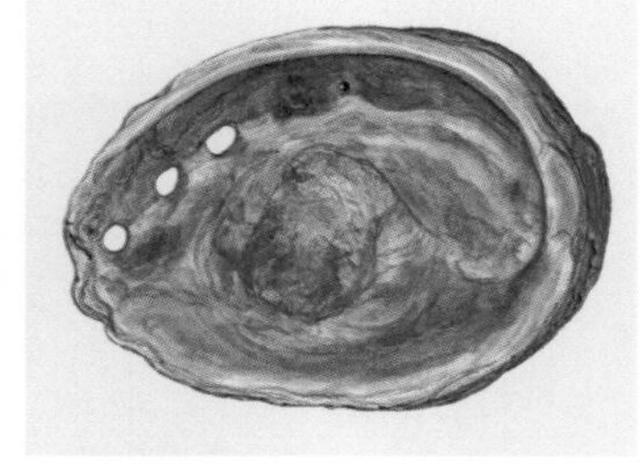

Abalón (*Haliotis rufescens*).
© ENCYCLOPÆDIA BRITANNICA, INC.

abanico Instrumento manual rígido o plegable, utilizado para refrescar, hacer circular el aire, como accesorio ceremonial o de vestir en todo el mundo desde la antigüedad. Como lo evidencian antiguos relieves egipcios, los primeros abanicos eran del tipo rígido, con un mango o vara fijado a una hoja rígida o a plumas. En China, el abanico plegable se puso de moda durante la dinastía Ming (1368–1644); en el Lejano Oriente adquirió mucha significación y varios grandes pintores chinos volcaron sus talentos a la decoración del abanico. En el s. XV, los comerciantes portugueses trajeron abanicos a Europa desde China y Japón. Durante el s. XIX, en Occidente, la decoración y el tamaño del abanico varió con la moda europea.

Abanico de mar, especie de coral (género *Gorgonia*).
STUART WESTMORLAND/THE IMAGE BANK/GETTY IMAGES

abanico de mar Cualquiera de unas 500 especies de CORAL (género *Gorgonia*) muy abundantes en aguas someras de las costas atlánticas de Florida, Bermudas e Indias Occidentales. Los PÓLIPOS crecen en colonias planas con forma de abanico. Cada pólipo posee tentáculos en un número que es múltiplo de seis, los que se despliegan en forma de una red para capturar el plancton. Un esqueleto interno sostiene todas las ramificaciones de la colonia. Los tejidos vivos (a menudo de color rojo, amarillo o naranja) cubren completamente el esqueleto. Por lo general, las colonias en abanico crecen a contracorriente, aumentando su capacidad para atrapar presas. Todas las especies crecen hasta unos 60 cm (2 pies) de alto.

abasí, dinastía (750–1258). La segunda de las dos grandes dinastías sunníes del califato islámico. El nombre de abasíes viene de un tío del profeta MAHOMA, al-ʿAbbās, cuyos descendientes conformaron uno de los varios grupos que demandaban reformas durante la dinastía OMEYA. Los omeyas impusieron un sello de chauvinismo árabe, relegando a los musulmanes no árabes a un estatus inferior. Esta situación provocó una revolución que llevó a los abasíes a reclamar el califato, impulsando una comunidad de creyentes más universal. Este cambio fue simbolizado por el traslado de la capital del califato desde DAMASCO a BAGDAD, región más próxima al centro geográfico del imperio y más cercana a la zona de influencia persa. Durante esta dinastía, la cultura islámica floreció y la filosofía y las ciencias alcanzaron su mayor desarrollo, por lo que muchos consideran esta época como la "edad de oro" del mundo islámico. En ese tiempo, sin embargo, el poder del califato comenzó a declinar lentamente a medida que fueron apareciendo centros de poder regionales a lo largo del imperio. Aunque el poder central fue en ocasiones reafirmado por califas obstinados, hacia el s. XIII la autoridad abasí era en gran parte espiritual. El último califa abasí fue ejecutado por los invasores mongoles, pero un califato fantasma (de dudosa autenticidad) siguió existiendo hasta principios del s. XX. Ver también ABŪ MUSLIM.

Abbado, Claudio (n. 26 jun. 1933, Milán, Italia). Director de orquesta italiano. Estudió piano, composición y dirección orquestal en el conservatorio Giuseppe Verdi, antes de empezar a dirigir en Viena. Estuvo mucho tiempo asociado con la SCALA de Milán (1968–86) en calidad de director titular y recientemente en el cargo de director artístico, así como con la Filarmónica de Viena y la Sinfónica de Londres. En 1989 sucedió a HERBERT VON KARAJAN como director permanente y artístico de la Filarmónica de Berlín. Es conocido por su compromiso con programaciones audaces, las que incluyen música moderna.

'Abbās I *llamado* **'Abbās el Grande** (27 ene. 1571–19 ene. 1629). Sha de Persia (1587–1629). Al suceder a su padre, Muḥammad Shah, fortaleció la dinastía SAFAWÍ, expulsando a las tropas otomanas y uzbekas, y creando un ejército permanente. 'Abās hizo de ISFAHÁN la capital de Persia, convirtiéndola en una de las más hermosas ciudades del mundo. La actividad artística alcanzó un alto grado de desarrollo durante su reinado; florecieron los manuscritos iluminados, la cerámica y la pintura. Los portugueses, holandeses e ingleses competían por tener relaciones comerciales con Persia. Tolerante en lo relativo a la vida pública (concedió privilegios a grupos cristianos) y preocupado por el bienestar de su pueblo, el temor por su seguridad personal lo motivó a actuar en forma despiadada en contra de su familia directa.

'Abbās I, detalle de una pintura de la escuela mogol de Jahāngīr, c. 1620; Freer Gallery of Art, Washington, D.C.
GENTILEZA DEL INSTITUTO SMITHSONIANO, FREER GALLERY OF ART, WASHINGTON, D.C.

Abbas, Ferhat (24 ago. 1899, Taher, Argelia–24 dic. 1985, Argel). Líder político argelino. Fue el primer presidente del gobierno provisional de la República de Argelia (1958). Originalmente francófilo, acabó por desilusionarse de Francia. Durante la segunda guerra mundial (1939–45) condenó la dominación francesa, exigiendo una constitución que concediera la igualdad a todos los argelinos. Se unió al FRENTE DE LIBERACIÓN NACIONAL (FLN), que ayudó a conseguir la independencia de Argelia (1958–62). Fue elegido presidente de la Asamblea Constituyente argelina en 1962, pero renunció en 1963 debido a conflictos en el seno del FLN. Ver también JÓVENES ARGELINOS.

'Abbās Hilmi I (1813–13 jul. 1854, Banhā, Egipto). Virrey de Egipto (1848–54) bajo el Imperio OTOMANO. Su gobierno fue de consolidación, al haber sido abandonadas o discontinuadas muchas de las reformas de corte occidental iniciadas por su abuelo MEHMET 'ALĪ. Aunque en general fue receloso de los extranjeros, permitió a los británicos construir un ferrocarril entre Alejandría y El Cairo en 1851. A cambio, los británicos lo apoyaron en las disputas con sus amos otomanos, a quienes ayudó, sin embargo, enviando tropas para combatir en la guerra de CRIMEA (1853). De carácter solitario, fue asesinado por dos sirvientes en su palacio de Banhā.

Abbate, Niccolo dell' *o* **Niccolo dell'Abate** (c. 1512, Módena, ducado de Módena–1571, Fontainebleau, Francia). Pintor italiano. Se formó en Módena y maduró su estilo bajo la influencia de sus contemporáneos CORREGGIO y PARMIGIANINO en Bolonia (1544–52). Allí se dedicó a hacer retratos y decorar palacios, con frescos de paisajes y composiciones figurativas al estilo manierista (ver MANIERISMO). En 1552 fue invitado por Enrique II de Francia para trabajar bajo las órdenes de FRANCESCO PRIMATICCIO en el palacio de FONTAINEBLEAU, donde realizó enormes murales (la mayoría hoy perdidos). Permaneció en Francia por el resto de su vida. Sus paisajes mitológicos fueron una fuente importante para la tradición del paisaje clásico francés. Es considerado precursor de CLAUDIO DE LORENA y NICOLAS POUSSIN.

"El paisaje con la muerte de Eurídice", pintura al óleo de Niccolo dell'Abbate; National Gallery, Londres.
GENTILEZA DEL DIRECTORIO DE LA NATIONAL GALLERY, LONDRES; FOTOGRAFÍA, A.C. COOPER LTD.

Abbe, Cleveland (3 dic. 1838, Nueva York, N.Y., EE.UU.–28 oct. 1916, Chevy Chase, Md.). Meteorólogo estadounidense con formación de astrónomo. En 1868 fue nombrado director del observatorio de Cincinnati, su interés se orientó hacia la meteorología e inauguró un servicio público de dicha especialidad. Este sirvió de modelo para el servicio nacional de meteorología, que se organizó poco tiempo después como una rama del Servicio de señales del ejército de EE.UU. En 1871 fue nombrado meteorólogo jefe de la rama, que en 1891 fue reorganizada bajo control civil con el nombre de U.S. Weather Bureau (Agencia meteorológica de EE.UU.) (posteriormente, National Weather Service [Servicio nacional climatológico]); se desempeñó en ese cargo por más de 45 años.

Abbey Theatre Teatro de Dublín. Se formó a partir del Teatro Literario Irlandés, fundado en 1899 por WILLIAM BUTLER YEATS y Lady AUGUSTA GREGORY para fomentar la dramaturgia nacional. Después de mudarse en 1904 con el elenco a un teatro remozado de la calle Abbey, codirigieron sus producciones junto con JOHN MILLINGTON SYNGE, montaron sus propias obras, además de otras encargadas a dramaturgos como SEAN O'CASEY. Entre sus estrenos importantes figuran *El hedonista del mundo occidental* (1907) de Synge y *La Osa Mayor y las estrellas* (1926) de O'Casey. En 1924, el Abbey se convirtió en el primer teatro del mundo anglófono en recibir subsidio estatal. Un incendio destruyó el recinto original en 1951, pero se construyó uno nuevo en 1966.

Abbey, Edward (29 ene. 1927, Home, Pa., EE.UU.–14 mar. 1989, Oracle, Ariz.). Escritor y ambientalista estadounidense. Abbey trabajó como guardaparques para el National Park Service (Servicio nacional de parques). Escribió varios libros que abordan el impacto negativo que ejerce la cultura de consumo sobre las tierras vírgenes norteamericanas. *Desert Solitaire* [Desierto solitario] (1968), una de sus obras más conocidas, está ambientada en el sudeste de Utah. Su novela, *The Monkey Wrench Gang* [La pandilla disociadora] (1975), narra las hazañas de una banda de fanáticos ambientalistas que ha inspirado a muchos activistas en la vida real.

Abbott, Berenice (17 jul. 1898, Springfield, Ohio, EE.UU.–9 dic. 1991, Monson, Me.). Fotógrafa estadounidense. Dejó la región del medio oeste estadounidense en 1918 para estudiar en Nueva York, París y Berlín. En París se convirtió en asistente de MAN RAY y EUGÈNE ATGET. En 1925 estableció su propio estudio y retrató a expatriados, artistas, escritores y coleccionistas parisienses. Recuperó y catalogó copias y negativos de Atget después de su muerte. En la década de 1930 fotografió distintos barrios de Nueva York para el WPA Federal Art Project, documentando su cambiante arquitectura; muchas de esas fotografías fueron publicadas en *Changing New York* (1939).

Abbott, Bud y Costello, Lou *orig.* **William Alexander Abbott** *y* **Louis Francis Cristillo** (2 oct. 1899, Asbury Park, N.J., EE.UU.–24 abr. 1974, Woodland Hills, Cal.) (6 mar. 1906, Paterson, N.J.–3 mar. 1959, East Los Angeles, Cal.). Dúo de comediantes estadounidenses. Se destacaron en el VODEVIL desde 1931 y en la radio a partir de 1938. A su primer éxito fílmico, *Reclutas* (1941), le siguieron más de 30 comedias BUFONESCAS, con Abbott interpretando a un hombre tosco y dominante ante el pueril payaso personificado por Costello. Actuaron por primera vez su célebre rutina "¿Quién está en primera?" en el filme *Tramposos entrampados* (1945). Su trabajo como dupla concluyó en 1957.

Abbott, Grace (17 nov. 1878, Grand Island, Neb., EE.UU.–19 jun. 1939, Chicago, Ill.). Asistente social, administradora pública, educadora y reformadora estadounidense. Se recibió en el Grand Island College, siguió estudios de posgrado en la Universidad de Nebraska y en la Universidad de Chicago, y se doctoró en ciencias políticas en 1909. En 1908 comenzó a trabajar en Hull House, de JANE ADDAMS, en Chicago, donde fue cofundadora de la Immigrants' Protective League (Liga protectora de inmigrantes). Como directora de la U.S. Children's Bureau (Oficina de la infancia) (1921–34), luchó por poner fin al trabajo infantil mediante leyes y limitaciones a los contratos federales. Promovió la aprobación pública de una enmienda constitucional que prohibiera el trabajo infantil, la que fue elevada a la consideración de los estados en 1924, pero nunca se ratificó. Su libro más famoso es *The Child and the State* [El niño y el Estado] (2 tomos, 1938).

Abbott, Lyman (18 dic. 1835, Roxbury, Mass., EE.UU.–22 oct. 1922, Nueva York, N.Y.). Ministro estadounidense. Hijo del escritor Jacob Abbott (n. 1803–m. 1879), abandonó el ejercicio de la abogacía para estudiar teología y se ordenó en 1860. Fue jefe de redacción del semanario *Illustrated Christian Weekly* desde 1870 y director del periódico *Christian Union*, de HENRY WARD BEECHER, en 1881. En 1888 sucedió a Beecher en el púlpito, en Brooklyn. Llegó a ser un exponente destacado del movimiento del SOCIAL GOSPEL (Evangelio social) que procuró aplicar la doctrina cristiana a los problemas sociales e industriales, rechazando tanto el socialismo como la economía del *laissez faire*. En otros asuntos, representó el punto de vista del protestantismo evangélico liberal.

La Cúpula de la roca, construida durante el gobierno de ʻAbd al-Malik ibn Marwān, Jerusalén.
GARY CRALLE/THE IMAGE BANK/GETTY IMAGES

Abbott, Sir John (Joseph Caldwell) (12 mar. 1821, St. Andrews, Canadá–30 oct. 1893, Montreal, Quebec). Primer ministro canadiense (1891–92). Estudió en la Universidad McGill en Montreal; se tituló de abogado en 1847 y en 1862 fue nombrado consejero de la reina. Entre 1855 y 1880 fue decano de la escuela de derecho de la Universidad McGill. Ocupó cargos en la asamblea legislativa (1857–74, 1880–87), fue senador y jefe de Gobierno. A la muerte de JOHN MACDONALD, fue el candidato de compromiso para el cargo de primer ministro. En 1892, debió renunciar por razones de salud.

ABC *sigla de* **American Broadcasting Co.** Gran cadena de televisión estadounidense. Comenzó cuando la cadena nacional de radio en expansión NBC se dividió en 1928 en dos cadenas independientes, la Azul y la Roja. Para evitar un monopolio de las comunicaciones, la NBC fue obligada a vender la cadena Azul en 1941. Su comprador, Edward J. Noble, fabricante de los dulces Life-Savers, le dio su nombre actual a la compañía. Después de fusionarse con United Paramount Theaters en 1953, ABC se expandió hacia la naciente industria de la televisión y pronto se convirtió en una de las tres cadenas más importantes. Se especializó en la transmisión de deportes y desarrolló la repetición instantánea en 1961. La cadena fue comprada por Capital Cities Communications en 1985 y por la Walt Disney Co. en 1995.

ABC Periódico español de circulación nacional, uno de los más antiguos del país, cuyo nombre corresponde a las tres primeras letras del alfabeto. Creado primero como un semanario (en 1903 durante el reinado de ALFONSO XIII), su director y fundador fue Torcuato Luca de Tena por más de dos décadas. Dos años después de su fundación (1905) se transformó en un diario de orientación monárquica y conservadora. Fue incautado durante la guerra civil ESPAÑOLA por el gobierno del Frente Popular. Tras retornar a sus legítimos dueños, se consolidó como uno de los diarios más prestigiosos de España. Pertenece al grupo Vocento, que publica otros 11 diarios regionales, y que además tiene participación en radio, televisión y en otros dos diarios en Argentina, *La Voz del Interior* de Córdoba y *Los Andes* de Mendoza, en asociación con el Grupo Clarín (ver periódico CLARÍN) y S.A. La Nación (ver periódico La NACIÓN).

ʻAbd Allāh (ibn Muḥammad al-Taʻāʼishī) *o* **ʻAbdullahi** (1846, Sudán–24 nov. 1899, Kordofán). Líder político y religioso que sucedió a Muḥammad Aḥmad (al-ʻMahdī) en la dirección del movimiento MAHDISTA de Sudán en 1885. Lanzó ataques contra los etíopes e invadió Egipto, asegurando su posición hacia 1891. En 1896, las fuerzas angloegipcias comenzaron a reconquistar Sudán. ʻAbd Allāh resistió hasta 1898, cuando fue forzado a huir de OMDURMAN. Murió en batalla un año más tarde.

ʻAbd al-Malik ibn Marwān (646/647, Medina, Arabia–oct. 705, Damasco). Quinto califa (685–705) de la dinastía OMEYA. Fue forzado a huir de Medina, su ciudad natal, durante una sublevación contra el gobierno omeya en 683. Dos años más tarde ascendió al califato y con la ayuda de su tristemente célebre lugarteniente, AL-ḤAJJĀJ IBN YŪSUF, inició una campaña que duró siete años para sofocar todas las rebeliones contra los omeyas y reunificar el mundo musulmán. Reanudó la conquista de África del norte, logrando el apoyo de los bereberes y capturando Cartago (697) de manos del Imperio BIZANTINO. Sus buenas relaciones con el clero de Medina condujeron a que muchos desistieran de oponerse a los omeyas. Hizo del árabe la lengua oficial del gobierno en todo el imperio, acuñó monedas de oro musulmanas en reemplazo de las bizantinas y construyó la CÚPULA DE LA ROCA en Jerusalén.

ʻAbd al-Muʼmin ibn ʻAlī (1094, Tāgrā, reino de los Ḥammādíes–1163, Rabat, Imperio almohade). Califa BEREBER (1130–63) de la dinastía ALMOHADE. Hacia 1117 cayó bajo el dominio de Ibn Tūmart, fundador del movimiento religioso almohade, uniéndose a su lucha contra la dinastía gobernante ALMORÁVIDE. Sucedió a Ibn Tūmart después de su muerte en 1130 y durante los 17 años que siguieron, continuó la lucha contra los almorávides. Después de derrotarlos en Marrakech, en 1147, masacró a muchos de los habitantes de la ciudad, convirtiéndola en su base de operaciones. Conquistó toda África del norte, al oeste de Egipto.

ʻAbd al-Raḥmān III (ene. 891–15 oct. 961, Córdoba, España musulmana). Primer CALIFA y principal gobernante de la dinastía árabe musulmana de los omeya en España. Sucedió a su abuelo ʻAbd Allāh como emir de CÓRDOBA en 912. Su primera tarea fue someter a los rebeldes musulmanes atrincherados en sus fortalezas montañosas, lo que se tradujo en campañas anuales que se prolongaron hasta la conquista omeya de Toledo en 933. Respondiendo a la amenaza cristiana del norte, condujo las campañas de Muez (920) y Navarra (924). En 928 se autoproclamó califa. Hacia 958 los reyes cristianos le rendían pleitesía. Durante su gobierno, Córdoba se destacó por su desarrollo cultural, político y social; las comunidades cristiana y judía florecieron, y la ciudad rivalizó en celebridad con Constantinopla, la capital bizantina.

Interior de la mezquita de Córdoba, Andalucía, España, monumento de la arquitectura islámica, ampliada durante el gobierno de 'Abd al-Raḥmān III.
TERRY WILLIAMS/PHOTOGRAPHER'S CHOICE/GETTY IMAGES

'Abd al-Ṣamad (c. siglo XVI). Miniaturista persa de origen iraní. Viajó a India y allí se convirtió en uno de los primeros miembros del taller imperial. Por medio de sus enseñanzas en India, él y su compatriota MĪR SAYYID 'ALĪ jugaron un rol muy importante en la fundación de la escuela de arte MOGOL. 'Abd al-Ṣamad supervisó la mayoría de las ilustraciones del manuscrito mogol *Dāstān-e Amīr Ḥamzeh* o *Hamzanama*, el cual incluía cerca de 1.400 pinturas. Favorito de la corte, en 1576 fue nombrado maestro de la casa de moneda y en 1584 se le otorgó el cargo de *dīwān* (comisionado de impuestos) de Multaān.

Abd el-Krim *p. ext.* **Muḥammad ibn 'Abd al-Karīm al-Khaṭṭābī** (1882, Ajdir, Marruecos–6 feb. 1963, El Cairo, Egipto). Líder de la resistencia BEREBER contra el dominio español y francés en el norte de Marruecos. Fue el juez supremo musulmán en el distrito marroquí de Melilla. Desilusionado de las políticas españolas, acabó por liderar un movimiento de resistencia junto a su hermano. Estableció la República del Rif (ver RIFEÑO), en 1921, convirtiéndose en su presidente. En 1926 fue obligado a rendirse cuando enfrentó un ejército conjunto de Francia y España. Exiliado en la isla Reunión, en 1947 recibió la autorización de vivir en Francia, pero en el trayecto se asiló en Egipto. Cuando Marruecos obtuvo la independencia (1956), MUHAMMAD V lo invitó a regresar, pero se rehusó debido a la presencia de tropas francesas en África del norte.

Abdelkader *p. ext.* **'Abd al-Qādir ibn Muḥyī al-Dīn ibn Musṭafā al-Ḥasanī al-Jazā'irī** (6 sep. 1808, cerca de Mascara, Argelia–26 may. 1883, Damasco, Siria). Fundador de la Argelia moderna y líder de su lucha contra los franceses. Su padre había dirigido una campaña de hostigamiento contra los franceses que invadieron Argelia en 1830; lo sucedió como emir en 1832. Hacia 1837, mediante batallas y tratados, había logrado establecer su autoridad sobre la mayor parte del interior de Argelia, dejando a los franceses el control de algunas ciudades portuarias. Organizó un verdadero Estado, imponiendo impuestos igualitarios y suprimiendo los privilegios de las tribus guerreras. Fortificó las ciudades del interior, creó arsenales y talleres y expandió la educación. Los franceses derrotaron a sus fuerzas, arrestándolo en 1846. Dejado en libertad bajo palabra en 1853, escogió una vida de exilio, estableciéndose finalmente en Damasco. Reverenciado por sus ideales y su vida ejemplar, en 1860 demostró ser un modelo de decencia y probidad cuando, con gran riesgo para su propia seguridad, dio refugio a miles de cristianos durante un alzamiento druso. Murió siendo respetado tanto por franceses como argelinos (y muchos otros en todo el mundo). Se le reconoce como el héroe nacional argelino.

Abdera Ciudad de la antigua TRACIA, a orillas del mar Egeo, casi al frente de TASOS. Fundada originalmente en el s. VII AC, fue colonizada por segunda vez c. 540 AC. Próspera integrante de la Liga de DELOS, fue devastada durante el s. IV AC por las invasiones tracias. Fue la patria de DEMÓCRITO y PROTÁGORAS.

Abdías (c. siglos IX–VI AC). Uno de los 12 profetas menores que menciona la Biblia, autor tradicional del libro de Abdías. Este libro es el más breve de las Escrituras hebreas. Consta de un solo capítulo de 21 versos (aunque es parte de una colección más extensa, *El Libro de los Doce*, del canon judío). Nada se sabe acerca de Abdías, cuyo nombre significa "siervo de Yahvé (Dios)". Abdías fustiga a Edom por no ayudar a Israel a repeler los invasores extranjeros y anuncia que el Día del Juicio está cerca para todas las naciones. Los versos finales predicen la restauración de los judíos en su tierra original.

abdominal, cavidad El mayor espacio vacío del cuerpo, situado entre el DIAFRAGMA y la cima de la cavidad pelviana y rodeado por la columna, los músculos ABDOMINALES y otros. Contiene la mayor parte del canal ALIMENTARIO, el HÍGADO, el PÁNCREAS, el BAZO, los RIÑONES y las GLÁNDULAS SUPRARRENALES. Está recubierta por el peritoneo, membrana que cubre su pared interna (peritoneo parietal) y cada órgano o estructura alojado en ella (peritoneo visceral). Sus afecciones son la ascitis (líquido en la cavidad peritoneal) y la PERITONITIS.

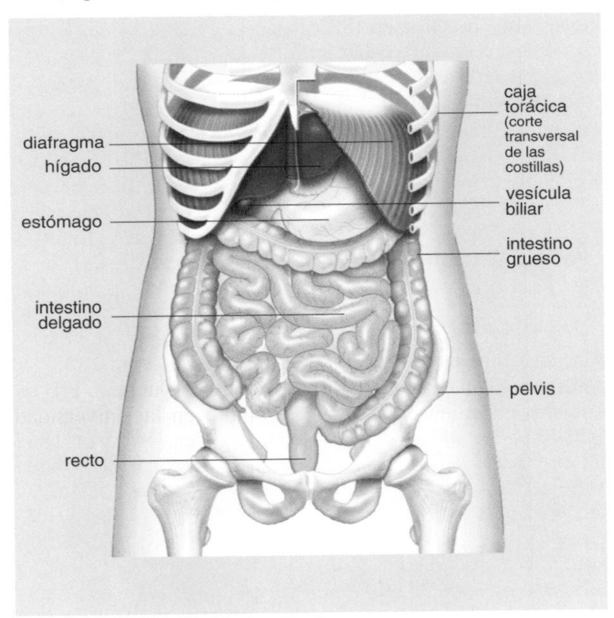

Cavidad abdominal con los órganos digestivos en su ubicación real.
© ENCYCLOPÆDIA BRITANNICA, INC.

abdominales, músculos Conjunto de músculos de las paredes anterior y laterales de la cavidad ABDOMINAL. Los músculos oblicuo externo, oblicuo interno y transverso del abdomen se extienden en tres capas planas, desde cada lado de la columna entre las costillas inferiores y el hueso de la cadera. Los músculos abdominales se adhieren a las aponeurosis, vainas de tejido conectivo que se fusionan en la línea media, envolviendo al músculo recto del abdomen situado a cada lado de ella. Los músculos abdominales sostienen y protegen a los órganos internos y participan cuando la persona respira, tose, orina, defeca, da a luz y en los movimientos del tronco, de la ingle y de las extremidades inferiores.

'Abduh, Muḥammad (1849, Egipto–1905, Alejandría). Religioso egipcio, erudito del ISLAM, jurista y reformador liberal. Siendo estudiante en El Cairo, fue influenciado por

Jamal al-Din al-Afghani. Exiliado por su radicalismo político (1882–88), comenzó su carrera jurídica al retornar a Egipto. En 1899 ascendió desde la posición de juez a muftī (consejero legal). En su *Tratado acerca de la unicidad de Dios* argumentó que el Islam es superior al CRISTIANISMO porque fue más receptivo a la ciencia y a la civilización. Liberalizó la ley y la administración islámica, promoviendo conceptos de equidad, bienestar y sentido común, a pesar de que significaba alejarse de la lectura textual del Corán.

Abdul-Jabbar, Kareem *orig.* **(Ferdinand) Lew(is) Alcindor** (n. 16 abr. 1947, Nueva York, EE.UU.). Basquetbolista estadounidense. Durante su trayectoria como jugador universitario de la UCLA, su equipo sólo perdió dos partidos y ganó tres campeonatos nacionales (1966–68). Luego se unió a los Milwaukee Bucks, y en 1975 fue vendido a Los Angeles Lakers. Con 2 m 17 cm de estatura (7 pies 1³/₈ pulg.) fue el pívot dominante de su época y ayudó a sus equipos a ganar seis títulos de la NBA. Cuando se retiró, en 1989, había establecido los siguientes récords: puntos marcados, 38.387; dobles, 15.837; minutos jugados, 57.446. Fue elegido Jugador Más Valioso en seis ocasiones.

Abdul Kalam, A(vul) P(akiri) J(ainulabdeen) (n. 15 oct. 1931, Rameswaram, India). Presidente de India (desde 2002). Después de graduarse en el Instituto indio de tecnología de Madrás, Kalam desempeñó un papel esencial en el desarrollo de los programas de misiles y armas nucleares de India. El programa que diseñó y permitió la construcción de varios misiles operativos le valió el apodo de "el hombre misil". A principios de la década de 1990, también trabajó como asesor científico del gobierno y gracias a su destacada participación en las pruebas nucleares indias de 1998, se convirtió en un héroe nacional. En 2002, la Alianza Democrática Nacional india nombró a Kalam, de religión musulmana, como sucesor del presidente saliente K.R. Narayanan. Kalam ganó sin mayor dificultad las elecciones de 2002 y desde ese cargo, básicamente protocolar y representativo, ha procurado utilizar la ciencia y la tecnología para transformar a India en un país desarrollado.

Especies de abedul.

Abdul Rahman, Tunku (8 feb. 1903, Alor Star, Kedah, Estados Malayos–6 dic. 1990, Kuala Lumpur, Malasia). Primero en desempeñarse como primer ministro de la Federación Malaya (1957–63) y luego de Malasia (1963–70). Se educó en Inglaterra, y trabajó en el Departamento legal federal malayo (1949–51) antes de dedicarse a la política. Como presidente de la UMNO (United Malays National Organization), Abdul Rahman persuadió a grupos políticos chinos e indios para que ingresaran al Partido de la Alianza, que ganó con una abrumadora mayoría la elección de 1955. Negoció con Gran Bretaña los términos de la independencia, consiguiéndola en 1957. La Federación de Malasia fue creada en 1963.

Abdülhamid II (21 sep. 1842, Constantinopla–10 feb. 1918, Constantinopla). Sultán (1876–1909) del Imperio OTOMANO. Bajo su gobierno, el movimiento reformista TANZIMAT alcanzó su apogeo. Después de promover la primera constitución otomana (principalmente para evitar la intervención extranjera), la suspendió 14 meses más tarde, y de ahí en adelante gobernó despóticamente. Recurrió al panislamismo para dar a conocer el pensamiento islámico fuera de su imperio. Construyó el ferrocarril de Hejaz con aportes extranjeros. El descontento con su gobierno absolutista y el resentimiento por la intervención europea en los Balcanes provocaron su derrocamiento por los JÓVENES TURCOS en 1908. Ver también MUSTAFÁ KEMAL ATATÜRK; ENVER BAJÁ; MIDHAT BAJÁ.

'Abdullahi ver 'ABD ALLĀH

abedul Cualquiera de unas 40 especies de árboles y arbustos maderables y ornamentales, de corta vida del género *Betula*, el más amplio de la familia Betulaceae, la cual también incluye ALISOS, AVELLANOS, *Carpinus* (carpe) y los géneros *Ostrya* y *Ostryopsis*. Los abedules se hallan por doquier en las regiones frías del hemisferio norte; se encuentran otros miembros de la familia Betulaceae en las zonas templadas y subárticas del hemisferio norte, en las montañas tropicales y de un extremo a otro de los Andes en América del Sur hasta la Argentina. Sus hojas son simples, aserradas y alternas; las flores masculinas y femeninas (AMENTOS) se dan en la misma planta. El fruto es una pequeña NUEZ o sámara alicorta (fruto seco, alado). Los abedules producen madera de importancia comercial. El aceite que se obtiene de las ramillas del abedul huele y sabe a pirola y se utiliza en el curtido del cuero ruso (ver CURTIDO).

abedul papirífero Árbol de sombra, maderable y ornamental (*Betula papyrifera*) de la familia Betulaceae (ver ABEDUL), nativo del centro y sur de América del Norte. También llamado abedul canoero, plateado o blanco, es uno de los abedules más conocidos. La corteza lisa, abigarrada o blanca de los árboles nuevos, se descascara horizontalmente en delgadas láminas, que se usaron otrora como superficies para escribir, así como en techumbres y en la fabricación de canoas y calzado. La corteza, impermeable al agua, que arde aun estando húmeda, es una bendición para los excursionistas.

abeja Cualquiera de unas 20.000 especies de INSECTOS que pertenecen a la superfamilia Apoidea (orden Hymenoptera), incluido el conocido ABEJORRO. Los adultos tienen un tamaño que fluctúa entre 2 mm y 4 cm (0,08–1,6 pulg.). Las abejas están emparentadas con las AVISPAS, pero a diferencia de estas, que pueden consumir otros insectos, la mayoría de las abejas son completamente dependientes de las flores para alimentarse. Por lo general, las abejas macho viven poco tiempo y nunca recolectan polen; las abejas hembra arman el nido y lo proveen de alimento, y generalmente cuentan con estructuras anatómicas especiales para transportar el polen. La mayoría de las especies son solitarias. Las llamadas abejas asesinas, una subespecie africanizada de *Apis mellifera* (ver ABEJA COMÚN), llegaron a EE.UU. y a América del Sur desde México c. 1990; estas abejas reaccionan rápidamente y atacan en enjambre. Ver también KARL VON FRISCH.

abeja común En general, cualquier ABEJA que fabrique miel (cualquier insecto que pertenezca a la tribu Apini, familia Apidae); más exactamente, una de las cuatro especies que constituyen el género *Apis*. El término se aplica por lo general a una especie, la abeja común doméstica (*A. mellifera*), también conocida como la abeja doméstica europea o abeja común occidental. Las otras especies de *Apis* están confinadas a Asia. *A. mellifera* mide usualmente cerca de 1,2 cm (0,5 pulg.) de largo. Todas las abejas comunes son insectos sociales que viven en nidos o colmenas. Las abejas tienen tres CASTAS: obreras (hembras sin desarrollo), reinas y zánganos (machos sin aguijón). Ver también APICULTURA.

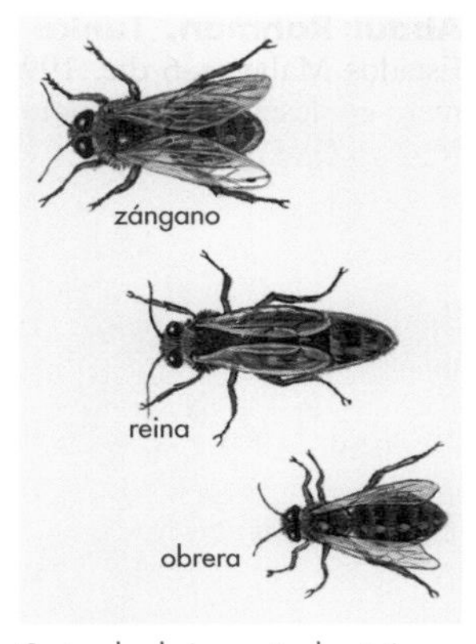

Castas de abeja común doméstica (*Apis mellifera*).
© ENCYCLOPÆDIA BRITANNICA, INC.

abejaruco Cualquiera de unas 25 especies de aves de colorido vistoso (familia Meropidae) que se alimentan de abejas, avispas y otros insectos. Los abejarucos se encuentran en las zonas tropical y subtropical de Eurasia, África y Australasia (una especie llega ocasionalmente a las islas Británicas). Los abejarucos miden entre 15 y 35 cm (6–14 pulg.) de longitud. Su pico es de moderada longitud, levemente curvo hacia abajo y puntiagudo. Su plumaje vistoso es predominantemente verde, pero muchas especies tienen tonalidades rojas, amarillas, azules o moradas.

Abejaruco (*Merops apiaster*).
S.C. PORTER–BRUCE COLEMAN LTD.

abejorro Cualquiera de los miembros de dos géneros de insectos que constituyen la tribu Bombini (familia Apidae, orden Hymenoptera), que se encuentran en casi todo el mundo, pero de preferencia en climas templados. Los abejorros son robustos y velludos y miden entre 1,5 y 2,5 cm (0,6–1 pulg.) de longitud. Por lo general, son negros con bandas anchas de color amarillo o naranja. Las especies *Bombus* construyen nidos de preferencia en el suelo, frecuentemente en nidos abandonados de aves o de ratones. Viven en grupos organizados con una reina, zánganos y obreras (ver CASTA). Las especies *Psithyrus* son parásitos sociales (ver PARASITISMO) y ponen sus huevos en los nidos de *Bombus*, donde los huevos y larvas son cuidados por las obreras *Bombus*.

Abejorro (*Bombus americanorum*).
© ENCYCLOPÆDIA BRITANNICA, INC.

Abel ver CAÍN Y ABEL

Abelardo, Pedro (1079, Le Pallet, cerca de Nantes, Bretaña–21 abr. 1142, priorato de Saint-Marcel, cerca de Chalon-sur-Saône, Borgoña). Teólogo y filósofo francés. Hijo de un noble, renunció a su herencia para estudiar filosofía. Fue nombrado tutor de Eloísa, sobrina de un canónigo de París, c. 1114. Abelardo y Eloísa se enamoraron; ella quedó encinta, por lo que decidieron casarse en secreto. El tío de Eloísa hizo castrar a Abelardo, después de lo cual este se hizo monje y Eloísa entró a un convento. La *Teología* de Abelardo fue condenada por herética en 1121. Para alejarse de la polémica, aceptó el puesto de abad en un monasterio en Bretaña en 1125, pero sus relaciones con la comunidad se deterioraron a un nivel tal, que tuvo que huir para salvar su vida. Desde c. 1135, Abelardo enseñó en el monasterio de Mont-Sainte-Geneviève, donde escribió su *Ética*, en la que analiza la noción de pecado. En 1140 fue de nuevo condenado por hereje; se retiró entonces al monasterio de CLUNY. Su influyente obra *Sic et non*, una colección de escritos de los padres de la Iglesia acerca de tópicos variados y aparentemente contradictorios, fue un intento por atraer lectores hacia la verdad mediante la contraposición de opiniones divergentes. También escribió una autobiografía, *Historia de mis desventuras*, pero su trabajo más conocido es la serie de cartas que intercambió con Eloísa después de que ambos se retiraron a la vida monástica.

abenaki *o* **abnaki** Confederación de pueblos indígenas norteamericanos que hablan lenguas ALGONQUINAS; viven principalmente en Quebec, Canadá, y en Maine, EE.UU. Los abenaki actuales consideran como su territorio originario la parte sur de Quebec y los estados de Vermont, New Hamp-shire y parte de Maine y Nueva York, en EE.UU. Su nombre significa "pueblo del alba" o "pueblo del este". También se llama abenaki a otros grupos –como los androscoggin, kennebec, maliseet, ouarastegouiak, passamaquoddy, patsuiket, penobscot, pigwacket, micmac, pennacook, rocameca, sokoni y wewenoc– que formaron la confederación abenaki para resistir a la Confederación IROQUESA, especialmente a los mohawks. En el s. XVII apoyaron a los franceses en la lucha contra los ingleses, pero tras graves derrotas, se retiraron a Canadá, donde muchos se establecieron en Saint-François-du-Lac y Becancour, cerca de Trois-Rivières en Quebec. También existen reservas en Maine y en Nueva Brunswick, Canadá. Su población asciende a 12.000 personas.

Abeokuta Ciudad (pob., est. 1996: 424.000 hab.) del sudoeste de Nigeria. Situada a 96 km (60 mi) aprox. al norte de LAGOS, fue fundada c. 1830 como un refugio contra los cazadores de esclavos. Ciudad principal de los egba, quienes mantuvieron una relación funcional con los británicos durante largo tiempo hasta que fue incorporada a la Nigeria británica en 1914. La ciudad actual es un centro agrícola y exportador.

Aberdeen Ciudad (pob., 2001: 212.125 hab.) y puerto comercial a orillas del mar del Norte, en el este de Escocia. Constituye el municipio de Aberdeen, un enclave dentro del municipio circundante de Aberdeenshire, que también fue el nombre del condado histórico del cual Aberdeen fue sede. Situada en la desembocadura de los ríos Dee y Don, es el puerto principal del norte de Escocia. Fue comuna real desde el s. XII y residencia real escocesa en los s. XII–XIV. Apoyó a ROBERTO I en las guerras por la independencia escocesa y durante un tiempo fue el cuartel general de EDUARDO I. Desde la década de 1970, Aberdeen se ha desarrollado rápidamente como el principal centro británico de la industria petrolera del mar del Norte y de las industrias de servicios y abastecimiento conexas.

Aberdeen, George Hamilton-Gordon, 4° conde de (28 ene. 1784, Edimburgo, Escocia–14 dic. 1860, Londres, Inglaterra). Secretario de asuntos exteriores y primer ministro británico (1852–55). Como embajador especial en Austria en 1813, contribuyó a formar la coalición que derrotó a NAPOLEÓN I. Como secretario de asuntos exteriores (1828–30, 1841–46), resolvió los conflictos limítrofes entre Canadá y EE.UU.

4° conde de Aberdeen, detalle de una pintura al óleo de Sir Thomas Lawrence, 1828; colección del vizconde Cowdray.
GENTILEZA DE LA SCOTTISH NATIONAL PORTRAIT GALLERY, EDIMBURGO

con el tratado WEBSTER-ASHBURTON y el tratado de Oregón (ver cuestión de OREGÓN). Como primer ministro formó una coalición de gobierno, pero su indecisión dificultó los esfuerzos por mantener la paz, con lo que involucró a Gran Bretaña en la guerra de CRIMEA. Tuvo que asumir la responsabilidad constitucional de los errores cometidos por los generales británicos en la guerra y renunció en 1855.

Aberhart, William (30 dic. 1878, Kippen, Ontario, Canadá–23 may. 1943, Vancouver, Columbia Británica). Político canadiense y primer ministro (Alberta, 1935–43) del país, perteneciente al Partido del Crédito Social. Dirigió un colegio secundario en Calgary, Alberta (1915–35). Fue un activo predicador y fundó el Instituto Bíblico Profético de Calgary (1918). En 1932 apeló a su retórica evangélica para promover teorías de reforma monetaria con el fin de resolver las dificultades económicas que surgieron en Alberta a raíz de la gran depresión; como solución proponía repartir dividendos (crédito social) a cada persona, sobre la base de la riqueza efectiva de la provincia. En 1935 cuando su partido obtuvo la mayoría en las elecciones provinciales, asumió los cargos de premier y ministro de educación, pero el gobierno federal rechazó sus propuestas de crédito social.

Abernathy, Ralph David (11 mar. 1926, Linden, Ala., EE.UU.–17 ago. 1990, Atlanta, Ga.). Pastor y líder del movimiento por los derechos civiles en EE.UU. Estudió en la Universidad de Alabama y en la Universidad de Atlanta. En 1948 se ordenó ministro baptista y en 1951 se convirtió en pastor de la Primera Iglesia baptista, en Montgomery, Ala. Algunos años más tarde conoció a MARTIN LUTHER KING, JR., cuando este fue designado pastor de otra Iglesia baptista en la misma ciudad. En 1955–56, ambos organizaron un boicot pacífico contra la red de autobuses urbanos, suceso que dio inicio al movimiento por los DERECHOS CIVILES en EE.UU. Ambos fundaron la conferencia de LÍDERES CRISTIANOS DEL SUR en 1957, llegando a asumir la presidencia en 1968, cuando King murió asesinado; en 1977 renunció al cargo para reanudar su labor de pastor en Atlanta. En 1989 se publicó su autobiografía titulada *And the Walls Came Tumbling Down* [Y los muros se desplomaron].

aberración Desviación de rayos de luz causada por LENTES o espejos que hace que las imágenes resulten borrosas. La aberración esférica ocurre cuando la curvatura de un lente o un espejo hace que los rayos incidentes, cerca de sus bordes, converjan a un foco en un punto diferente a aquel en el que lo hacen los que provienen del centro. Por ello, resultan imágenes borrosas. La aberración cromática se produce en lentes, pero no en espejos, por una falla que consiste en que los colores (LONGITUDES DE ONDA) no se enfocan todos en el mismo plano; la imagen aparece borrosa y con bordes difusos irisados. Ver también ASTIGMATISMO.

aberración de la luz Desplazamiento aparente de una estrella u otro cuerpo celeste como resultado del movimiento orbital de la Tierra alrededor del Sol. El desplazamiento máximo es cerca de 20,49 segundos de arco. Depende de la razón entre la velocidad orbital de la Tierra y la velocidad de la LUZ, así como de la dirección de movimiento de la Tierra, y por lo tanto, permite confirmar que es la Tierra la que orbita alrededor del Sol y no a la inversa.

abeto Cualquiera de unas 40 especies de árboles que forman el género *Abies*, de la familia Pinaceae (ver PINO). Muchas otras CONÍFERAS siempreverdes (p. ej., PINO OREGÓN, especies del género TSUGA) se llaman también comúnmente abetos. Los abetos genuinos son originarios de Norte y Centroamérica, Europa, Asia y África del norte. Se distinguen de otros géneros de la familia Pinaceae por sus hojas aciculares, que nacen directamente de la rama y tienen bases parecidas a ventosas, que dejan cicatrices circulares visibles cuando caen.

Abeto balsámico (*Abies balsamea*).

En Norteamérica existen diez especies nativas de abetos, que se encuentran principalmente desde las montañas Rocosas al oeste. La madera de la mayoría de estos abetos es inferior a la del pino o la picea (ver género PICEA), pero se usa como madero y para producir pulpa (para la fabricación de papel). De las dos especies de abetos que se encuentran en el este de EE.UU. y Canadá, el más conocido es el abeto balsámico (*A. balsamea*), un árbol popular ornamental y navideño.

Abhayagiri Centro monástico budista THERAVADA construido en Anuradhapura, entonces capital de Ceilán (Sri Lanka), por el rey Vattagamani Abhaya (r. 29–17 AC). Originalmente estuvo asociado con el cercano Mahavihara ("Gran monasterio"), pero pronto se escindieron a causa de una disputa sobre las relaciones entre los monjes y la comunidad laica, y por el uso de obras en sánscrito para aumentar los textos en pali, dándoles valor de Escrituras. Abhayagiri ganó riqueza y poder bajo el patrocinio de Gajabahu I (113–35 DC) y floreció hasta que la ciudad de Anuradhapura fue abandonada en el s. XIII. Dos de sus principales academias funcionaron hasta el s. XVI.

Abhidharma pitaka Tercera y última colección de textos que comprenden el canon pali (ver TRIPITAKA) del budismo THERAVADA. Las primeras dos colecciones, el SUTTA PITAKA y el VINAYA PITAKA, son atribuidas a BUDA. En cambio, el Abhidharma Pitaka comprende textos atribuidos a discípulos y eruditos posteriores; tratan de ética, psicología y epistemología.

Abhidharmakosa Obra budista erudita que sirve de introducción a los siete tratados Abhidharma del canon SARVASTIVADA y es una síntesis de sus contenidos. Fue escrita por Vasubandhu, monje budista que vivió en el noroeste de India en el s. IV o V. La obra sistematiza la doctrina sarvastivada y muestra la influencia de la escuela MAHAYANA, a la que se convirtió posteriormente Vasubandhu. Entrega bastante información acerca de las diferencias doctrinales entre las antiguas escuelas budistas.

abhijña En la filosofía budista, los poderes milagrosos obtenidos a través de la meditación y la sabiduría. Comprenden la aptitud para viajar a cualquier distancia o cobrar cualquier forma a voluntad, ver y oír cualquier cosa, leer las mentes y recordar existencias pasadas. Un sexto poder milagroso, sólo accesible a BUDAS y ARHATS (santos), es la libertad absoluta que otorga la sabiduría pura (iluminación). Los poderes son signos de progreso espiritual, pero complacerse en ellos constituye una distracción de la senda hacia la iluminación.

Abidján Ciudad más grande y puerto principal (pob., est. 1999: 3.199.000 hab.) de Costa de Marfil. Desde 1904 fue un terminal ferroviario. Después de que su laguna fue abierta al mar para crear un puerto en 1950, la ciudad se convirtió en el centro financiero de ÁFRICA OCCIDENTAL FRANCESA.

A pesar de haber sido la capital del país y de continuar siendo la sede de gobierno, en 1983 la capital oficial fue trasladada a YAMOUSSOUKRO. Abidján posee un museo de arte tradicional autóctono, una biblioteca nacional y varios institutos de investigación.

Abidos Antigua ciudad anatolia situada en la ribera oriental de los DARDANELOS y al nordeste de la actual Canakkale, en Turquía. Fue colonizada c. 670 AC por los milesios (ver MILETO). En 480 AC, JERJES I cruzó el estrecho sobre un puente de barcazas para invadir Grecia. Abidos es recordada por la resistencia que ofreció a FILIPO V de Macedonia, en 200 AC, y por la leyenda de HERO Y LEANDRO.

Abidos *o* **Abydos** Ciudad sagrada, uno de los sitios arqueológicos más importantes del antiguo Egipto. Fue la necrópolis real de las dos primeras dinastías y luego un centro de peregrinaje para el culto de OSIRIS. Los faraones TUTMOSIS III y RAMSÉS III, entre otros, embellecieron el templo de Osiris y algunos de ellos erigieron allí su CENOTAFIO. El templo de Seti I, uno de los más hermosos, ha contribuido a descifrar la historia egipcia: en una larga galería al interior del templo existe un relieve conocido como las tablas de Abidos. En él se representa a Seti y a su hijo Ramsés, presentando ofrendas a las figuras de 76 antepasados.

Pinturas en relieve en uno de los templos de Abidos, importante sitio arqueológico del antiguo Egipto.
FOTOBANCO

Abilene Ciudad (pob., 2000: 115.930 hab.) del noroeste de Texas, EE.UU. Fundada en 1881 como el nuevo terminal ferroviario para el transporte terrestre del ganado texano, reemplazó al terminal del mismo nombre, situado en Kansas. En ella se encuentran varias instituciones educacionales, la feria de Texas occidental y el antiguo pueblo de Abilene reconstruido.

Abilene Localidad (pob., 2000: 6.543 hab.) de Kansas, EE.UU. Situada junto al río Smoky Hill al este de Salina. Fundada en 1858, adquirió importancia al transformarse en terminal ferroviario para el transporte terrestre del ganado texano. Junto con la prosperidad de los ganaderos llegó una era de anarquía; WILD BILL HICKOK fue su jefe de policía en 1871. El pdte. DWIGHT D. EISENHOWER pasó su niñez ahí y está sepultado en el Centro Eisenhower, en el que se encuentran también la residencia familiar y su biblioteca.

Abisinia ver ETIOPÍA

abisinio, gato Raza de GATO DOMÉSTICO, considerada la más parecida al gato sagrado del antiguo Egipto que cualquier otro gato viviente en la actualidad. Es elástico, con patas delgadas y una cola larga y aguzada. Su pelaje corto y de textura fina es rojizo o alazano con pelos claramente listados con bandas de color negro o pardo. La nariz es roja y la punta de la cola y la cara posterior de las patas traseras son negras. El gato abisinio es afectuoso y tranquilo, aunque generalmente tímido con los extraños.

Gato abisinio de color alazano.
© CHANAN PHOTOGRAPHY

ABN AMRO Holding N.V. Empresa controladora del banco holandés ABN AMRO Bank N.V. Sus orígenes se remontan a 1824, cuando el rey Guillermo I de Holanda dictó un decreto real conforme al cual se creaba el Nederlandsche Handel-Maatschappij (NHM), con el objeto de incentivar el comercio entre Holanda y las Indias Orientales Holandesas. En 1964, el NHM se fusionó con el De Twentsche Bank para constituir el Algemene Bank Nederland (ABN), en tanto que el Amsterdamsche Bank y el Rotterdamsche Bank se unieron para transformarse en el Amsterdam-Rotterdam (AMRO) Bank. En 1991, ambas instituciones se fusionaron y constituyeron el banco ABN AMRO, un grupo bancario internacional que ofrece una amplia gama de productos bancarios y servicios financieros globales. Sus oficinas centrales se encuentran en Amsterdam.

ABO, grupos sanguíneos Clasificación de la SANGRE humana según si los glóbulos rojos (ERITROCITOS) tienen o carecen de los ANTÍGENOS hereditarios llamados A (incluidos A1 y A2) y B en su superficie. La sangre puede ser tipo O (faltan los dos), tipo A (sólo tiene A), tipo B (sólo tiene B) o tipo AB (tiene ambos). Los antígenos ABO hacen que la transfusión de ciertos tipos sanguíneos sea incompatible. Se desarrollan mucho antes del nacimiento y persisten toda la vida. Las frecuencias de los tipos sanguíneos varían entre distintos grupos raciales y distintas áreas geográficas. Ciertas enfermedades son más raras en personas con determinados grupos sanguíneos.

abogado Profesional preparado y autorizado para preparar, dirigir, acusar o defender acciones judiciales como representante de un tercero y para prestar asesoramiento legal en situaciones que exijan o no acción judicial. El ejercicio profesional varía de un país a otro. En Gran Bretaña, por ejemplo, los abogados se dividen en ABOGADOS LITIGANTES y ABOGADOS PROCURADORES. En EE.UU., los abogados normalmente se especializan en ramas o aspectos determinados del derecho (p. ej., DERECHO PENAL, DIVORCIO o POSESIÓN EFECTIVA DE LA HERENCIA). En Francia, el principal tipo de profesional del derecho es el *avocat*, que a grandes rasgos puede compararse con el abogado litigante inglés. En Alemania se distingue principalmente entre abogados y notarios. En América Latina, el título de abogado habilita para ejercer la profesión en cualquier rama del derecho y no se distingue entre litigantes y asesores; sin embargo, los abogados suelen especializarse en un campo específico, como el derecho penal, civil, tributario o laboral.

abogado independiente *ant.* **fiscal especial** En el sistema legal estadounidense, funcionario designado por el tribunal, a solicitud del abogado procurador general de EE.UU., encargado de investigar y de entablar acciones judiciales por delitos cometidos por altos funcionarios de gobierno, miembros del congreso o directores de una campaña presidencial, después de la investigación pertinente del abogado procurador general se encuentran pruebas de que puede haberse cometido un delito. La designación de un abogado independiente tiene por objeto asegurar una investigación imparcial en situaciones en que el procurador general podría considerar que hay conflicto de intereses. La ley que estableció la institución del abogado independiente fue promulgada luego del despido de Archibald Cox por el pdte. RICHARD NIXON durante el escándalo de WATERGATE. Los abogados independientes tuvieron una destacada actuación en el IRANGATE, en la década de 1980. En 1999, tras la controversia sobre los presuntos abusos cometidos por la oficina pertinente durante la investigación del caso Whitewater, en que se vio involucrado el pdte. BILL CLINTON, el congreso se negó a renovar la vigencia de la ley relativa a los abogados independientes.

abogado litigante *inglés* **barrister** En Gran Bretaña, uno de los dos tipos de letrados autorizados para ejercer la profesión (el segundo es el de los ABOGADOS PROCURADORES). Los abogados litigantes pueden actuar en juicio y son los únicos facultados para alegar ante los tribunales superiores de justicia. Los abogados litigantes deben ser miembros de alguna de las cuatro INNS OF COURT del país. En Canadá, el término abogado abarca tanto a los litigantes como a los asesores, sin perjuicio de que cada uno de ellos pueda identificarse como especialista en una u otra área. En Escocia, se llama abogados a quienes ejercen la profesión de litigantes.

abogado procurador *inglés* **solicitor** En el sistema legal de Gran Bretaña, letrado que asesora clientes, los representa ante los tribunales de menor jerarquía y prepara los casos que deben ser tramitados por los ABOGADOS LITIGANTES ante los tribunales superiores de justicia. Para poder desempeñarse como abogado procurador, es necesario haber aprobado estudios universitarios de derecho y haber trabajado durante cinco años como procurador de un abogado asesor que ejerza como tal. En EE.UU., el abogado procurador general representa al gobierno federal en los tribunales, especialmente ante la Corte Suprema de los ESTADOS UNIDOS DE AMÉRICA.

abolicionismo (c. 1783–1888). Movimiento cuyo objetivo era acabar con la trata de ESCLAVOS y emancipar a los esclavos en Europa occidental y América. La esclavitud despertó escasas protestas hasta el s. XVIII, cuando los pensadores racionalistas de la ILUSTRACIÓN la criticaron por violar los derechos del hombre, y los cuáqueros y demás grupos religiosos evangélicos la condenaron por anticristiana. Aunque ya a fines del s. XVIII los sentimientos abolicionistas se habían extendido ampliamente, estos tenían escasos efectos inmediatos en los centros mismos de la esclavitud: las Indias Occidentales, América del Sur y los estados sureños de EE.UU. La importación de esclavos africanos quedó abolida en 1807 en EE.UU. y las colonias británicas. La esclavitud fue abolida en las Indias Occidentales británicas en 1838 y diez años después en las posesiones francesas. Sin embargo, en los once estados sureños de EE.UU., la esclavitud era una institución social y económica. Los abolicionistas estadounidenses lidiaban con desventaja, en tanto sus propuestas amenazaban la armonía entre el Norte y el Sur de la Unión y, a la vez, contravenían la constitución, la cual dejaba el asunto de la esclavitud al arbitrio de los distintos estados. En el Norte, el movimiento abolicionista estaba encabezado por agitadores como William Lloyd Garrison, fundador de la SOCIEDAD CONTRA LA ESCLAVITUD; por escritores como John Greenleaf Whittier; ex esclavos como FREDERICK DOUGLASS y HARRIET BEECHER STOWE. La elección de ABRAHAM LINCOLN, quien se oponía a que la esclavitud se extendiera al Oeste, señaló un viraje decisivo en el movimiento. Convencidos de que se amenazaba su estilo de vida, los estados del Sur se separaron de la Unión (ver SECESIÓN), situación que culminó en la guerra de SECESIÓN. En 1863, Lincoln (que jamás había sido un abolicionista) firmó la proclamación de la EMANCIPACIÓN, la que liberó a los esclavos que se mantenían en los estados confederados; posteriormente, la XIII enmienda constitucional (1865) prohibió la esclavitud en todo el país. En América Latina se terminó de abolir la esclavitud en 1888. En algunos lugares de África y en buena parte del mundo islámico, persistió como una institución legal hasta bien avanzado el s. XX.

En América Latina se terminó de abolir la esclavitud en 1888; dibujo de Gabriel Lafond, París, 1844.

abominable hombre de las nieves *tibetano* **Yeti** Monstruo mítico que se cree habita en los HIMALAYA cerca del límite de las nieves eternas. Se supone que el Yeti se asemeja a un hombre gigante, cubierto de un espeso pelaje. Los testimonios de avistamientos son escasos; la prueba de su existencia consiste principalmente en extrañas pisadas dejadas en la nieve, probablemente huellas de osos. En su peculiar modo de andar, los osos pisan a veces con las patas traseras la huella dejada por las patas delanteras, creando así formas parecidas a las huellas dejadas por un gran primate que camina en dirección opuesta.

abono verde Cultivo que una vez producido es enterrado con el arado por sus efectos benéficos para el suelo y cultivos posteriores, aunque durante su crecimiento se puede utilizar para el apacentamiento. Estos cultivos generalmente son ANUALES, sean HIERBAS o LEGUMINOSAS. Agregan nitrógeno al suelo, aumentan su nivel de fertilidad general, reducen la EROSIÓN, mejoran su condición física y disminuyen la pérdida de nutrientes causada por la lixiviación. Normalmente se plantan en otoño y se entierran en primavera antes de sembrar el cultivo de verano. Ver también CULTIVO DE COBERTURA.

aborigen australiano Cualquiera de los pueblos indígenas de Australia y Tasmania que llegaron ahí hace 40.000–60.000 años. En alguna época hubo hasta 500 grupos (tribus) de indígenas australianos, territorialmente establecidos y lingüísticamente diferenciados. Subsistían como cazadores y recolectores. Formaban grupos según el linaje masculino (descendencia patrilineal) y sus vidas giraban en torno a un abrevadero, sitio establecido por los antepasados del grupo. Los hombres estaban divididos en logias y eran los custodios de la mitología, los rituales, los lugares y los símbolos evocados en el TIEMPO DE ENSUEÑO. La población aborigen, estimada en 300.000–1.000.000, cuando se inició la colonización europea a fines del s. XVIII, fue diezmada por la introducción de enfermedades y por la sangrienta política decimonónica de "pacificación forzada". En 1996, su número se estimó aproximadamente en 386.000 personas. La mayor parte de su cultura tradicional ha sufrido grandes cambios. Todos los pueblos aborígenes han tenido algún grado de contacto con la sociedad australiana moderna y actualmente son todos ciudadanos australianos.

aborto Expulsión del feto del útero antes de que sea viable. El aborto involuntario en las etapas iniciales del embarazo se denomina ABORTO ESPONTÁNEO. Los abortos provocados a menudo ocurren a raíz de una intervención médica deliberada y se realizan para preservar la vida o la salud de la mujer, para impedir el término de un embarazo que tiene su origen en el incesto o una violación, para evitar el nacimiento de una criatura con problemas médicos serios, o porque la mujer cree que no está en situación de criar adecuadamente a la criatura. La droga RU-486 ingerida dentro de las primeras semanas de la concepción, provocará un aborto. Hasta aproximadamente las 19 semanas del embarazo se pueden utilizar inyecciones de soluciones salinas u hormonas para estimular las contracciones uterinas que expulsarán el feto. La extirpación del contenido uterino puede realizarse en el segundo trimestre o con posterioridad. Los procedimientos de dilatación y extracción del feto indemne pueden tener lugar en el tercer trimestre; se les denomina también "abortos por parto parcial", y han sido muy controvertidos. Otros procedimientos abortivos son el vaciamiento por aspiración manual (extracción con una jeringa manual) y la dilatación y legrado por succión (extracción por medio de una máquina succionadora), los cuales pueden realizarse en los inicios del embarazo. La aceptabilidad social del aborto como mecanismo de control demográfico ha variado de un tiempo a otro y de un lugar a otro a lo largo de la historia. Aparentemente fue un método común de limitación de la familia en el mundo grecorromano, pero los teólogos cristianos lo condenaron desde un comienzo y con vehemencia. La Iglesia católica, por su parte, ha mantenido invariablemente a lo largo de la historia su condena al aborto deliberado y su oposición a las legislaciones de su liberalización, estableciendo su posición en documentos y encíclicas papales, como en *Humanae vitae* de Paulo VI (1968) y *Evangelium vitae* de Juan Pablo II (1995). El aborto gozó de relativa aceptación o fue tolerado en la Europa medieval. Severas sanciones penales para disuadir el aborto se hicieron comunes en el s. XIX, pero en el s. XX dichas sanciones se modificaron gradualmente en muchos países. En EE.UU., el fallo judicial ROE V. WADE de 1973 tuvo el efecto de legalizar el aborto durante los tres primeros meses del embarazo. Los estados podían poner en práctica restricciones al aborto después del primer trimestre, aunque dentro de los límites fijados por los tribunales. A partir de dicho fallo, ha existido un fiero debate entre los partidarios y los opositores a la liberalización de las políticas relativas al aborto en dicho país.

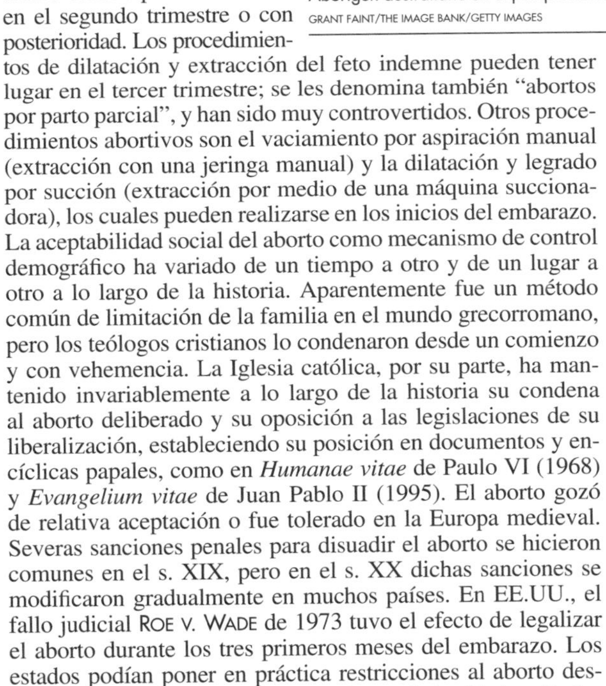

Aborigen australiano en el parque nacional Uluru-Kata Tjuta.
GRANT FAINT/THE IMAGE BANK/GETTY IMAGES

aborto espontáneo Expulsión espontánea de un EMBRIÓN o un FETO del ÚTERO antes de que pueda vivir fuera de la madre. Más de 60% son causados por un defecto heredado en el feto que podría resultar en una anomalía fatal. Otras causas pueden ser enfermedades infecciosas agudas, especialmente si reducen el suministro de oxígeno al feto; anomalías uterinas de origen físico u hormonal; y muerte del feto por torsión del cordón umbilical. El signo principal de aborto inminente es el sangramiento vaginal.

Abraham (c. 2000 AC). Primero de los PATRIARCAS hebreos, venerado por el JUDAÍSMO, el CRISTIANISMO y el ISLAM. El GÉNESIS relata cómo Abraham, a los 75 años, salió de UR con Sarai (después SARA), su esposa infértil, y sus siervos para fundar una nueva nación en CANAÁN. En ese lugar, Dios pactó una ALIANZA con Abraham, prometiéndole que sus descendientes heredarían la tierra y llegarían a ser una gran nación. Abraham engendró en Agar, esclava de Sara, a Ismael; Sara tuvo a Isaac, quien heredó la alianza. La fe de Abraham fue probada cuando Dios le ordenó sacrificar a Isaac y, estando listo a obedecerle, Dios lo detuvo. En el judaísmo, Abraham es un modelo de virtud; en el cristianismo es el padre de todos los creyentes; en el Islam es el ancestro de MAHOMA y para el SUFISMO un modelo de generosidad.

Abraham, Karl (3 may. 1877, Bremen, Alemania–25 dic. 1925, Berlín). Psicoanalista alemán. Contribuyó a establecer la primera rama del Instituto Psicoanalítico Internacional en 1910 y fue pionero del tratamiento psicoanalítico de la psicosis maníaco depresiva (enfermedad bipolar). Sugirió que el impulso sexual evoluciona en seis etapas y que, si el desarrollo se detiene en cualquiera de las más tempranas, se producirán probablemente trastornos mentales por fijación en dicho nivel. Su trabajo más importante fue *Un breve estudio del desarrollo de la libido a la luz de los desórdenes mentales* (1927).

Abraham, planicies de Meseta ubicada al sudoeste de la antigua ciudad amurallada de QUEBEC, Canadá. El 13 de septiembre de 1759 fue escenario de la batalla que definió la guerra FRANCESA E INDIA, en la que los británicos al mando de JAMES WOLFE derrotaron a los franceses comandados por el marqués de MONTCALM. Las fuerzas estadounidenses ocuparon la meseta (1775–76) al sitiar Quebec durante la guerra de independencia de los ESTADOS UNIDOS DE AMÉRICA. En la actualidad es un parque ubicado dentro de los límites urbanos de Quebec.

abrasivos Materiales duros y afilados que se usan para desgastar la superficie de materiales más blandos y menos resistentes. Los abrasivos son indispensables para la fabricación de componentes de alta precisión y de superficies extremadamente lisas, requeridos en la fabricación de automóviles, aviones y vehículos espaciales, de aparatos mecánicos y eléctricos y de máquinas herramientas. Los abrasivos pueden ser naturales (p. ej., DIAMANTE, CORINDÓN, ESMERIL) o sintéticos (p. ej., CARBURO de silicio o CARBORUNDO, diamante sintético, alúmina, una forma sintética de corindón). Abarcan desde partículas relativamente blandas, usadas en productos de limpieza domésticos y de pulimento para joyería, hasta diamantes.

abreviatura Forma reducida de una palabra o frase escrita, usada en lugar de la expresión completa. Las abreviaturas comenzaron a proliferar en el s. XIX y han prevalecido desde entonces. Se emplean para economizar tiempo al escribir o hablar, especialmente al referirse a la miríada de nuevas organizaciones, entidades burocráticas y productos tecnológicos característicos de las sociedades industriales. Una abreviatura puede ahora fácilmente convertirse en una palabra, ya sea como un conjunto de iniciales en que las letras se pronuncian por separado (p. ej., TV o FBI) o como un acrónimo, en que las letras se combinan en sílabas (p. ej., láser u OTAN).

Abril, tesis de Programa desarrollado por LENIN durante la REVOLUCIÓN RUSA DE 1917, llamando al soviet a tomar el control del Estado. En las tesis, publicadas en abril de 1917,

Lenin propuso el derrocamiento del gobierno provisional, el retiro de Rusia de la primera guerra mundial y el reparto de la tierra entre los campesinos. Las tesis contribuyeron al alzamiento de julio de 1917 (ver jornadas de JULIO DE 1917) y al golpe de Estado bolchevique de octubre.

abro Planta tropical (*Abrus precatorius*; familia Leguminosae). Sus duras semillas rojas y negras, pese a ser sumamente venenosas, se enhebran para hacer collares y rosarios en India y en otras regiones tropicales. En India, las semillas se usan también como una unidad de peso (*ratti*).

Abruzos Región autónoma (pob., est. 2001: 1.244.226 hab.) de Italia central. Su capital es L'AQUILA. La mayor parte de esta región es montañosa o cerril. En ella se encuentran los APENINOS. Las antiguas tribus itálicas de la región resistieron la conquista romana por mucho tiempo. Los normandos se establecieron en el s. XII y la región se alió posteriormente con la dinastía HOHENSTAUFEN contra el papado. En 1861, la zona se convirtió en parte del reino de Italia, con el nombre de *Abruzzi e Molise*. En 1965 fue dividida en las regiones independientes de Abruzos y MOLISES. Su economía es principalmente agrícola.

Absalón (c. 1020 AC, Palestina). En el Israel antiguo, el tercer hijo de DAVID, su predilecto. Su historia es narrada en Samuel 2, 13–19. Absalón, hombre atractivo pero desenfrenado, mató a su medio hermano Amnón, en venganza porque este violó a Tamar, hermana de Absalón, tras lo cual fue desterrado del reino por un tiempo. Posteriormente, montó una rebelión contra su padre, logrando capturar Jerusalén, pero fue derrotado en el bosque de Efraím, donde fue muerto por su primo Joab, quien lo encontró colgado del cabello en una encina. A pesar de la traición de Absalón, David lamentó mucho la muerte de su hijo.

Absaroka, montes Cordillera de las montañas ROCOSAS, EE.UU. Se extiende desde el sur de Montana a través del parque nacional YELLOWSTONE hacia el noroeste de Wyoming, cruzando los bosques nacionales Gallatin, Shoshone y Custer. La cordillera tiene unos 280 km (175 mi) de longitud; su punto más alto es Franks Peak de 4.005 m (13.140 pies).

Vista aérea de los montes Absaroka, Montana, EE.UU.
MICHAEL MELFORD/THE IMAGE BANK/GETTY IMAGES

absceso Colección localizada de pus en una cavidad de las capas más profundas de la piel o en el interior del cuerpo, formada por tejidos degradados por los glóbulos blancos (LEUCOCITOS) en respuesta a la INFLAMACIÓN causada por bacterias. Se forma una pared que separa el pus espeso amarillento del líquido extracelular de los tejidos vecinos sanos. La ruptura del absceso permite la salida del pus y alivia la hinchazón y el dolor. El tratamiento consiste en incidir la pared para drenar el pus y dar antibióticos. Si el contenido infeccioso entra al torrente sanguíneo puede ser transportado a tejidos distantes y sembrar nuevos abscesos.

ábside Terminación semicircular o poligonal del coro, presbiterio (ver CATEDRAL), o nave de un edificio público, usada primero en la arquitectura romana precristiana. Nacido como un gran nicho en un templo para albergar la estatua de una deidad, el ábside también apareció en baños de la antigüedad y en BASÍLICAS. El ábside abovedado se convirtió en una parte típica del plano de la iglesia cristiana.

absolución En el cristianismo, un pronunciamiento de perdón de los PECADOS hecho a una persona que se ha arrepentido. Este rito se basa en el perdón que JESÚS concedió a los pecadores durante su ministerio. En la Iglesia primitiva, el sacerdote absolvía a los pecadores arrepentidos, luego de haberse confesado y realizado su penitencia en público. Durante la Edad Media se estableció la costumbre entre los sacerdotes de escuchar la CONFESIÓN y otorgar la absolución en privado. En el CATOLICISMO ROMANO, la penitencia es un SACRAMENTO y el sacerdote tiene el poder de absolver a un pecador arrepentido que promete a Dios enmendarse. En las iglesias protestantes, la confesión de los pecados se suele realizar mediante una oración formal rezada por todos los feligreses, tras la cual el ministro anuncia la absolución para todos los presentes.

absolutismo Doctrina y práctica política que otorga a quien inviste el poder, especialmente un monarca, una autoridad ilimitada, centralizada y la soberanía absoluta. Su esencia consiste en que el poder imperante no está sujeto a la fiscalización o control periódico de ningún órgano judicial, legislativo, religioso, económico o electoral. Aun cuando se ha ejercido a lo largo de toda la historia, la forma que se desarrolló en los inicios de la Europa moderna (s. XVI–XVIII), se convirtió en su prototipo; LUIS XIV es visto como el epítome del absolutismo europeo. La autoridad religiosa fue asumida por el monarca, quien se convirtió en jefe de la Iglesia así como del Estado, sobre la base de que el derecho a gobernar provenía de Dios (ver MONARQUÍA DE ORIGEN DIVINO). Ver también AUTORITARISMO, DICTADURA, TOTALITARISMO.

absorción Transferencia de ENERGÍA de una onda al medio que atraviese. La energía de la onda puede ser reflejada, transmitida o absorbida. Si el medio absorbe sólo una pequeña fracción de la energía, se dice que es transparente a ella. Cuando toda la energía es absorbida, se dice que el medio es opaco. Todas las sustancias absorben energía en alguna medida. Por ejemplo, el océano es transparente a la luz solar cerca de su superficie, pero se va haciendo opaco al aumentar la profundidad. Las sustancias absorben tipos específicos de RADIACIÓN. El caucho es transparente a la RADIACIÓN INFRARROJA y a los RAYOS X, pero opaco a la LUZ visible. El vidrio verde es transparente a la luz verde, pero absorbe la luz roja y azul. La absorción del SONIDO es fundamental en ACÚSTICA; un material blando absorbe la energía sonora de las ondas que lo impactan.

Abū Bakr (c. 573, La Meca, Hejaz, península Arábiga–23 ago. 634, Medina). Uno de los cercanos COMPAÑEROS DEL PROFETA Mahoma y primer CALIFA musulmán. Varias tradiciones musulmanas afirman que fue el primer hombre convertido al Islam después de Mahoma. Fue elegido califa después de la muerte de Mahoma en 632. Durante los dos años que duró su califato, consolidó el control musulmán de la región central de Arabia, librando las guerras contra la apostasía (*riddah*). Asimismo, se percató de que era imperativo extender las regiones bajo control musulmán a fin de mantener la paz entre las tribus árabes.

Abu Dhabi *o* **Abū Ẓabī** El más grande emirato (pob., est. 2001: 1.186.000 hab.) de los EMIRATOS ÁRABES UNIDOS. Limita al norte con el golfo PÉRSICO, al sur y oeste con ARABIA SAUDITA y al este con OMÁN; tiene una superficie de 73.060 km^2 (28.210 mi^2). Posee numerosas islas costeras y en tierra firme circunda a DUBAI. Tiene una corta frontera con Al-Shāriqah (Sharjah). Desde el s. XVIII se mantiene en el poder Āl Bū Falāḥ, un clan del Banū Yās. En 1761 encontraron pozos de agua potable donde hoy se alza la ciudad de ABU DHABI, lugar que desde 1795 constituye su centro de operaciones. En el s. XIX, los conflictos territoriales con Mascate y Omán y con la dinastía SAUDÍ (actualmente reinante en Arabia Saudita) suscitaron una serie de problemas limítrofes que siguen en gran medida pendientes. Abu Dhabi suscribió un acuerdo con el Reino Unido en 1892, en virtud del cual los asuntos exteriores quedaban bajo control británico. Cuando el Reino Unido se retiró del golfo Pérsico en 1968, el emirato y los demás Estados de la Tregua formaron los Emiratos Árabes Unidos. Sus ricos yacimientos petrolíferos hacen de Abu Dhabi, después de Dubai, el emirato más próspero de la federación.

Panorámica del centro de Abu Dhabi, capital de los Emiratos Árabes Unidos.
ROBERT HARDING, PICTURE LIBRARY

Abu Dhabi *o* **Abū Ẓabī** Ciudad (pob., 1995: 398.695 hab.), capital del emirato de ABU DHABI y capital nacional de los EMIRATOS ÁRABES UNIDOS. Ocupa la mayor parte del islote homónimo, que se comunica con el continente a través de un puente. Habitada desde 1761, sólo adquirió importancia a partir de 1958, gracias al hallazgo de petróleo. Las regalías (royalties) del crudo revolucionaron su posición política y económica, convirtiéndose en una ciudad moderna.

Abu Hanifa (al-Numan ibn Thabit) (699, Kūfah, Irak–767, Bagdad). Jurista y teólogo musulmán. Hijo de un mercader de Kūfah, se enriqueció con el comercio de la seda y estudió derecho con el destacado jurista Ḥammād. Después de la muerte de Ḥammād (738), Abū Ḥanīfa se convirtió en su sucesor. Fue el primero en desarrollar doctrinas legales sistemáticas fundadas en el acervo jurídico islámico. Fue primero que todo un estudioso. Nunca aceptó una judicatura ni participó de modo directo en política cortesana, pero apoyó a los sucesores de ʿALĪ durante las dinastías OMEYA y ʿABĀSÍ. Su sistema doctrinario se convirtió en una de las cuatro escuelas canónicas de ley islámica (SHARIʿA) y todavía tiene muchos seguidores en India, Paquistán, Turquía, Asia central y los países árabes.

Abū Muslim (m. 755). Líder de un movimiento revolucionario en JURĀSĀN que derrocó la dinastía OMEYA. Nacido en la clase *mawālī* (musulmanes no árabes) y de origen humilde, conoció a un agente de la familia abasí mientras estaba en prisión (741). Después de su liberación concertada fue enviado a Jurāsān (745–46) para instigar una revuelta. Reclutó partidarios entre varios grupos descontentos, consiguió derrocar al último califa omeya, Marwān II (750), siendo recompensado con la gobernación de Jurāsān. Su popularidad llevó al segundo califa abasí, al-Manṣūr, a considerarlo una amenaza y a ordenar su ejecución. Ver también dinastía ABASÍ.

Abu Simbel Emplazamiento de dos templos construidos por RAMSÉS II en el s. XIII AC. Se sitúa en la frontera sur del Egipto faraónico, cercano al límite actual entre Egipto y SUDÁN. Antes de su redescubrimiento en 1813, los templos eran desconocidos para el resto del mundo. El templo más grande ostenta cuatro figuras sedentes de Ramsés de 20 m (67 pies). A su vez, el más pequeño está dedicado a la reina Nefertari. Cuando el lago artificial creado por la construcción de la represa de ASUÁN amenazó con sumergir al lugar a principios de la década de 1960, un equipo internacional desmontó ambos templos y los reconstruyó a 60 m (200 pies) sobre el nivel del lecho del río.

Templo dedicado a la reina Nefertari en Abu Simbel, Egipto.
ARCHIVO EDIT. SANTIAGO

Abū Ẓabī ver ABU DHABI

Abū Zayd, Naṣr Ḥāmid (n. 7 oct. 1943, Ṭanṭā, Egipto). Erudito egipcio. Se formó en la Universidad de El Cairo, donde obtuvo un Ph.D. en estudios árabes e islámicos. Sus investigaciones y escritos sobre exégesis coránica, como su conocida *Critique of Islamic Discourse* [Crítica del discurso islámico] (1995), ofendieron a ciertos fundamentalistas islámicos. En 1993, un colega lo denunció en una importante mezquita cairota. Los musulmanes radicales consiguieron la anulación de su matrimonio en un tribunal de la familia egipcio, argumentando que sus escritos demostraban su apostasía (según la ley egipcia, una mujer musulmana no puede estar casada con un no musulmán). Aunque el tribunal declinó emitir un juicio, una corte de apelaciones divorció a Abū Zayd y su esposa, fallo confirmado por la Corte Suprema egipcia. El caso causó gran preocupación entre los intelectuales y grupos de derechos humanos. Desde 1995, Abū Zayd y su esposa han vivido exiliados en los Países Bajos.

abuelo, cláusula del Disposición constitucional promulgada por siete estados del Sur de EE.UU. (1896–1910) con el propósito de negar el derecho a sufragio a los varones afroamericanos. Esta norma eximía a los descendientes de varones votantes anteriores a 1867 de cumplir con los nuevos requisitos de alfabetismo y propiedad. Dado que los varones afroamericanos sólo tuvieron derecho a voto en 1870, cuando se aprobó la XV enmienda, esta cláusula de hecho les impidió votar, así como a muchos blancos pobres y analfabetos. En 1915, la Corte Suprema de los Estados Unidos declaró dichas cláusulas inconstitucionales.

Abuja Ciudad (pob., 1991: 107.069 hab.), capital federal de Nigeria. La construcción de la ciudad, en un sitio elegido por su ubicación central y clima saludable, aprox. a 480 km (300 mi) al noroeste de LAGOS, comenzó en 1976 bajo la dirección del arquitecto TANGE KENZO. En 1991 reemplazó oficialmente a Lagos como capital.

Abukir, bahía Ensenada del mar Mediterráneo, cercana a la ramificación de Rosetta en la desembocadura del NILO, en la costa de Egipto. Fue el escenario de la batalla del NILO (1798), en la que la flota inglesa, comandada por HORATIO NELSON, venció a la flota francesa de NAPOLEÓN I.

abuso de menores Delito que consiste en infligir daño físico o emocional a un niño. El término puede incluir tanto el uso de excesiva violencia física como los malos tratos de palabra; no proveer de vivienda, alimentación, tratamiento médico o apoyo emocional adecuados; el INCESTO, la VIOLACIÓN u otros tipos de abusos deshonestos; y la producción de PORNOGRAFÍA infantil. El abuso de menores puede causar graves daños a sus víctimas. Se estima que el número de niños que son objeto de violencia física o que son descuidados por sus padres o tutores oscila entre 1 y 15% de la población infantil, pero las cifras aumentan marcadamente si se incluyen los malos tratos psíquicos y el abandono. En muchos casos, la persona que lo comete fue víctima de abusos en su infancia. Cuando los malos tratos causan la muerte del niño, las pruebas del delito o la existencia del síndrome del niño maltratado (p. ej., lesiones y fracturas, ya sea que dichas lesiones hayan sanado o aún sean manifiestas) a menudo sirven para establecer que la muerte no fue accidental.

Abydos ver ABIDOS

Abzug, Bella *orig* **Bella Savitsky** (24 jul. 1920, Nueva York, N.Y., EE.UU.–31 mar. 1998, Nueva York). Abogada y política estadounidense. Estudió derecho en la Universidad de Columbia y luego se encargó de numerosos pleitos relativos a asuntos sindicales, libertades y derechos civiles, en representación de numerosas personas acusadas por el senador Joseph McCarthy. Fundó y presidió (1961–70) la organización antibélica Huelga de las mujeres por la paz y, más adelante, la Junta política nacional de mujeres. En la Cámara de Representantes (1971–77) se hizo célebre por su estilo florido, su oposición a la guerra de Vietnam y su declarado apoyo a la enmienda de igualdad de derechos, el derecho al aborto y las leyes de protección a la infancia.

Acab (c. siglo IX AC). Séptimo monarca del reino norte de Israel (r. c. 874–853 AC). Heredó posesiones que incluían territorios al este del río Jordán en GILEAD y probablemente en BASHAN, así como el reino tributario de MOAB. Su matrimonio con JEZABEL reactivó una alianza con los FENICIOS, pero los esfuerzos de Jezabel por instaurar el culto a BAAL provocaron la enconada oposición de ELÍAS. El reino de Acab se desgastó en una feroz guerra fronteriza con Siria; él mismo murió en el intento por recuperar la región de Ramoth-Gilead arrebatada por los sirios.

Acacia Género de la familia Mimosaceae (ver MIMOSA), compuesto por aproximadamente 800 especies de árboles y arbustos. Las acacias son originarias de las regiones tropicales y subtropicales del mundo, en particular Australia y África. En las llanuras de África meridional y oriental son una característica del paisaje. La acacia dulce (*A. farnesiana*) es nativa del sudoeste de EE.UU. Las especies de este género tienen folíolos característicos, finamente divididos y sus pecíolos pueden tener púas o espinas afiladas en su base. Sus flores pequeñas, amarillas o blancas y frecuentemente fragantes, presentan muchos estambres, otorgándoles una apariencia vellosa. Varias especies tienen valor comercial, ya que se obtienen de ellas sustancias como la goma arábiga y el TANINO, así como madera valiosa. Hay varias especies que llevan por nombre común acacia, pero que pertenecen al género ROBINIA, de la familia de las Papilionáceas

Acacia (*Acacia greggii*).

acacia blanca ver ROBINIA

Acad Antigua región del centro de Irak. Constituyó la región norte de la antigua BABILONIA (SUMER constituía la región sur). Su nombre proviene de la ciudad de Agadé, fundada c. 2300 AC por el conquistador SARGÓN, quien unificó las ciudades-estado de la región y extendió el imperio a la mayor parte de MESOPOTAMIA, incluidos Sumer, ELAM y el alto TIGRIS. El imperio declinó en el s. XXII AC. Bajo los reyes de Acad, su lengua semítica, el ACADIO, devino un idioma literario y se fomentó el desarrollo de grandes obras de arte.

La Academia de Atenas, establecida en 1926 y considerada la heredera de la Academia de Platón, promueve las artes, ciencias y humanidades en Grecia.

academia Sociedad de eruditos que se organizan para el fomento del arte, la ciencia, la literatura, la música o alguna otra área cultural o intelectual. El término tiene su origen en el nombre de un olivar situado en las afueras de la antigua Atenas, cuna de la célebre escuela de filosofía de PLATÓN en el s. IV AC. Las academias surgieron en Italia en el s. XV y alcanzaron su mayor grado de influencia durante los s. XVII y XVIII. Su finalidad era en general impartir formación y, llegado el caso, generar las instancias para que sus miembros o estudiantes tuvieran la posibilidad de exhibir su arte o disciplina. La mayoría de los países europeos cuenta en la actualidad con al menos una academia patrocinada por el Estado o ligada a este. Ver también ACADEMIA FRANCESA.

Academia de la Fuerza Aérea de los Estados Unidos de América Institución destinada a la formación de oficiales de la Fuerza Aérea de los ESTADOS UNIDOS DE AMÉRICA (USAF), ubicada en Colorado Springs, Col. Creada mediante una ley del congreso en 1954, abrió sus puertas en 1955. Los graduados obtienen el título de bachiller y el grado de subteniente. Los graduados más aptos físicamente pasan a las escuelas de entrenamiento de pilotos de la fuerza aérea. Los candidatos pueden provenir de las filas del ejército o de la fuerza aérea, pueden ser hijos de veteranos fallecidos de las fuerzas armadas o pueden ser propuestos por senadores o representantes de EE.UU. o por el presidente o vicepresidente. Todos los postulantes deben rendir un examen de admisión por oposición.

Academia Francesa Academia literaria francesa. Fue fundada por el cardenal RICHELIEU en 1634 para mantener los estándares del buen gusto literario y asentar el lenguaje literario. En la época moderna se ha empeñado (de manera un tanto absurda) en depurar el francés de voces extranjeras. El número de sus miembros se limita a 40. A pesar del carácter conservador de esta institución, la mayoría de los grandes escritores franceses (como PIERRE CORNEILLE, JEAN RACINE, VOLTAIRE y VICTOR HUGO) han formado parte de ella.

Academia Militar de los Estados Unidos de América *llamada* **West Point** Institución destinada al entrenamiento de oficiales del Ejército de los ESTADOS UNIDOS DE AMÉRICA. Fundada en 1802 en el fuerte de West Point, N.Y., es una de las academias militares más antiguas del mundo. Fue establecida como una escuela de aprendices de ingenieros militares y de hecho fue la primera facultad de ingeniería en EE.UU. Fue reorganizada en 1812 y en 1866 su currículo se amplió en forma considerable. En 1976, las mujeres fueron admitidas por primera vez. Los cuatro años de instrucción y de entrenamiento a nivel universitario conducen al título de bachiller en ciencias y al grado de subteniente en el ejército. West Point ha formado líderes como ULYSSES S. GRANT, WILLIAM TECUMSEH SHERMAN, ROBERT E. LEE, STONEWALL JACKSON, JEFFERSON DAVIS, JOHN J. PERSHING, DWIGHT D. EISENHOWER, DOUGLAS MACARTHUR, OMAR N. BRADLEY y GEORGE S. PATTON.

Academia Naval de los Estados Unidos de América *llamada* **Annapolis** Institución destinada a la formación de oficiales de la Armada de los ESTADOS UNIDOS DE AMÉRICA y la Infantería de Marina de los ESTADOS UNIDOS DE AMÉRICA. Fundada en Annapolis, Md., en 1845 y reorganizada en 1850–51. Las mujeres fueron admitidas por primera vez en 1976. Los graduados obtienen el título de bachiller en ciencias y el grado de subteniente en la armada o de alférez de fragata en la infantería de marina. Annapolis ha formado muchos norteamericanos destacados como GEORGE DEWEY, RICHARD E. BYRD, CHESTER W. NIMITZ, WILLIAM F. HALSEY, JR., A.A. MICHELSON, HYMAN G. RICKOVER, JIMMY CARTER, H. Ross Perot y varios astronautas.

Academia, premios de la Premios anuales al mérito otorgados por la Academia de Artes y Ciencias Cinematográficas de EE.UU. La Academia fue creada en 1927 por LOUIS B. MAYER, entre otros, para elevar el nivel de la producción fílmica y otorgó sus premios por primera vez en 1929. Los premios (apodados Oscar) son un reconocimiento a la excelencia en actuación, dirección, elaboración de guiones y otras actividades relacionadas con la producción de películas.

academias de servicios de los Estados Unidos de América Grupo de instituciones de educación superior destinadas a la formación de oficiales de las fuerzas armadas y de la marina mercante: la ACADEMIA MILITAR DE LOS ESTADOS UNIDOS DE AMÉRICA (West Point), la ACADEMIA NAVAL DE LOS ESTADOS UNIDOS DE AMÉRICA (Annapolis), la ACADEMIA DE LA FUERZA AÉREA DE LOS ESTADOS UNIDOS DE AMÉRICA, la Academia de la Guardia Costera de los EE.UU. (establecida en 1876 cerca de New London, Conn.) y la Academia de la Marina Mercante de EE.UU. (constituida en 1943 en Kings Point, Long Island, N.Y.).

académico, grado ver GRADO ACADÉMICO

Acadia Posesión norteamericana de Francia en los s. XVII–XVIII. Ocupaba principalmente la actual NUEVA ESCOCIA. Probablemente se planeó que Acadia incluyera las otras PROVINCIAS MARÍTIMAS actuales, como también partes de Maine y Quebec. El primer asentamiento europeo fue obra del colonizador francés Sieur de Monts en 1604. En ocasiones, la zona también fue reivindicada por los británicos y fue motivo de disputas en las guerras coloniales del s. XVIII; en 1713, Nueva Escocia pasó a dominio británico. En 1755, muchos habitantes francófonos de Acadia fueron deportados por los británicos a causa de la inminente guerra con Francia; varios miles se establecieron en la Luisiana francesa, donde sus descendientes fueron conocidos como CAJUNES. Este suceso es el tema central del poema *Evangeline* de HENRY W. LONGFELLOW.

Área forestada del parque nacional Acadia, Maine, EE.UU.
DARRELL GULIN/THE IMAGE BANK/GETTY IMAGES

Acadia, parque nacional Reserva en la costa de Maine, EE.UU. Ocupa un superficie de 168 km^2 (65 mi^2). Originalmente fundada como monumento nacional Sieur de Monts en 1916. En 1919 se convirtió en el primer parque nacional del este de EE.UU., con el nombre de parque nacional Lafayette. Fue rebautizado como Acadia en 1929. Es principalmente un área forestada en la isla Mount Desert, dominada por el monte Cadillac.

acadio *o* **lengua asirio-babilónica** Lengua SEMÍTICA hablada en Mesopotamia del tercer al primer milenio AC. Se le conoce por muchísimas inscripciones, sellos y tablillas de arcilla en escritura CUNEIFORME. El acadio sustituyó al sumerio como la lengua más importante hablada en el sur de Mesopotamia hacia el 2000 AC y, alrededor de esa época, se subdividió en un dialecto asirio hablado en el nordeste y un dialecto babilónico hablado en el sur. El acadio desapareció como lengua vernácula en la primera mitad del primer milenio AC, siendo reemplazado por el ARAMEO en Mesopotamia, aunque continuó siendo una lengua escrita hasta el s. I DC.

Acanthus Género de la familia Acanthaceae, del orden SCROPHULARIA), compuesto por más de 2.500 especies de plantas, que se dan sobre todo en las regiones tropicales y subtropicales. La mayoría son plantas herbáceas o arbustos que crecen en los bosques tropicales húmedos; algunas son trepadoras (enredaderas) o árboles. Tienen hojas simples, dispuestas en pares opuestos sobre las ramas y células agrandadas llamadas cistolitos, en rayas o protuberancias en las partes vegetativas. Las flores bisexuales presentan simetría bilateral y generalmente se agrupan en racimos. Cada flor está englobada por brácteas foliformes, las cuales suelen ser grandes y coloridas. Las especies de este género son principalmente de interés ornamental.

Puerto y balneario de Acapulco, en la costa mexicana del Pacífico.
ARCHIVO EDIT. SANTIAGO

Acapulco *p. ext.* **Acapulco de Juárez** Ciudad y puerto (pob., 2000: 619.253 hab.) del sudoeste de México. Situada en una profunda bahía semicircular, posee el mejor puerto de la costa mexicana del Pacífico. Descubierta por HERNÁN CORTÉS en 1531, en 1550 se fundó un asentamiento. Hasta 1815 fue un importante centro de almacenamiento para las flotas coloniales españolas que cubrían la ruta al Lejano Oriente. Se ha transformado en un importante balneario internacional para turistas que llegan atraídos por sus bellos paisajes, clima y excelentes playas.

acarina *o* **arañita roja** Cualquier ÁCARO fitófago de la familia Tetranychidae; constituyen una plaga común en plantas de interior y en plantas de importancia agrícola. Las acarinas adultas son diminutas, de unos 0,5 mm (0,02 pulg.) de largo y generalmente rojas. Hilan una tela de seda laxa en las plantas infestadas. Una infestación severa puede causar la defoliación total de la planta. Las acarinas son difíciles de controlar debido a su resistencia creciente a los pesticidas. Un control efectivo es usar otra especie de ácaro que lo deprede.

Acarnania Distrito de la Grecia antigua, limitado por el mar Jónico, el golfo de Ambracia y el río AQUELOOS. Se asentó inicialmente en los s. VII–VI AC, se convirtió en un estado federal a fines del s. V AC; su ciudad capital fue Stratus. Más tarde estuvo bajo el dominio de Atenas, Tebas y Macedonia. Parte de Acarnania recobró su independencia en 231 AC y comenzó una alianza con FILIPO V de Macedonia. Roma derrocó la dinastía macedónica en 167 AC y Acarnania subsistió hasta que CÉSAR AUGUSTO incorporó muchos acarnanianos a su nueva ciudad de Nicópolis Actia.

ácaro Cualquiera de unas 20.000 especies de ARÁCNIDOS pequeños (subclase Acari, a veces Acarina o Acarida). El tamaño de las especies varía desde dimensiones microscópicas hasta 6 mm (0,25 pulg.) de largo. Los ácaros viven en el agua y en el suelo, en plantas y también como parásitos de vegetales y animales. Ambas formas, parásitas y no parásitas, transmiten enfermedades de plantas y animales. El ácaro de la familia Sarcoptidae, que horada la piel de los humanos y animales, causa la sarna, que es una enfermedad altamente contagiosa. Unas pocas especies transmiten la tenia al ganado bovino. El ácaro de los granos (familia Glycyphagidae) daña productos almacenados e irrita la piel de quienes los manipulan. La alergia al polvo de las casas es causada por especies del género *Dermatophagoides*. Ver también COLORADILLA.

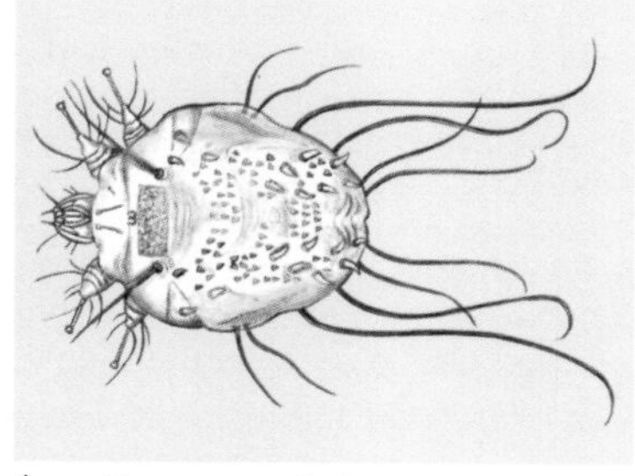

Ácaro (*Scarcoptes scabiei*).

accidente vascular encefálico (AVE) Alteración brusca de la función del CEREBRO debido a HIPOXIA, la cual puede causar la muerte del tejido cerebral. Los factores de riesgo son: HIPERTENSIÓN, ATEROESCLEROSIS, TABAQUISMO, COLESTEROL elevado, DIABETES, vejez, FIBRILACIÓN AURICULAR y defectos genéticos. Los AVE causados por TROMBOSIS (la causa más común), EMBOLIA o espasmo arterial, que producen isquemia (reducción del aporte sanguíneo), deben distinguirse de aquellos producto de hemorragia (sangrado), que son usualmente graves y a menudo fatales. Según el lugar afectado del cerebro, los efectos de los AVE pueden ser AFASIA, ATAXIA, PARÁLISIS local y/o trastornos de uno o más de los sentidos. Los AVE masivos pueden producir parálisis en un lado del cuerpo, incapacidad de hablar, coma o muerte en un plazo de horas o días. Los ANTICOAGULANTES pueden detener los AVE causados por trombos, pero agravan los ocasionados por hemorragias. Si la causa es la trombosis de la carótida, con cirugía se puede retirar el obstáculo o hacer un puente (bypass) para saltarlo. La rehabilitación y la fonoterapia deben comenzar dentro de dos días para preservar y recuperar el máximo de la función, pues los sobrevivientes pueden vivir muchos años más. El bloqueo del riego sanguíneo a pequeñas zonas puede generar ataques isquémicos transitorios (miniataques) con pérdidas funcionales fugaces. Estos tienden a recidivar y pueden empeorar, causando un ataque o demencia por infartos múltiples.

Accio, batalla de ver batalla de ACTIUM

acción En finanzas, el capital suscrito de una corporación o de una compañía de responsabilidad limitada, normalmente dividido en partes y representado por certificados transferibles. Muchas compañías tienen sólo una clase de acción, llamada acción ordinaria. La acción ordinaria, como parte de la propiedad de la compañía, da derecho al tenedor de la misma a una participación en las utilidades y en los activos de la compañía. El tenedor tiene derecho a voto, con el cual puede participar en las decisiones de la compañía (a menos que tales derechos hayan sido suspendidos expresamente como sucede en las clases especiales de acciones sin derecho a voto). Los DIVIDENDOS pagados por acciones ordinarias son a menudo variables, puesto que cambian de acuerdo con las utilidades, y son generalmente menores que estas. La diferencia entre las utilidades y los dividendos pagados es utilizada por la gerencia para expandir la compañía. Para atraer a los inversionistas que desean estar seguros de recibir dividendos regularmente, algunas compañías emiten acciones preferentes, las cuales otorgan un derecho prioritario sobre los dividendos pagados y, en la mayoría de los casos, sobre los activos de la compañía en caso de disolución. Los dividendos de las acciones preferentes generalmente se calculan a una tasa fija anual que debe ser pagada antes de distribuir dividendos a los accionistas ordinarios. Ver también BOLSA DE COMERCIO, VALOR.

acción colectiva En el sistema legal estadounidense, acción judicial por la cual una persona demanda o es demandada como representante de un grupo de personas que tienen los mismos intereses en el pleito, y cuyos derechos y responsabilidades pueden establecerse mejor si se actúa colectivamente y no mediante una serie de acciones individuales. A manera de ejemplo de acciones de esta naturaleza, que han concitado el interés nacional en EE.UU., cabe citar la demanda interpuesta contra los fabricantes del AGENTE NARANJA por los ex combatientes de Vietnam, que estuvieron expuestos a este herbicida (resuelta en 1984), y una demanda interpuesta contra las tabacaleras, relativa a los efectos producidos por el tabaco en los fumadores pasivos (resuelta en 1997).

Acción de Gracias, Día de Feriado estadounidense que se originó en el otoño de 1621, cuando el gobernador de Plymouth, WILLIAM BRADFORD, invitó a los indios vecinos a reunirse con los peregrinos en una fiesta de tres días dedicados a la recreación y a los banquetes. El objetivo era agradecer la abundancia de la cosecha, que se debía en parte a los consejos de los indios. No obstante, en la actualidad, ni la cena tradicional de Acción de Gracias con pavo, salsa de arándanos y pastel de calabaza, ni la orientación familiar de la festividad reflejan el episodio de Plymouth. Proclamado feriado nacional en 1863, el Día de Acción de Gracias se celebra el cuarto jueves de noviembre (aunque en 1939–41 se adelantó una semana con el fin de prolongar la época de compras navideñas). Canadá adoptó el Día de Acción de Gracias como feriado nacional en 1879 y desde 1957 se celebra el segundo lunes de octubre.

acción indemnizatoria *inglés* **assumpsit** (latín: "él está obligado"). En el COMMON LAW, acción de indemnización de perjuicios por incumplimiento de contrato, en especial en el caso de contratos tácitos o de CUASICONTRATOS. Se desarrolló en el antiguo derecho inglés como manera de obtener compensación en caso de cumplimiento negligente de una obligación (p. ej., falta de cuidado de las cosas ajenas que se encuentran a nuestro cargo). Con el tiempo, ha llegado a incluir reclamaciones más generales relativas al incumplimiento de una promesa. En la actualidad subsiste en algunas jurisdicciones de EE.UU. como recurso para obtener reparación por el incumplimiento de un contrato.

Acciones Civiles, Tribunal de *inglés* **Court of Common Pleas** Tribunal inglés creado en 1178 para conocer y resolver litigios de carácter civil. Con la CARTA MAGNA (1215) obtuvo competencia independiente de aquella de los Tribunales Reales, aunque sus sentencias eran objeto de revisión por estos. A comienzos del s. XV se disputó el conocimiento de los asuntos propios del COMMON LAW con los Tribunales Reales y con el Tribunal del EXCHEQUER. En el s. XIX, la complejidad de las normas aplicables a jurisdicciones superpuestas se hizo insostenible, y en virtud de la ley de la judicatura, de 1873, los tres tribunales fueron reemplazados por el Tribunal Supremo de la Judicatura, que en Inglaterra y Gales continúa siendo el tribunal de competencia general.

Accra Capital y ciudad principal (pob., est. 2001: 1.551.200 hab.) de Ghana, en el golfo de GUINEA. Cuando los portugueses se establecieron por primera vez en la costa en 1482, el lugar estaba ocupado por el pueblo ga. Entre las décadas de 1650–80 daneses, holandeses y británicos construyeron tres factorías fortificadas. Los daneses y holandeses abandonaron la región en 1850 y 1872, respectivamente, y en 1877 Accra se convirtió en capital de la colonia británica de COSTA DE ORO. Luego de que el país obtuviera su independencia en 1957, la ciudad se convirtió en el centro administrativo, económico y educacional de Ghana. Tema, ciudad situada a 27 km (17 mi) al este de Accra, ha asumido las antiguas funciones portuarias de esta última.

Acebo americano (*Ilex opaca*).

acebo Cualquiera de unas 400 especies de árboles y arbustos ornamentales con bayas negras o rojas que constituyen el género *Ilex* (familia Aquifoliaceae), inclusive el popular acebo navideño. El acebo inglés (*I. aquifolium*) presenta follaje siempreverde, con hojas oscuras, espinosas y brillantes. El acebo americano (*I. opaca*) tiene hojas oblongas y espinosas; ambos dan, generalmente, frutos rojos. Existen variedades sin espinas y con frutos amarillos en ambas especies.

acederilla Cualquiera de varias especies de hierbas perennes y robustas de la familia de las Poligonáceas (ver ALFORFÓN), ampliamente difundidas en regiones templadas. La acederilla (*Rumex acetosella*) es una maleza invasora, originaria de Europa y de amplia distribución en América del Norte y algunos países sudamericanos. Es una atractiva pero molesta invasora de céspedes, prados, jardines y laderas con suficiente humedad. Tiene hojas triangulares, estrechas y flores diminutas amarillas que se tornan rojizas a medida que se forman los frutos. Las hojas de sabor acre se usan para sazonar salsas, tortillas de huevos y sopas; cuando están tiernas, se consumen en ensaladas. Dos especies emparentadas, la acedera (*R. acetosa*) y la acedera redonda o romana (*R. scutatus*), se encuentran distribuidas ampliamente en Europa y Asia. Las llamadas acederillas del bosque, plantas no emparentadas, pertenecen al género OXALIS.

Acederilla (*Rumex acetosella*).

acehnés Uno de los principales grupos étnicos de la isla de Sumatra, Indonesia. En el s. XIII, los acehneses fueron el primer pueblo del archipiélago en convertirse al Islam. Después de expulsar a los portugueses en el s. XVII, el sultanato de Aceh dominó el norte de Sumatra hasta que fue conquistado por los neerlandeses en 1904 (ver guerra ACEHNESA). Actualmente, los acehneses son integrantes de la República de Indonesia, pero son inmanejables, por lo que permanecen confinados en un distrito especial. Registran su descendencia a través de los linajes tanto paterno como materno. Las mujeres gozan de una alta posición social y no usan velo. Los acehneses suman cerca de 2,1 millones de personas.

acehnesa, guerra (1873–1904). Conflicto bélico entre los Países Bajos y el sultanato musulmán de Aceh en el norte de SUMATRA. Los neerlandeses consideraban que el sultanato estaba dentro de su esfera de influencia en Sumatra septentrional, por lo que lo invadieron. Aunque el sultán capituló, el pueblo acehnés los enfrentó en una prolongada y costosa guerra de guerrilla. Los neerlandeses sólo pudieron triunfar mediante una acuciosa exploración del área y la creación de una nueva "estrategia encastilladora" fundada en bases fortificadas.

aceite Cualquier sustancia GRASA, líquida a temperatura ambiente e insoluble en agua. Puede ser un aceite estable (no volátil), un ACEITE ESENCIAL o un aceite mineral (ver PETRÓLEO). Los aceites estables y las grasas (derivados de animales y plantas) tienen la misma composición química, ambos son ÉSTERES de GLICEROL y ácidos GRASOS. Estos aceites tienen una variedad de usos tanto industriales como en alimentación. Los aceites de linaza, de tung y otros aceites secantes son altamente insaturados (ver SATURACIÓN); estos y grandes cantidades de aceites de soja, girasol y cártamo (también componentes de alimentos) se utilizan en pinturas y barnices. Cuando se exponen al aire, absorben oxígeno y se polimerizan (ver POLIMERIZACIÓN), formando un revestimiento resistente. Algunos aceites especiales y derivados de aceite son también utilizados en curtiembre y en manufactura textil.

aceite de hígado de bacalao ver aceite de hígado de BACALAO

aceite de vitriolo ver ácido SULFÚRICO

aceite esencial Cualquiera perteneciente a una clase de compuestos orgánicos altamente volátiles (de fácil evaporación) que se encuentran en las plantas y que, por lo general, toman su nombre de ellas (p. ej., aceite de rosa, aceite de menta). Han sido conocidos y comercializados desde épocas remotas. Muchos aceites esenciales contienen ISOPRENOIDES. Algunos, como el aceite de gaulteria (salicilato de metilo) y el aceite de naranja (*d*-limoneno), tienen un componente predominante, pero la mayoría presenta decenas o cientos de componentes. Los microcomponentes le dan el olor característico al aceite, el cual rara vez puede ser reproducido en los aceites sintéticos o mezclados. Los aceites esenciales tienen tres usos comerciales primarios: como odorantes

Aceites esenciales de perfumería natural.

en perfumes, jabones, detergentes y otros productos; como saborizantes en productos horneados, golosinas, bebidas no alcohólicas y muchos otros alimentos, y como compuestos farmacéuticos, en productos dentales y en muchos medicamentos (ver AROMATERAPIA).

aceituna ver OLIVO

aceleración Incremento de la VELOCIDAD. La aceleración, como la velocidad, es una cantidad vectorial (ver VECTOR): tiene tanto magnitud como dirección. La velocidad de un objeto que tiene un movimiento rectilíneo sólo puede cambiar de magnitud, de modo que su aceleración es el incremento de su velocidad. En una trayectoria curva, la velocidad puede cambiar o no de magnitud, pero siempre cambiará de dirección, lo que significa que la aceleración de un objeto que se desplaza en una trayectoria curva no puede ser nunca nula. Si la velocidad se expresa en metros por segundo (m/s) y el intervalo de tiempo en segundos (s), entonces, la unidad de aceleración es metro por segundo por segundo (m/s/s, o m/s^2). Ver también ACELERACIÓN CENTRÍPETA.

aceleración centrípeta Propiedad del movimiento de un objeto que describe una trayectoria circular. Se denomina centrípeta a la FUERZA ejercida sobre el objeto dirigida hacia el centro del círculo, que produce un cambio constante en la dirección del objeto y, por ende, en su ACELERACIÓN. La magnitud de la aceleración centrípeta a es igual al cuadrado de la velocidad v del objeto a lo largo de la trayectoria curva, dividido por la distancia r del objeto al centro del círculo, o $a = v^2/r$.

acelerador de partículas Aparato que acelera hasta altísimas velocidades un haz de átomos (IONES) o de PARTÍCULAS SUBATÓMICAS cargados eléctricamente. Estos aceleradores se utilizan para estudiar la estructura de los núcleos atómicos (ver ÁTOMO) y la naturaleza de las partículas subatómicas y sus INTERACCIONES FUNDAMENTALES. A velocidades cercanas a la de la luz, las partículas colisionan con los núcleos atómicos y con las partículas subatómicas, fracturándolos, lo que permite a los físicos estudiar los componentes nucleares y producir nuevos tipos de partículas subatómicas. El CICLOTRÓN acelera iones de carga positiva, mientras que el betatrón acelera ELECTRONES de carga negativa. Los modernos SINCROTRONES y ACELERADORES LINEALES se utilizan tanto para partículas de carga positiva como para electrones. Los aceleradores se utilizan también para producir radioisótopos, en la terapia del cáncer, en la esterilización biológica y en una forma de datación por radiocarbono.

acelerador lineal *o* **linac** Tipo de ACELERADOR DE PARTÍCULAS que imparte una serie de incrementos de energía relativamente pequeños a partículas subatómicas, al pasar estas a través de una sucesión de campos eléctricos alternos dispuestos en una estructura lineal. Estas pequeñas aceleraciones se suman, hasta dar a las partículas una energía mayor a la que podría obtenerse por un voltaje utilizado de una vez en una sola sección. Uno de los linac de mayor longitud en el mundo es el aparato de 3,2 km (2 mi) del Stanford Linear Accelerator Center, que puede acelerar electrones hasta energías de 50 mil millones de electronvoltios. Los linac de mucho menor tamaño, tanto de protones como de electrones, tienen importantes aplicaciones prácticas en medicina y en la industria.

acelerómetro Instrumento que mide la ACELERACIÓN. Puesto que es difícil medir la aceleración directamente, el dispositivo registra la FUERZA ejercida por las fijaciones que mantienen a una masa de referencia en una posición fija en un cuerpo en aceleración. El resultado a menudo se refleja ya sea en un voltaje eléctrico variable o en el desplazamiento de un puntero móvil a lo largo de una escala fija. Se usan acelerómetros especialmente diseñados en variadas aplicaciones: control de equipo para ensayos de vibraciones industriales, detección de sismos (sismógrafos) y como sensor en sistemas de navegación y de guiamiento inercial.

acelga Hortaliza (*Beta vulgaris*, variedad *cicla*), variedad de BETARRAGA cuyas hojas y pecíolos tiernos comestibles alcanzan un gran desarrollo. Es una buena fuente de vitaminas A, B y C. La acelga es popular como hortaliza doméstica, ya que es fácil de cultivar, tiene alta productividad y tolera calores moderados. Es altamente perecible, lo que dificulta su envío a mercados lejanos.

Acelga (*Beta vulgaris*, variedad *cicla*).
W.H. HODGE

acento En PROSODIA, la mayor intensidad o altura con que se pronuncia una de las vocales de una palabra, distinguiéndola de las demás. Se suele denominar acento tónico. En ortografía, el signo con que, en algunos idiomas, en determinadas ocasiones, se señala en lo escrito la vocal acentuada. Se lo conoce también como tilde o acento gráfico. En RETÓRICA, el elemento constitutivo del verso mediante el cual se marca el ritmo, destacando una sílaba sobre las inmediatas, a menudo en intervalos regulares. Se le da el nombre específico de acento métrico.

acento En FONÉTICA, énfasis en una SÍLABA del habla pronunciándola con más intensidad que el resto de la palabra. Es posible que este énfasis carezca de significado; por ejemplo, las palabras checas se acentúan regularmente en la primera sílaba. Sin embargo, el acento puede otorgar un significado distinto a palabras que se escriben de forma similar pero que se pronuncian de manera diferente; por ejemplo, *papa* se acentúa en la primera sílaba cuando se refiere al tubérculo comestible y, en la segunda, *papá*, cuando se refiere al padre. También se puede aplicar a una palabra para expresar su importancia en una oración. Ver también ENTONACIÓN.

aceptación bancaria Instrumento de crédito de corto plazo que consiste en una orden por escrito que obliga al comprador a pagar una suma específica al vendedor en una determinada fecha, suscrito por el comprador como promesa de cumplir la obligación. Las aceptaciones se utilizan a menudo en operaciones de importación y exportación. Por ejemplo, un exportador puede exigir que el comprador firme y devuelva una letra de cambio como aceptación de la deuda; el exportador puede vender luego esa letra con descuento al banco y recibir el pago de inmediato. El comprador tiene entonces plazo hasta la fecha de vencimiento de la letra para vender los productos y cancelar la suma prometida (la que ahora se adeuda al banco). Ver también LETRA DE CAMBIO; PAGARÉ.

Aceráceas Familia compuesta por unas 200 especies (de los géneros *Dipteronia* en China y *Acer* en el hemisferio norte) de árboles de sombra, ornamentales y maderables. Los arces

Arce rojo (*Acer rubrum*), familia de las Aceráceas.

son árboles ornamentales importantes para prados, veredas y parques. Ofrecen una gran variedad de formas, tamaños y follaje; muchos ostentan un llamativo colorido otoñal. El arce rojo (*A. rubrum*) es uno de los árboles más comunes en el este de Norteamérica, de donde es originario; tolera suelos húmedos, compactados y la contaminación urbana. El arce negundo (*A. negundo*) crece rápidamente hasta alcanzar 9–15 m (30–50 pies) y resiste la sequía, por lo que los primeros colonos de las praderas plantaron muchos para obtener sombra y madera para hacer jabas, muebles, pasta de papel y carbón vegetal. La savia dulce y acuosa del arce sacarino (*A. saccharum*) se hierve para obtener jarabe y azúcar. La madera de algunos arces sacarinos se emplea en muebles.

acero ALEACIÓN de HIERRO y de un 2% de CARBONO, o menos. El hierro puro es blando, pero el carbono lo endurece mucho. Existen varios constituyentes de hierro-carbono con diferentes composiciones y/o estructuras cristalinas: austenita, ferrita, perlita, cementita y martensita pueden coexistir en mezclas y combinaciones complejas, dependiendo de la temperatura y del contenido de carbono. Cada microestructura difiere en dureza, resistencia a esfuerzos, tenacidad, resistencia a la corrosión y resistividad eléctrica, de modo que la variación del contenido de carbono cambia las propiedades. El TERMOTRATAMIENTO, el trabajar mecánicamente el acero a temperaturas frías o calientes, o la adición de elementos aleantes, también pueden conferirle propiedades superiores. Las tres clases principales son los ACEROS AL CARBONO, los aceros de baja aleación y los aceros de alta aleación. Los aceros de baja aleación (con hasta un 8% de elementos aleantes) son excepcionalmente resistentes y se usan para piezas de máquinas, trenes de aterrizaje de aviones, árboles o ejes de transmisión, herramientas manuales y engranajes, y en edificios y puentes. Los aceros de alta aleación, con más de un 8% de elementos de aleación (p. ej., ACEROS INOXIDABLES), ofrecen propiedades inusuales. La fabricación del acero comprende procesos de fusión, purificación (refinación) y aleación efectuados a unos 1.600 °C (2.900 °F). El acero se obtiene por refinación del hierro (proveniente de un ALTO HORNO) o de chatarra de acero mediante el proceso básico al OXÍGENO, el proceso del horno SIEMENS-MARTIN o proceso de horno de solera abierta, o en un HORNO ELÉCTRICO, y luego eliminando el carbono e impurezas sobrantes y agregando elementos de aleación. El acero fundido se puede vaciar en MOLDES y solidificar en forma de LINGOTES; estos se recalientan y laminan para obtener perfiles semiterminados que se trabajan para transformarlos en productos terminados. Mediante la modalidad de COLADA, llamada continua, se pueden ahorrar algunas etapas en la colada de lingotes. El proceso de conformar el acero semiterminado para obtener perfiles semiterminados se puede efectuar mediante dos métodos principales: el trabajo en caliente, consiste primordialmente en el martilleo y estampado (en conjunto, llamado FORJADO), la EXTRUSIÓN y la LAMINACIÓN del acero sometido a calor intenso; el trabajo en frío, que comprende laminación, extrusión y estirado (ver TREFILADO DE ALAMBRE), se usa por lo general para hacer barras, alambre, tubos, chapas o planchas delgadas y flejes. El acero fundido también se puede moldear directamente en forma de productos. Algunos productos, en especial chapas de acero o acero en planchas delgadas, se protegen contra la CORROSIÓN por medio de la GALVANOPLASTIA, el GALVANIZADO o el ESTAÑADO.

acero al carbono ALEACIÓN de HIERRO y CARBONO en la que el contenido de carbono puede variar desde menos de un 0,015% hasta poco más de 2%. La adición de esta ínfima cantidad de carbono produce un material que presenta una gran resistencia, dureza y otras propiedades mecánicas valiosas. Los aceros al carbono representan alrededor del 90% de la producción mundial de ACERO. Se usan extensamente en carrocerías de automóviles, artefactos domésticos, maquinaria, naves, contenedores y en las estructuras de edificios. El acero al carbono, antes fabricado por el proceso BESSEMER, por el proceso al CRISOL, o por el proceso del horno SIEMENS-MARTIN, conocido también como proceso del horno de solera abierta, se fabrica ahora por medio del proceso básico al OXÍGENO o mediante un HORNO DE ARCO.

acero inoxidable Acero de una familia de ACEROS de ALEACIÓN, los que por lo general contienen 10–30% de CROMO. La presencia de cromo, junto con un bajo contenido de carbono, proporciona notable resistencia a la corrosión y al calor. Se pueden adicionar otros elementos, como níquel, molibdeno, titanio, aluminio, niobio, cobre, nitrógeno, azufre, fósforo y selenio, para aumentar la resistencia a la corrosión en ambientes específicos, mejorar la resistencia a la oxidación (ver OXIDACIÓN-REDUCCIÓN) y conferir características especiales.

Acería de la fábrica de camiones Tata en Jamshedpur, Bihar, India.

acero para herramientas ACEROS especiales que se producen en pequeñas cantidades, que contienen ALEACIONES costosas y que a menudo se venden sólo por kilogramo y por sus nombres comerciales individuales. Por lo general son muy duros, resistentes al desgaste, tenaces, no reaccionan al recalentamiento local y con frecuencia están diseñados para exigencias especiales de servicio. Deben ser dimensionalmente estables durante el endurecimiento y el revenido. Contienen poderosos formadores de CARBUROS, como tungsteno, molibdeno, vanadio y cromo en diferentes combinaciones, y a menudo cobalto o níquel para mejorar el desempeño a altas temperaturas. Ver también ACERO RÁPIDO.

acero rápido ALEACIÓN de ACERO introducida en 1900. Duplicó o triplicó las capacidades de los talleres mecánicos al permitir que las máquinas herramientas funcionaran a velocidades dos o tres veces superiores a las velocidades posibles con ACERO AL CARBONO (el cual pierde su filo cuando la temperatura causada por la fricción de la acción de corte es superior a unos 210 °C o 400 °F). Un tipo común de acero rápido contiene un 18% de tungsteno, 4% de cromo, 1% de vanadio y solamente 0,5–0,8% de carbono. Ver también ACERO INOXIDABLE; TERMOTRATAMIENTO.

acero wootz ver acero WOOTZ

Acesines, río ver río CHENAB

acetaminofeno Droga utilizada para aliviar los dolores leves de cabeza, musculares y articulares y para disminuir la fiebre. Es un compuesto orgánico, que alivia el dolor por inhibición de la síntesis de PROSTAGLANDINA en el sistema nervioso central y disminuye la fiebre por su acción sobre el centro termorregulador del encéfalo. A diferencia de la ASPIRINA, no posee efecto antiinflamatorio. También es mucho menos propenso a irritar el estómago y causar ÚLCERAS PÉPTICAS, no está asociado al síndrome de REYE y puede ser ingerido por personas que usan ANTICOAGULANTES o que son alérgicas a la aspirina. Las sobredosis pueden causar daño hepático fatal. Una marca comercial común en la mayor parte del mundo es el Tylenol. Ver también IBUPROFENO.

acetato $C_2H_3O_2^-$ ion, una SAL, ÉSTER o acilal derivado del ácido ACÉTICO. Los acetatos son importantes en la síntesis bioquímica de las grasas, a partir de carbohidratos en plantas y animales. Industrialmente, los acetatos de metal son utilizados en imprenta, el acetato de vinilo en la producción de plástico, el acetato de celulosa en películas fotográficas y TEXTILES (una de las primeras fibras sintéticas, a menudo llamada simplemente acetato), y los ésteres orgánicos volátiles, como solventes.

acético, ácido El ácido CARBOXÍLICO más importante (CH_3COOH). El ácido acético puro ("glacial") es un líquido claro, siruposo y corrosivo, que se mezcla fácilmente con el agua. El VINAGRE es su solución diluida, obtenido de la FERMENTACIÓN y oxidación (ver OXIDACIÓN-REDUCCIÓN) de productos naturales. Sus SALES y ÉSTERES son ACETATOS. Se encuentra naturalmente como intermediario metabólico en fluidos corporales y vegetales. La producción industrial es sintética, a partir de ACETILENO, o biológica, a partir de ETANOL. Los productos químicos industriales que se fabrican a base de ácido acético se utilizan en material de imprenta y en plásticos, películas fotográficas, textiles y solventes.

acetilcolina Éster de COLINA y ácido ACÉTICO, NEUROTRANSMISOR activo en muchas SINAPSIS nerviosas y en la placa motora terminal de los MÚSCULOS voluntarios de los vertebrados. Influye en varios sistemas del cuerpo, como el sistema CARDIOVASCULAR (disminuye la frecuencia y la intensidad de las contracciones cardíacas; dilata los vasos sanguíneos), el sistema gastrointestinal (aumenta la PERISTALSIS del estómago y la amplitud de las contracciones digestivas) y el sistema URINARIO (disminuye la capacidad de la vejiga, aumenta la presión de evacuación voluntaria). También influye en el sistema RESPIRATORIO y estimula la secreción de todas las GLÁNDULAS que reciben impulsos nerviosos parasimpáticos (ver sistema NERVIOSO AUTÓNOMO). Es importante para la memoria y el aprendizaje y escasea en los cerebros de quienes se encuentran en etapa avanzada del mal de ALZHEIMER.

acetileno *o* **etino** El alquino más simple, C_2H_2. Un gas incoloro, inflamable, explosivo; se utiliza como combustible en la soldadura y en el corte de los metales, y como materia prima en la fabricación de muchos compuestos orgánicos y plásticos. Se produce por la reacción de agua con carburo de calcio, por el paso de un hidrocarburo a través de un arco eléctrico, o por la combustión parcial de metano. La descomposición del acetileno libera calor; según el grado de pureza, también es un explosivo. Un soplete de acetileno alcanza alrededor de 3.300 °C (6.000 °F), más caliente que la combustión de cualquier otra mezcla de gas conocida. Ver también HIDROCARBURO.

acetona *o* **dimetilcetona** La CETONA (CH_3COCH_3) más simple e importante. Es un líquido incoloro, inflamable, con punto de ebullición a 56,2 °C (133 °F). Muchas grasas, RESINAS y materiales orgánicos se disuelven fácilmente en ella, de modo que se utiliza para fibras artificiales, explosivos, resinas, pinturas, tintas, cosméticos (como el removedor de esmalte de uñas), revestimientos y adhesivos. La acetona se utiliza como componente químico intermedio en productos farmacéuticos y muchos otros compuestos.

Achebe, (Albert) Chinua(lumogu) (n. 16 nov. 1930, Ogidi, Nigeria). Novelista nigeriano de la etnia ibo. Preocupado por un África emergente en sus momentos de crisis, Achebe ha sido aclamado por sus descripciones de la desorientación que deriva de imponer costumbres y valores occidentales a la sociedad africana tradicional. *Todo se desmorona* (1958) y *Arrow of God* [Flecha de Dios] (1964) retratan el choque de las costumbres tradicionales de los ibo con el colonialismo. *Nunca más a gusto* (1960), *A Man of the People* [Un hombre del pueblo] (1966) y *Anthills of the Savannah* [Hormigueros de la sabana] (1988) abordan el tema de la corrupción, entre otros aspectos de la vida poscolonial africana. *Home and Exile* [Patria y exilio] (2000) es una obra parcialmente autobiográfica, que al mismo tiempo se alza como una defensa de África ante las distorsiones que para ella representa la cultura occidental.

achelense, industria Industria LÍTICA del período PALEOLÍTICO inferior que se caracteriza por la presencia de instrumentos de piedra bifaciales, con bordes cortantes redondeados. Su elemento más representativo es un hacha de mano de sílex almendrada (amigdaloide), que mide 20–25 cm (8–10 pulg.) de longitud, tallada en toda su superficie. Otros de sus implementos son raspadores, perforadores, cuchillos y tajadores. Su nombre deriva del sitio cercano a Saint-Acheul, en el norte de Francia, donde estos instrumentos fueron descubiertos originalmente. La industria achelense fue de una longevidad extrema (1.500.000–110.000 años) y se la asocia tanto con el HOMO ERECTUS como con el HOMO SAPIENS arcaico.

Acheson, Dean (Gooderham) (11 abr. 1893, Middletown, Conn., EE.UU.–12 oct. 1971, Sandy Spring, Md.). Secretario de Estado de EE.UU. (1949–53). Luego de titularse en la Universidad de Yale y la escuela de derecho de Harvard, ejerció la abogacía en Washington, D.C. En 1941 ingresó al Departamento de Estado, donde se desempeñó más adelante como subsecretario (1945–47). En 1947 participó en la formulación de la doctrina TRUMAN y del Plan MARSHALL. Como secretario de Estado, durante el gobierno de HARRY S. TRUMAN, promovió la formación de la OTAN y fue uno de los principales creadores de la política exterior estadounidense en los primeros años de la guerra fría. Durante las audiencias parlamentarias que sostuvo el senador Joseph McCarthy, Acheson se negó a despedir a ninguno de los supuestos elementos subversivos del Departamento de Estado, ni siquiera a ALGER HISS. Instauró las políticas de no reconocimiento de China comunista y de ayuda al régimen de CHIANG KAI-SHEK, en Taiwán, y apoyó la ayuda estadounidense al régimen colonial francés en Indochina. Cuando dejó el cargo, siguió asesorando a los presidentes siguientes. Su libro de memorias, *Present at the Creation* [Testigo de la creación], obtuvo el Premio Pulitzer en 1970.

Dean Acheson, político estadounidense.
FOTOBANCO

Acheson, Edward Goodrich (9 mar. 1856, Washington, Pa., EE.UU.–6 jul. 1931, Nueva York, N.Y.). Inventor estadounidense. Contribuyó a desarrollar la LÁMPARA INCANDESCENTE y en 1881 instaló las primeras luces eléctricas para THOMAS ALVA EDISON en Italia, Bélgica y Francia. Al tratar de producir diamantes artificiales, creó en su lugar el material ABRASIVO sumamente efectivo, llamado CARBORUNDO. Más tarde, descubrió que el silicio se vaporiza a partir del carborundo a 4.150 °C (7.500 °F), dejando carbono grafítico, y patentó su proceso de fabricación de GRAFITO en 1896.

achicoria Planta perenne de flores azules (*Cichorium intybus*) de la familia de las COMPUESTAS. Nativa de Europa, fue introducida en EE.UU. a fines del s. XIX. La achicoria tiene

Achicoria (*Cichorium intybus*).
© ENCYCLOPÆDIA BRITANNICA, INC.

una raíz primaria larga y carnosa; un tallo rígido, ramificado y velloso. Alrededor de la base posee hojas lobuladas, de margen dentado, similares a las del diente de león. Tanto las hojas como la raíz son comestibles. Las raíces se pueden usar como sucedáneo del café o como saborizante del mismo. La planta también se cultiva como forraje o herbaje para el ganado.

Achillea Género de la familia de las COMPUESTAS, que comprende unas 80 especies de hierbas perennes, nativas principalmente de la zona templada septentrional. Algunas especies se cultivan como plantas ornamentales de jardín. Tienen hojas dentadas, a menudo finamente partidas y a veces aromáticas. Las numerosas florecillas blancas, amarillas o rosadas suelen agruparse en corimbos que se pueden secar para hacer buqués en invierno.

Milenrama (*Achillea millefolium*).
© ENCYCLOPÆDIA BRITANNICA, INC.

achira ver CANNA

ácido Cualquier sustancia que en solución acuosa sabe agria, cambia el color de los indicadores ácido-base (p. ej., TORNASOL), reacciona con algunos METALES (p. ej., hierro) para producir HIDRÓGENO gaseoso, reacciona con BASES para formar SALES y promueve ciertas REACCIONES QUÍMICAS (p. ej., CATÁLISIS ácida). Los ácidos contienen uno o más átomos de hidrógeno que, en solución, se disocian como IONES de hidrógeno cargados positivamente. Los ácidos inorgánicos o minerales comprenden el ácido SULFÚRICO, el ácido NÍTRICO, el ácido CLORHÍDRICO y el ácido fosfórico. Los ácidos orgánicos son los ácidos CARBOXÍLICOS, los FENOLES y los ácidos sulfónicos. Algunas definiciones más amplias de los ácidos abarcan situaciones en las cuales el agua no está presente. Ver también teoría ÁCIDO-BASE.

ácido acético ver ácido ACÉTICO

ácido ascórbico ver VITAMINA C

ácido aspártico ver ácido ASPÁRTICO

ácido carbólico ver ácido CARBÓLICO

ácido carboxílico ver ácido CARBOXÍLICO

ácido cítrico ver ácido CÍTRICO

ácido cítrico, ciclo del ver ciclo de KREBS

ácido clorhídrico ver ácido CLORHÍDRICO

ácido desoxirribonucleico ver ADN

ácido fólico ver ácido FÓLICO

ácido fórmico ver ácido FÓRMICO

ácido glutámico ver ácido GLUTÁMICO

ácido graso ver ácido GRASO

ácido láctico ver ácido LÁCTICO

ácido muriático ver ácido CLORHÍDRICO

ácido nicotínico ver NIACINA

ácido nítrico ver ácido NÍTRICO

ácido nucleico ver ácido NUCLEICO

ácido oxálico ver ácido OXÁLICO

ácido pantoténico ver ácido PANTOTÉNICO

ácido ribonucleico ver ARN

ácido salicílico ver ácido SALICÍLICO

ácido sulfúrico ver ácido SULFÚRICO

ácido tánico ver TANINO

ácido tricarboxílico, ciclo del ver ciclo de KREBS

ácido úrico ver ácido ÚRICO

ácido-base, teoría Cualquiera de las distintas teorías que dan lugar a las definiciones alternativas de ÁCIDOS y BASES. La teoría original se basó en la teoría de soluciones electrolíticas de SVANTE ARRHENIUS e involucró la DISOCIACIÓN del agua en IONES de hidrógeno e hidróxido. Se postularon otras dos teorías para explicar el comportamiento de un producto químico, en particular si el agua no está presente. La definición de Brønsted Lowry (1923) es la más aceptada y útil: un ácido es un compuesto químico que tiende a perder un PROTÓN (H^+), y una base es un compuesto químico que tiende a ganar un protón. Otra definición es la de Lewis (también en 1923): un ácido (ver ELECTRÓFILO) es un producto químico que puede aceptar un par de ELECTRONES de una base (ver NUCLEÓFILO), que comparten para formar un ENLACE COVALENTE. Las tres teorías tienen similitudes superficiales, pero diferencias sutiles e importantes en ciertas aplicaciones.

acimut *o* **azimut** Dos coordenadas que describen la posición de un objeto observado desde la Tierra en un sistema de COORDENADAS, llamado sistema altacimut o de horizonte, y que se utiliza en astronomía, balística, navegación, prospección y otros campos. La altura en este sentido es expresada como ángulo de elevación (hasta 90°) sobre el horizonte. El acimut, en una medición astronómica, es la cantidad de grados en el sentido de las manecillas del reloj, medidos desde la línea que apunta al norte, hasta la línea que se dirige al punto del horizonte directamente debajo del objeto.

Ackermann, Konrad Ernst (bautizado 4 feb. 1712, Schwerin, Mecklenburgo–13 nov. 1771, Hamburgo). Actor-empresario alemán. Después de su aprendizaje en una compañía teatral, especializada en adaptaciones de obras francesas al alemán, dirigió una compañía itinerante por Europa en la década de 1750. Adquirió renombre por sus dramas de carácter costumbrista y por interpretar papeles que combinaban lo cómico con lo sentimental. En 1765 abrió un teatro en Hamburgo, considerado el primer teatro nacional alemán, para luego encargar su gestión a su hijastro Friedrich L. Schröder (n. 1744–m. 1816), quien llevó Shakespeare a los escenarios alemanes. Ver también método del ACTOR-EMPRESARIO.

aclimatación Cualquiera de las numerosas respuestas graduales a largo plazo de un organismo a los cambios en su ambiente. Las respuestas son más o menos habituales y reversibles si las condiciones revierten a un estado precedente. Estos criterios diferencian la aclimatación de la HOMEOSTASIS; del crecimiento y desarrollo (que no pueden revertirse); y de la adaptación evolutiva (que ocurre en una población a lo largo de generaciones). La aclimatación puede producirse en previsión de un cambio y habilitar a los organismos para que sobrevivan en condiciones que exceden su experiencia natural. Algunos ejemplos son la adaptación a las variaciones estacionales y los ajustes a los cambios de altura.

ACLU ver AMERICAN CIVIL LIBERTIES UNION

acné Enfermedad inflamatoria de las GLÁNDULAS SEBÁCEAS de la piel. El acné vulgar es posiblemente uno de los trastornos crónicos más frecuentes de la piel y resulta de la interacción de factores hereditarios, hormonas y bacterias, que comienza en la adolescencia cuando las glándulas sebáceas hiperactivas son estimuladas por altas concentraciones de ANDRÓGENOS. Su lesión primaria, el punto negro, puede ser abierto o cerrado y consiste en un tapón de grasa (sebo), restos celulares y microorganismos en un folículo piloso. El acné tiene cuatro grados de severidad creciente según su extensión, inflamación, formación de pústulas y cicatrices. Los métodos de tratamiento varían desde la medicación local de la piel hasta los antibióticos y las hormonas; muchos casos se resuelven a la larga espontáneamente.

ACNUR *p. ext.* **Oficina del Alto Comisionado de las Naciones Unidas para los Refugiados** Oficina creada en 1951 para brindar ayuda legal, social, económica y política a los refugiados. Es la sucesora de la ORGANIZACIÓN INTERNACIONAL DE REFUGIADOS. Sus primeras actividades se centraron en los europeos desplazados por la segunda guerra mundial; desde entonces ha asistido a refugiados en África, Asia, América Latina y Yugoslavia. Su sede está en Ginebra y se financia por contribuciones voluntarias de los gobiernos. Este organismo obtuvo el Premio Nobel de la Paz en 1954 y 1981.

acolchado Proceso que consiste en coser dos capas de tela que generalmente llevan interpuesta una sustancia suave y gruesa. La capa de relleno de lana, algodón u otro material proporciona aislamiento; la costura mantiene el relleno distribuido uniformemente y también ofrece la posibilidad de expresión artística. El acolchado ha sido usado por mucho tiempo como vestimenta en muchas partes del mundo, especialmente en el Lejano y Medio Oriente y en las regiones musulmanas de África. Alcanzó su máximo desarrollo en EE.UU., donde fue muy empleado al principio para enaguas y colchas. A fines del s. XVIII, el acolchado estadounidense tenía características distintivas, como telas de color cosidas en las capas externas (aplique) y bordados que imitaban el diseño del aplique. Los diseños con retazos (*patchwork*) proliferaron en los s. XIX y XX.

Acoma Aldea indígena en el centro-oeste de Nuevo México, EE.UU. Situada en una reserva al oeste de ALBUQUERQUE se le conoce como la "ciudad del cielo". Su gente habita en viviendas de piedra y adobe, construidas en terrazas en la cima de un terromontero de arenisca de 109 m (357 pies) de altura. Poblado desde el s. X, se cree que es el asentamiento más antiguo habitado en forma continua de EE.UU. En 1540, el explorador español FRANCISCO VÁZQUEZ DE CORONADO lo describió como la posición defensiva más fuerte del mundo.

Aconcagua, cerro Pico del oeste de la Argentina, en la frontera con Chile. Localizado en la cordillera de los ANDES, alcanza los 6.959 m (22.831 pies) de altura. Es la cumbre más alta del hemisferio occidental. Si bien es de origen volcánico, no es un volcán activo. Su cima fue alcanzada por primera vez en 1897.

Aconcagua, la cumbre más elevada de la cordillera de los Andes.
FOTOBANCO

acónito Cualquier miembro de dos géneros de plantas herbáceas perennes de la familia Ranunculaceae (ver RANÚNCULO): el *Aconitum* (acónito), que corresponde a plantas venenosas que florecen en verano y el *Eranthis* (acónito de invierno), que consiste en plantas ornamentales que florecen en primavera. La raíz tuberosa seca del *A. napellus* solía usarse como sedante y analgésico.

acorazado Buque más importante de todas las armadas del mundo desde c. 1860, cuando empezó a reemplazar al NAVÍO DE LÍNEA de casco de madera, hasta la segunda guerra mundial, cuando fue sustituido por el PORTAAVIONES. Combinaba poderosos cañones de grueso calibre y pesado blindaje, un buen andar y un gran radio de acción. Los más poderosos podían alcanzar blancos a una distancia de más de 30 km (20 mi) y absorber daños considerables, mantenerse a flote y seguir en combate. Se originó en las naves llamadas BLINDADOS, de navegación a vela y a vapor, como la fragata blindada francesa *Gloire* (1859). En 1906, el HMS *DREADNOUGHT* (buque de Su Majestad Británica) revolucionó el diseño de acorazados al introducir la propulsión por medio de turbinas de vapor, y un conjunto de diez cañones de 305 mm (12 pulg.). En la segunda guerra mundial (1939–45), los acorazados fueron utilizados principalmente en tareas especializadas, como el bombardeo de las defensas costeras enemigas en la GUERRA ANFIBIA. Después de la guerra del Golfo Pérsico (1990–91), EE.UU. retiró del servicio sus dos últimos acorazados.

acorde Grupo de tres notas musicales o más que suenan en forma simultánea. Las notas do-mi-sol constituyen un "acorde de do mayor" o "tríada de do mayor". Los acordes pueden contener cualquier número de notas individuales y pueden ser muy disonantes (ver CONSONANCIA Y DISONANCIA). Se suele usar libremente el término ARMONÍA como sinónimo.

acordeón Instrumento musical portátil que utiliza un fuelle bombeado con las manos y dos teclados que hacen sonar pequeñas lengüetas de metal que baten libremente y vibran cuando el aire pasa por ellas. Los teclados a ambos lados del fuelle efectivamente parecen armonios individuales. El teclado de la mano derecha toca la línea o líneas de los agudos, mientras que la mayoría de las teclas de la mano izquierda (bajo) hacen sonar acordes de tres notas. Sin embargo, existen acordeones de "bajo libre" que permiten tocar líneas monotónicas. En 1822, Friedrich Buschmann (inventor además de la ARMÓNICA) patentó en Berlín un prototipo de acordeón que usa botones en vez de teclas. El instrumento ha ganado bastante popularidad en orquestas de baile y como instrumento folclórico. Ver también CONCERTINA.

Acordeón italiano del s. XIX.
RICHARD SAUNDERS—SCOPE ASSOCIATES, INC.

acoso sexual Comportamiento verbal o físico de carácter sexual, no solicitado por quien es objeto de él. El acoso sexual puede abarcar cualquier conducta de orden sexual cuyo destinatario estime ofensiva. Si se produce en el lugar de trabajo, pueden interponerse recursos legales, pero es muy difícil obtener sentencia condenatoria. En 1994, la Corte Suprema de los ESTADOS UNIDOS DE AMÉRICA falló que una conducta puede considerarse acoso sexual y un atentado a los derechos civiles de la persona si da lugar a que el ambiente laboral sea hostil y abusivo.

Acosta, Uriel *orig.* **Gabriel da Costa** (c. 1585, Oporto, Portugal–abr. 1640, Amsterdam, Países Bajos). Librepensador judeoportugués. Nacido en el seno de una familia marrana (ver MARRANO), llegó a la convicción de que no había salvación a través de la Iglesia católica y se convirtió al judaísmo. Su madre y su hermano también se convirtieron, y tanto él como su familia huyeron a Amsterdam. En 1616 tachó al JUDAÍSMO RABÍNICO de no bíblico, por lo que fue expulsado de la comunidad. Entre 1623–24, cuando aumentó sus críticas al negar la inmortalidad del alma, fue arrestado y multado. Se retractó, pero más tarde fue otra vez expulsado. Se retractó públicamente en 1640, después de lo cual escribió una breve autobiografía, *Ejemplo de vida humana*, y se suicidó.

Acre *o* **ʻAkko** Ciudad portuaria (pob., est. 2002.: 45.737 hab.) del noroeste de ISRAEL, a orillas del mar Mediterráneo. Mencionada por primera vez en un texto egipcio del s XIX AC, fue durante mucho tiempo una ciudad cananea y fenicia. Después de ser conquistada por Alejandro Magno (336 AC), se convirtió en una polis griega (llamada Tolemaida). La ciudad permaneció como parte de la República y del Imperio romano durante varios siglos. Fue conquistada por los persas en 614 y por los árabes en 638. En 1104, mientras era gobernada por los turcos SELYÚCIDAS, fue capturada por los cruzados y rebautizada como San Juan de Acre, convirtiéndola en su última capital (ver CRUZADAS). Salvo breves intervalos, estuvo bajo el dominio del Imperio OTOMANO desde 1516, hasta que fuerzas británicas la ocuparon en 1918. Bajo mandato británico, formó parte de Palestina y desde 1948 pasó a ser parte de Israel, huyendo la mayoría de los árabes que la habitaban. Sus construcciones más notables son la gran mezquita y la cripta de San Juan. Allí se encuentra, también, la sepultura de BAHĀʼ ULLĀH, fundador de la religión BAHAʼI.

Gran mezquita de Al-Jazzar, construida en 1781, Acre, Israel.
KEYSTONE

acreedor ver DEUDOR Y ACREEDOR

acrílica, pintura Pintura realizada con resinas acrílicas sintéticas que secan rápidamente, solubles en agua y que sirven como vehículo para cualquier pigmento. Sus efectos pueden variar desde el brillo transparente de la acuarela hasta la densidad de la pintura al óleo. El calor y el deterioro afectan menos a los acrílicos que a los óleos. Los artistas usaron por primera vez esta pintura en la década de 1940, pero se hizo popular con los artistas del POP ART, cuando se fabricó comercialmente en la década de 1960.

acrobacia Arte de saltar, dar volteretas y hacer equilibrismo. De origen antiguo, los acróbatas realizaban saltos mortales, piruetas y volteretas en las celebraciones egipcias y griegas. Las proezas acrobáticas eran un espectáculo importante del teatro de la COMMEDIA DELL' ARTE en Europa y de la ópera de PEKÍN en China. El uso posterior de aparatos como pértigas, cuerdas flojas y trapecios hizo de la acrobacia una de las atracciones principales en presentaciones circenses (ver CIRCO). Su popularidad creció en el s. XX gracias a artistas como los Wallendas Voladores (ver KARL WALLENDA).

La Acrópolis con el Erecteion (izquierda) y el Partenón (derecha), segunda mitad del s. V AC, Atenas, Grecia.
ARCHIVO EDIT. SANTIAGO

acrobacia aérea Deporte aeronáutico que consiste en realizar maniobras tales como giros lentos y rápidos, rizos, pérdida de la sustentación, tirabuzones y caídas en picada. Como deporte organizado o, mejor dicho, como espectáculo aéreo ("vuelo acrobático"), la acrobacia aérea comenzó sus competencias internacionales en 1960 bajo el auspicio de la Federación Aeronáutica Internacional (FAI).

acromegalia Trastorno del crecimiento y del metabolismo en el que las extremidades crecen desmesuradamente, cuando un tumor de la HIPÓFISIS provoca la sobreproducción de HORMONA DE CRECIMIENTO pasada la madurez. A menudo se asocia con el GIGANTISMO hipofisiario. Se caracteriza por el crecimiento gradual de manos y pies, exageración de los rasgos faciales, engrosamiento de la piel, crecimiento de la mayoría de los órganos internos, junto con dolor de cabeza, sudoración excesiva e hipertensión arterial. Las personas acromegálicas pueden desarrollar insuficiencia cardíaca congestiva, debilidad muscular, dolores articulares, osteoporosis, y a menudo diabetes mellitus y problemas visuales e incluso la ceguera. Si falla el tratamiento con cirugía o radiaciones, se emplea terapia hormonal. El tratamiento puede causar deficiencia hormonal y requerir terapia hormonal sustitutiva. Además, existen factores espontáneos que podrían causar deficiencia hormonal.

acrópolis (griego: "ciudad en la cima"). Lugar central de las ciudades de la antigua Grecia, orientado a la defensa, ubicado en el terreno más alto, y que albergaba a los principales edificios municipales y religiosos. La renombrada Acrópolis de Atenas (s. V AC), construida sobre un promontorio de escarpadas laderas, concentraba cuatro edificios principales –el PROPILEO, el PARTENÓN, el Erecteion (templo jónico que se destaca por su pórtico con CARIÁTIDES) y el templo de Atenea Niké–, todos construidos de mármol blanco, abundante en la zona.

acróstico Originalmente, una composición breve en verso, construida de manera que uno o varios grupos de letras (como las letras iniciales, intermedias o finales de las líneas) formen palabras al leerse consecutivamente. Un acróstico en el que las letras iniciales forman el alfabeto, se conoce como abecedario. Los escritores griegos y latinos de la antigüedad, los monjes medievales y los poetas renacentistas solían componer acrósticos. Hoy, el término se utiliza para un tipo de crucigrama que se sirve del principio del acróstico. Una de sus formas populares son los acrósticos dobles, crucigramas construidos de manera que las letras iniciales, intermedias o finales de las líneas formen palabras.

acta (latín: "acta"). En la antigua Roma, las minutas diarias de los asuntos públicos y el registro de los eventos políticos y sociales. En 59 AC JULIO CÉSAR ordenó que las actividades diarias del SENADO (*acta diurna, commentaria Senatus*) se hicieran públicas; posteriormente, César AUGUSTO prohibió publicarlas, aunque las actas del Senado siguieron registrándose y podían ser leídas con un permiso especial. También existían registros públicos (*acta diurna urbis*, "actas diarias urbanas") de los actos de las asambleas populares y de los tribunales, así como de los nacimientos, defunciones, matrimonios y divorcios. Estas actas constituían un diario oficial, el prototipo de un diario moderno.

ACTH *sigla de* **hormona adrenocorticotrópica** HORMONA polipéptida que se secreta en la HIPÓFISIS. Regula la actividad de parte de la corteza suprarrenal (ver GLÁNDULAS SUPRARRENALES), donde se producen importantes hormonas esteroidales (ver ESTEROIDES) que afectan el balance de los ELECTRÓLITOS y del agua, y el METABOLISMO de las grasas, carbohidratos y proteínas. El ACTH se encuentra en los vertebrados (excepto en los peces sin mandíbula); en los mamíferos contiene 39 AMINOÁCIDOS. La sobreproducción de ACTH es una causa del síndrome de CUSHING.

actina Una de las dos PROTEÍNAS responsables de la contracción de las células musculares (ver MÚSCULO) y de la motilidad de otras células. Se encuentra como un MONÓMERO, actina G, una proteína globular, y en las células vivas, como un POLÍMERO, actina F, que se parece a dos cadenas de cuentas enrolladas una alrededor de la otra en filamentos delgados. Los filamentos están dispuestos en estructuras regulares, alternados y entretejidos con filamentos gruesos que contienen miosina, la otra proteína principal del músculo. Los filamentos gruesos y delgados se deslizan uno a lo largo del otro, bajo el control de iones de CALCIO, resultando en la contracción (acortamiento) y relajación (elongación) de las células del músculo.

actínido Cualquiera de la serie de los 15 ELEMENTOS QUÍMICOS consecutivos en la TABLA PERIÓDICA desde el actinio al laurencio (NÚMEROS ATÓMICOS 89–103). Todos son METALES pesados radiactivos y sólo los cuatro primeros (actinio, torio, protactinio y URANIO) se encuentran en la naturaleza en cantidades apreciables. Los otros 11 (los elementos TRANSURÁNICOS) son inestables y sólo se producen artificialmente. Los actínidos son elementos de TRANSICIÓN, de modo que sus ÁTOMOS tienen configuraciones parecidas y similar comportamiento físico y químico; las VALENCIAS más comunes son 3 y 4.

actinolita Mineral del grupo de los ANFÍBOLES, de tonalidad incolora a verde, que al aumentar su contenido de hierro se oscurece de verde a negro. Tiene textura prismática y astillosa, y abunda en las rocas de METAMORFISMO regional, como los ESQUISTOS. La actinolita tiene una estructura cristalina monoclínica y puede convertirse en clorita. Ver también ASBESTO.

actinomicetes Grupo de BACTERIAS con consumo de oxígeno por lo general bajo, caracterizado por un patrón de crecimiento ramificado, que derivan en grandes estructuras filamentosas. Los filamentos pueden separarse para formar bastones o esferoides. Algunos actinomicetes pueden formar esporas. Muchas especies se encuentran en el suelo y son inocuas para los animales y plantas superiores; otras son importantes agentes patógenos. El aspecto de gránulos sulfurosos sirve para el diagnóstico de las infecciones humanas causadas por estas bacterias.

Action Française (francés: "Acción francesa"). Influyente grupo derechista antirrepublicano francés de principios del s. XX, cuyos puntos de vista fueron promovidos por un periódico del mismo nombre. El movimiento *Action Française*, liderado por CHARLES MAURRAS, abrazó el antiparlamentarismo, el antisemitismo y un nacionalismo extremo, inspirado en el *affaire* ALFRED DREYFUS. El movimiento llegó a su apogeo después de la primera guerra mundial, cuando el sentimiento nacionalista era fuerte. Fue denunciado por el Vaticano en 1926 y dejó de existir después de la segunda guerra mundial, debido a que estuvo asociado con el gobierno colaboracionista de Vichy (ver Francia de VICHY).

action painting Estilo de pintura directo, instintivo y dinámico que entraña la aplicación espontánea de vigorosas pinceladas de barrido y los efectos fortuitos del goteado y salpicado de pintura en la tela. El término caracteriza la obra de JACKSON POLLOCK, WILLEM DE KOONING y FRANZ KLINE. Las técnicas "automáticas" desarrolladas en Europa por los surrealistas en las décadas de 1920–30 tuvieron gran influencia en los artistas estadounidenses, quienes consideraban una pintura no sólo como un producto terminado sino como un registro del proceso de su creación. Fue una fuerza importante en el EXPRESIONISMO ABSTRACTO de la década de 1950. Ver también AUTOMATISMO; TACHISMO.

actitud En PSICOLOGÍA, predisposición mental relacionada con un estado o un hecho. Las actitudes dan cuenta de la tendencia de los individuos a clasificar objetos y situaciones y de la tendencia a reaccionar frente a ellos con cierta consistencia. Las actitudes no son observables directamente, sino que se infieren a partir de las conductas objetivas y evaluables que una persona realiza. Por esta razón, los investigadores se basan en indicadores conductuales sobre las actitudes (lo que las personas dicen, cómo responden a los cuestionarios o a los cambios fisiológicos, como alteraciones del ritmo cardíaco). La investigación sobre las actitudes la utilizan, entre otros profesionales, psicólogos sociales, orientadores y cientistas políticos.

actitud proposicional Estado psicológico expresado por un verbo que puede llevar como complemento una cláusula subordinada que comience con "que". Verbos como "creer", "esperar", "temer", "desear", "intentar" y "conocer" expresan actitudes proposicionales. Los contextos lingüísticos creados por su uso son, por lo general, referencialmente opacos (ver INTENCIONALIDAD), en el sentido de que la sustitución de expresiones correferenciales dentro de ellos puede cambiar "el valor de verdad" (verdadero o falso) de la oración contenedora. Así, para usar el ejemplo de BERTRAND RUSSELL, aunque es verdad que Pedro cree que Sir WALTER SCOTT fue escocés, puede ser falso que crea que el autor de *Waverley* (que es Scott) fuera escocés.

Actium, batalla de *o* **batalla de Accio** (31 AC). Batalla naval librada frente a ACARNANIA, Grecia, entre Octavio (luego AUGUSTO) y MARCO ANTONIO. Antonio acampó en Actium, ubicado entre el mar Jónico y el golfo de Ambracia. Sus fuerzas ascendían a 500 naves y 70.000 infantes. Octavio, con 400 naves y 80.000 infantes, cortó a Marco Antonio su línea de comunicación con el norte. Antonio se vio forzado a actuar por la deserción de sus aliados y la falta de suministros. Superado estratégicamente en tierra, siguió el consejo de CLEOPATRA de atacar Octavio en el mar. La flota de Antonio era mayor pues incluía la suya y las naves de Cleopatra. En el fragor de la batalla, Cleopatra huyó con sus galeras y Marco Antonio la siguió con unas pocas naves. Su flota se rindió en el acto y su ejército lo hizo una semana después. La victoria dejó a Octavio como el soberano indiscutido del mundo romano.

actividad óptica Habilidad de una sustancia para rotar el plano de POLARIZACIÓN de un rayo de luz que la atraviesa, ya sea como CRISTALES o en SOLUCIÓN. La rotación en el sentido de los punteros del reloj cuando uno mira hacia la fuente de luz es "positiva" o dextrorrotatoria; la rotación contraria a los punteros del reloj es "negativa" o levorrotatoria. LOUIS PASTEUR fue el primero en reconocer que las moléculas con actividad óptica son estereoisómeros (ver ISOMERISMO). Los ISÓMEROS ópticos se presentan en pares, que son imágenes especulares una de otra, no superponibles. Tienen las mismas propiedades físicas, excepto por su efecto sobre la luz polarizada; en las propiedades químicas difieren sólo en sus interacciones con otros estereoisómeros (ver SÍNTESIS ASIMÉTRICA).

actividad sustitutiva Ejecución realizada por un animal de un acto inapropiado para el estímulo o estímulos que lo provocaron. Ocurre normalmente cuando el animal se debate entre dos impulsos conflictivos, como el miedo y la agresión. A menudo las actividades sustitutivas consisten en movimientos de confort (p. ej., acicalarse, rascarse).

Acton (de Aldenham), John Emerich Edward Dahlberg Acton, 1er barón (10 ene. 1834, Nápoles, reino de Nápoles–19 jun. 1902, Tegernsee, Baviera, Imperio alemán). Historiador inglés. Fue miembro de la Cámara de los Comunes (1859–65). Editor de la revista católica mensual *The Rambler* (1859–64), renunció debido a que su enfoque científico de la historia fue objeto de la crítica papal. Asesor de WILLIAM GLADSTONE desde 1865, fue elevado a la dignidad de par en 1869. En 1895 fue nombrado profesor real de historia moderna en la Universidad de Cambridge. Posteriormente fue el coordinador del importante proyecto editorial *The Cambridge Modern History* [Historia Moderna de Cambridge]. Crítico del nacionalismo, acuñó el conocido aforismo: "El poder tiende a corromper y el poder absoluto corrompe absolutamente".

1er barón Acton, pintura al óleo de Franz von Lenbach; National Portrait Gallery, Londres.

GENTILEZA DE LA NATIONAL PORTRAIT GALLERY, LONDRES

actor-empresario, método del Sistema de producción teatral decimonónica predominante en Inglaterra y EE.UU. Según este método, un actor formaba una compañía teatral, elegía las obras que quería montar, interpretaba los papeles principales de estas y administraba los asuntos financieros de la compañía. Los primeros actores-empresarios aparecieron en el s. XVII, y en el s. XVIII actores-empresarios como COLLEY CIBBER y DAVID GARRICK alcanzaron gran notoriedad. El sistema permitió lograr altos niveles de actuación, ejemplificados por figuras decimonónicas como WILLIAM MACREADY, HENRY IRVING y THERBERT TREE. Este método decayó cuando los actores-empresarios fueron reemplazados primero por los directores de escena y después por los directores.

Actor's Studio Taller de actores profesionales con sede en Nueva York. Fundado en 1947 por los directores CHERYL CRAWFORD, ELIA KAZAN y Robert Lewis como un centro experimental del método STANISLAVSKI, fue dirigido por LEE STRASBERG entre 1948 y 1982. En 1962 puso en marcha una compañía y en 1966 abrió un taller en Los Ángeles. Los actores trabajan juntos sin las presiones de la producción comercial. El ingreso es por invitación y cada año se eligen seis o siete nuevos integrantes entre mil postulantes. Entre sus miembros han figurado MARLON BRANDO, MARILYN MONROE, PAUL NEWMAN y ROBERT DE NIRO.

actuación Arte de representar un personaje en un escenario o frente a una cámara mediante movimientos, gestos y entonación. La actuación en la tradición occidental se originó en Grecia en el s. VI AC. El trágico TESPIS es considerado tradicionalmente el fundador de la profesión. ARISTÓTELES definió la actuación como "el manejo correcto de la voz para expresar variadas emociones" y declaró que era un don natural que él dudaba pudiera enseñarse. La actuación como arte declinó en la Edad Media, cuando el DRAMA LITÚRGICO cristiano era interpretado por gremios de artesanos y aficionados. La actuación profesional moderna surgió en el s. XVI con las *troupes* de la COMMEDIA DELL'ARTE italiana. En el s. XVII se estableció como un oficio reconocido socialmente a través del trabajo de MOLIÈRE y la familia Béjart en Francia, que culminaría con la fundación en 1680 de la COMÉDIE-FRANÇAISE. Paralelamente, durante la época de WILLIAM SHAKESPEARE, la actividad floreció en Inglaterra. Sin embargo, no fue hasta el s. XVIII que, gracias a los esfuerzos del actor y productor inglés DAVID GARRICK y a los talentos de actores como SARAH SIDDONS, EDMUND KEAN y HENRY IRVING, la actuación fue considerada un oficio profesional serio. Los estilos de actuación moderna han sido influenciados por el énfasis de KONSTANTÍN STANISLAVSKI en la identificación del actor con su papel y por la insistencia de BERTOLT BRECHT en la objetividad y disciplina del actor. El método STANISLAVSKI fue adoptado en EE.UU. por LEE STRASBERG y Stella Adler (n. 1901–m. 1992) y constituye el sistema fundamental de enseñanza en la actualidad. Destaca el cultivo de la memoria emotiva y sensorial, el entrenamiento físico y vocal, así como la improvisación.

actuario de seguros Profesional dedicado a calcular los riesgos y primas de seguros. Los actuarios de seguros estiman la probabilidad de ocurrencia de eventos como nacimientos, matrimonios, enfermedades, accidentes y muertes. También evalúan los riesgos de daños o pérdidas materiales y la responsabilidad legal por la seguridad y el bienestar de terceros. Los actuarios, generalmente empleados por las compañías de seguros, fijan las tasas de las primas basándose en estudios estadísticos, establecen procedimientos de aseguramiento y determinan los montos de dinero requeridos para asegurar el pago de beneficios.

acuarela Pintura hecha con un pigmento molido en goma, generalmente arábiga, y que se aplica con pincel y agua sobre una superficie que suele ser papel. El pigmento a menudo es transparente, pero puede opacarse si se mezcla con yeso blanco para así producir el GOUACHE. La transparencia de la acuarela favorece la frescura y la luminosidad. En tanto que las pinturas al óleo logran sus efectos por medio de un aglomerado de colores, las acuarelas dependen de lo que se deja fuera, de los espacios vacíos sin pintura que son parte integral de la obra.

acuario Recipiente destinado a mantener organismos acuáticos, ya sea de agua dulce o salada, o una instalación en la cual se exhibe o estudia una colección de organismos acuáticos. El primer acuario de exhibición se inauguró en el Regent's Park, Inglaterra, en 1853. Muchas de las principales ciudades del mundo tienen ahora acuarios públicos y comerciales. Otras instalaciones con acuarios funcionan principalmente como instituciones de investigación. Sin importar su tamaño, ya sea un jarro pequeño de un litro o un contenedor de millones de litros, los acuarios deben construirse con esmero, ya que muchas sustancias que no son tóxicas para los humanos lo son para los animales que respiran en el agua, especialmente los plásticos y adhesivos. El primer requisito para mantener organismos acuáticos es la calidad del agua.

Acuario (latín: "aguador"). En astronomía, la constelación situada entre Capricornio y Piscis; en ASTROLOGÍA, el undécimo signo del ZODÍACO, que rige aproximadamente el período comprendido entre el 20 de enero y el 18 de febrero. La alegoría de Acuario se suele representar como un hombre que vierte el agua de un cántaro; la imagen se explica probablemente porque en la antigüedad el ascenso de Acuario coincidía en la región del Medio Oriente con la llegada anual de lluvias o inundaciones. El concepto astrológico llamado "El gran año", se refiere al período de 25.000 años que tarda la Tierra en pasar a través de la influencia del zodíaco entero. En ese orden, la era de Acuario habría comenzado en el s. XIX.

Acuario, iluminación del *Libro de horas*, Italia, c. 1475; Pierpont Morgan Library, Nueva York.

GENTILEZA DE LA PIERPONT MORGAN LIBRARY, NUEVA YORK, GLAZIER COLLECTION

acueducto Conducto construido para transportar agua desde su fuente hasta un punto central de distribución. El sistema de acueductos de la Roma antigua, una proeza de la ingeniería, traía agua a la ciudad desde 92 km (57 mi) de distancia. Sólo una parte de los acueductos romanos utilizaron el tan conocido arco de piedra; gran parte eran ductos subterráneos hechos de piedra o cañerías de terracota. Los sistemas modernos de acueductos emplean hierro fundido o acero. Ver también planta de abastecimiento de AGUAS.

acuerdo comercial Cualquier acuerdo contractual entre estados (ver ESTADO) que atañe a sus relaciones comerciales. Los acuerdos comerciales pueden ser bilaterales o multilaterales, es decir, entre dos o más estados. Para la mayoría de los países, el comercio internacional está regulado por barreras unilaterales, como ARANCELES, barreras no arancelarias y prohibiciones gubernamentales. Los acuerdos comerciales apuntan a reducir aquellas barreras de forma tal de entregar a todas las partes las ventajas del aumento del comercio. La RECIPROCIDAD es una característica necesaria de los acuerdos comerciales, puesto que ningún Estado estaría dispuesto a firmar el acuerdo a menos que espere equiparar ganancias y pérdidas. Otra característica común de estos acuerdos es la cláusula del trato de la NACIÓN MÁS FAVORECIDA, la cual precave a las partes firmantes del acuerdo contra la posibilidad de que, en el futuro, alguna de ellas ofrezca aranceles menores a un tercer Estado. Los acuerdos a menudo incluyen cláusulas sobre "tratamiento nacional de restricciones no arancelarias", lo que significa que ambos estados se comprometen a no duplicar los efectos de los aranceles, con restricciones no arancelarias, como regulaciones discriminatorias, impuestos indirectos selectivos, CUOTAS y requisitos especiales para la obtención de licencias. Los acuerdos multilaterales generales son a veces más fáciles de alcanzar que los acuerdos bilaterales, dado que las ganancias que obtienen los productores eficientes de las reducciones arancelarias a escala mundial son de magnitud suficiente como para justificar concesiones sustanciales. El acuerdo comercial multilateral contemporáneo más importante es el GATT, que disminuyó los aranceles del mundo y produjo una gran expansión del comercio mundial. Tales acuerdos continúan bajo la égida de la OMC, que sustituyó al GATT en 1995. Ver también TLC.

Acueducto romano en Tarragona, España.
PAUL TRUMMER/THE IMAGE BANK/GETTY IMAGES

Acuerdo General sobre Aranceles Aduaneros y Comercio ver GATT

acuerdo internacional Instrumento por el cual los estados y las organizaciones internacionales regulan materias que les conciernen. Los acuerdos internacionales están regidos por el DERECHO INTERNACIONAL y su finalidad comprende el desarrollo y codificación del derecho internacional, la creación de organismos internacionales y la resolución de conflictos internacionales reales o potenciales. El acuerdo de mayor alcance es el TRATADO; otros acuerdos, como las convenciones (p. ej., las convención de GINEBRA), las cartas (p. ej., la Carta de las Naciones Unidas) y los pactos (p. ej., el pacto KELLOGG-BRIAND), son menos formales y quedan entregados ante todo a la buena voluntad de las partes. Los acuerdos pueden ser negociados entre estados, entre una organización y un estado, entre organizaciones o entre cualquiera de ellos y una ORGANIZACIÓN NO GUBERNAMENTAL (ONG).

Acuff, Roy (Claxton) (15 sep. 1903, Maynardsville, Tenn., EE.UU.–23 nov. 1992, Nashville, Tenn.). Cantante, compositor y violinista estadounidense. Se dedicó a la música después de una malograda carrera en el béisbol y obtuvo una popularidad inmediata con sus grabaciones de "The Great Speckled Bird" y "The Wabash Cannonball". Se convirtió en una estrella nacional de radio en las transmisiones del "GRAND OLE OPRY" al reafirmar las tradiciones musicales lastimeras de los campesinos blancos del sudeste. En 1942 junto con el compositor FRED ROSE fundó Acuff-Rose Publishing, la primera casa editorial dedicada exclusivamente a la música *country*. En 1962, Acuff fue elegido el primer miembro viviente del Salón de la Fama de la música *country*.

acuicultura *o* **piscicultura** *o* **maricultura** Crianza de peces, moluscos y algunas plantas acuáticas para complementar la provisión natural. Se crían peces en condiciones reguladas en todo el mundo. Aunque la mayoría de la acuicultura suministra peces al mercado de alimentos comerciales, muchas agencias gubernamentales se dedican a abastecer de peces a lagos y ríos para la pesca deportiva. Los acuarios surten de peces de color y otros peces decorativos a los acuarios domésticos y de carnadas a la pesca deportiva y comercial. La CARPA, la TRUCHA VERDADERA, el BAGRE, la TILAPIA, el OSTIÓN, el MEJILLÓN, la LANGOSTA y las OSTRAS son algunas de las especies conocidas que se crían mediante la acuicultura.

acuífero En hidrología, una capa o secuencia de capas de rocas que contiene agua y la libera en cantidades considerables. Las rocas contienen poros llenos de agua que, al conectarse, permiten que esta fluya por su matriz. Un acuífero cautivo está cubierto por una capa de rocas que no conduce agua en grandes cantidades o que es impermeable. Probablemente existen muy pocos acuíferos en realidad cautivos. En un acuífero libre, la superficie (napa freática) está comunicada con la atmósfera a través del material permeable que lo cubre. Un acuífero también puede llamarse manto o depósito.

acuñación Certificación de una pieza de metal u otro material (como el cuero o la porcelana) por medio de una marca o marcas en su superficie, indicando que tiene un valor específico intrínseco o de intercambio. Se suele atribuir a CRESO (reinó c. 560–546 AC) el mérito de emitir la primera acuñación gubernamental oficial con pureza y peso certificados. La falsificación estuvo muy difundida en la Edad Media. A fines del s. XV se desarrolló en Italia un aparato capaz de proporcionar monedas de peso y tamaño confiables. En la REVOLUCIÓN INDUSTRIAL siguieron perfeccionándose las técnicas de acuñación. La mayoría de los motivos básicos de la acuñación moderna se introdujo en la antigüedad. En el mundo griego, la impresión en relieve reemplazó en forma gradual el cuño inverso y toscamente impreso de los lidios. ALEJANDRO MAGNO introdujo la moneda en efigie; estas monedas representaron al comienzo dioses o héroes y más tarde monarcas vivos. Hasta fines del s. XIX, las monedas chinas se fundían en forma muy parecida a las de los antiguos griegos; las monedas de bronce chinas, perforadas con un orificio cuadrado, circularon esencialmente con el mismo tamaño y forma durante casi 2.500 años.

acupresión *o* **shiatsu** Práctica de la MEDICINA ALTERNATIVA en que se aplica presión por breve tiempo, en puntos del cuerpo alineados en 12 meridianos principales (vías), para mejorar el flujo de la fuerza vital (QI). Aunque a menudo se menciona por su nombre en japonés, shiatsu, se originó en China hace miles de años. Se puede presionar un solo punto para aliviar un síntoma o dolencia específica, o bien trabajar en varios puntos para promover un bienestar general. Algunos estudios sugieren que la acupresión puede ser efectiva en ciertos problemas de salud como náuseas, dolor, y debilidad asociada a accidentes vasculares encefálicos. Si se emplea con prudencia sus riesgos son mínimos. Ver también ACUPUNTURA.

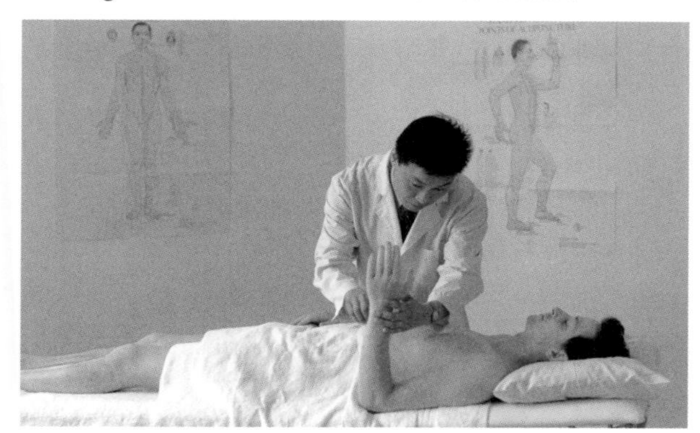

Sesión de acupuntura, milenaria técnica médica china.
ARCHIVO EDIT. SANTIAGO

acupuntura Técnica médica ideada en China antes de 2500 AC, en la que se insertan agujas en la piel y los tejidos subyacentes. Una o varias agujas metálicas pequeñas se introducen en puntos precisos a lo largo de 12 meridianos (vías) del cuerpo, por los cuales se cree que fluye la fuerza vital (QI), con el objeto de restaurar el balance YIN-YANG y tratar las enfermedades causadas por su desequilibrio. La acupuntura parece aliviar el dolor y se emplea como ANESTÉSICO en cirugía. Las teorías para explicar sus efectos incluyen la estimulación de la liberación de opioides naturales, el bloqueo de la transmisión de señales dolorosas y el efecto placebo. Ver también ACUPRESIÓN.

acusación En el derecho penal anglosajón, escrito acusatorio de un delito declarado tal por un GRAND JURY y remitido al tribunal para el juzgamiento del inculpado. En EE.UU., la acusación es uno de los tres mecanismos principales para acusar de delito; los otros dos son la información (acusación escrita similar a la anterior, pero preparada y presentada ante el tribunal por un fiscal acusador) y en el caso de delitos menores, por la denuncia de la parte agraviada o de un funcionario policial. Una acusación puede referirse a varios delitos.

acusación constitucional Proceso criminal incoado contra un funcionario público por un organismo legislativo. En EE.UU., el presidente, el vicepresidente y otras autoridades federales, incluso jueces, pueden ser acusados constitucionalmente por la Cámara de Representantes. La Cámara prepara un escrito acusatorio en que se especifican los cargos y sus fundamentos de hecho. Una vez aprobada por la mayoría de la Cámara, la acusación es presentada al Senado, el cual lleva a cabo un juicio. Al término de este, sus miembros votan en favor o en contra de cada punto del escrito acusatorio; la sentencia condenatoria requiere una mayoría de dos tercios. El funcionario que haya sido condenado podrá ser destituido de su cargo. Aun cuando la Constitución de los ESTADOS UNIDOS DE AMÉRICA dispone que los funcionarios pueden ser acusados constitucionalmente en caso de "delitos graves o faltas", los especialistas concuerdan en que la acusación constitucional procede en caso de conductas ilícitas no criminales (p. ej., violación de la constitución). Dos presidentes estadounidenses, ANDREW JOHNSON y BILL CLINTON, han sido objeto de acusación constitucional y ambos fueron absueltos. En 1974 se formuló una acusación contra el pdte. RICHARD NIXON, quien renunció a su cargo antes de que se formalizara el proceso. En Gran Bretaña, la acusación corresponde a la CÁMARA DE LOS COMUNES y la CÁMARA DE LOS LORES se pronuncia sobre ella, la acusación constitucional era un mecanismo en virtud del cual el parlamento podía librarse de los ministros impopulares, por lo general favoritos de la corte que gozaban de la protección del monarca. El juicio político cayó en desuso a comienzos del s. XIX, cuando los miembros del gabinete fueron responsables ante el parlamento y no ante el soberano.

acústica Ciencia de la generación, control, transmisión, recepción y efectos del SONIDO. Sus principales ramas son la ACÚSTICA ARQUITECTÓNICA, la acústica ambiental, la acústica musical, la ingeniería acústica y el ULTRASONIDO. La acústica ambiental se centra en el control del ruido, producido por los motores de aviones, fábricas, maquinaria de construcción y tránsito en general. La acústica musical se preocupa del diseño y uso de instrumentos musicales y de cómo los sonidos musicales afectan a una audiencia. La ingeniería acústica se concentra en la grabación y en los sistemas de reproducción acústicos. El ultrasonido estudia las ondas ultrasónicas, cuyas frecuencias están por sobre el rango audible, y sus aplicaciones en la industria y en la medicina.

acústica arquitectónica Relación entre el sonido producido en un espacio y los auditores, de particular relevancia en el diseño de salones de concierto y auditorios. Un buen diseño acústico toma en consideración aspectos como el tiempo de reverberación, la absorción del sonido de los materiales de terminación, los ecos, las sombras acústicas, la proximidad, textura y mezcla de los sonidos, y el ruido externo. Las remodelaciones arquitectónicas (p. ej., conchas acústicas, toldos, y cielos y muros ondulados o ladeados) pueden actuar como elementos de focalización para mejorar la calidad del sonido.

Ada LENGUAJE DE PROGRAMACIÓN de computadoras de alto nivel, cuyo desarrollo inició en 1975 el Departamento de defensa de EE.UU. y se estandarizó en 1983. El Ada (llamado así en honor a la condesa de LOVELACE) fue concebido como lenguaje común para las computadoras del departamento, que eran producidas por diferentes fabricantes. Es similar al lenguaje PASCAL, pero tiene algunas características adicionales convenientes para el desarrollo de grandes programas multiplataformas. La versión 1995, llamada Ada 95, soporta OOP.

Gobernador asirio frente a las deidades Adad (centro) e Ishtar (izquierda), relieve en piedra caliza.
WEIDENFELD & NICOLSON LTD.

Adad Deidad asiriobabilónica del clima, hijo de ANU (a veces llamado hijo de BEL). Era conocido como el dios de la abundancia por las lluvias que hacían florecer la tierra, pero también por lanzar tormentas mortales sobre sus enemigos. Considerado además el dios de los oráculos y de la adivinación, era adorado ampliamente, aunque fue un dios menor y parece no haber tenido un lugar de culto propio.

Adal Estado islámico histórico de África oriental, al sudoeste del golfo de ADÉN, cuya capital era Harar (actualmente en Etiopía). En el s. XIV comenzó su rivalidad con la Etiopía cristiana y a comienzos del s. XVI Adal lanzó una serie de ataques. En 1533, bajo el mando de Ahmed Grañ, tomó el control de la mayor parte de Etiopía central. En 1543, Grañ fue muerto en combate, y las invasiones de OROMOS de fines del s. XVI terminaron con el poderío de Adal.

Adalberto, san *orig.* **Vojtěch** (¿956?, Libice, Bohemia–23 abr. 997, cerca de Gdańsk, Polonia; festividad: 23 de abril). Prelado checo. Descendiente de los príncipes de Bohemia, estudió teología en Magdeburgo. Elegido como el primer obispo nativo de Praga en 982, apoyó los objetivos políticos del príncipe bohemio extendiendo la influencia de la Iglesia más allá del reino checo. Al fracasar en convertir a su pueblo, se retiró en 988 a un monasterio cercano a Roma. Por orden del papa, regresó en 992, pero encontró que la situación había cambiado poco. Desilusionado, abandonó Bohemia en 994 para realizar su obra misionera en la costa báltica, donde murió como mártir en 997. Su amigo y discípulo san BRUNO DE QUERFURT escribió un relato sobre su vida. Fue reconocido como santo poco después de su muerte.

Vista panorámica del pico de Adam, Sri Lanka.
ED LARK–ARTSTREET

Adam, pico de *o* **pico de Adán** Montaña del centro-sur de Sri Lanka. Con una altura de 2.243 m (7.360 pies) es un lugar sagrado y de peregrinación para budistas, musulmanes e hindúes. En su cumbre se encuentra una gran oquedad de 1,5 m (5 pies) de longitud, venerada como la huella de BUDA, ADÁN y SHIVA, según la creencia. Muchos peregrinos de todos los credos visitan el pico anualmente.

Adam, Robert (3 jul. 1728, Kirkcaldy, Fife, Escocia–3 mar. 1792, Londres, Inglaterra). Arquitecto y diseñador escocés. Hijo del arquitecto William Adam, hizo su aprendizaje en las oficinas de su padre. Viajó por Europa en 1754–58, estudiando teoría arquitectónica y las ruinas romanas. A su regreso a Londres, él y su hermano James (n. 1732–m. 1794) desarrollaron un estilo esencialmente decorativo –conocido como el estilo Adam–, que estaba marcado por una renovada agilidad y libertad en el uso de los elementos de la arquitectura clásica. Como mejor se recuerda a este estilo es por su aplicación en interiores, que se caracterizaban por las formas contrastantes de los cuartos y delicados ornamentos clásicos. Entre los trabajos realizados por Robert Adam, principalmente remodelaciones interiores y exteriores de casas particulares, destacan Osterley Park (1761–80), en Middlesex, y Kedleston Hall (c. 1765–70), en Derbyshire. Otras obras comprenden la urbanización Adelphi, en Londres (1768–72) y la Universidad de Edimburgo (1789). Fue también un destacado diseñador de muebles; su estilo, popularizado por el diseñador GEORGE HEPPLEWHITE, pretendía armonizar con su arquitectura interior hasta en el último detalle.

Robert Adam, óleo de un artista desconocido; National Portrait Gallery, Londres.
GENTILEZA DE LA NATIONAL PORTRAIT GALLERY, LONDRES

Adamawa *o* **Adamaoua** *o* **Adamaua** Emirato tradicional en el actual estado de Adamawa, del este de Nigeria. Fue fundado a principios del s. XIX por Modibbo Adama, quien trasladó varias veces la capital antes de establecerla en Yola en 1841. La British Royal Niger Company estableció factorías en el lugar; en 1901 cuando el emir trató de expulsarlos, los británicos tomaron el control de la ciudad. Ese mismo año, Adamawa fue dividida entre la colonia británica del norte de Nigeria y la alemana de Camerún. En 1919, al finalizar la primera guerra mundial, los franceses y los británicos se repartieron Camerún. Los territorios del emirato llegaron a abarcar casi todo el norte de Camerún y parte del este de Nigeria.

adamawa-ubangi, lenguas *ant.* **lenguas adamawa-orientales** Rama de la gran familia de lenguas NIGEROCONGOLEÑAS. Las lenguas adamawa-ubangi se hablan en el este de Nigeria, norte de Camerún, sudoeste de Chad y en el oeste de la República Centroafricana. La rama tiene dos divisiones: adamawa en el oeste y ubangi en el este. El grupo adamawa comprende 80 lenguas, las menos estudiadas de la familia nigerocongoleña, y casi todas tienen menos de 100.000 hablantes. El grupo ubangi comprende 40 lenguas y se extiende en una región más vasta, desde el norte de Camerún, pasando por la República Centroafricana y llegando hasta áreas adyacentes del sur de Sudán y el norte de la República Democrática del Congo (Kinshasa). Las lenguas ubangi, con más de un millón de hablantes, incluyen aquellas de los pueblos banda, gbaya, ngbaka y ZANDÉ. El sango, una forma reestructurada de una o más lenguas del grupo ngbandi del ubangi, se ha convertido en LINGUA FRANCA de la República Centroafricana.

Adamov, Arthur (23 ago. 1908, Kislovodsk, Rusia–6 mar. 1970, París, Francia). Dramaturgo francés de origen ruso. Se estableció en París en 1924 y su primera obra importante, escrita después de sufrir un colapso nervioso, fue su autobiografía *L'aveu* [La confesión] (1938–43). Influenciado por AUGUST STRINDBERG y FRANZ KAFKA, comenzó a escribir piezas teatrales en 1947. *El profesor Taranne* (1953) y *El ping-pong* (1955) expresaban la idea del sinsentido de la vida que era característica del TEATRO DEL ABSURDO. En *Paolo Paoli* (1957) y en obras subsiguientes abandonó la temática del absurdo y lo reemplazó por un teatro político radical influido por BERTOLT BRECHT. Falleció a causa de una sobredosis de droga, aparentemente un suicidio.

Adams, Abigail *orig.* **Abigail Smith** (22 nov. 1744, Weymouth, Mass. EE.UU.–28 oct. 1818, Quincy, Mass.). Primera dama de EE.UU. Fue hija de un ministro congregacionalista; educada exclusivamente en el hogar, tuvo una ávida afición por la historia. Se casó con JOHN ADAMS en 1764 y crió a cuatro hijos en Quincy, Mass.; uno de ellos fue JOHN QUINCY ADAMS. En 1774 inició una prolífica correspondencia con su marido, quien se encontraba en Filadelfia, participando en el Congreso continental. En ella describía la vida diaria y analizaba con ingenio y agudeza política los asuntos públicos durante la guerra de independencia de su país. Continuó escribiendo cartas a parientes y amigos mientras vivió en Europa (1784–88) y en Washington, D.C. (1789–1801) durante la carrera diplomática y presidencial de su marido. Se la consideraba una asesora influyente de John Adams.

Adams, Ansel (20 feb. 1902, San Francisco, Cal., EE.UU.–22 abr. 1984, Carmel, Cal.). Fotógrafo estadounidense. En 1927 publicó *Parmelian Prints of the High Sierras*, fotografías que imitaban la pintura impresionista al suprimir el detalle en aras de resaltar los efectos suaves y brumosos logrados en el cuarto oscuro. Adams fue conocido por sus espectaculares imágenes de paisajes montañosos. Se convirtió en uno de los técnicos sobresalientes en la historia de la fotografía; *Making a Photograph* (1935) fue el primero de sus muchos libros sobre técnica fotográfica. Trabajó firmemente para crear conciencia pública de que la fotografía es una rama de las bellas artes. En 1940 contribuyó a organizar la primera colección pública de fotografías en el Museo de Arte Moderno, y en 1946 estableció, en la Escuela de Bellas Artes de California, el primer departamento académico de fotografía.

Adams, Charles Francis (2 ago. 1866, Quincy, Mass., EE.UU.–11 jun. 1954, Boston, Mass.). Diplomático estadounidense. Hijo de JOHN QUINCY ADAMS y nieto de JOHN ADAMS, se desempeñó en el poder legislativo de Massachussets y dirigió un periódico liberal. Colaboró en la formación del partido antiesclavista PARTIDO FREE SOIL (Partido Tierra Libre), el cual lo eligió su candidato a vicepresidente de EE.UU. en 1848. En su calidad de embajador en Gran Bretaña (1861–68)

Charles Francis Adams.
GENTILEZA DE LA BIBLIOTECA DEL CONGRESO, WASHINGTON, D.C.

logró asegurar la neutralidad de ese país durante la guerra de Secesión y promover el arbitraje de la cuestión del *ALABAMA*.

Adams, Gerry *orig.* **Gerard Adams** (n. 6 oct. 1948, Belfast, Irlanda del Norte). Nacionalista irlandés y presidente del SINN FÉIN, ala política del EJÉRCITO REPUBLICANO IRLANDÉS (IRA). Fue encarcelado sin juicio previo como sospechoso de terrorismo en 1972, 1973–76 y 1978. Se convirtió en vicepresidente del Sinn Féin en 1978 y convenció a la organización de presentar candidatos en las elecciones de 1981. Elegido para la Cámara de los Comunes británica en 1983, rehusó prestar juramento de lealtad y jamás ocupó su escaño. En 1991, como presidente del Sinn Féin (desde 1983), comenzó a cambiar su estrategia, en pro de la negociación; sus esfuerzos condujeron al establecimiento de conversaciones indirectas con el gobierno británico, que permitieron alcanzar en 1993 un acuerdo entre los primeros ministros británico e irlandés (Declaración de Downing Street) para considerar el futuro de IRLANDA DEL NORTE. Se le atribuye el cese del fuego anunciado por el IRA en 1994 y fue fundamental en la obtención de apoyo para el acuerdo del Viernes Santo (1998), que llevó a la creación en Irlanda del Norte de una asamblea de poder compartido.

Adams, Henry (Brooks) (16 feb. 1838, Boston, Mass., EE.UU.–27 mar. 1918, Washington, D.C.). Historiador y literato estadounidense. Heredero de la elite bostoniana de los brahmines y descendiente de dos presidentes, a Adams se le infundió un profundo desprecio por los políticos estadounidenses de su época. Mientras se desempeñó como joven corresponsal y editor de periódicos, exigió reformas sociales y políticas, pero pronto se vio desilusionado ante un mundo que caracterizó como carente de principios. Su novela *Democracy* [Democracia] (1880) refleja esta pérdida de fe. Sus estudios acerca de la democracia estadounidense culminaron con su *History of the United States of America* [Historia de los Estados Unidos de América] (1889–91), en nueve volúmenes, obra que recibió inmediatos elogios. En *Mont-Saint-Michel and Chartres* (1913), describe la cosmovisión medieval que se refleja en la arquitectura de la época. *The Education of Henry Adams* [La educación de Henry Adams] (1918), su obra más conocida y una de las autobiografías más notables de la literatura occidental, escudriña en su conflictiva relación con las incertidumbres del s. XX.

Adams, John (30 oct. 1735, Braintree, Mass., EE.UU.–4 jul. 1826, Quincy, Mass.). Político estadounidense, primer vicepresidente (1789–97) y segundo presidente (1797–1801) de EE.UU. Se tituló en el Harvard College en 1755 y luego ejerció como abogado en Boston. En 1764 desposó a Abigail Smith (ver ABIGAIL ADAMS). Participó activamente en el movimiento independentista estadounidense, fue elegido miembro del poder legislativo de Massachusetts y asistió como delegado al CONGRESO CONTINENTAL (1774–78); allí fue llamado a integrar un comité con THOMAS JEFFERSON y otros participantes, con el fin de redactar la Declaración de INDEPENDENCIA. En 1776–78 formó parte de numerosos comités parlamentarios, entre ellos uno encargado de crear una marina de guerra y otro de analizar los asuntos exteriores. Fue diplomático en Francia, los Países Bajos e Inglaterra (1778–88). En la primera elección presidencial de EE.UU. obtuvo la segunda mayoría y quedó elegido vicepresidente con GEORGE WASHINGTON como presidente. El período presidencial de Adams quedó marcado por la controversia que suscitó su firma de las leyes de EXTRANJERÍA Y SEDICIÓN, en 1798, y por su alianza con el PARTIDO FEDERALISTA, de corte conservador. En 1800 perdió la reelección ante Jefferson y se retiró a una vida de recogimiento en Massachusetts. En 1812 venció la amargura que sentía hacia Jefferson, con quien inició una correspondencia reveladora. Ambos murieron el 4 de julio de 1826, quincuagésimo aniversario de la Declaración. JOHN QUINCY ADAMS fue hijo suyo.

John Adams, pintura al óleo de Gilbert Stuart, 1826; National Collection of Fine Arts, Washington, D.C.
GENTILEZA DE LA NATIONAL COLLECTION OF FINE ARTS, INSTITUTO SMITHSONIANO, WASHINGTON, D.C.

Adams, John (Coolidge) (n. 15 feb. 1947, Worcester, Mass., EE.UU.). Compositor estadounidense. Después de estudiar en la Universidad de Harvard, dictó clases en el conservatorio de San Francisco y se dedicó a la dirección orquestal. Sus composiciones, bajo la fuerte influencia inicial del minimalismo, con el tiempo se matizaron con elementos expresivos. Sus óperas *Nixon in China* (1987) y *The Death of Klinghoffer* (1991) son dos de las más conocidas en el repertorio de fines del s. XX. Otras obras destacadas de su autoría son *Harmonium* (1980), *Grand Pianola Music* (1982) y *Harmonielehre* (1984–85).

Adams, John Quincy (11 jul. 1767, Braintree, Mass, EE.UU.–23 feb. 1848, Washington, D.C.). Sexto presidente de EE.UU. (1825–29). Hijo mayor de JOHN ADAMS, segundo presidente de EE.UU., y de ABIGAIL ADAMS, acompañó a su padre en sus misiones diplomáticas (1778–80) y más tarde fue nombrado ministro de su país en los Países Bajos (1794) y en Prusia (1797). En 1801 regresó a Massachusetts y formó parte del Senado de EE.UU. (1803–08). Volvió a ejercer la diplomacia y fue ministro de EE.UU. en Rusia (1811) y Gran Bretaña (1815–17). Designado secretario de Estado (1817–24), tuvo un papel clave en la adquisición de Florida a España y en la redacción de la doctrina MONROE. En 1824 postuló a la presidencia contra otros tres candidatos; ninguno obtuvo la mayoría absoluta de los votos, aunque ANDREW JACKSON obtuvo una mayoría relativa. Por disposición constitucional, la decisión recayó en la Cámara de Representantes, la que eligió a Adams con el apoyo decisivo de HENRY CLAY, quien había terminado tercero en la votación inicial. Adams nombró a Clay en el cargo de secretario de Estado, con lo que aumentó la ira de Jackson. Su presidencia fue un fiasco y, cuando se presentó a la reelección, Jackson lo derrotó. En 1830 fue elegido miembro de la Cámara Baja, cargo que ocupó hasta su muerte. Manifestó claramente su oposición a la esclavitud y en 1839 presentó una enmienda constitucional en el sentido de prohibir la esclavitud en todo nuevo estado que ingresara a la Unión. Los parlamentarios sureños impidieron el debate de peticiones contrarias a la esclavitud mediante la aprobación de las REGLAS MORDAZA (revocadas en 1844 ante la insistencia de Adams). En 1841 defendió con éxito a los esclavos en el juicio sobre el motín del *AMISTAD*.

Adams, Samuel (27 sep. 1722, Boston, Mass., EE.UU.–2 oct. 1803, Boston, Mass.). Líder de la guerra de independencia de los Estados Unidos de América. Primo de JOHN ADAMS, se tituló en el Harvard College en 1740 y ejerció la abogacía por breve tiempo. Se opuso con vigor a las medidas tributarias británicas y organizó la resistencia contra la ley del TIMBRE. Perteneció al poder legislativo de su estado (1765–74) y en 1772 colaboró en la fundación de los COMITÉS DE CORRESPONDENCIA. Influyó en la reacción contra la ley del TÉ de 1773, organizó el BOSTON TEA PARTY (motín del té) y encabezó la oposición a las leyes INTOLERABLES. Como delegado ante el Congreso CONTINENTAL (1774–81), siguió exigiendo la separación de Gran Bretaña y firmó la Declaración de INDEPENDENCIA. Colaboró en la redacción de la constitución de Massachusetts, en 1780, y ocupó el cargo de gobernador del estado (1794–97).

Adams, Walter S(ydney) (20 dic. 1876, Siria–11 may. 1956, Pasadena, Cal., EE.UU.). Astrónomo estadounidense de origen sirio. Volvió a EE.UU. con sus padres misioneros cuando tenía ocho años y estudió en el Dartmouth College, en la Universidad de Chicago y en la Universidad de Munich. Mediante la ESPECTROSCOPIA, investigó las manchas solares y la rotación solar, las velocidades y distancias de miles de estrellas y las atmósferas planetarias. En 1904 se sumó al primer grupo de investigadores del observatorio de MONTE WILSON, donde se desempeñó como director (1923–46). Tuvo una importante participación en la planificación del telescopio de 5 m (200 pulg.) de diámetro para el observatorio de MONTE PALOMAR.

Adamson, Joy *orig.* **Joy-Friederike Victoria Gessner** (20 ene. 1910, Troppau, Silesia, Austria-Hungría-3 ene. 1980, Reserva Nacional de Shaba, Kenia). Naturalista británica de origen checo. Educada en Viena, se trasladó a Kenia en 1939. Adquirió renombre mundial por sus libros que relatan como ella y su esposo George criaron una cachorra de león, Elsa, y luego la retornaron a su hábitat natural: *Born Free* [Nacida libre] (1960), *Living Free* [Viviendo en libertad] (1961) y *Forever Free* [Libre para siempre] (1962). Los libros dieron origen a dos películas. Posteriormente ella repitió sus éxitos de rehabilitación con cachorros de guepardo y leopardo. Además de escribir otros libros, creó la Elsa Wild Animal Appeal (1961), una fundación internacional para la conservación. Fue asesinada por un empleado descontento.

Adamson, Robert ver David Octavius HILL y Robert Adamson

Adán y Eva En las tradiciones judeocristiana e islámica, los padres de la raza humana. El GÉNESIS entrega dos versiones de su creación. En la primera, en el sexto día, Dios los creó "macho y hembra a imagen suya". En la segunda, Adán es situado en el jardín del Edén y Eva es creada posteriormente de una de sus costillas para aliviar su soledad. Pero, por sucumbir ante la tentación y comer del fruto prohibido del árbol del conocimiento del bien y del mal, Dios los expulsa del Edén y desde entonces ellos y sus descendientes son obligados a vivir una vida de privaciones. Sus hijos fueron CAÍN Y ABEL. Los teólogos cristianos desarrollaron la doctrina del PECADO ORIGINAL basada en el relato de su transgresión (o desobediencia); por contraste, el CORÁN enseña que el pecado de Adán sólo fue suyo y no convirtió a toda la humanidad en pecadora.

Adana Ciudad (pob., 1997: 1.041.509 hab.) a orillas del río Seyhan, en el centro-sur de Turquía. Es un centro agrícola e industrial y una de las mayores ciudades turcas. Se levanta probablemente sobre un asentamiento HITITA que data c. 1400 AC. Fue conquistada entre 335–334 AC por ALEJANDRO MAGNO, convirtiéndose con posterioridad en una base militar romana. A fines del s. VII DC pasó a ser gobernada por la dinastía ABASÍ, cambiando de manos en forma intermitente hasta fines del s. XIV, cuando cayó bajo el dominio de la dinastía ramazán, un grupo turco que continuó siendo influyente aún después de la conquista de la ciudad por el Imperio OTOMANO en 1516. Desde antaño, la prosperidad de Adana ha dependido de los fértiles valles que la rodean y de su posición como cabeza de puente en las rutas comerciales que enlazan Anatolia con la península Arábiga.

Adanson, Michel (7 abr. 1727, Aix-en-Provence, Francia–3 ago. 1806, París). Botánico francés. Estudió teología, a los clásicos y filosofía en París antes de viajar a Senegal, donde vivió varios años. Volvió con una vasta colección de especímenes vegetales, que se encuentran hoy en el Museo Nacional de Historia Natural de Francia. En su obra *Familias Naturales de Plantas* (1763) describió un sistema de clasificación que fue impugnado por CARLOS LINNEO, prevaleciendo el de este último. Fue el primero en clasificar los moluscos. También estudió la electricidad en el pez torpedo y los efectos de la corriente eléctrica en la regeneración de las extremidades y cabeza de las ranas. Hoy se le conoce principalmente por haber introducido el empleo de los métodos estadísticos en los estudios botánicos.

Adapa Sabio legendario de la ciudad sumeria de ERIDU. Dotado de gran inteligencia por la diosa Ea, fue el héroe del mito sumerio de la caída del hombre (o la fallida búsqueda de la inmortalidad). Cuenta el mito que Adapa estaba pescando cuando fue arrastrado al mar por el viento sur, y que presa de la ira le rompió las alas. Los porteros celestiales TAMMUZ y Ningishzida intercedieron en favor de Adapa cuando este fue llevado ante ANU para ser castigado. Mas, cuando Anu le ofreció el pan y el agua de vida eterna, el héroe rechazó esos dones y la humanidad se convirtió en mortal.

adaptación En biología, proceso por el cual un animal o vegetal se adecúa a su medio ambiente. Es el resultado de la SELECCIÓN NATURAL que actúa sobre la VARIACIÓN heredada. Aun los organismos simples deben adaptarse de muchas maneras, en materia de estructura, fisiología y genética; movimiento o dispersión; medios de defensa y ataque; y reproducción y desarrollo. Para que las adaptaciones sean útiles, deben ocurrir a menudo simultáneamente en diferentes partes del organismo.

adaptación climática En antropología física, adaptación genética de los seres humanos a diferentes condiciones medioambientales como frío extremo, calor húmedo, hábitat desértico y grandes alturas. El frío extremo favorece la baja estatura, cuerpos redondeados, con brazos y piernas cortas, caras planas con cojinetes grasos sobre los senos paranasales, narices estrechas y una capa gruesa de grasa corporal. Estas adaptaciones permiten que la superficie externa sea mínima en relación con la masa corporal, a fin de minimizar la pérdida de calor y proteger los pulmones y la base del cerebro contra el paso del aire frío por las fosas nasales. En condiciones de calor húmedo, en las cuales se debe disipar el calor corporal, la selección favorece a los cuerpos altos y delgados con una superficie externa máxima para la irradiación de calor. Una nariz ancha evita que el aire se recaliente en las fosas nasales y la piel oscura protege contra la radiación solar nociva. La persona adaptada al desierto debe compensar la pérdida de agua por transpiración. Un cuerpo delgado, pero no alto, minimiza tanto las necesidades de agua como la pérdida de la misma; la pigmentación de la piel es moderada, dado que cuando es muy oscura es una buena protección contra la radiación solar, pero permite sin embargo, la absorción del calor procedente de la luz solar directa, el cual debe perderse por la transpiración. La adaptación al frío nocturno, una característica que suele presentarse en un medio ambiente desértico, produce un incremento de la actividad metabólica destinada a calentar el cuerpo durante el sueño. Las grandes alturas exigen, además de la adaptación al frío, la adaptación a la baja presión atmosférica y, por consiguiente, al bajo nivel de oxígeno, generalmente a través de un incremento en la cantidad de tejido pulmonar. Ver también ACLIMATACIÓN; RAZA.

Adaptación climática: el frío extremo favorece el biotipo de cara plana con tejido graso en el inuit.
JOCHEM D. WIJNANDS/THE IMAGE BANK/GETTY IMAGES

Adargatis ver ATARGATIS

ADD ver trastorno por DÉFICIT DE ATENCIÓN

Adda, río Curso fluvial de la región de LOMBARDÍA en Italia. Corre hacia el sur 313 km (194 mi), atraviesa el lago COMO y cruza la planicie lombarda antes de unirse con el río PO al llegar a Cremona. Este río es muy utilizado como fuente de energía hidroeléctrica en su curso superior y para riego en la llanura. Históricamente, desde el período romano, ha servido como línea de defensa estratégica.

Addams, Charles (Samuel) (7 ene. 1912, Westfield, N.J., EE.UU.–29 sep. 1988, Nueva York, N.Y.). Caricaturista estadounidense. Trabajó por corto tiempo como artista comercial, antes de vender su primera caricatura a *The New Yorker* en 1933. Se hizo famoso por sus caricaturas de humor negro, que representaban personajes de apariencia siniestra con comportamientos morbosos, especialmente una familia de profanadores de tumbas cuyas actividades parodiaban las de una familia convencional. En una imagen popular, se aprontan a verter aceite hirviendo sobre un grupo de cantantes de villancicos navideños. Estos personajes evolucionaron hasta convertirse en *Los locos Addams*, una serie de televisión de la década de 1960, que dio origen a dos películas de Hollywood.

Addams, Jane (6 sep. 1860, Cedarville, Ill. EE.UU.–21 may. 1935, Chicago, Ill.). Reformadora social estadounidense. Terminó sus estudios en el Rockford Female Seminary de Illinois en 1881 y al año siguiente se tituló, cuando el establecimiento se convirtió en Rockford College. Durante un viaje a Europa, en 1887–88, visitó el CENTRO COMUNITARIO Toynbee Hall, en Londres, el que encendió su interés por la reforma social. Resuelta a crear algo parecido a Toynbee Hall en EE.UU., en 1899 fue cofundadora de Hull House, en Chicago, uno de los primeros centros comunitarios de América del Norte en ofrecer servicios prácticos y oportunidades educativas para los pobres. Más adelante abrazó la causa de las reformas sociales, como jurisprudencia de los tribunales de menores, justicia para los inmigrantes y afroamericanos, derechos e indemnización laborales y el voto femenino. En 1910 fue la primera mujer que ocupó la presidencia de la Conferencia nacional de asistencia social. Ardiente pacifista, en 1915 fue presidenta del Congreso internacional de mujeres y colaboró en la formación de la Liga internacional de mujeres por la paz y la libertad, y de la Unión estadounidense de libertades civiles. En 1931 compartió el Premio Nobel de la Paz con NICHOLAS M. BUTLER.

Jane Addams, reformadora social estadounidense.
JANE ADDAMS MEMORIAL COLLECTION, UNIVERSIDAD DE ILLINOIS, CHICAGO

Adderley, Cannonball *orig.* **Julian Edwin Adderley** (15 sep. 1928, Tampa, Fla., EE.UU.–8 ago. 1975, Gary, Ind.). Saxofonista de jazz estadounidense. Trabajó como profesor de música y dirigió bandas del ejército antes de trasladarse a Nueva York a mediados de la década de 1950. Elogiado como heredero estilístico de CHARLIE PARKER, también fue influido por el fraseo RHYTHM AND BLUES más tradicional de BENNY CARTER. Entre 1957 y 1959 tocó junto al trompetista MILES DAVIS y luego formó un conjunto con su hermano, el corneta Nat Adderley (n. 1931–m. 2000). En la década de 1960 introdujo armonías de música GOSPEL en su propia música.

Addis Abeba Capital y ciudad más grande (pob., 1994: 2.112.737 hab.) de Etiopía. Se ubica sobre una meseta en el centro geográfico del país, aprox. a 2.450 m (8.000 pies) de altura. Fue fundada en 1887 como ciudad capital, debido a la mala ubicación de la antigua capital, Entoto. Entre 1935 y 1941, Addis Abeba fue la capital del África Oriental Italiana. Se ha convertido en el centro nacional de educación superior, de la actividad financiera, de seguros y del comercio. Varias organizaciones internacionales, entre ellas la ORGANIZACIÓN DE LA UNIDAD AFRICANA (OUA), tienen su sede allí. Como resultado de la inestabilidad política del país experimentada en las últimas décadas, Addis Abeba ha vivido una gran agitación y sufrido graves daños.

Addison, enfermedad de Afección en la cual la ATROFIA progresiva de la corteza suprarenal, hace que las GLÁNDULAS SUPRARRENALES produzcan cantidades insuficientes del ESTEROIDE hidrocortisona y al mismo tiempo que la HIPÓFISIS produzca cantidades excesivas de hormonas. La mayor parte del tejido cortical está destruido cuando los síntomas (debilidad, coloración anormal, baja de peso e HIPOTENSIÓN) aparecen. La terapia sustitutiva con hidrocortisona, que usualmente se administra con otras hormonas para estabilizar los niveles de sodio, suele ser exitosa. Se cree que más de la mitad de los casos se debe a una reacción autoinmune (ver enfermedad AUTOINMUNE); las restantes son causadas por destrucción de la glándula suprarrenal por granulomas (p. ej., TUBERCULOSIS).

Addison, Joseph (1 may. 1672, Milston, Wiltshire, Inglaterra–17 jun. 1719, Londres). Ensayista, poeta y dramaturgo inglés. Su poema acerca de la batalla de Blenheim, *La campaña* (1705), aparte de otorgarle fama literaria, atrajo la atención de los líderes de los whigs y le allanó el camino para alcanzar importantes puestos en el gobierno (incluso el de secretario de Estado). Junto a Sir RICHARD STEELE, fue uno de los principales colaboradores y figura emblemática de los periódicos *The Tatler* (1709–11) y *The* SPECTATOR (1711–12, 1714). Addison es uno de los maestros más admirados de la prosa inglesa, en la que lleva el ensayo periodístico hasta la perfección. *Catón* (1713) es una exitosa obra teatral, con connotaciones políticas, considerada una de las tragedias más importantes del s. XVIII.

Joseph Addison, pintura al óleo de M. Dahl, 1719; National Portrait Gallery, Londres.
GENTILEZA DE LA NATIONAL PORTRAIT GALLERY, LONDRES

Adelaida Ciudad (pob., 2001: 1.072.585 hab.) y capital del estado de AUSTRALIA MERIDIONAL. Se ubica al pie de los montes Lofty a orillas del río Torrens, cerca de las instalaciones portuarias en Puerto Adelaida. Fundada en 1837, en 1840 se constituyó en el primer municipio de Australia. Su florecimiento como centro de comercialización agrícola y la proximidad a importantes yacimientos mineros contribuyeron a su crecimiento económico. Es un centro industrial que cuenta con refinerías de petróleo y gasoductos conectados con yacimientos de gas natural. Entre sus edificios más importantes se encuentran la Universidad de Adelaida, el parlamento, la casa de gobierno y dos catedrales.

Parque en la ribera del río Torrens, Adelaida, Australia Meridional.
PICTUREPOINT

adelfa *o* **laurel de flor** Cualquiera de los arbustos siempreverdes ornamentales del género *Nerium* (familia de las APOCINÁCEAS), que contienen un jugo lechoso venenoso. En cultivos de invernadero se han introducido numerosas variedades de colores de flores en la adelfa común o laurel de flor (*N. oleander*), la que se cultiva en exteriores en climas más cálidos. Todas las partes de la planta son muy tóxicas al comérselas y el contacto con ellas puede producir irritación de la piel.

Adelfa común o laurel de flor (*Nerium oleander*).

Adén Ciudad portuaria (pob., 1994: 398.300 hab.) del sur de Yemen, en el golfo de ADÉN. Fue el principal terminal de la ruta de las especias de Arabia oriental por alrededor de 1.000 años hasta el s. III DC. A partir de entonces se convirtió en un centro comercial que estuvo bajo el control yemení, etíope y árabe sucesivamente. En 1538, el Imperio OTOMANO conquistó la ciudad. Posteriormente los británicos (quienes establecieron un fuerte hacia 1800), la gobernaron como parte de India (1839–1937). Luego de la apertura del canal de SUEZ comenzó a adquirir importancia como escala para el abastecimiento de carbón y lugar de transbordo. En 1937 fue separada de India y convertida en una colonia de la corona. Entre 1963 y 1967 fue incorporada a la Federación de Arabia del Sur, sirviendo como capital de Yemen del Sur hasta su unión con Yemen del Norte en 1990.

Adén, golfo de Brazo del océano Índico, entre la península ARÁBIGA y Somalia. Al oeste se angosta hacia el golfo de Tadjoura; su límite oriental es el meridiano del cabo Guardafui. Tiene una longitud aproximada de 885 km (550 mi). Geológicamente tiene una extensión total de 1.480 km (920 mi) hasta los límites orientales de la plataforma continental pasadas las islas KURIA MURIA por el norte y la isla de SOCOTORA por el sur. Su fauna marina es abundante y variada. Su borde costero carece de instalaciones pesqueras a gran escala, pero sobre él se emplazan muchos pueblos dedicados a la pesca artesanal, así como las ciudades de ADÉN y YIBUTI que son sus puertos principales.

adena, cultura Cultura de varias comunidades de antiguos indígenas norteamericanos que ocuparon la parte media del valle del río Ohio c. 500 AC–100 DC. Acostumbraban vivir en aldeas con viviendas circulares construidas con troncos y cortezas de árbol. Subsistían gracias a la caza, la pesca y la recolección de plantas silvestres; usaban una variedad de herramientas de piedra y alfarería rudimentaria. Poseían ornamentos de cobre, mica y conchas marinas que indican la existencia de vínculos comerciales con pueblos lejanos. Ver también culturas WOODLAND.

Adenauer, Konrad (15 ene. 1876, Colonia, Imperio alemán–19 abr. 1967, Rhöndorf, Alemania Occidental). Estadista alemán, primer canciller de la República Federal de Alemania (Alemania Occidental). Elegido al ayuntamiento de Colonia (1906), se convirtió en alcalde de la ciudad (1917–33). Fue elegido al Staatsrat (consejo de Estado) de Prusia en 1920, del que llegó a ser presidente (1928–33). Perdió sus cargos cuando los nazis llegaron al poder y en 1944 fue enviado a un campo de concentración. En las postrimerías de la segunda guerra mundial, jugó un importante papel en la formación de la UNIÓN DEMÓCRATA CRISTIANA (CDU). Como canciller a contar de 1949, Adenauer insistió en el principio del individualismo sometido al imperio de la ley. Su temor a la expansión soviética lo convirtió en un firme partidario de la OTAN. Trabajó arduamente para reconciliar a Alemania con sus antiguos enemigos, especialmente Francia. Dimitió en 1963.

adenina Compuesto orgánico de la familia de la PURINA, a menudo catalogado de base, que consta de dos anillos: cada uno contiene tanto átomos de nitrógeno como de carbono y un grupo amino. Se encuentra en forma libre en el té y en forma combinada en los ácidos NUCLEICOS, ATP, VITAMINA B_{12} y en varias COENZIMAS. En el ADN su base complementaria es la TIMINA. La adenina o su NUCLEÓSIDO o NUCLEÓTIDO correspondiente, pueden prepararse a partir de los ácidos nucleicos mediante técnicas selectivas de HIDRÓLISIS.

adenoides *o* **amígdalas nasofaríngeas** Masa de TEJIDO LINFÁTICO similar a las AMÍGDALAS FARÍNGEAS (palatinas), ubicada en la pared posterior de la FARINGE nasal. Si los adenoides se infectan en la niñez, su inflamación puede obstruir la respiración nasal y el drenaje de los SENOS PARANASALES (provocando SINUSITIS) y bloquear las trompas de Eustaquio que conectan con el oído medio (causando OTITIS). Se recomienda con frecuencia la extirpación de los adenoides hipertróficos o infectados.

adenosina trifosfato ver ATP

adenovirus Grupo de VIRUS esferoidales constituidos por ADN y una envoltura proteica, que causan dolor de garganta y fiebre en los seres humanos, HEPATITIS en los perros, y varias enfermedades en las aves domésticas, ratones, ganado, cerdos y monos. Los adenovirus se desarrollan en el núcleo de las células infectadas. En los humanos, los adenovirus, como los virus del resfrío, pueden causar infecciones de la vía respiratoria alta, los ojos y, frecuentemente, los ganglios linfáticos. Tal como los virus del resfrío, los adenovirus a menudo se encuentran inactivos en personas clínicamente sanas. Como sólo algunos adenovirus causan enfermedades en el ser humano, es factible elaborar vacunas contra ellos.

Adès, Thomas (n. 1 mar. 1971, Londres, Inglaterra). Compositor británico. Formado como pianista en la Guildhall School, posteriormente asistió al King's College, Cambridge. Aunque al principio fue conocido como un pianista virtuoso, empezó a componer en 1990 (*Five Eliot Landscapes*) e instantáneamente fue aclamado como un gran compositor por su inventiva y notable seguridad de su técnica. Su controvertida ópera *Powder Her Face* (1995), acerca de un escandaloso divorcio acaecido en el s. XX, atrajo la atención internacional, así como su gran obra sinfónica *Asyla* (1997).

Adi Granth (panjabi: "El primer libro" o también "El libro del Señor"). Sagrada escritura del SIJISMO. Compuesto por cerca de 6.000 himnos de gurúes (ver GURÚ) sijs y santos islámicos e hindúes, es el objeto principal de culto en todas las GURDWARAS (templos sijs). El rito de abrir y cerrar el Adi Granth se efectúa cada día, aunque se lee de modo continuo en ocasiones especiales. Fue compilado inicialmente en 1604 por el Gurú sij, ARJAN; incluye sus propios himnos, los de sus predecesores, además de cánticos de devoción de hombres santos. En 1704, el último gurú, GOBIND SINGH, le agregó más himnos y decretó que luego de su muerte el Adi Granth reemplazaría al Gurú. Escrito principalmente en lengua panjabi e hindi, contiene el *Mula Mantra* (oración fundamental o mantra maestro), el *Japji* (la más importante escritura redactada por el Gurú NANAK) y los himnos dispuestos conforme a las RAGAS en que se debe de cantar.

Adigio, río Río de 410 km (255 mi) de longitud, el más largo de Italia después del PO. Nace en el paso de Resia y corre al sudeste a través del valle de Venosta. Después de recibir el río Isarco en Bolzano, se desvía hacia el sur cruzando las tierras bajas del Po hasta desembocar en el mar ADRIÁTICO al sur de Chioggia. Proporciona energía hidroeléctrica en su curso superior alpino y riego para VÉNETO. Sus inundaciones,

El puente Pietra sobre el río Adigio y la iglesia Santa Anastasia, Verona, Italia.
GAVIN HELLIER/ROBERT HARDING WORLD IMAGERY/GETTY IMAGES

especialmente las de 1951 y 1966, ocasionaron mucho daño, por lo que requiere un control constante de sus riberas. El Adigio ha sido escenario de muchas batallas, especialmente en la campaña austro-italiana de 1916.

Adirondack, montes Montañas del nordeste del estado de Nueva York, EE.UU. Se extienden de sur a norte desde el valle del río SAN LORENZO y el lago CHAMPLAIN hasta el valle del río MOHAWK. La región de Adirondack cubre más de 2,4 millones de ha (6 millones de acres). Tiene más de 40 cumbres sobre los 1.219 m (4.000 pies) de altura; la más alta, el monte Marcy (1.629 m [5.344 pies]), es también la más alta del estado. SAMUEL DE CHAMPLAIN fue el primer europeo en avistar las montañas Adirondack en 1609. El área estaba escasamente poblada, cuando en 1892, la legislatura estatal creó el parque Adirondack, el que fue creciendo en los años siguientes hasta convertirse en un parque de más de 2 millones de ha (5 millones de acres), el mayor parque estatal o nacional de EE.UU. fuera de Alaska.

aditivo En los alimentos, diversas sustancias químicas que se agregan para producir determinados efectos. Los aditivos incluyen sustancias como colorantes o saborizantes, naturales o artificiales; estabilizantes, emulsionantes y espesantes; preservantes y humectantes (retenedores de humedad), y suplementos nutritivos. Aun cuando muchos aditivos son inocuos o incluso beneficiosos, otros disminuyen el valor nutricional u ocultan materias primas o procesamientos de mala calidad.

adivinación Práctica de discernir el significado oculto de los eventos y de predecir el futuro. La adivinación se halla en todas las sociedades, antiguas y modernas, aunque los métodos varían. En Occidente, los médiums sostienen tener aptitudes innatas para vaticinar el futuro. También son métodos populares de adivinación los HORÓSCOPOS, la quiromancia y la cartomancia con el TAROT. Otros métodos entrañan o han entrañado la oniromancia, el descubrimiento de PRESAGIOS en eventos de la naturaleza, la lectura de las entrañas de animales, el echar suertes y la consulta de ORÁCULOS. La adivinación ha sido considerada desde antaño como propia de personas especialmente dotadas como PROFETAS, CHAMANES y magos. Ver también ASTROLOGÍA.

adivinanza Pregunta deliberadamente enigmática o ambigua que exige una respuesta sesuda y a menudo ingeniosa. La adivinanza es una forma de acertijo que ha sido parte del folclor de la mayoría de las culturas desde tiempos remotos. Los estudiosos occidentales reconocen, por lo general, dos clases principales de adivinanzas: la adivinanza descriptiva, que a menudo se refiere a un animal, persona, planta u objeto de una manera deliberadamente enigmática (de este modo, un huevo es "una casita blanca sin puertas ni ventanas"), y la pregunta ingeniosa o sagaz. Un ejemplo clásico griego de este tipo de adivinanza es: "¿Qué cosa es la más fuerte de todas?" –"El amor: el hierro es fuerte, pero el herrero es más fuerte, y el amor puede subyugar al herrero".

Adler, Alfred (7 feb. 1870, Penzing, Austria–28 may. 1937, Aberdeen, Aberdeenshire, Escocia). Psiquiatra austríaco. Se tituló de médico en Viena. Desde los inicios de su carrera enfatizó la importancia de la relación existente entre el individuo y su medio ambiente. Fue discípulo y con posterioridad colaborador de SIGMUND FREUD (1902–11), pero finalmente se separó de él debido a divergencias sobre la importancia que este les asignaba a los conflictos sexuales infantiles en el desarrollo de la psicopatología. Adler formó, junto con sus seguidores, la escuela de la psicología individual –el estudio humanístico de los impulsos, las sensaciones, las emociones y de la memoria en el contexto del plan de vida de la persona–. Adler postuló la teoría del complejo de INFERIORIDAD para explicar casos psicopatológicos. El objetivo de la psicoterapia adleriana era guiar a los pacientes emocionalmente incapacitados por sus sentimientos de inferioridad por la senda de la madurez, del sentido común y de la utilidad social. En 1921 fundó en Viena la primera clínica de orientación infantil. Se desempeñó como profesor en EE.UU. desde 1927 hasta su muerte en la Universidad de Columbia y en el Long Island College of Medicine. Entre sus obras figuran *Entendiendo la naturaleza humana* (1927) y *Qué debería significar la vida para usted* (1931).

Alfred Adler, psiquiatra austríaco.
FOTOBANCO

Adler, Guido (1 nov. 1855, Eibenschütz, Moravia, Imperio austríaco–15 feb. 1941, Viena, Austria). Musicólogo austríaco. Después de estudiar teoría musical y composición en el conservatorio de Viena, estudió historia de la música en la Universidad de Viena con Eduard Hanslick (n. 1825–m. 1904), al que sucedió como profesor de la cátedra. Colaboró con Philipp Spitta (n. 1841–m. 1894) y FRIEDRICH CHRYSANDER en la fundación de la MUSICOLOGÍA como disciplina académica. Algunos de sus discípulos distinguidos fueron Karl Geiringer (n. 1899–m. 1989), Knud Jeppesen (n. 1892–m. 1974), ANTON WEBERN y Egon Wellesz (n. 1885–m. 1974).

Adler, Larry *orig.* **Lawrence Cecil Adler** (10 feb. 1914, Baltimore, Md., EE.UU.–7 ago. 2001, Londres, Inglaterra). Intérprete de armónica estadounidense. Aunque en sus comienzos no sabía leer música, aprendió composiciones clásicas de oído y se convirtió en el primer intérprete de música de concierto para armónica. Su musicalidad indujo a varios compositores a escribir obras especialmente para él, entre ellos DARIUS MILHAUD y RALPH VAUGHAN WILLIAMS. A comienzos de la década de 1950 fue acusado de simpatizar con el comunismo y puesto en lista negra, de modo que no pudo encontrar trabajo en EE.UU. y se radicó en Inglaterra.

Adler, Mortimer J(erome) (28 dic. 1902, Nueva York, N.Y., EE.UU.–28 jun. 2001, San Mateo, Cal.). Filósofo, educador y editor estadounidense. Obtuvo un doctorado en filosofía en la Universidad de Columbia (1928) y enseñó filosofía del derecho desde 1930 en la Universidad de Chicago, donde impulsó junto con ROBERT M. HUTCHINS, la idea de la educación liberal por medio de análisis sistemáticos de los grandes libros. Juntos editaron la colección de 54 volúmenes llamada *Grandes libros del mundo occidental* (1952); para la ENCYCLOPÆDIA BRITANNICA, Inc. y editaron un anuario, *The Great Ideas Today* [Grandes ideas de hoy] (a partir de 1961), y los 10 volúmenes de la colección *Gateway to the Great Books* [Acceso a los grandes libros] (1963). En 1969, Adler se convirtió en director de planificación de la 15ª edición de la *Encyclopædia Britannica*, publicada en 1974. Entre sus numerosos libros destacan *How to Read a Book* [Cómo leer un libro] (1940), *How to Think About God* [Cómo pensar en Dios] (1980), *Six Great Ideas* [Seis grandes ideas] (1981) y *Ten Philosophical Mistakes* [Diez errores filosóficos] (1985).

Administración de Ajuste Agrícola (AAA) Programa del NEW DEAL (nuevo trato) dirigido a recuperar la prosperidad agrícola en EE.UU. durante la GRAN DEPRESIÓN. La AAA, creada por ley del congreso en 1933, procuró reducir la producción agrícola de ciertos productos básicos con el fin de subir los precios. También estableció la Commodity Credit Corp., con el objeto de otorgar préstamos a los agricultores, comprar y almacenar las cosechas, y así mantener los precios al productor. El programa tuvo un éxito limitado hasta 1936, cuando fue declarado inconstitucional.

Administración de las Naciones Unidas de Socorro y Reconstrucción Organismo administrativo (1943–47) a cargo de un programa amplio de seguridad social para los países devastados por la guerra. Distribuyó ayuda consistente en suministros y servicios, como abrigo, alimentos y medicina, y ayudó a la rehabilitación de la agricultura y la economía. Sus funciones fueron posteriormente asumidas por la ORGANIZACIÓN INTERNACIONAL DE REFUGIADOS, la OMS y el UNICEF.

Administración de Obras Públicas Repartición del gobierno de EE.UU. (1933–39). Se creó en el marco del NEW DEAL con el fin de reducir el desempleo mediante la construcción de carreteras y edificios públicos. Con la autorización de la Ley de recuperación industrial nacional (1933) y administrada por Harold Ickes, la entidad gastó unos US$ 4 mil millones en la construcción de escuelas, tribunales, municipios, instalaciones de salud pública, además de carreteras, puentes, represas y ferrocarriles subterráneos. Se fue desmantelando paulatinamente cuando el país pasó a ser una economía militar-industrial durante la segunda guerra mundial.

administración judicial En derecho, situación que consiste en estar sometido a la autoridad de un administrador judicial, esto es, una persona designada por el tribunal para administrar, conservar, rehabilitar o liquidar los activos de una empresa insolvente para protección o ayuda de sus acreedores. Es una solución legal en caso de dificultades financieras y no acarrea necesariamente el término de la empresa. Ver también INSOLVENCIA; QUIEBRA.

administración pública Cuerpo de funcionarios gubernamentales empleados en ocupaciones que no son políticas ni judiciales. En las sociedades bien constituidas, generalmente son seleccionados y ascendidos sobre la base de un sistema de méritos y antigüedad, que puede incluir exámenes; en otros lugares, la corrupción y el clientelismo político son factores más importantes. Con frecuencia se desempeñan como asesores neutrales de los funcionarios elegidos y de los designados políticamente. Aunque no son responsables de la formulación de políticas, están encargados de su ejecución. La administración pública se originó en las primeras sociedades conocidas de Medio Oriente; las administraciones públicas europeas modernas se remontan a la Prusia de los s. XVII y XVIII y de los electores de Brandeburgo. En EE.UU., los altos funcionarios cambian con cada nuevo gobierno. En Europa se establecieron reglas en el s. XIX para reducir al mínimo el favoritismo y asegurar que existiera una amplia gama de conocimientos y aptitudes entre los funcionarios de la administración pública. Ver también sistema de exámenes CHINO; CLIENTELISMO POLÍTICO.

Administradores fiduciarios de Dartmouth College v. Woodward ver caso DARTMOUTH COLLEGE

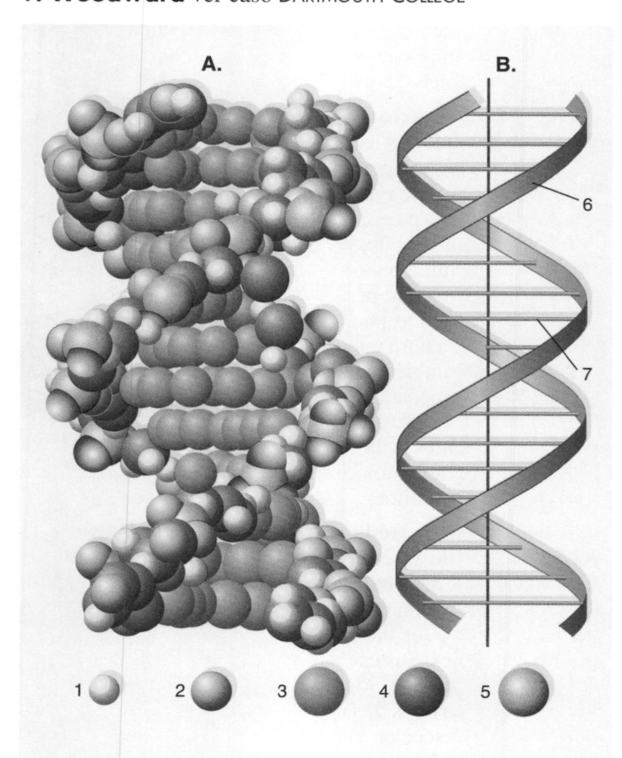

Doble hélice de ADN. A. Modelo molecular del ADN. Las moléculas contienen: (1) hidrógeno, (2) oxígeno, (3) carbono y nitrógeno en los enlaces de las bases nitrogenadas, (4) carbono en la desoxirribosa del azúcar y (5) fósforo. B. Esquema del ADN. Su forma de escalera helicoidal está compuesta de (6) pares de bases nitrogenadas unidas por enlaces de hidrógeno en (7) una columna vertebral de azúcar-fosfato.

ADN *sigla de* **ácido desoxirribonucleico** Uno de dos tipos de ácido NUCLEICO (el otro es el ARN); un compuesto orgánico complejo que se encuentra en todas las CÉLULAS vivas y en muchos VIRUS. Es la sustancia química de los GENES. Su estructura, con dos hebras entrelazadas que forman una doble hélice parecida a una escalera alabeada, fue descrita primero (1953) por FRANCIS CRICK y JAMES D. WATSON. Cada hebra es una cadena larga (POLÍMERO) de NUCLEÓTIDOS repetidos: ADENINA (A), GUANINA (G), CITOSINA (C) y TIMINA (T). Las dos hebras contienen información complementaria: A forma enlaces de HIDRÓGENO sólo con T, y C sólo con G. Cuando el ADN es copiado en la célula, las hebras se separan y cada una sirve como una plantilla para ensamblar una nueva hebra complementaria; esta es la clave para una HERENCIA estable. En las células, el ADN está organizado en densos complejos de proteína-ADN (ver NUCLEOPROTEÍNA) llamados CROMOSOMAS. En los EUCARIONTES están en el NÚCLEO, y el ADN también se encuentra en las mitocondrias y en los CLOROPLASTOS (si los hay). En los PROCARIONTES tiene un solo cromosoma circular en el CITOPLASMA. En los PLASMIDIOS, algunos procariontes y unos pocos eucariontes tienen ADN fuera de los cromosomas. Ver también ROSALIND FRANKLIN; INGENIERÍA GENÉTICA; MUTACIÓN; MAURICE WILKINS.

ADN, computación de Forma de computación en la cual se usan moléculas de ADN en lugar de circuitos lógicos digitales. La célula biológica es considerada como una entidad parecida a una computadora sofisticada. Las cuatro bases de AMINOÁCIDOS que constituyen el ADN, tradicionalmente representados por las letras A, T, C y G, son usados como operadores, tal como los dígitos binarios 0 y 1 son usados en las computadoras. Las moléculas de ADN son codificadas según las especificaciones de los investigadores y luego son inducidas a recombinarse (ver RECOMBINACIÓN), resultando en billones de "cálculos" simultáneos. Este campo aún está en pañales y sus implicaciones apenas han comenzado a explorarse. Ver también COMPUTACIÓN CUÁNTICA.

ADN, identificación por Método desarrollado por el genetista británico Alec Jeffreys (n. 1950) en 1984 para aislar y realizar imágenes de secuencias del ADN. El procedimiento consiste en obtener una muestra de células que contienen ADN (p. ej., de piel, sangre o pelo), extraer el ADN y purificarlo. Luego el ADN se corta con ENZIMAS y los fragmentos resultantes de diferentes longitudes se someten a procedimientos que permiten analizarlos. El patrón de los fragmentos es único para cada individuo. La identificación por ADN se usa para ayudar a resolver delitos y determinar la paternidad; también para localizar segmentos de genes causantes de enfermedades genéticas, mapear el material genético humano (ver proyecto del GENOMA HUMANO), desarrollar plantas resistentes a la sequía (ver INGENIERÍA GENÉTICA), y producir medicamentos biológicos a partir de células modificadas genéticamente.

adobe Mezcla de arcilla densa y paja, moldeada a mano en forma de ladrillo y secada al sol, propia de regiones áridas. Como material de construcción, el adobe data de hace miles de años y se halla en muchos lugares del mundo. Los moldes para dar forma a los bloques fueron traídos al Nuevo Mundo por los españoles. Sus excelentes propiedades aislantes hacen del adobe un material ideal, tanto para viviendas como para hornos; los interiores de las casas retienen calor en invierno y permanecen frescos en verano. Las construcciones de adobe en Taos, N.M., EE.UU., son típicas de las viviendas de los indígenas norteamericanos de las aldeas PUEBLO.

adolescencia Período de la vida que abarca desde la PUBERTAD hasta la ADULTEZ (aproximadamente entre los 12 y los 20 años de edad), que se caracteriza por cambios fisiológicos acentuados, desarrollo de la sexualidad, esfuerzos por consolidar la identidad y una progresiva evolución desde el pensamiento concreto hacia el pensamiento abstracto. A veces la adolescencia es considerada un estado de transición durante el cual los jóvenes, careciendo aún de un rol social claramente definido, comienzan a separarse de sus padres. Generalmente es considerada como un período emocionalmente intenso y muchas veces estresante.

Adonis En la mitología GRIEGA, joven de extraordinaria belleza, el favorito de AFRODITA. Cuando niño fue puesto al cuidado de PERSÉFONE, quien se opuso a permitir que Adonis regresara desde los infiernos. ZEUS ordenó que debía pasar un tercio del año con Perséfone, otro tercio con Afrodita y un tercio solo. Adonis se convirtió en cazador y fue muerto por un jabalí. En respuesta a los ruegos de Afrodita, Zeus le permitió pasar la mitad del año con ella y la otra mitad en los infiernos. Adonis encarna el mito del ciclo de muerte y resurrección de las semillas y de las plantas, el ciclo del invierno y la primavera. También es identificado con el dios babilónico TAMMUZ.

"Venus y Adonis", pintura al óleo de Tiziano, s. XVI.

GENTILEZA DE LA NATIONAL GALLERY OF ART, WASHINGTON, D.C., WIDENER COLLECTION

adopción Acto por el cual los derechos y obligaciones derivados de la paternidad se transfieren a personas distintas de los padres biológicos del adoptado. La práctica es antigua y existe en todas las culturas. Tradicionalmente tenía por objeto continuar la línea de sucesión masculina a los efectos de la herencia y de la sucesión; la mayoría de los adoptados eran varones (y a veces adultos). El derecho y la práctica contemporáneos apuntan a promover el bienestar del niño y el desarrollo de las familias. En las postrimerías del s. XX se flexibilizaron las restricciones que solían aplicarse respecto de la diferencia de edades entre los padres adoptivos y el adoptado, el nivel mínimo de ingreso de los padres, el trabajo de la madre fuera del hogar, así como las limitaciones por motivos religiosos o étnicos que afectaban la ubicación del adoptado en una familia determinada. También se ha tornado más aceptable la adopción de niños por un solo cónyuge o por parejas del mismo sexo.

adormidera Angiosperma (*Papaver somniferum*) de la familia Papaveraceae, nativa de Turquía. El OPIO, la MORFINA, la CODEÍNA y la HEROÍNA son derivados del fluido lechoso extraído de su cápsula inmadura (fruto). La adormidera es una planta anual común de jardín, que puede alcanzar una altura de 1,5 m (4,5 pies). Tiene flores azul-púrpura o blancas de 13 cm (5 pulg.) de ancho y hojas lobuladas o dentadas de color verde-plateado. Esta planta también se cultiva por sus semillitas maduras no narcóticas, reniformes y de un color que va del azul-grisáceo al azul oscuro. Las semillas son utilizadas en productos de panadería, como condimento, aceite y alimento para aves.

Adormidera (*Papaver somniferum*).

Adorno, Theodor (Wiesengrund) (11 sep. 1903, Francfort del Meno, Alemania–6 ago. 1969, Visp, Suiza). Filósofo alemán. Adorno emigró a Inglaterra en 1934 para escapar del nazismo. Vivió diez años en EE.UU. (1938–48) antes de volver a Francfort, donde enseñó y encabezó el Instituto de investigaciones sociales (ver escuela de FRANCFORT). Debe su fama a sus libros y ensayos sobre filosofía, literatura, psicología, sociología y música (disciplina que estudió con ALBAN BERG). Para Adorno, la gran misión del arte, la música y la literatura modernos era mantener vivas las posibles alternativas sociales al capitalismo que ya no eran abordables por la filosofía y la teoría social. Sus obras incluyen *Dialéctica del Iluminismo* (1947; con MAX HORKHEIMER), *Minima Moralia* (1951) y *Notas de Literatura* (4 tomos, 1958–74).

Adour, río Río del sudoeste de Francia. Corre hacia el noroeste desde los PIRINEOS y atraviesa el pintoresco valle de Campan. Pasado Tarbes alimenta canales de riego, de los cuales el más importante es el canal d'Alaric. Después de un recorrido de 335 km (208 mi), desemboca en el golfo de VIZCAYA de Bayona.

adrenal, glándula ver GLÁNDULA SUPRARRENAL

adrenalina ver EPINEFRINA

adrenocorticotrópica, hormona ver ACTH

Adrián IV *orig.* **Nicholas Breakspear** (¿1100?, Abbot's Langley, cerca de St. Albans, Hertfordshire, Inglaterra–1 sep. 1159, Anagni, cerca de Roma [Italia]). Papa (1154–59), el único inglés que ha alcanzado esa dignidad. Se desempeñó en Francia e Italia antes de que una exitosa misión en Escandinavia lo llevara a ser elegido papa. Coronó emperador a FEDERICO I Barbarroja en 1155, después de que este entregara a Arnaldo de Brescia, cabecilla de una revuelta en Roma. Sin embargo, muy pronto la relación se malogró debido a la alianza que Adrián estableció con los normandos del sur de Italia y a su afirmación de que Federico había recibido la corona imperial como un beneficio papal. Su controvertida bula *Laudabiliter* concedió supuestamente Irlanda a ENRIQUE II, rey de Inglaterra, reivindicación que más tarde fue impugnada. La negativa de Adrián a reconocer al rey de Sicilia, Guillermo I, provocó una revuelta en Campania.

Adrian, Edgar Douglas *post.* **1er barón Adrian de Cambridge** (30 nov. 1889, Londres, Inglaterra–4 ago. 1977, Londres). Electrofisiólogo británico. Amplificó las variaciones del potencial eléctrico en los impulsos nerviosos de los órganos sensoriales para registrar hasta los cambios más pequeños, detectando finalmente impulsos desde terminaciones sensoriales aisladas y fibras nerviosas motoras. Su labor aclaró las bases físicas de las sensaciones y el mecanismo de control muscular. Sus estudios posteriores de la actividad eléctrica cerebral incluyeron investigaciones relacionadas con la epilepsia y la localización de lesiones cerebrales. Compartió con CHARLES SHERRINGTON el Premio Nobel en 1932.

Edgar Douglas Adrian, 1956.
KEYSTONE

Adriano *latín* **Caesar Traianus Hadrianus Augustus** *orig.* **Publius Aelius Hadrianus** (24 ene. 76 DC, Itálica, ¿Bética?–10 jul. 138, Bayas, cerca de Nápoles). Emperador romano (117–138), sobrino y sucesor de TRAJANO. Luego de años de intriga, fue adoptado y designado sucesor en vísperas de la muerte de Trajano. Ejecutó a los senadores que se le oponían, abandonó las conquistas de Trajano en Armenia y Mesopotamia y enfrentó insurrecciones en Mauritania y Partia. Viajó extensamente y muchos de sus logros se relacionan con sus visitas al extranjero. Inició la construcción del muro de ADRIANO, visitó y disciplinó tropas en Argelia y otros lugares. Admirador de la civilización griega, terminó el templo de Zeus en Atenas y creó una federación de ciudades griegas. Lanzó un programa de construcciones en Delfos y fue iniciado en los misterios ELEUSINOS. Tras la muerte de su joven compañero Antínoo (130) ahogado en el Nilo, erigió estatuas del joven por todo el imperio y su culto se desarrolló ampliamente. Nombró como sucesor a ANTONINO PÍO, que fue seguido por MARCO AURELIO.

Busto de Adriano; Museo arqueológico nacional, Nápoles.
ANDERSON—ALINARI DE ART RESOURCE/EB INC.

Adriano, muro de Barrera defensiva continua de los romanos. Iniciada su construcción por ADRIANO en 122 DC, el muro resguardaba la frontera noroccidental de la provincia de Britania de los invasores bárbaros, principalmente celtas. Tenía 118 km (73 mi) de largo de costa a costa, desde Wallsend (Segedunum) hasta Bowness. Contaba con torres, puertas y fortines a intervalos regulares; frente a él había un foso y detrás un terraplén (el *vallum*). Fue reemplazado por el muro de ANTONINO durante un corto período, pero se retomó su uso hasta alrededor de 410. Aún perduran restos del muro.

Adriano, villa de Residencia campestre de ADRIANO, construida (c. 125–34 DC) en Tívoli, cerca de Roma. Un suntuoso complejo imperial, con parques y jardines a gran escala, que comprendía baños, bibliotecas, jardines con esculturas, teatros, comedores al aire libre, pabellones y aposentos privados. Los edificios, que cubrían cerca de 18 km² (7 mi²), eran reproducciones de célebres estructuras que el emperador había visto en sus viajes. El terreno disparejo obligó a construir escalinatas y terrazas. Parte importante del complejo ha subsistido hasta ahora.

Adrianópolis, batalla de *o* **batalla de Hadrianópolis** (378 DC). Batalla librada en la actual Edirne, Turquía, que marcó el inicio de importantes incursiones germánicas dentro del territorio romano. Bajo el emperador VALENTE, la caballería de los VISIGODOS, OSTROGODOS y otras tribus germánicas acosaron al ejército romano, el que fue aniquilado. Valente murió en el campo de batalla. Su sucesor, TEODOSIO I, llegó a un acuerdo con los GODOS en 382, en el que estos ayudarían a las defensas imperiales a cambio de subsidios alimentarios. Este tratado dio la pauta para posteriores incursiones bárbaras.

Adrianópolis, tratado de ver tratado de EDIRNE

El mar Adriático baña la costa de Venecia, ciudad capital del Véneto, Italia.
ARCHIVO EDIT. SANTIAGO

Adriático, mar Brazo del mar MEDITERRÁNEO que se extiende entre Italia y la península de los Balcanes. Tiene cerca de 800 km (500 mi) de largo, con un ancho promedio de 175 km (110 mi), una profundidad máxima de 1.324 m (4.035 pies) y una superficie de 131.050 km² (50.590 mi²). La costa italiana es relativamente recta, continua y no posee islas, pero la costa de los Balcanes está llena de islas, generalmente paralelas a la costa. El estrecho de Otranto, en su límite sudoriental, lo une con el mar Jónico.

adsorción Capacidad de una sustancia SÓLIDA (adsorbente) de atraer a su superficie MOLÉCULAS de un GAS o SOLUCIÓN (adsorbato) con el cual está en contacto. La adsorción física depende de las fuerzas de VAN DER WAALS, de atracción entre las moléculas, y se parece a la condensación de los líquidos. En la adsorción química (a menudo llamada quimioadsorción; ver CATÁLISIS), el gas es retenido en la superficie por fuerzas químicas específicas de las sustancias químicas involucradas, y la formación del enlace puede requerir una ENERGÍA DE ACTIVACIÓN.

Adua, batalla de *o* **batalla de Aduwa** (1 mar. 1896). Contienda en Adua, en el centro-norte de Etiopía, entre el ejército etíope del rey MENELIK II y fuerzas italianas. La decisiva victoria etíope significó la independencia de Etiopía y frustró el intento italiano de construir un imperio en África comparable al de los franceses o británicos. La colonia de ERITREA fue producto de las negociaciones de paz ulteriores.

Adulam Antigua aldea israelí a 24 km (15 mi) al sudoeste de JERUSALÉN. En sus proximidades existe una caverna utilizada desde tiempos remotos como refugio; en varias ocasiones se menciona en la Biblia (p. ej., como el lugar donde David se escondió de Saúl).

adulteración Delito que consiste en realizar una imitación no autorizada de algo auténtico, por lo general dinero, con el propósito de engañar o defraudar. Debido al valor que se atribuye al dinero y al elevado nivel de destreza técnica que se requiere para imitarlo, la falsificación de dinero se distingue de otros delitos de FALSIFICACIÓN. Por regla general se castiga como delito grave (ver DELITO Y FALTA). La organización internacional de policía, INTERPOL, fue creada principalmente para aunar los esfuerzos destinados a luchar contra la adulteración. Entre los elementos no consistentes en dinero que comúnmente son objeto de adulteración, cabe mencionar los programas informáticos, las tarjetas de crédito, la ropa de marca y los relojes.

adulterio Relaciones sexuales entre una persona casada y una distinta de su cónyuge. Prácticamente todas las sociedades prohíben el adulterio; lo condenan las tradiciones judía, cristiana e islámica, y en algunos países islámicos todavía se castiga con la pena de muerte. La actitud hacia el adulterio ha variado mucho en las distintas culturas. El código de HAMMURABI (s. XVIII AC), de Babilonia, lo castigaba con la muerte por inmersión y, en la antigua Roma, podía darse muerte a la mujer adúltera, pero a los hombres no se los castigaba en forma severa. En Europa occidental y en América del Norte, el adulterio de cualquiera de los cónyuges es causal de DIVORCIO, aunque en EE.UU. la tendencia a decretar el divorcio independientemente de la culpa de las partes ha reducido significativamente la importancia del adulterio en los juicios de divorcio. A raíz de la propagación de las ideas occidentales de igualdad entre los cónyuges, en las sociedades tradicionales de África y del Sudeste asiático han surgido presiones en pro de la igualdad de derechos de los cónyuges.

adultez Período de la vida humana en el cual se ha alcanzado la plena madurez física e intelectual. Comúnmente se considera que la adultez comienza a los 20 ó 21 años. Incluye la mediana edad (que comienza alrededor de los 40 años) y la vejez (desde los 60 años). Físicamente se caracteriza porque se logra (alrededor de los 30 años) el máximo desarrollo de las funciones corporales, seguido de una gradual declinación de ellas: disminución de la agudeza sensorial, reducción de la masa muscular y ósea, depósitos de COLESTEROL en las arterias, debilitamiento del miocardio y merma de la producción hormonal. En la mediana edad, también comienza una lentificación de la velocidad de procesamiento del sistema nervioso central, que generalmente se compensa con una mayor capacidad para retener información práctica y aplicar el caudal de conocimientos culturales adquiridos. En la vejez, casi todos los individuos experimentan una notoria disminución de sus capacidades físicas y, con el tiempo, muchos de ellos también presentan deterioro de sus funciones mentales.

Aeróbica: sistema de acondicionamiento físico.
SIMON WILKINSON/THE IMAGE BANK/GETTY IMAGES

Aduwa, batalla de ver batalla de ADUA

advaita (sánscrito: "sin dualidad"). La escuela de VEDANTA más influyente. Se originó del comentario que hizo el filósofo Gaudapada en el s. VII acerca del Mandukya UPANISAD. Gaudapada se basa en la filosofía de la vacuidad del budismo MAHAYANA, afirmando que no hay dualidad. La mente, sea en estado de vigilia o sueño, se mueve a través del MAYA (la ilusión). La ignorancia que cubre a la mente oculta la verdad de que no hay un devenir, un alma individual, ni un yo, sino una mera presencia temporal del ATMAN (alma universal). En el s. VIII, SANKARA desarrolló aún más los conceptos y la escuela advaita, argumentando que el mundo es irreal y que los Upanisad enseñan acerca de la naturaleza de BRAHMAN, la única realidad. La profusa literatura advaita tiene influencia sobre el pensamiento hindú moderno.

adventista Miembro de un grupo de iglesias protestantes surgidas en EE.UU. en el s. XIX y que sostenían que la segunda venida de Cristo estaba muy cercana. El adventismo fue fundado por William Miller (n. 1782–m. 1849), durante una época marcada por el MILENARISMO. Miller, un ex oficial del ejército de EE.UU., aseguró que Cristo volvería antes del 21 de marzo de 1844 para separar a justos de pecadores e inaugurar su reino de mil años en la Tierra. Pasada la fecha anunciada, Miller y sus seguidores fijaron una nueva fecha, el 22 de octubre de 1884. La "Gran Decepción" fue seguida en 1845 de una Conferencia mutual de adventistas. Aquellos que persistían, concluyeron que Miller había malinterpretado las señales y, a pesar de que Cristo había comenzado la "limpieza del santuario celestial", Él no aparecería hasta completar su tarea. Estos "milleristas" (seguidores de Miller) fundaron en 1863 el Movimiento adventista del Séptimo Día; otros grupos adventistas son los evangélicos adventistas y la Iglesia cristiana adventista. Los adventistas del Séptimo Día observan el SABBAT, evitan comer carne y usar narcóticos y otros estimulantes.

Adviento En el calendario cristiano, tiempo litúrgico de preparación para el nacimiento de JESÚS. Comienza el domingo más cercano al 30 de noviembre y continúa hasta NAVIDAD. Entendido como tiempo de penitencia, es también considerado un tiempo de preparación para la segunda venida de Cristo. El origen del Adviento es desconocido, pero ya era observado en el s. VI. En muchos países, a la celebración tradicional se le han añadido costumbres populares como el encender velas de Adviento.

Æ *orig.* **George William Russell** (10 abr. 1867, Lurgan, condado de Armagh, Irlanda–17 jul. 1935, Bournemouth, Hampshire, Inglaterra). Poeta y místico irlandés. Figura destacada del RENACIMIENTO LITERARIO IRLANDÉS, publicó varios libros de poemas, entre ellos *Homeward* [Rumbo a casa] (1894). Aunque en un comienzo muchos lo consideraron a la par de WILLIAM BUTLER YEATS, no evolucionó como poeta, y numerosos críticos lo tildaron de superficial, vago y monótono. Su seudónimo surgió de las dudas de un corrector de pruebas acerca de su seudónimo anterior, Æon.

Aehrenthal, Aloys, conde Lexa von (27 sep. 1854, Gross-Skal, Bohemia–17 feb. 1912, Viena, Austria-Hungría). Diplomático austrohúngaro. Como ministro de asuntos exteriores de Austria-Hungría (1906–12), reanimó agresivamente la política exterior del imperio. Su proclamación de la anexión de Bosnia y Herzegovina en 1908 hizo que surgieran temores de guerra con Rusia, inflamó los sentimientos antiaustríacos de Serbia y provocó la censura internacional, lo que condujo a la crisis BOSNIA.

aeróbica Sistema de acondicionamiento físico con el fin de aumentar la eficiencia del consumo de oxígeno del organismo. Los ejercicios aeróbicos (p. ej., correr, trotar, nadar, bailar) estimulan la actividad cardíaca y pulmonar. Para que el entrenamiento aeróbico sea beneficioso, debe aumentar la frecuencia cardíaca (pulso) al nivel fijado por el practicante durante al menos 20 minutos e incluir como mínimo tres sesiones semanales. El pionero del concepto de aeróbica fue Kenneth H. Cooper, quien lo popularizó en sus libros *Aerobics* [Aeróbica] (1968) y *The Aerobics Way: New Data on the World's Most Popular Exercise Program* [El camino de la aeróbica: nueva información sobre el programa de ejercicios más popular a nivel mundial] (1977).

Aeropuerto Fort Worth de Dallas, EE.UU.
CAROLYN BROWN/THE IMAGE BANK/GETTY IMAGES.

aerodeslizador *inglés* **hovercraft** Vehículo suspendido sobre la superficie terrestre o acuática mediante un colchón de aire, producido por unos ventiladores que impulsan aire hacia abajo, confinándolo bajo el casco al interior de una cortina flexible. El concepto fue propuesto originalmente por John Thornycroft en la década de 1870, pero no se produjo un modelo operacional hasta 1955, cuando Christopher Cockerell solucionó el problema de impedir que el aire del colchón escapara de debajo del vehículo, y creó Hovercraft Ltd. para fabricar prototipos. Los problemas de diseño de la cortina flexible y de mantención del motor han restringido la aplicación comercial del vehículo; en la actualidad, los aerodeslizadores se usan sobre todo como transbordadores.

aerodinámica Rama de la física que estudia las fuerzas que actúan sobre los cuerpos que se desplazan por el aire y otros fluidos gaseosos. Explica los principios del vuelo de los aviones, cohetes y misiles. Contribuye también al diseño de automóviles, trenes y buques, e incluso de estructuras estacionarias, como puentes y edificios en altura que deben resistir fuertes vientos. La aerodinámica emerge como disciplina en los tiempos del primer vuelo a motor de WILBUR Y ORVILLE WRIGHT en 1903. Las novedades en este campo han permitido lograr grandes adelantos en la teoría del flujo turbulento y en el vuelo supersónico.

Globos aerostáticos en una competencia nacional (1965) en Reno, Nevada, EE.UU.
JIM LARSEN

aeródromo ver AEROPUERTO

Aeroflot-Russian Airlines Aerolínea nacional de la ex Unión Soviética. Fundada en 1928 como Dobroflot, esta compañía fue reorganizada como Aeroflot en 1932. Durante la era soviética, Aeroflot fue la aerolínea más grande del mundo, con un 15% del total del tráfico aéreo civil. Después de la desintegración de la Unión Soviética, en 1991, perdió el monopolio de la aviación comercial en los ex estados soviéticos. En junio de 2000 se le rebautizó con el nombre de Aeroflot-Russian Airlines.

aerógrafo DISPOSITIVO NEUMÁTICO para generar un chorro pulverizado fino de pintura, revestimiento protector o color líquido (ver AEROSOL), de pequeño diámetro. El aerógrafo puede ser un atomizador en forma de lápiz, utilizado para ciertas actividades de mucho detalle, como sombrear dibujos y retocar fotografías; en cambio, se suele usar una pistola pulverizadora para cubrir grandes superficies con pintura.

aeroplano ver AVIÓN

aeropuerto *o* **aeródromo** Lugar e instalaciones para el despegue y aterrizaje de aviones. Los primeros aeródromos eran campos abiertos, cubiertos de pasto, llamados campos de aterrizaje, que permitían al piloto enfrentar directamente el viento para facilitar la elevación durante el despegue y para disminuir la velocidad durante el aterrizaje. En la década de 1930, el mayor peso de los aviones requirió que se pavimentaran las pistas. Mientras mayor sea el tamaño de los aviones más largas tienen que ser las pistas, las que en la actualidad alcanzan hasta 4.500 m (15.000 pies) para atender a los aviones de reacción de gran envergadura. El tráfico aéreo se regula desde torres de control y desde centros regionales. Las terminales de pasajeros y carga tienen capacidad para realizar operaciones de despacho de equipaje y de transbordo de pasajeros en tránsito.

aerosol Sistema de diminutas partículas líquidas o sólidas distribuidas de manera uniforme en un estado finamente dividido en un gas, por lo general aire. Las partículas de aerosol participan en procesos químicos e influyen en las propiedades eléctricas de la atmósfera. Aunque las partículas de un aerosol propiamente tal varían el diámetro de unos pocos nanómetros hasta más o menos un micrómetro, el término se usa a menudo para referirse a gotitas de niebla o de nubes y a partículas de polvo que pueden tener un diámetro superior a 100 micrómetros. Ver también COLOIDE; EMULSIÓN.

aerostación Navegación aérea en GLOBO con fines recreativos o competitivos. La aerostación comenzó a principios del s. XX y se popularizó en la década de 1960. Los globos que se emplean están hechos de materiales sintéticos livianos (p. ej., poliéster cubierto de mylar aluminizado) y se llenan con aire caliente o gases más livianos que el aire. Las carreras de globos, que suelen incluir pruebas como cambiar de altura o aterrizar en un lugar predeterminado, están regidas por la Federación Aeronáutica Internacional (FAI). Los primeros vuelos transatlántico, transcontinental y transpacífico tuvieron lugar en 1978, 1980 y 1981, respectivamente. En 1997 y 1998, varios equipos de distintos países comenzaron a competir para hacer el primer vuelo sin escala alrededor del mundo. La hazaña la lograron finalmente en 1999 el psiquiatra suizo Bertrand Piccard (nieto del famoso físico y también piloto de globos Auguste Piccard) y su copiloto, el británico Brian Jones, quienes pasaron 19 días en el aire.

Aesculapius ver ASCLEPIO

Aethelberht I ver ETELBERTO I

Aethelred Unread ver ETELRED II

Afars y de los Issas, Territorio Francés de los ver YIBUTI

afasia *o* **disfasia** Defecto en la expresión y comprensión de las palabras, producido por el daño de los lóbulos frontales y temporales del cerebro. Puede deberse a trauma craneal, tumor, encefálico o infección. Los síntomas varían de acuerdo con el área cerebral afectada, y puede perderse la capacidad para colocar las palabras en un orden que tenga sentido. La fonoterapia puede ser útil. En algunos casos, la mejoría puede obedecer a que otras zonas del cerebro asumen algunas funciones del lenguaje.

afectos, doctrina de los *alemán* **Affektenlehre** Teoría estética de la música en el período barroco. Bajo la influencia de la RETÓRICA clásica, los teóricos y compositores del barroco tardío sostenían que la música era capaz de despertar una variedad de emociones específicas en el auditor y que además, mediante el empleo de procedimientos o recursos musicales apropiados, el compositor podía suscitar en su audiencia una determinada respuesta emocional involuntaria. A fines del s. XVII se solía organizar movimientos individuales de una obra en torno a una sola emoción. El resultado de esto era la falta de contrastes fuertes y los ritmos repetitivos característicos de la música barroca. Se hicieron varios intentos para sistematizar los efectos emocionales de las distintas escalas y figuras musicales, pero nunca se llegó a un consenso.

affenpinscher Raza robusta de PERRO MINIATURA, conocida desde el s. XVII. Mide hasta 26 cm (10 pulg.) de alzada y pesa 3–3,5 kg (7–8 lb.); es parecido a un TERRIER de orejas pequeñas y erectas, ojos redondos de color negro y cola corta desmochada. Su pelaje tieso, preferentemente negro, es corto en la mayor parte del cuerpo, pero más largo en las extremidades y cara, lo que le confiere una expresión monesca que le da el nombre a la raza (del alemán *Affe* "mono").

Affleck, Thomas (1745, Aberdeen, Escocia–1795, Filadelfia, Pa., EE.UU.). Ebanista estadounidense de origen escocés. Formado en Inglaterra, se trasladó a Filadelfia, donde produjo mobiliario sobresaliente en el estilo CHIPPENDALE para el gob. John Penn y otros ciudadanos importantes. La pata estilo Marlborough (recta, acanalada, con pie de bloque) y el tallado elaborado caracterizaron su trabajo.

afganas, guerras Serie de guerras libradas en Afganistán durante los s. XIX, XX y principios del XXI. En el s. XIX, los británicos invadieron Afganistán en dos ocasiones (primera y segunda guerras anglo-afganas; 1839–40 y 1878–80). Los británicos fueron incapaces de someter por completo el país, y la tercera guerra anglo-afgana (1919) llevó al país a su plena independencia. El estallido de la guerra civil en 1978 hizo que la Unión Soviética invadiera el país al año siguiente (guerra de Afganistán). Durante los siguientes diez años, los soviéticos apoyaron al gobierno comunista contra una coalición de insurgentes islámicos, los MUYAHEDINES, que derribaron el régimen en 1992. En 1996, un grupo de combatientes descontentos llamados TALIBANES había tomado el control de la mayor parte del país. El subsecuente estancamiento de la situación se rompió en 2001, cuando EE.UU. derrocó a los talibanes por apoyar el terrorismo internacional.

AFGANISTÁN

- **Superficie:** 645.807 km² (249.347 mi²).
- **Población:** 23.867.000 hab. (est. 2005)
- **Capital:** KABUL
- **Moneda:** afgani

Afganistán *ofic.* **Estado Islámico de Afganistán** País del centro-sur de Asia. Alrededor de 40% de la población pertenece al grupo étnico pashto; otros grupos étnicos incluyen a los tayikos, uzbekos y hazaras. Idiomas: pashto, persa (ambos oficiales). Religión: Islam (oficial). En Afganistán se distinguen tres regiones: las planicies del norte, que constituyen el área agrícola más importante; la meseta del sudoeste, de paisajes mayoritariamente desérticos y semiáridos; y las regiones montañosas, incluido el HINDU KUSH, que separa estas regiones. El desarrollo económico de Afganistán se basa principalmente en la agricultura; a causa de las guerras AFGANAS de la década de 1980 y los combates que siguieron, la mayor parte de los grandes recursos mineros que posee el territorio permanecen aún inexplotados. La artesanía tradicional sigue siendo importante; su principal producto de exportación son las alfombras de lana. Durante el s. VI AC, el área formó parte del Imperio persa aqueménida y fue conquistada por ALEJANDRO MAGNO en el s. IV AC. Con los heftalitas y la dinastía SASÁNIDA penetró la influencia hindú; el Islam consiguió arraigarse durante el dominio de los safáridas c. 870 DC. Afganistán quedó dividido entre el Imperio MOGOL de India y el Imperio persa de los SAFAWÍ, división que perduró hasta el s. XVIII cuando otros persas, esta vez bajo el mando de NĀDIR SHA, impusieron su dominio. Durante el s. XIX, Gran Bretaña libró varias guerras en la zona. A contar de la década de 1930, el país tuvo una monarquía estable, la cual fue derrocada en la década de 1970. Las reformas marxistas incitaron a la rebelión y el ejército soviético invadió el área. Las guerrillas afganas se impusieron y los soviéticos se retiraron en 1989. En 1992, facciones rebeldes derrocaron el gobierno y establecieron una república islámica. En 1996, la milicia talibana asumió el poder e impuso un duro orden islámico. La renuencia de la milicia a extraditar al líder extremista OSAMA BIN LADEN y los miembros de su organización, denominada al-Qaeda, después de los ATENTADOS DEL 11 DE SEPTIEMBRE de 2001, provocaron un conflicto bélico con EE.UU. y las naciones aliadas, que culminó con el derrocamiento del gobierno TALIBÁN y el establecimiento de un gobierno interino.

Zona lacustre de Band-i-Amir, rodeada de colinas escarpadas, Afganistán.
SYBIL SASSOON/ROBERT HARDING WORLD IMAGERY/GETTY IMAGES

afgano Raza canina desarrollada como cazadora en el montañoso país de Afganistán y llevada a Europa a fines del s. XIX por los soldados británicos que volvían del frente de batalla indoafgano. Utiliza su vista para cazar y en Afganistán se lo usó para perseguir leopardos y gacelas. Tiene gran alzada, anchas caderas y está bien adaptado a los terrenos escabrosos. Mide 61–71 cm (24–28 pulg.) de alzada y pesa 23–27 kg (50–60 lb). Tiene orejas caídas, copete largo, morro alargado y un pelaje largo y sedoso de varios colores.

Perro afgano.
SALLY ANNE THOMPSON

Afghānī, Jamāl al-Dīn al- ver JAMĀL AL-DĪN AL-AFGHĀNĪ

afiche ver CARTEL

afinación y temperamento En música, ajuste de una fuente sonora, como una voz o una cuerda, para producir el tono (o altura) deseado en relación con un tono dado, y la modificación de esa afinación para atenuar la disonancia. La afinación asegura un buen sonido para un par de notas dadas; el temperamento altera la afinación a fin de asegurar un buen sonido para cualquier par de notas. Dos cuerdas que vibran suenan mejor juntas si la razón entre sus longitudes se puede expresar mediante dos números enteros pequeños. Si dos cuerdas vibran en una razón de 2:1, las vibraciones siempre coincidirán y de este modo se reforzarán mutuamente. Pero si vibran en una razón de 197:100 (muy cerca de 2:1), se anularán mutuamente tres veces por segundo, creando pulsaciones audibles. Estas pulsaciones son las que hacen que un sonido se oiga "desafinado". Debido a que una nota obtenida con una razón no coincidirá necesariamente con la misma nota creada mediante la aplicación reiterada de otra razón, se debe alterar la afinación de algunos INTERVALOS para permitir la afinación perfecta de otros o alterar en forma ligera la afinación de todos los intervalos. La primera opción fue el fundamento de varios sistemas empleados antes de 1700, entre ellos, la llamada "entonación justa". Después de 1700 ha prevalecido la segunda opción mediante el arreglo conocido como "temperamento igual", en el que todos los pares de notas adyacentes poseen razones idénticas.

afino Método antiguo de convertir HIERRO FUNDIDO o hierro colado en HIERRO FORJADO y que sustituyó el proceso de fundición en FORJA BAJA después de que se difundieron los ALTOS HORNOS. Se colocaban trozos de hierro fundido o hierro colado (ver ARRABIO) sobre una solera de afino, encima de la cual se quemaba CARBÓN VEGETAL con abundante suministro de aire, de modo que se eliminaba por oxidación el CARBONO contenido en el hierro, dejando tras de sí hierro maleable semisólido. A partir del s. XV, este proceso bifásico reemplazó gradualmente la fabricación directa de hierro maleable. Fue sustituido a su vez por la PUDELACIÓN.

Aflaq, Michel (1910, Damasco, Siria–23 jun. 1989, París, Francia). Líder político y social sirio. Mientras estudiaba en la Universidad de París (1929–34) llegó a la conclusión de que la lucha nacionalista árabe debía oponerse, tanto a la aristocracia nativa como al dominio extranjero. Con la esperanza de unir a todos los estados árabes en una única nación socialista mediante la no violencia, contribuyó a fundar el PARTIDO BAAS en 1946, del que fue su maestro, teórico y organizador. Convenció al gobierno sirio de formar con Egipto la República Árabe Unida en 1958, de la que Siria se retiró en 1961. Su carrera política en Siria finalizó en 1966, cuando se trasladó al Líbano. Ver también PANARABISMO.

aflatoxina Complejo de toxinas producido por MOHOS del género *Aspergillus*, que contaminan frecuentemente a las semillas, granos, comidas y otros alimentos mal almacenados. Las aflatoxinas fueron descubiertas después de un brote de la "enfermedad turca X" en Inglaterra en 1960. Pueden causar enfermedad del hígado y cáncer, y desencadenar también el SÍNDROME DE REYE.

AFL-CIO *sigla de* **American Federation of Labor-Congress of Industrial Organizations** Federación estadounidense de sindicatos creada en 1955 tras la fusión de la AFL y el CIO. La AFL fue fundada en 1886 como una federación libre de sindicatos de artesanos dirigida por SAMUEL GOMPERS. Los sindicatos miembros conservaban su autonomía, recibían protección para sus trabajadores y tenían jurisdicción sobre ciertos territorios industriales. El CIO fue fundado en 1935 como el Comité de organización industrial, conformado por un grupo de sindicatos que se separó de la AFL, cuyos líderes creían en la organización de los trabajadores calificados y no calificados, a nivel de sectores industriales completos. En su primera convención de 1938 se adoptó su nombre actual y fue elegido presidente JOHN L. LEWIS. Durante dos décadas, la AFL y el CIO rivalizaron enconadamente por ganar el liderazgo del movimiento sindical de EE.UU.; sin embargo, se aliaron para enfrentar el incremento del clima antisindical y el conservadurismo de la posguerra, y finalmente se fusionaron en 1955 bajo la égida de GEORGE MEANY. Los miembros de la AFL-CIO llegaron a 17 millones a fines de la década de 1970, pero este número mermó en la década de 1980, a raíz de la contracción del sector manufacturero de EE.UU. Las actividades de la AFL-CIO comprenden el reclutamiento y la organización de sus miembros, la realización de campañas educacionales, el apoyo a candidatos políticos y a la legislación considerada beneficiosa para los trabajadores. Ver también CABALLEROS DEL TRABAJO; LANE KIRKLAND; WALTER REUTHER.

aforismo Formulación lacónica de verdades u opiniones generalmente aceptadas, expresada en una sentencia breve y fácil de recordar. El término fue utilizado originalmente en los *Aforismos* de HIPÓCRATES, una larga serie de proposiciones acerca de la enfermedad y el arte de curar. Los aforismos fueron usados especialmente cuando se abordaban temas cuyos principios y metodologías se desarrollaron relativamente tarde, como el arte, la agricultura, la medicina, la jurisprudencia y la política; sin embargo, en la era moderna han sido a menudo una expresión de ingenio y sabiduría concisa. FRIEDRICH NIETZSCHE y OSCAR WILDE están entre los más célebres cultores del aforismo de la era moderna.

África El segundo continente más grande de la Tierra. Está delimitado por el mar Mediterráneo, el océano Atlántico, el mar Rojo y el océano Índico, y se encuentra casi simétricamente dividido por la línea del ecuador. Superficie: 30.348.110 km² (11.717.370 mi²). Población (est. 2001): 816.524.000 hab. África está formada en su mayor parte por una plataforma rígida de rocas antiguas subyacente a vastas mesetas en el interior del continente. Tiene una elevación media aproximada de 670 m (2.200 pies), pero las altitudes varían desde 5.895 m (19.340 pies), en el monte KILIMANJARO, hasta los 157 m (515 pies) bajo el nivel del mar en el lago ASSAL. El SAHARA, el desierto ininterrumpido más grande del mundo, ocupa más de un 25% del territorio africano. La hidrología del continente está dominada por los ríos NILO en el norte, NÍGER en el oeste y CONGO en el centro. Menos del 10% de la tierra es arable, mientras que cerca de un 25% es selvática o boscosa. Probablemente en África se habla más idiomas que en cualquier otro continente. El árabe predomina desde Egipto hasta Mauritania y en Sudán. Los africanos del norte hablan una familia de lenguas conocidas como afroasiáticas. La gran mayoría de la población subsahariana habla

Desierto de Sahara, el más extenso del mundo, ubicado en África septentrional.
ARCHIVO EDIT. SANTIAGO

lenguas bantúes de la familia nigerocongoleña, mientras que una minoría de África central habla lenguas nilosaharianas, y en África meridional, lenguas KHOISAN. El grueso de la población de ascendencia europea se encuentra en el sur; en el s. XVII comenzaron las inmigraciones holandesas (bóer) y en el s. XIX los ingleses colonizaron las actuales Kenia y Zimbabwe. África, en su conjunto, es una región en vías de desarrollo. El sector clave de la economía en la mayoría de los

Aguadores en la zona del souk (mercado), Marrakech, Marruecos.
ARCHIVO EDIT. SANTIAGO

países es la agricultura. En el sur, los diamantes y la minería del oro son especialmente importantes, mientras que el petróleo y el gas natural se producen en particular en el oeste. La mayoría de los gobiernos africanos están controlados por militares o por un partido único. Muchos sistemas legales combinan leyes introducidas por las potencias europeas durante el período colonial con leyes tradicionales, aunque los países de África del norte han tomado muchas de sus leyes del Islam. Por intermedio de la ORGANIZACIÓN DE LA UNIDAD AFRICANA (OUA) y su sucesora, la Unión Africana, sus líderes han tratado de darle un enfoque panafricano a los asuntos políticos y militares del continente. África es ampliamente reconocida por ser la cuna de la humanidad. Las evidencias arqueológicas indican que el continente ha estado habitado, tanto por los humanos como por sus antepasados homínidos, desde hace aprox. 4.000.000 de años o más. Se cree que el ser humano, tal como lo conocemos físicamente hoy, debió aparecer hace unos 100.000 años en la región oriental del África subsahariana. Tiempo después, esos humanos primitivos se diseminaron por el norte de África y el Medio Oriente y finalmente hacia el resto del mundo. Egipto, el primer gran imperio histórico africano, floreció a orillas del Nilo c. 3000 AC, y su esplendor duró cerca de 3.000 años. Los FENICIOS establecieron una colonia en CARTAGO y controlaron la parte occidental del Mediterráneo durante unos 600 años, mientras que el norte de África estuvo dominado por los romanos durante varios siglos. El primer imperio conocido de África occidental fue el de GHANA (s. V–XI DC). Entre los imperios musulmanes se incluyen el de MALÍ (c. 1250–1400) y el de SONGAY (c. 1400–1591). En África central y oriental, se privilegiaba el comercio con Arabia y se establecieron poderosas ciudades-estado, como las de MOGADISCIO y MOMBASA. En el s. XV, los portugueses exploraron la costa occidental. Hasta fines del s. XIX, Europa mostró escaso interés en colonizar África, pero en 1884 los países europeos habían empezado una lucha por repartirse el continente; en 1920 gran parte de este estaba bajo su dominio colonial. Los sentimientos anticoloniales se desarrollaron gradualmente y se generalizaron después de 1950 y, una tras otra, las colonias se independizaron; la última en 1990. Al comenzar el s. XXI, los principales problemas que enfrenta hoy el continente son la inestabilidad política, la situación crítica de los refugiados, el hambre y el sida.

África del norte, campañas de (1940–43). Batallas libradas durante la segunda GUERRA MUNDIAL por el control de África del norte. Después de la victoria de las tropas italianas en Egipto en 1940, estas fueron obligadas a retroceder a Libia por las tropas británicas. Los refuerzos alemanes al mando de ERWIN ROMMEL forzaron la retirada británica a Egipto después de la defensa de Tobruk. En 1942, los británicos conducidos por BERNARD LAW MONTGOMERY contraatacaron en la batalla de EL ALAMEIN y empujaron a los alemanes hacia el oeste, hasta Túnez. En noviembre de 1942, fuerzas de EE.UU. y Gran Bretaña al mando de DWIGHT D. EISENHOWER desembarcaron en Argelia y Marruecos, desplazándose luego hacia el este para entrar en Túnez. En mayo de 1943, los aliados, avanzando desde este y oeste, derrotaron a las fuerzas del Eje y forzaron la rendición de 250.000 de sus soldados.

África del Sudoeste ver NAMIBIA

África Ecuatorial Francesa *ant.* **Congo Francés** Ex federación de posesiones francesas de África central occidental. Existió entre 1910 y 1959 y su capital era BRAZZAVILLE. Con la independencia lograda en 1960, el antiguo territorio de Ubangi-Shari, al cual Chad había sido anexado en 1920, se convirtió en la República Centroafricana y en la República de Chad; el Congo Medio se convirtió en la República del Congo y Gabón en la República de Gabón.

África, Grandes Lagos de Grupo de grandes lagos principalmente del valle del RIFT, en el este de África central. Comprende los lagos TURKANA, ALBERTO, VICTORIA, TANGANYIKA y MALAWI.

África Occidental Francesa Ex federación de dependencias francesas del África occidental. Se componía de las actuales repúblicas de BENÍN, BURKINA FASO, GUINEA, COSTA DE MARFIL, MALÍ, MAURITANIA, NÍGER y SENEGAL. Su capital era DAKAR. La federación se estableció en 1895 y se disolvió entre 1958 y 1959. En 1960, todos los antiguos territorios coloniales se habían convertido en repúblicas independientes.

Africa Occidental Portuguesa ver ANGOLA

África Oriental Alemana Ex dependencia del Imperio alemán, que en la actualidad corresponde a los territorios de Ruanda y Burundi, la parte continental de Tanzania y una pequeña zona de Mozambique. En 1884 se establecieron comerciantes alemanes en el lugar y en 1891 el gobierno imperial alemán asumió la administración del área. Durante la primera guerra mundial fue ocupada por los británicos, quienes en virtud del tratado de VERSALLES (1919) recibieron el mandato de administrar la mayor parte de ella (Territorio de Tanganyika). La porción más pequeña, RUANDA-URUNDI, fue confiada a Bélgica.

Joven guerrero ngorongoro, Tanzania, territorio otrora de África Oriental Alemana.
ARCHIVO EDIT. SANTIAGO

África Oriental Británica Territorio africano bajo protectorado británico. La penetración británica en el área comenzó en ZANZÍBAR, a fines del s. XIX. En 1888, la British East Africa Co. reivindicó el territorio correspondiente a la actual Kenia. Se establecieron posteriormente protectorados británicos en el sultanato de Zanzíbar y el reino de Buganda (ver UGANDA). En 1919, los británicos se adjudicaron el antiguo territorio alemán de Tanganyika mediante un mandato de la Sociedad de Naciones. Durante la década de 1960, todos los territorios pertenecientes al África Oriental Británica obtuvieron su independencia política.

África Oriental Portuguesa ver MOZAMBIQUE

África romana Provincia proconsular romana. Fue creada el año 146 AC después de que Roma destruyera CARTAGO. Posteriormente fue ampliada con la anexión de NUMIDIA y la actual Libia septentrional. Entre 30 AC y 180 DC, otras partes de África septentrional, como CIRENAICA, Marmárica y Mauritania, pasaron a formar parte de la República e Imperio de ROMA. En el s. V, la región fue ocupada por los VÁNDALOS, pero reconquistada después en parte por el Imperio BIZANTINO (romano de Oriente). En 641, los musulmanes conquistaron la región.

africanas, artes Artes visuales, escénicas y literarias del África subsahariana. Aquello que otorga al arte en África su carácter especial es la escala generalmente pequeña de la mayoría de sus sociedades tradicionales, en las cuales se puede hallar una abismante variedad de estilos. Los primeros indicios de las artes visuales son las figuras talladas y pintadas en rocas c. 3000 AC. Las culturas pastoriles del este enfatizan el ornamento personal; la escultura predomina en las sociedades agrícolas del oeste y del sur. Se han encontrado en Nigeria figuras de arcilla que datan de 500 AC. La metalistería se practicó desde el s. IX DC. Las esculturas en piedra, marfil y madera datan de los s. XVI–XVII. Algunas de las esculturas en madera más finas datan del s. XX. La arquitectura domina el arte del norte y de la costa oriental, donde el Islam y el cristianismo ejercieron su influencia. Algunas obras significativas incluyen espléndidas mezquitas construidas de barro e iglesias de piedra labrada. Quizás una de las características más distintivas de la música africana sea la complejidad de sus patrones rítmicos logrados por una gran variedad de tambores y la relación entre la forma melódica y la estructura tonal del lenguaje. Sin esto, el texto de una canción no tiene sentido, pero, incluso en la música puramente instrumental, es probable que el patrón melódico siga el tono del habla. Las danzas se realizan en estilos radicalmente diferentes en África. Los patrones de movimiento dependen con frecuencia de la forma en que las circunstancias ambientales, históricas y sociales hayan sido articuladas en movimientos laborales, sociales y recreativos. Habitualmente no hay distinción entre celebración ritual y recreación social. La mascarada es una forma compleja de arte que utiliza muchos medios; las mascaradas pueden entretener, utilizarse para combatir enfermedades, consultarse como oráculos, iniciar a los niños en la adultez, personificar a un ancestro, dirimir disputas o ejecutar a criminales. La MÁSCARA es esencialmente un recurso dramático que faculta a los actores a situarse al margen de su rol cotidiano en la comunidad. El contenido y el estilo del teatro africano urbano están influenciados tanto por las tradiciones dramáticas africanas como por el teatro occidental. Las artes literarias de África, en especial sus tradiciones orales, son inmensamente ricas y variadas. Comprenden mitos, canciones de alabanza, poesía épica, cuentos populares, adivinanzas, hechizos y proverbios. La literatura escrita ha existido por varios siglos en lengua hausa, swahili y amárico. En el s. XX también se desarrolló la literatura escrita en otras lenguas africanas, así como en inglés, francés y portugués. Ver también estilo de BULI; DÉBLÉ; SEGONI-KUN; figura TELLEM; y autores africanos como CHINUA ACHEBE; AIMÉ CÉSAIRE; BIRAGO DIOP; ATHOL FUGARD; NADINE GORDIMER; WOLE SOYINKA; AMOS TUTUOLA.

Arte africano: máscara tallada en madera.
ARCHIVO EDIT. SANTIAGO

africanas, lenguas Lenguas indígenas de África que pertenecen a los grupos de lenguas NIGEROCONGOLEÑAS, NILOSAHARIANAS, KHOISAN y CAMITOSEMÍTICAS. África es el continente más políglota; se estima que el número de lenguas africanas oscila entre 1.000 y más de 1.500. Muchas de ellas tienen numerosos dialectos. Las diferencias de TONO o tonales juegan un papel significativo en casi todas las lenguas subsaharianas. El contacto entre pueblos que no hablan la misma lengua ha hecho que se desarrollen LINGUAS FRANCAS, como el SWAHILI en África oriental, el lingala en la cuenca del río Congo (ver lenguas BANTÚES), el sango en la República Centroafricana (ver lenguas ADAMAWA-UBANGI) y el ÁRABE en la mayor parte del SAHEL.

africanas, religiones Religiones autóctonas del continente africano. Las religiones introducidas, como el Islam (en el norte de África) y el cristianismo (en el sur), son hoy las mayoritarias del continente, pero las religiones tradicionales aún juegan un papel importante, especialmente en el interior del África subsahariana. Las numerosas religiones tradicionales africanas tienen en común la noción de un dios creador que hizo el mundo y luego se retiró, permaneciendo alejado de todo lo concerniente a la vida humana. Por lo general, las oraciones y ofrendas sacrificiales van dirigidas a divinidades secundarias, que son intermediarias entre los humanos y las esferas sagradas. Los ancestros ofician también de intermediarios (ver culto a los ANTEPASADOS). Ofician el ritual sacerdotes, ancianos, hacedores de lluvia, adivinos y profetas. Los rituales persiguen mantener una relación armoniosa con los poderes cósmicos, y muchos de ellos están asociados a mitos que explican su significación. El ANIMISMO es una característica común de las religiones africanas y el infortunio se atribuye a menudo a la BRUJERÍA Y HECHICERÍA.

Mezquita de Koutoubia, en Marruecos; el Islam es la religión predominante de África septentrional.
ARCHIVO EDIT. SANTIAGO

afrikáans Lengua GERMÁNICA de la República de Sudáfrica. Desarrollada a partir del NEERLANDÉS del s. XVII por descendientes de colonos europeos, pueblos indígenas hablantes de las lenguas KHOISAN y esclavos africanos y asiáticos de la colonia holandesa en el cabo de Buena Esperanza. Difiere del neerlandés en su sistema de sonidos, en algunas simplificaciones gramaticales y en el vocabulario. Cerca de seis millones de sudafricanos hablan afrikáans como primera lengua y varios millones más lo hablan como segunda o tercera lengua; también existen unos 150.000 hablantes de afrikáans en Namibia. El afrikáans estándar se separó formalmente del neerlandés, transformándose en 1925 en una de las 11 lenguas oficiales de la República de Sudáfrica.

afrikáner *ant.* **bóer** Sudafricano de descendencia holandesa o hugonota, cuya lengua nativa es el AFRIKÁANS. Los afrikáners eran llamados originalmente bóers ("granjeros"), pues muchos colonos holandeses y hugonotes de la antigua colonia de El Cabo (fundada en 1652) se convirtieron en granjeros fronterizos en el TRANSVAAL y en el Estado Libre de ORANGE. Eran fervientes calvinistas y se veían a sí mismos como hijos de Dios en un desierto pagano. Establecieron comunidades patriarcales autónomas, desarrollaron su propio lenguaje y subcultura y se comprometieron con la política del APARTHEID. Libraron una guerra encarnizada contra los británicos (guerra de los BÓERS, 1899–1902) por el derecho a gobernar los territorios fronterizos. Aunque derrotados, mantuvieron sus antiguas lengua y cultura, y finalmente obtuvieron, por medios políticos, el poder que no habían podido conseguir por las armas. Dominaron la política sudafricana durante la mayor parte del s. XX, pero fueron obligados a ceder el gobierno de la nación en 1994, tras la realización de las primeras elecciones con sufragio universal. En la actualidad, gran parte de la riqueza económica del país permanece en sus manos. Los afrikáners suman cerca de 6,4 millones de personas. Ver también Ciudad de El CABO; PARTIDO NACIONAL DE SUDÁFRICA; Gran TREK.

afrocaribeña, afrobrasileña y afroamericana, religiones Religiones de personas de ancestro africano en el Caribe, Brasil y EE.UU. Se incluyen el VUDÚ haitiano, el movimiento RASTAFARI jamaicano, la SANTERÍA y el CANDOMBLÉ y sectas de la MACUMBA en Brasil. En EE.UU. ya habían aparecido religiones sincretistas durante la época de la esclavitud. El movimiento NACIÓN DEL ISLAM combina el nacionalismo afroamericano con una versión heterodoxa del ISLAM. Las iglesias protestantes afroamericanas (especialmente la baptista y la pentecostal) han adoptado de África algunas de sus formas expresivas de adoración.

afrocentrismo Movimiento cultural, político e ideológico. La mayoría de los afrocentristas son afroamericanos que consideran a todos los negros como africanos sincréticos y creen que su visión del mundo debería reflejar positivamente los valores tradicionales africanos. Los afrocentristas argumentan que durante siglos, los negros y otros no blancos han sido dominados por los europeos mediante la esclavitud y la colonización, y que la cultura europea no viene al caso o es hostil a los esfuerzos de los no europeos por alcanzar su autodeterminación. Enraizado en movimientos nacionalistas negros históricos como el etiopianismo, el movimiento PANAFRICANO y NEGRITUD, el afrocentrismo defiende la primacía cultural del antiguo Egipto y es considerado un estímulo para el activismo político. Además de promover la cooperación y la espiritualidad, aboga por las diversas expresiones de la cultura afroamericana contemporánea (lengua, cocina, música, danza y vestimenta). Acuñado por Molefi Asante en la década de 1980, el término afrocentrismo fue popularizado por libros como *Black Athena: The Afroasiatic Roots of Classical Civilization* [Atenas negra: raíces afroasiáticas de la civilización clásica], 2 vol. (1987–91), de Martin Bernal. El libro continúa causando controversia entre los principales eruditos que lo acusan de inexactitud histórica, incompetencia académica y racismo, lo que ha provocado que a algunos de sus defensores los hayan acusado a su vez de racismo.

afrodisíaco Cualquiera de varias formas de estimulación que provocarían excitación sexual. Pueden ser psicofisiológicas (estimulando los sentidos de la visión, el tacto, el olfato o la audición) o internas (p. ej., alimentos, bebidas alcohólicas, drogas, pociones eróticas, preparados medicinales). La mayoría de los alimentos que tradicionalmente se presumen afrodisíacos no tienen compuestos químicos con tal efecto. En algunos casos su reputación puede basarse en una supuesta semejanza con los genitales (p. ej., raíces de ginseng, cuernos de rinoceronte). Las drogas como el alcohol o la marihuana pueden inducir la excitación sexual, disminuyendo las inhibiciones del usuario. Pocos estudios médicos se han realizado al respecto y las únicas sustancias reconocidas por la medicina como afrodisíacos son extremadamente peligrosas para la salud.

Afrodita Diosa griega del amor sexual y la belleza. También se la relaciona con el mar. Según la leyenda, Afrodita nació de la espuma de mar emanada de los genitales de URANO. Esparta, Tebas y Chipre la veneraron como diosa de la guerra. Muchos expertos creen que el culto a Afrodita es de origen semítico y no griego. Según HOMERO, ella era la hija de ZEUS y de su consorte Dione y se habría casado con HEFESTO, pero lo engañó con ARES. Además, tuvo muchos amantes mortales. Sus centros principales de culto estaban en las islas de Chipre y Citera, y en la ciudad de Corinto. Como diosa de la fecundidad, Afrodita es asociada con EROS, con las GRACIAS y con las Horas (las estaciones). Su equivalente romana es VENUS.

AFT ver FEDERACIÓN ESTADOUNIDENSE DE PROFESORES

Aga Kan III, Sir Moḥammed Shah.

Aga Kan *persa* **Āghā Khān** *o* **Āqā Khān** Título del IMÁN de los nizaríes, subsecta de los ISMAELÍES, de la rama CHIITA del Islam. El título fue otorgado por primera vez en 1818 a Ḥasan ʿAlī Shah (1800–81) por el sha de Irán. Como Aga Kan I, después se rebeló contra Irán (1838) y tras ser derrotado, huyó a India. Su hijo mayor ʿAlī Shah (m. 1885) fue por breve tiempo Aga Kan II. El hijo de este último, sultán Sir Moḥammed Shah (n. 1877–m. 1957) se convirtió en Aga Kan III. Asumió una posición de liderazgo entre los musulmanes de India, fue presidente de la All-India Muslim League (Liga panmusulmana de India) y jugó un importante papel en las conferencias sobre la reforma constitucional india (1930–32). En 1937 fue nombrado presidente de la SOCIEDAD DE NACIONES. Escogió como su sucesor a su nieto Karīm al-Ḥusayn Shah (n. 1937) quien, como Aga Kan IV, se convirtió en un líder fuerte que creó la Fundación Aga Kan, organización filantrópica internacional, además de otras instituciones que imparten educación y otros servicios.

agachadiza Cualquiera de unas 20 especies de aves de la familia Scolopacidae, que frecuentan los humedales y pantanos de regiones templadas y cálidas en todo el mundo. Son paticortas y regordetas, con franjas y bandas marrones, negras y blancas. Las alas son puntiagudas y angulares. El pico, largo y flexible, lo usa para buscar gusanos en el barro. La agachadiza común (*Gallinago gallinago*) tiene unos 30 cm (12 pulg.) de largo, incluido el pico.

Agachadiza común (*Gallinago gallinago*).

Agadir Ciudad portuaria (pob., 1994: 155.240 hab.) del sudoeste de Marruecos, en la costa atlántica. Fue ocupada en el s. XVI por los portugueses, pero posteriormente se convirtió en un puerto marroquí independiente. En 1913, después de las crisis MARROQUÍES de 1911, fue ocupada por las tropas francesas. Su desarrollo moderno comenzó con la construcción del puerto en 1914 y el progreso de la industria pesquera. En 1960, la ciudad fue virtualmente destruida por dos terremotos, una marejada y un incendio; se construyó un nuevo centro urbano al sur de su emplazamiento original. Hoy constituye un centro comercial para las zonas agrícolas circundantes.

agalla Excrecencia o hinchamiento localizado y anormal del tejido vegetal, debido a la infección por bacterias, hongos, virus o nematodos, o a la irritación producida por insectos y ácaros. La AGALLA DE LA CORONA, enfermedad común en plantas, se caracteriza por la proliferación de agallas en la raíz y la parte inferior del tallo, y es causada por la bacteria *Agrobacterium tumefaciens*.

Agalla de la avispa cinípide (*Antron douglasii*) sobre hojas de roble.
JACK WILBURN

agalla de la corona Enfermedad de las plantas causada por la bacteria *Agrobacterium tumefaciens*. Miles de especies de plantas son susceptibles a ella, en especial la rosa, la vid, y los frutos con cuesco o carozo y los de las pomáceas (p. ej., melocotones o duraznos, manzanas); los árboles de sombra y de nuez, muchos arbustos, enredaderas y plantas perennes de jardín. Los síntomas que presenta son AGALLAS redondeadas, de superficie áspera, con un diámetro de varios centímetros o más, que al principio son de color crema o verdoso y más tarde se tornan marrón o negro. A medida que la enfermedad avanza, la planta afectada pierde vigor y finalmente puede morir.

Agamenón En la leyenda griega, el hijo de ATREO, hermano de MENELAO y rey de MICENAS, comandante de las fuerzas griegas que atacaron Troya. Con Clitemnestra, su esposa, Agamenón tuvo por hijo a ORESTES y a tres hijas. Cuando PARIS se fugó con HELENA, esposa de Menelao, Agamenón llamó a los griegos a unirse en una guerra de venganza y desagravio contra los troyanos. ARTEMISA, partidaria de los troyanos, enviaba calmas o vientos contrarios, para impedir el zarpe de la flota griega. Para apaciguar a esta diosa, Agamenón sacrificó a su hija IFIGENIA. Después de la guerra de TROYA, Agamenón volvió a su patria, donde fue asesinado por su esposa y Egisto, amante de Clitemnestra. Su muerte fue vengada por Orestes. Estos eventos formaron la base con que ESQUILO compuso su gran trilogía dramática *La Orestíada*.

Agaña Localidad (pob., 2000: 1.100 hab.), capital de la isla GUAM. Situada en la costa oeste de Guam en la bahía de Agaña. En 1940 tenía una población de 10.000 hab. Fue totalmente destruida durante la segunda guerra mundial, y se ha venido recuperando poco a poco. En sus proximidades está el parque Latte Stone, donde se encuentran los pilares (piedras *latte*) que sustentaban las casas de la cultura prehistórica Latte.

agapanto *o* **lirio del Nilo** Planta herbácea perenne y siempreverde (*Agapanthus africanus*) de la familia de las LILIÁCEAS, nativa de África. Durante el verano emergen largos escapos que sostienen muchas flores infundibuliformes. Las atractivas hojas verde oscuro y gruesas son ensiformes. Existen muchas variedades, algunas con flores blancas o púrpuras y otras con hojas con diseños. Si se cultiva en un clima con heladas, es necesario plantarla en maceta y llevarla puertas adentro para que sobreviva la estación fría.

ágape En el Nuevo Testamento, el amor paternal de Dios por los seres humanos y su recíproco amor a Dios. El término se hace extensivo al amor al prójimo. Los padres de la Iglesia usaban el término griego para designar tanto al rito que emplea pan y vino como una cena fraterna que incluía a los pobres. La relación histórica entre esta comida, la Cena del Señor, y la EUCARISTÍA, la cena fraterna y el sacramento es incierta.

agárico Cualquier HONGO de la familia Agaricaceae, incluidas las SETAS producidas a escala comercial. Los hongos agáricos tienen celdas con ESPORAS (basidios), situadas en las laminillas bajo el sombrero. El género más conocido de este tipo de hongos es *Agaricus* (*Psalliota*), que comprende unas 60 especies, de las cuales la más importante es la especie comestible denominada seta de la pradera o del campo, *A. campestris*, y el hongo común cultivado *A. bisporus*.

Agartala Ciudad (pob., est. 2001: 189.387 hab.), capital del estado de TRIPURA en India. Está situada cerca del límite con Bangladesh, a orillas del río Haroa, en una planicie intensamente cultivada. Es el centro comercial del área; también alberga el palacio de un maharajá, un templo y varias facultades asociadas a la Universidad de Calcuta.

Agassi, Andre (Kirk) (n. 29 abr. 1970, Las Vegas, Nev., EE.UU.). Tenista estadounidense. Agassi ganó la competencia de *singles* varones de Wimbledon en 1992, el Abierto de EE.UU. en 1994 y 1999, el Abierto de Australia en 1995, 2000, 2001 y 2003, y en 1999 el Abierto de Francia, que se juega en Roland Garros. En 1997 cayó hasta el puesto 122 del *ranking* de la Asociación de Tenistas Profesionales (ATP), pero se recuperó hasta encabezar la lista de jugadores en 2000. Al año siguiente se casó con la retirada tenista alemana STEFFI GRAF. Agassi es conocido por su estilo y comportamiento agresivo dentro y fuera de la cancha.

Andre Agassi, tenista estadounidense, 2003.
FOTOBANCO

Agassiz, Alexander (Emmanuel Rodolphe) (17 dic. 1835, Neuchâtel, Suiza–27 mar. 1910, océano Atlántico). Zoólogo marino, oceanógrafo e ingeniero de minas estadounidense de origen suizo. Hijo de LOUIS AGASSIZ, emigró en 1849 a EE.UU., donde realizó una labor zoológica importante y sistemática sobre los EQUINODERMOS (p. ej., ESTRELLA DE MAR). Desarrolló y supervisó lo que llegó a ser la mina de cobre más importante del mundo (Calumet, Mich.) y también mejoró las condiciones de vida de los mineros. Asimismo llevó a cabo estudios marinos y sobre los ARRECIFES DE CORAL. Sus observaciones hechas en un viaje en 1875 a la costa oeste de Sudamérica lo llevaron a cuestionar la teoría de la formación de los arrecifes de coral de CHARLES DARWIN.

Agassiz, Elizabeth Cabot *orig.* **Elizabeth Cabot Cary** (5 dic. 1822, Boston, Mass., EE.UU.–27 jun. 1907, Arlington Heights, Mass.). Naturalista y educadora estadounidense. Fue educada en su hogar y en 1850 se casó con LOUIS AGASSIZ. Contribuyó a organizar y gestionar muchas de las expediciones en terreno de su esposo, y en conjunto fundaron un laboratorio marino en Buzzards Bay, Mass. Después de enviudar, dedicó sus esfuerzos a la creación de un *college* (colegio universitario) para mujeres cuyos cursos fueran dictados por la facultad de la Universidad de HARVARD. Tuvo un papel clave en la formación de la Society for the Collegiate Instruction of Women (Sociedad de la instrucción femenina universitaria) (1882), y fue su presidenta hasta 1894 cuando fue rebautizada a Radcliffe College, y continuó presidiéndola hasta 1899.

Agassiz, (Jean) Louis (Rodolphe) (28 may. 1807, Motier, Suiza–14 dic. 1873, Cambridge, Mass., EE.UU.). Naturalista, geólogo y profesor estadounidense de origen suizo. Después de estudiar en Suiza y Alemania, se trasladó a EE.UU. en 1846. Realizó un trabajo señero sobre la actividad glaciar y los peces extinguidos. Se hizo famoso por sus métodos docentes innovadores, que alentaban el aprendizaje mediante la observación directa de la naturaleza, y su período como profesor de zoología en la Universidad de Harvard revolucionó el estudio de la historia natural en EE.UU. Todos los profesores estadounidenses importantes de historia natural de fines del s. XIX fueron discípulos de Agassiz o de alguno de sus alumnos. Además, fue sobresaliente como administrador, promotor y captador de fondos en el ámbito científico. Toda su vida se opuso a la teoría de la evolución de CHARLES DARWIN. Su segunda esposa, ELIZABETH AGASSIZ, cofundadora y primera presidenta del Radcliffe College, y su hijo, ALEXANDER AGASSIZ, fueron también connotados naturalistas.

ágata Silicato común y semiprecioso, variedad de CALCEDONIA que se presenta en bandas de color y transparencia variables. Las distintas variedades se caracterizan por las peculiaridades de la forma y color de las bandas, que se ven al hacer cortes perpendiculares a las capas. Las ágatas se encuentran en todo el mundo, comúnmente en cavidades, en rocas eruptivas y en GEODAS. Los mayores productores de ágatas son Brasil y Uruguay; también se encuentran en Oregón, Washington, Idaho, Montana y otros estados del oeste de EE.UU. El ágata es esencialmente CUARZO. La mayoría de las ágatas comerciales se tiñen en forma artificial para colorear la piedra gris opaca al natural.

Ágata con bandas de color.
B.M. SHAUB

Ágata, santa (c. ¿siglo III DC?, Sicilia; festividad: 5 de febrero). Mártir cristiana legendaria. Nació en Palermo o Catania. Resistió el acoso del prefecto romano enviado a gobernar Sicilia. Luego de una tortura brutal fue condenada a la hoguera, pero en cuanto el fuego fue encendido, hubo un gran terremoto y la multitud exigió su liberación. Fue enviada a prisión donde murió. Aunque santa Ágata aparece ya en las listas de mártires del s. VI, la leyenda podría ser infundada.

Agate Fossil Beds National Monument "Depósito" natural de restos de una extinta comunidad animal en el río Niobrara, en el noroeste de Nebraska en EE.UU. Los estratos, asentados como depósitos sedimentarios hace 20 millones de años, contienen los restos de mamíferos prehistóricos. Descubierto c. 1878, el lugar fue bautizado por su proximidad a un conjunto de formaciones rocosas que contienen ágatas. Monumento nacional desde 1965, cubre una superficie de 918 ha (2.269 acres).

Agatocles (361 AC, Thermae Himerenses, Sicilia–289 AC). Tirano de Siracusa (317–¿304?) y autoproclamado rey de Sicilia. Se trasladó a Siracusa cuando joven y sirvió en su ejército. Luego de dos intentos fallidos, derrocó a la oligarquía de Siracusa (317) y asumió el poder. Libró guerras con otras ciudades griegas de Sicilia (316–¿313?) y con Cartago (311), la que casi captura antes de ser derrotado (307). Suscribió un tratado favorable (306) que impidió la expansión cartaginesa en Sicilia. Se mantuvo en el poder mediante duras medidas internas y se proclamó rey de Sicilia; desde entonces su reinado fue pacífico. Restableció la libertad de SIRACUSA en su testamento, pero después de su muerte los cartagineses volvieron a ser potencia en Sicilia.

Agaváceas Familia del orden Liliales, que comprende más de 700 especies de plantas de tallos cortos, frecuentemente leñosas, presentes en zonas tropicales, subtropicales y templadas. Poseen hojas angostas, lanceoladas, a veces carnosas o dentadas, las cuales se agrupan en la base de la planta. La mayoría tiene grandes inflorescencias. El fruto es una CÁPSULA o BAYA. Las plantas del género *Agave* son importantes, sobre todo por las fibras que se obtienen de sus hojas. El sisal (ver CÁÑAMO), que se obtiene de *A. sisalana*, es la fibra dura más valiosa. Algunas especies del género *Agave* contienen una savia que se hace fermentar para producir las bebidas alcohólicas conocidas como TEQUILA, pulque y mezcal. Muchas especies del género YUCA son populares como plantas ornamentales; otras plantas ornamentales pertenecientes a la familia de las Agaváceas, comprenden especies de los géneros *Dasylirion, Nolina, Cordyline, Dracaena* y *Sansevieria.*

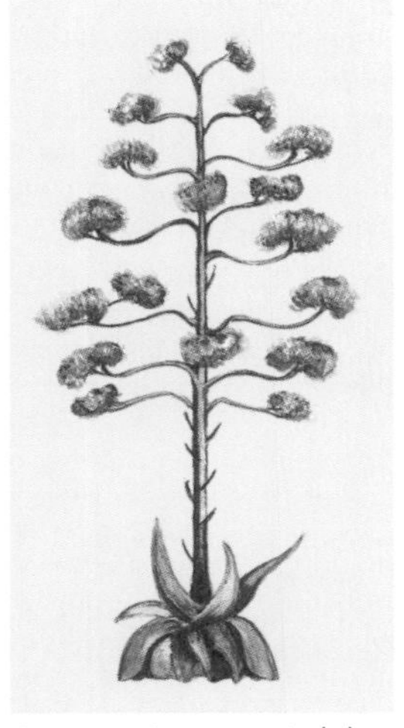

Agave americana, especie de la familia de las Agaváceas.

Agee, James (27 nov. 1909, Knoxville, Tenn., EE.UU.–16 may. 1955, Nueva York, N.Y.). Poeta y novelista estadounidense. Estudió en la Universidad de Harvard. Durante las décadas de 1930 y 1940, sus críticas de cine para *Time* y *The Nation* lo transformaron en un pionero de la crítica cinematográfica seria. La prosa lírica de *Elogiemos ahora a hombres famosos* (1941), con fotografías de WALKER EVANS, documenta la dura vida cotidiana de un grupo de empobrecidos aparceros en Alabama. Desde 1948, Agee se desempeñó principalmente como guionista de cine, destacando su trabajo en *La reina africana* (1951) y *La noche del cazador* (1955). Su obra más conocida es la novela autobiográfica *Una muerte en la familia* (Premio Pulitzer 1957).

Agenais *o* **Agenois** Región histórica del sudoeste de Francia. En la antigua GALIA, Agenais fue el país de los nitrobriges, en ese entonces una *civitas* galorromana, cuyos límites se convirtieron en la diócesis de Agen. Fue adquirida por los duques de AQUITANIA en 1036. Cuando LEONOR DE AQUITANIA se casó con el futuro rey de Inglaterra ENRIQUE II en 1152, Agenais se transformó en posesión de los reyes de Inglaterra. El dominio de la zona alternó entre gobiernos franceses y británicos hasta que fue definitivamente recuperada para la corona francesa en 1615.

agencia cablegráfica ver AGENCIA DE NOTICIAS

Agencia central de inteligencia ver CIA

agencia de noticias *o* **servicio de noticias** *o* **agencia cablegráfica** Organización que recoge, redacta y distribuye noticias a periódicos, diarios, radios, canales de televisión y agencias gubernamentales, y demás usuarios. No publican las noticias que recogen, sino que las entregan a sus suscriptores, quienes, al compartir costos, obtienen servicios que no podrían financiar de otra manera. Todos los medios de comunicación dependen de las agencias para el grueso de las noticias que transmiten. Algunas agencias se centran en temas específicos o bien en una determinada zona o país. Muchas agencias de noticias operan como cooperativas, con asociados que entregan noticias de su área específica a un fondo común de uso general. Las agencias de noticias más importantes son United Press International, ASSOCIATED PRESS (AP), REUTERS y Agence FRANCE-PRESSE (AFP).

Agencia de Seguridad Nacional Órgano de inteligencia de EE.UU. responsable de la información y la seguridad en materia de criptografía y comunicaciones. Creada en 1952 por decreto presidencial (no por ley), ha funcionado por mucho tiempo sin supervisión del congreso. Su director ha sido siempre un general o un almirante. Su misión consiste en la protección y formulación de códigos, claves y otras formas de criptología, así como la intercepción, análisis y decodificación de transmisiones cifradas. Efectúa investigaciones acerca de todas las formas de transmisión electrónica y opera puestos de escucha alrededor del mundo para la intercepción de señales. Blanco para la penetración por servicios de inteligencia extranjeros, hasta hace poco no mantenía contacto con el público o la prensa. Aun cuando su presupuesto y el número de sus empleados es secreto, se ha reconocido que la Agencia de Seguridad Nacional es mucho más grande que la CIA, y que cuenta con recursos financieros que compiten con los de las empresas más grandes del mundo.

Agencia Espacial Europea *inglés* **European Space Agency (ESA)** *francés* **Agence Spatiale Européenne** Organización europea para la investigación y la tecnología espaciales, con sede en París. Fundada en 1975 por la fusión de la Organización europea para el desarrollo de lanzadores de vehículos espaciales y la Organización europea de investigaciones espaciales, ambas establecidas en 1964. Los países miembros son Alemania, Austria, Bélgica, Dinamarca, España, Finlandia, Francia, Gran Bretaña, Irlanda, Italia, Noruega, Países Bajos, Portugal, Suecia y Suiza. Canadá participa en algunos proyectos gracias a un acuerdo de cooperación especial. La ESA desarrolló la serie de cohetes Ariane y mantiene una base de lanzamiento en Guayana Francesa. Ha enviado al espacio una red de satélites meteorológicos (Meteosat) como también la sonda espacial Giotto, que examinó el núcleo del cometa HALLEY, e Hiparco, un satélite que midió los PARALAJES, posiciones y MOVIMIENTOS PROPIOS de más de 100.000 estrellas. Participa igualmente en la construcción de la ESTACIÓN ESPACIAL INTERNACIONAL.

Estación satelital de la Agencia Espacial Europea (ESA) en Kiruna, Suecia.
FOTOBANCO

agenesia Falta de desarrollo de todo o parte de un órgano durante el crecimiento embrionario. Muchas formas de agenesia son letales, como la ausencia total de cerebro (anencefalia), pero la agenesia de uno de los órganos de un par puede causar pocos problemas. Son conocidos los casos de agenesia del riñón, vejiga, testículo, ovario, tiroides y pulmón. La agenesia de brazos o piernas se llama meromelia (ausencia de una o ambas manos o pies), focomelia (manos y pies normales, pero sin brazos o piernas) y amelia (ausencia total de una o más extremidades). La agenesia puede ser causada por ausencia de tejido embrionario o por exposición química en el útero, y a menudo se asocia a otros trastornos congénitos.

agente naranja Mezcla de HERBICIDAS. Contiene aproximadamente cantidades iguales de ÉSTERES de 2,4-D (ácido 2,4-diclorofenoxiacético) y 2,4,5-T (ácido 2,4,5-triclorofenoxiacético) y cantidades traza de DIOXINA. Alrededor de 49 millones de litros (13 millones de galones) fueron rociados sobre bosques y cultivos por las fuerzas armadas de EE.UU. durante la guerra de Vietnam, con el doble propósito de destruir la cobertura de los movimientos del enemigo y sus fuentes de alimentos. La exposición al agente naranja se ha atribuido como causa de la elevadísima incidencia de abortos, enfermedades de la piel, cánceres, defectos de nacimiento y malformaciones entre los vietnamitas, además de cánceres y otros trastornos en militares de EE.UU., Australia y Nueva Zelanda y en sus familias.

Ageo (c. siglo VI AC). Uno de los doce profetas menores de las Escrituras hebreas, autor tradicional del libro de Ageo. Con él comienza el último período profético, el posterior al destierro o cautividad de BABILONIA. Su profecía es parte de un libro mayor, *Los Doce*, del canon judío. Nacido durante la cautividad, volvió a Israel al término de esta; entonces, ayudó a movilizar a la comunidad judía para que reconstruyera el templo de JERUSALÉN. Su libro consta de cuatro sermones o profecías, pronunciadas en 521 AC. Atribuye el infortunio económico de los que han vuelto del exilio, a su demora en reconstruir el templo, y promete que "la nueva casa de Dios, a pesar de su modesta apariencia, eclipsará la gloria del antiguo templo".

Agérato (*Ageratum houstoniana*).

agérato Cualquier planta del género *Ageratum* de la familia de las COMPUESTAS, nativa de Sudamérica tropical. Los agératos poseen hojas dentadas, ovaladas y opuestas; tienen ramilletes compactos de flores azules, rosadas, lilas o blancas y frutos pequeños y secos. Las variedades enanas se usan como plantas para bordes.

Agesilao II (c. 444 AC–360 AC, Cirene, Cirenaica). Rey de ESPARTA (399–360) y comandante de su ejército durante la mayor parte del período de supremacía espartana (404–371). Miembro de la familia de los Euripóntidas, ascendió al trono con la ayuda de LISANDRO mientras Esparta luchaba contra Persia. En la guerra de Corinto (395–387) derrotó a la coalición formada por Tebas, Atenas, Argos y Corinto, aunque perdió algo de territorio en Grecia central y una batalla con la flota persa en 394. Disolvió la Liga de Beocia, pero las batallas contra la Confederación de Beocia (371) y contra Tebas (370, 361) pusieron fin a la supremacía de Esparta. Falleció camino a Esparta tras luchar como mercenario en Egipto.

Ágidas Descendientes de los reyes espartanos que tomaron su nombre de Ágida I (¿s. XI AC?). Según la tradición, Ágida era hijo de uno de los gemelos legendarios que fundaron ESPARTA. Ágida II (m. 400/398 AC) comandó el ejército espartano durante la mayor parte de la guerra del PELOPONESO (431–404) contra Atenas. Ágida III (m. 331 AC) lideró a las ciudades griegas en un infructuoso levantamiento contra ALEJANDRO MAGNO. El último de la línea sucesora fue Ágida IV (m. 241 AC), quien fracasó en su intento de reformar la desigual distribución de la tierra y la riqueza en Esparta, perdiendo al final su corona y su vida frente a Leónidas II.

Agincourt, batalla de *o* **batalla de Azincourt** (25 oct. 1415). Batalla que resultó en una victoria decisiva de los ingleses sobre los franceses en la guerra de los CIEN AÑOS. En pos de reclamar su derecho al trono de Francia, ENRIQUE V invadió Normandía con un ejército de 11.000 hombres en agosto de 1415. Los ingleses capturaron Harfleur en septiembre, pero con sus fuerzas reducidas a la mitad a causa de los combates y las enfermedades, resolvieron regresar a Inglaterra. En Agincourt (posterior Azincourt) fueron arrinconados por un ejército francés de 20.000–30.000 hombres, entre ellos muchos caballeros montados y revestidos de pesada armadura. En un estrecho campo de batalla, donde la superioridad numérica de los franceses les ofrecía poca ventaja, Enrique hizo hábil uso de sus arqueros, ligeramente equipados y de gran movilidad. Los franceses sufrieron una desastrosa derrota, perdiendo más de 6.000 hombres, mientras que los ingleses sufrieron menos de 450 bajas.

agitprop Estrategia política en la que se utilizan técnicas de agitación y propaganda para influir en la opinión pública. Descrita originalmente por el teórico marxista GUEORGUI PLEJÁNOV y luego por VLADÍMIR LENIN, apelaba tanto a los argumentos racionales como a los emocionales. El término, abreviatura de la sección de agitación y propaganda del PARTIDO COMUNISTA DE LA UNIÓN SOVIÉTICA (PCUS), ha sido usado en el idioma inglés, normalmente con una connotación negativa, para describir toda obra –en especial en dramaturgia y otras formas de arte– que apunte a adoctrinar al público y lograr objetivos políticos.

aglabí, dinastía (800–909). Dinastía árabe musulmana que gobernó Ifrīqiyya (Túnez y Argelia oriental) a través de una sucesión de 11 emires. Aunque nominalmente súbditos de la dinastía ABASÍ, fueron de hecho independientes. Sus principales logros fueron la conquista de Sicilia (827–829), el florecimiento de su capital KAIRUÁN (s. IX) y el control naval del Mediterráneo central. Entre sus obras públicas destaca un sistema de almacenamiento y distribución de agua.

aglomerado Grandes fragmentos rocosos, angulosos y ásperos, asociados a flujos de lava que son eyectados en erupciones volcánicas explosivas. Aunque puedan parecerse a CONGLOMERADOS sedimentarios, los aglomerados son ROCAS ÍGNEAS que consisten casi en su totalidad en fragmentos de lava angulosos o redondeados de distinto tamaño y forma. Algunos geólogos los clasifican en BOMBAS, bloques y BRECHAS. Las bombas son eyectadas en estado fundido y toman su forma redondeada al solidificarse; los bloques son eyectados como fragmentos sólidos. Los aglomerados se forman cuando los fragmentos angulosos (también llamados piroclásticos) se acumulan y solidifican.

Agnew, Spiro T(heodore) (9 nov. 1918, Baltimore, Md., EE.UU.–17 sep. 1996, Berlin, Md.). Político estadounidense, único vicepresidente obligado a renunciar. Estudió derecho en la Universidad de Baltimore y comenzó a ejercer su profesión en 1947, en un suburbio de Baltimore. En 1962 fue elegido prefecto de ese mismo condado y luego, en 1967, gobernador de Maryland. En 1968 y en 1972 fue elegido vicepresidente con el apoyo del Partido Republicano encabezado por RICHARD NIXON. Sus acusaciones, a veces muy coloridas, dirigidas a los manifestantes contra la guerra de Vietnam y demás opositores al régimen de Nixon, absorbieron la atención de los medios noticiosos. Sometido a investigación por extorsión, soborno e infracciones del impuesto a la renta cometidas presuntamente durante su período de gobernador, renunció a la vicepresidencia en 1973 y recurrió a la admisión tácita de culpa a la primera de las acusaciones tributarias. Se le condenó a pagar una multa de US$ 10.000 y a cumplir tres años de libertad condicional sin vigilancia. En 1974 fue inhabilitado para ejercer como abogado y se convirtió en consultor de empresas extranjeras.

Agni con el símbolo característico del carnero, tallado en madera; Musée de Guimet, París.

GIRAUDON–ART RESOURCE

Agni En la mitología védica, dios hindú del fuego, segundo en importancia después de INDRA. Agni es el fuego del Sol, del resplandor del relámpago y el ardor del ritual, la divina presencia del fuego sacrificial. Es el mensajero entre el orden humano y el celestial. Es descrito como un ser rubicundo con dos caras, una benevolente y la otra maligna. En el RIGVEDA, se lo identifica a veces con Rudra, el antecesor de SHIVA.

Agnon, S.Y. *orig.* **Shmuel Yosef Halevi Czaczkes** (17 jul. 1888, Buczacz, Galitzia, Austria-Hungría–17 feb. 1970, Reḥovot, Israel). Escritor israelí. Nacido en una familia de la Galitzia polaca, Agnon se radicó en Palestina en 1907 y optó por el hebreo como lengua literaria. *Ayer y anteayer* (1945), tal vez su novela más importante, analiza el problema que se le presenta al judío occidentalizado que emigra a Israel. Entre sus otras obras, se cuentan las novelas *El ajuar de la novia* (1919) y *Huésped para una noche* (1938). Se lo considera uno de los más grandes novelistas y cuentistas hebreos modernos. En 1966 compartió el Premio Nobel de Literatura con NELLY SACHS.

agnosticismo Doctrina según la cual no se puede conocer la existencia de nada que trascienda los fenómenos de la experiencia. Por lo común, se lo equipara con el escepticismo religioso, y en especial, con el rechazo a las creencias cristianas tradicionales bajo el impacto del pensamiento científico moderno. T.H. HUXLEY popularizó el agnosticismo filosófico, luego de acuñar en 1869 el término agnóstico (opuesto a gnóstico), para designar a quien repudia el TEÍSMO tradicional judeocristiano, pero que no es un ateo doctrinario (ver ATEÍSMO). El agnosticismo puede significar nada más que la abstención o suspensión del juicio acerca de preguntas esenciales debido a la insuficiencia de pruebas, o bien, puede constituir una impugnación de los principios tradicionales del cristianismo.

Maqueta en yeso que representa el ágora de Atenas en el s. II DC.

AMERICAN SCHOOL OF CLASSICAL STUDIES, ATENAS

ágora En las antiguas ciudades griegas, un espacio abierto que servía de área de reunión y de telón de fondo para actividades comerciales, cívicas, sociales y religiosas. El uso del ágora varió a través del tiempo. Localizado en medio de la ciudad o cerca del puerto, generalmente se rodeaba de edificios públicos, de COLUMNATAS donde había tiendas y STOAS para protegerse del sol y del mal tiempo. El mayor honor para un ciudadano era que se le concediera tener su tumba en el ágora.

Agorácrito *o* **Agorakritos** (c. siglo V AC). Escultor griego. Alumno de FIDIAS, su obra más notable es la colosal estatua de mármol de Némesis de Ramnunto. En el Museo Británico se encuentra un fragmento de la cabeza, mientras que en Atenas hay fragmentos de los relieves del pedestal.

Mezquita de la Perla y el fuerte de Āgra, antigua ciudad imperial de la dinastía mogol, Uttar Pradesh, India.
PICTUREPOINT

Āgra Ciudad (pob., est. 2001: 1.259.979 hab.) del centro-oeste del estado de UTTAR PRADESH, India. Fue fundada a principios del s. XVIII por Sikander Lodi, a orillas del río Yumana, al sudeste de Delhi. De manera intermitente fue la capital del Imperio MOGOL. A fines del s. XVIII, la ciudad estuvo dominada sucesivamente por los jats, por la Confederación MAHRATTA y finalmente en 1803 por los británicos. Allí se encuentra el TAJ MAHAL y el palacio imperial de AKBAR.

Agramonte (y Simoni), Arístides (3 jun. 1868, Camagüey, Cuba–19 ago. 1931, Nueva Orleans, La., EE.UU.). Médico, patólogo y bacteriólogo estadounidense de origen cubano. Cursó estudios en la ciudad de Nueva York, donde se recibió de médico en la Universidad de Columbia. Fue miembro del U.S. Army's Reed Yellow Fever Board (Comisión Reed para la Fiebre Amarilla del Ejército de EE.UU.), organismo que confirmó en 1901 el papel de los mosquitos en la transmisión de la FIEBRE AMARILLA. Como profesor de la Universidad de La Habana (1900–30) llegó a ser un líder influyente de la medicina científica en Cuba.

agresión ver AMENAZA Y AGRESIÓN

Ağrı Dağı ver monte ARARAT

Agrícola, Cneo Julio (13 jun. 40 DC, Forum Julii, Galia Narbonense–23 ago. 93). General romano. Luego de servir como TRIBUNO y CUESTOR en Britania y Asia, VESPASIANO lo nombró gobernador de Britania (77/78–84). Desde ese cargo conquistó partes de Gales y el norte de Inglaterra; luego avanzó hacia Escocia y estableció una frontera entre los estuarios del Clyde y del Forth. En 83 cruzó el Forth y derrotó a los caledonianos en los montes Grampianos; entonces ocupó Escocia hasta el límite de las Highlands (Tierras Altas), estableciendo fuertes en los principales pasos y una fortaleza en Inchtuthil. Llamado a Roma, se le ofreció el proconsulado de Asia, pero resolvió retirarse. Su vida es conocida por los escritos de su yerno TÁCITO.

Agricola, Georgius *orig.* **Georg Bauer** (24 mar. 1494, Clauchau, Sajonia–21 nov. 1555, Chemnitz). Erudito y científico alemán conocido como el padre de la mineralogía. Médico de pueblo en Sajonia (1527–33), fue uno de los primeros en fundar una ciencia natural basada en la observación, en contraposición a la especulación. Su obra *De re metallica* (1556) trató principalmente sobre minería y fundición; su *De natura fossilium* (1546), considerado el primer texto sobre mineralogía, presentó la primera clasificación científica de los minerales (basada en sus propiedades físicas) y describió muchos minerales nuevos, sus ubicaciones y sus interrelaciones.

agricultura Ciencia o arte de cultivar el SUELO, sembrar y cosechar CULTIVOS, y criar GANADO. En sus inicios se desarrolló probablemente en Asia meridional y en Egipto, y luego se difundió a Europa, África, el resto de Asia, las islas del Pacífico central y sur y, por último, América del Norte y del Sur. Se cree que la agricultura del Medio Oriente data de 9000-7000 AC. Los primeros cultivos fueron la cebada silvestre (Medio Oriente), los frijoles, las castañas de agua (Tailandia) y las calabazas domesticados (América). La domesticación de animales ocurrió aproximadamente en el mismo período. Los métodos de tala y roza, así como la ROTACIÓN DE CULTIVOS, fueron técnicas agrícolas antiguas. El continuo perfeccionamiento a través de los siglos de herramientas y métodos como la mecanización, la reproducción selectiva e hibridación y, en el s. XX, el uso de INSECTICIDAS y HERBICIDAS, aumentó la producción agrícola. La mayor parte de la mano de obra a nivel mundial está dedicada a la agricultura.

agricultura de subsistencia Forma de agricultura en la que prácticamente todos los cultivos o la ganadería se destinan a mantener al granjero y a su familia, dejando poco excedente para la venta o para el intercambio comercial. Los agricultores de la era preindustrial de todo el mundo practicaron este tipo de agricultura. En la medida en que los centros urbanos crecieron, la producción agrícola se fue especializando y se desarrolló la agricultura comercial, con granjeros que empezaron a producir grandes excedentes de ciertos cultivos, los que se intercambiaban por bienes manufacturados o se vendían por dinero. La agricultura de subsistencia aún persiste en África subsahariana y en otras zonas en desarrollo.

La agricultura de subsistencia aún persiste en zonas en vías de desarrollo como el Sudeste asiático.
ARCHIVO EDIT. SANTIAGO

agricultura industrial Moderno sistema zootécnico diseñado para maximizar la producción de carne, leche y huevos en el menor tiempo y espacio posibles. El término, descriptivo del sistema zootécnico clásico en EE.UU., es usado a menudo por activistas de los derechos de los animales, quienes sostienen que las medidas de protección de estos habitualmente excluyen a los animales de granja. Reciben a menudo alimentos con hormonas de crecimiento y antibióticos, y son rociados con pesticidas para paliar los problemas de infestación y enfermedades exacerbados por las condiciones de confinamiento y hacinamiento. Las aves pasan su vida encerradas en pequeñas jaulas, habitualmente tan estrechas que no les permiten volverse; las jaulas apiladas en altas baterías y la duración del "día" y de la "noche" es controlada artificialmente para maximizar la postura. Los terneros lechales viven inmovilizados durante toda su vida en estrechos pesebres. Estas y una serie de otras prácticas han sido denunciadas por los críticos del sistema.

agricultura orgánica Sistema de producción de CULTIVOS que utiliza métodos biológicos de fertilización y control de plagas como sustituto de los FERTILIZANTES químicos y PESTICIDAS, los cuales son considerados dañinos para la salud y el ambiente e innecesarios para un cultivo exitoso por los partidarios de los métodos orgánicos. En la década de 1930, la agricultura orgánica comenzó como un rechazo consciente a las técnicas agroquímicas modernas promovidas por el agrónomo británico Sir Albert Howard. Una diversidad de materias orgánicas, como ESTIÉRCOL, COMPOST, césped o hierba segada, PAJA y otros rastrojos, se aplican en los campos con el fin de mejorar la estructura del suelo, su capacidad de retener la humedad y sus condiciones bióticas, lo que a su vez nutre a las plantas. (Los fertilizantes químicos, en cambio, alimentan directamente a la planta). El control biológico de plagas se logra a través de métodos preventivos como la diversificación y ROTACIÓN DE CULTIVOS, la plantación de especies que detienen las plagas y el uso de técnicas de MANEJO INTEGRADO DE PLAGAS. Se evita el uso de cepas obtenidas por bioingeniería. Debido a que la agricultura orgánica implica lentitud, sus productos tienden a ser caros. La producción orgánica constituía antes una minúscula porción de la producción agrícola total de EE.UU., pero ha experimentado un enorme aumento proporcional de sus ventas en los últimos años.

Agrimonia Género de plantas de la familia de las Rosáceas (ver ROSA), en especial, *A. eupatoria*. Esta especie es una herbácea perenne resistente, nativa de Europa, pero muy difundida en otras regiones templadas septentrionales, donde crece en setos y a orillas de los campos. Sus hojas dan un colorante amarillo. Los folíolos son ovales con márgenes dentados; las florecillas, amarillas y sin tallo nacen de una larga espiga terminal. El fruto es un pequeño erizo. La especie similar, *A. gryposepala*, está muy extendida en EE.UU.

Agripa, Marco Vipsanio (¿63 AC?–mar. 12 AC, Campania). Poderoso delegado de AUGUSTO. Ayudó a Octavio (luego Augusto) a tomar el poder, después del asesinato de JULIO CÉSAR (44 AC), derrotando a SEXTO POMPEYO en 36 y a MARCO ANTONIO en la batalla de ACTIUM en 31. Sofocó rebeliones, fundó colonias, administró partes del Imperio, y aportó a Roma fondos para obras públicas y construcciones. En 23 se pensaba que Augusto lo haría su heredero; se casó con JULIA, hija única de Augusto. Sus aptitudes administrativas y militares se enfocaron especialmente al Imperio de Oriente, donde en el año 15 conoció a HERODES de Judea y lo hizo su aliado. Los escritos de Agripa (ahora perdidos) influyeron a ESTRABÓN y a PLINIO EL VIEJO. Su hija Agripina la Mayor (¿14? AC –33 DC) fue la esposa de César GERMÁNICO, madre de CALÍGULA y de AGRIPINA LA MENOR, y abuela de NERÓN.

Marco Vipsanio Agripa, busto en mármol, inicios del s. I AC; Museo del Louvre, París.
CLICHÉ MUSÉES NATIONAUX, PARÍS

Agripina la Menor (15 DC–59). Madre de Nerón quien ejerció una gran influencia en los primeros años de su reinado. Hija de Agripina la Mayor (c. 14 AC–33 DC) y hermana de Calígula, fue exiliada (39–41) por conspirar contra CALÍGULA. Su primer marido, Cneo Domicio Ahenobarbo, fue el padre de NERÓN. Acusada de envenenar a su segundo esposo (49), contrajo matrimonio con su tío el emperador CLAUDIO, hizo que adoptara a Nerón y lo nombrara heredero en lugar de su propio hijo. Envenenó a sus rivales, y cuando murió Claudio en 54 se sospechó que ella lo había envenenado. Se convirtió en regente cuando Nerón ocupó el trono a la edad de 16 años, pero fue perdiendo poder paulatinamente. Él intentó asesinarla cuando se opuso a una de sus relaciones amorosas y finalmente la mandó ejecutar en su residencia de campo.

Agripina la Menor, busto de un artista anónimo; Museo Arqueológico Nacional, Nápoles.
ANDERSON–MANSELL

agroindustria Agricultura desarrollada con fines comerciales, específicamente, aquella parte de la economía nacional moderna dedicada a la producción, procesamiento y distribución de alimentos, productos de fibra y derivados. La agroindustria ha reemplazado en gran medida a la agricultura familiar en la producción de cultivos comerciales. Algunas empresas procesadoras de alimentos que tienen explotaciones agrícolas han comenzado a comercializar sus productos frescos bajo marcas propias. En los últimos años, conglomerados ajenos a este tipo de negocios han ingresado a la agroindustria, mediante la compra y explotación de grandes estancias.

agronomía Rama de la AGRICULTURA que se ocupa de la producción de CULTIVOS y el aprovechamiento del suelo. Por lo general, los agrónomos trabajan en la producción de cultivos a gran escala (p. ej., cereales), que requieren relativamente poco manejo y control. Los experimentos agronómicos se centran en diversos factores relacionados con las plantas cultivadas, como el rendimiento, las enfermedades, el cultivo y la sensibilidad a factores como el clima y el suelo.

agroquímico Cualquier producto químico empleado en la AGRICULTURA, como FERTILIZANTES, HERBICIDAS e INSECTICIDAS. La mayoría son mezclas de dos o más productos químicos; los ingredientes activos proporcionan los efectos deseados y los ingredientes inertes estabilizan o preservan los ingredientes activos o facilitan su aplicación. Junto con otros avances tecnológicos como tractores, cosechadoras mecánicas y bombas de riego, los agroquímicos han aumentado la productividad por hectárea en un 200–300% en regiones como las Grandes Llanuras de EE.UU., desde la década de 1930. No obstante, los efectos a largo plazo sobre el ambiente y la estabilidad de los sistemas agrícolas que utilizan agroquímicos han generado un acalorado debate.

Agrostis Género de HIERBAS anuales o perennes de la familia Poaceae (o Gramineae) que se encuentran en regiones templadas y frías y a gran altitud en zonas subtropicales y tropicales. En EE.UU. hay al menos 40 especies; algunas son malezas, otras se usan como FORRAJE y CÉSPED. Presentan tallos delgados y hojas aplanadas. Muchas se propagan mediante ESTOLONES rastreros. La agrostis alba (*A. gigantea*) se usa como HENO y hierba de pastura. La *A. stolonifera,* variedad *palustris,* y la *A. tenuis* son populares como prados; las numerosas variedades de ambas especies se plantan en los *greens* de los campos de golf y bolos, donde se cortan frecuentemente para desarrollar un césped fino, esponjoso y firme.

Agrupación para la República *o* **gaullistas** *francés* **Rassemblement pour la République (RPR)** Ex partido político francés. Fue fundado por JACQUES CHIRAC en 1976 como sucesor de las diversas coaliciones gaullistas que dominaron la vida política de la QUINTA REPÚBLICA bajo CHARLES DE GAULLE y GEORGES POMPIDOU. El partido tuvo sus antecedentes en la Agrupación del Pueblo Francés, organizada por de Gaulle en 1947. Se convirtió en la Unión para la Nueva República (1958–62) y luego en la Unión de Demócratas para la Nueva República (1968–76) antes de adoptar el nombre actual. En 2002 el partido se fusionó con el partido Democrático Liberal y gran parte de la Unión para la Democracia Francesa para formar la Unión por un Movimiento Popular.

agua Compuesto inorgánico formado por HIDRÓGENO y OXÍGENO (H_2O), que existe en estado LÍQUIDO, gaseoso (ver GAS) (VAPOR, vapor de agua) y SÓLIDO (HIELO). A temperatura ambiente, el agua es un líquido incoloro, inodoro e insípido. Es uno de los compuestos más abundantes y cubre alrededor del 75% de la superficie terrestre. Virtualmente, la vida depende del agua para cada proceso; tal vez su cualidad más esencial es la capacidad para disolver muchas otras sustancias. Se cree que la vida se originó en el agua (los océanos del mundo o cuerpos más pequeños); además, los organismos vivos utilizan soluciones acuosas (como sangre y jugos digestivos) como medios para realizar los procesos biológicos. Dado que las moléculas de agua son asimétricas y, por lo tanto, DIPOLOS ELÉCTRICOS, los enlaces de HIDRÓGENO entre las moléculas del agua líquida y del hielo son importantes para mantenerlas unidas. Muchas de las complejas y anómalas propiedades físicas y químicas del agua (altos puntos de fusión y de ebullición, VISCOSIDAD, TENSIÓN SUPERFICIAL, mayor densidad en forma líquida que en forma sólida) provienen de este extensivo enlace de hidrógeno. El agua sufre una DISOCIACIÓN en IONES H^+ (o H_3O^+) y OH^-, particularmente en presencia de SALES y otros solutos; puede actuar como un ÁCIDO o como una BASE. El agua se encuentra ligada (como agua de hidratación) a muchas sales y MINERALES. Tiene innumerables usos industriales, como el de agente de suspensión (fabricación de papel, suspensión de carbón), SOLVENTE, agente de dilución, refrigerante y fuente de hidrógeno; se utiliza en la filtración, lavado, generación de vapor, hidratación de óxido de calcio y cemento, procesos textiles, minería del azufre, HIDRÓLISIS e HIDRÁULICA, así como en bebidas y alimentos. Ver también AGUA DURA; AGUA PESADA.

agua de fondo Capa más profunda del océano que se caracteriza por su baja temperatura, alta densidad y bajo contenido de oxígeno, comparada con las aguas superficiales. La mayoría de las aguas de fondo se forman cerca de la Antártida durante el invierno austral. El congelamiento parcial del agua de mar sobre la plataforma continental antártica produce hielo sin sal y salmuera residual de alta densidad, lo que ocasiona su hundimiento; luego fluye hacia el norte sobre el fondo oceánico. El océano Ártico genera menos aguas de fondo, ya que se encuentra aislado por barreras, como la cordillera submarina de Bering, y cordilleras y bancos submarinos entre Groenlandia y las islas Británicas.

agua de mar Agua que forma los océanos y mares. El agua de mar es una compleja mezcla de 96,5% de agua, 2,5% de sales y pequeñas cantidades de otras sustancias. Gran parte del magnesio mundial se extrae del agua de mar, así como grandes cantidades de bromo. En algunas partes del mundo, el cloruro de sodio (sal de mesa) se obtiene evaporando el agua de mar. Además, el agua de mar desalinizada puede en teoría brindar un abastecimiento inagotable de agua potable, pero los costos de elaboración son prohibitivos. Con el fin de aliviar la escasez de agua potable se han construido grandes plantas desalinizadoras en zonas áridas en el litoral del Medio Oriente y otros lugares.

agua dura Agua que contiene sales minerales de calcio y magnesio, principalmente como bicarbonatos, cloruros y sulfatos y, en ocasiones, hierro. La dureza causada por el bicarbonato de calcio se denomina temporal, ya que al hervir el agua, el bicarbonato, que es soluble, se convierte en carbonato, que es insoluble; la dureza de las otras sales se denomina permanente. En las aguas duras, el calcio y el magnesio forman un sarro duro que se adhiere a las paredes de las calderas, lo que aumenta el consumo de combustible y las deteriora por sobrecalentamiento. Los ablandadores de agua domésticos son recipientes con minerales de ZEOLITA o resinas intercambiadoras de iones, que contienen iones de sodio que se intercambian con el calcio y el magnesio.

agua freática *o* **agua subterránea** Agua que aparece bajo la superficie de la Tierra, donde ocupa espacios en los suelos o estratos geológicos. La mayor parte del agua freática proviene de precipitaciones que percolan gradualmente en la Tierra. Por lo general, el 10–20% de las precipitaciones termina llegando a los ACUÍFEROS. La mayor parte del agua freática está libre de organismos patógenos, por lo que es innecesario purificarla para uso doméstico o industrial. Además, la provisión de aguas freáticas no se ve afectada seriamente por breves sequías y está disponible en muchas áreas donde no existen fuentes de agua superficial confiables.

agua pesada *u* **óxido de deuterio** Agua compuesta de dos átomos de DEUTERIO (D; un ISÓTOPO pesado de HIDRÓGENO) y un átomo de OXÍGENO (O), su fórmula química es D_2O. El agua de la mayoría de las fuentes naturales contiene alrededor de 0,015% de óxido de deuterio; este se puede enriquecer o purificar por DESTILACIÓN, ELECTRÓLISIS o procesos químicos. El agua pesada se utiliza como un moderador en plantas nucleares (ver ENERGÍA NUCLEAR), retardando los neutrones rápidos de modo que puedan reaccionar con el combustible del reactor. El agua pesada también se utiliza en la investigación como un trazador isotópico de las reacciones químicas y de las vías bioquímicas. El agua con TRITIO (T_2O), en vez de deuterio, también puede ser llamada agua pesada.

agua subterránea ver AGUA FREÁTICA

agua viva *o* **aguamala** Cualquiera de unas 200 especies descritas de los CNIDARIOS marinos de vida libre (de las clases Scyphozoa y Cubozoa), muchos de los cuales tienen cuerpos acampanados. El término suele aplicarse también a otros cnidarios similares (p. ej., la FRAGATA PORTUGUESA) y algunas formas no relacionadas (p. ej., CTENÓFOROS y salpas). Entre las aguas vivas de la clase Scyphozoa, la forma de MEDUSA libre es la fase dominante, encontrándose la forma sésil de PÓLIPO sólo durante el desarrollo larval. Las aguas vivas se encuentran en todos los océanos e incluyen los conocidos animales discoidales que se encuentran a menudo a la deriva al borde de la playa. La mayoría de las especies tienen un diámetro de 2–40 cm (1–16 pulg.); algunas presentan un diámetro de 1,8 m (6 pies), con tentáculos de más de 30 m (100 pies) de largo. Aunque algunas aguas vivas sólo se alimentan por filtración, la mayoría se nutre de pequeños animales (p. ej., crustáceos) que atrapan con sus tentáculos, cuyas células urticantes inmovilizan la presa; su contacto con seres humanos puede producir cuadros de irritación y, en ciertos casos, lesiones mayores. Las aguas vivas de la clase Cubozoa comprenden 50 especies de medusas cuboides (cuyo cuerpo más bien esférico presenta bordes cuadrangulares), que tienen por lo general un diámetro de 2–4 cm (1–2 pulg.).

Especie de agua viva (*Cyanea capillata*).

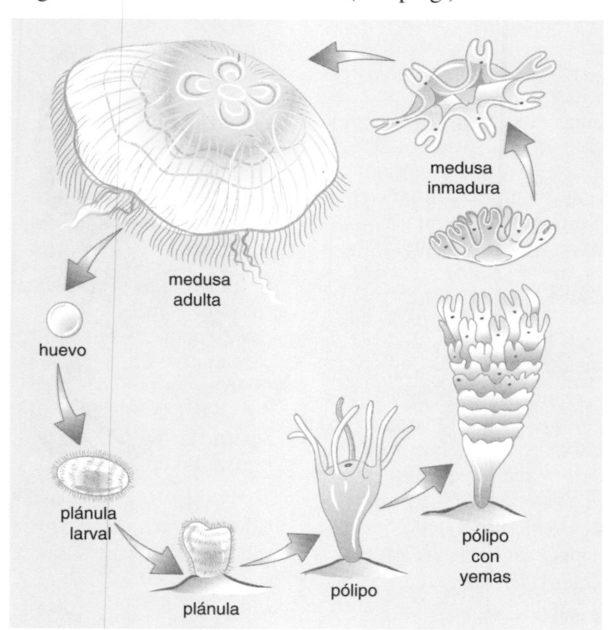

Ciclo vital del agua viva común *Aurelia*. Los huevos liberados por las medusas hembras salen por la boca y se alojan en fositas ubicadas en los tentáculos. El esperma liberado por la medusa macho fecunda los huevos, los que permanecen en los tentáculos al comienzo de su desarrollo. Un huevo fecundado se transforma en una larva ciliada, o plánula, que se fija en un sustrato (una roca, por ejemplo) y continúa su desarrollo hasta transformarse en un pólipo con boca y tentáculos. El pólipo se reproduce en forma asexual por gemación, desprendiendo medusas inmaduras con forma de platillo, que maduran y se reproducen sexualmente.

aguacate *o* **palta** Fruto de la *Persea americana*, de la familia de las LAURÁCEAS, árbol nativo de América que se encuentra desde México hasta las regiones andinas meridionales. Los aguacates son muy variados en forma, tamaño y color (desde el verde hasta el púrpura oscuro). La cáscara puede ser delgada o gruesa y rugosa. La pulpa, verdosa o amarillenta, tiene una consistencia mantecosa y un sabor a nueces agradable. En algunas variedades, la pulpa contiene hasta un 25% de aceites insaturados. Los aguacates son el principal ingrediente de la salsa mexicana, llamada guacamole. Este fruto proporciona tiamina, riboflavina y vitamina A.

Aguacate o palta (*Persea americana*).
RITA MAAS/THE IMAGE BANK/GETTY IMAGES

aguada ver GOUACHE

aguafuerte Técnica de grabado en la que se realizan incisiones (líneas o texturas) con ácido sobre una placa metálica, generalmente de cobre. La imagen producida ofrece una espontaneidad del trazo, que proviene de dibujar en la plancha de la misma forma como lo haría un bolígrafo o un lápiz sobre papel. Los primeros aguafuertes datan de comienzos del s. XVI, pero el principio básico fue aplicado previamente para damasquinar armaduras. Entre los pioneros de la técnica destacan ALBRECHT ALTDORFER, ALBERTO DURERO y PARMIGIANINO; el grabador por excelencia fue REMBRANDT. En el s. XX, el aguafuerte se hizo muy popular para la ilustración de libros. Ver también AGUATINTA; GRABADO.

aguamala ver AGUA VIVA

aguamarina Variedad de BERILIO, de color pálido verde azulado o azul verdoso, cotizada como piedra preciosa o gema. Es la variedad de gema de berilio más común; se presenta en PEGMATITAS, en las cuales forma cristales más grandes y claros que la ESMERALDA, variedad verde oscura del berilio. La fuente principal de aguamarina es Brasil, además de otros lugares como los montes Urales, Madagascar, Sri Lanka, India, y Maine, New Hampshire, Connecticut, Carolina del Norte y Colorado, en EE.UU. Comúnmente, mediante un tratamiento térmico se puede mejorar el color de las gemas de berilio.

aguamiel *o* **hidromiel** Bebida alcohólica fermentada a partir de MIEL y agua. Puede ser liviana o fuerte, dulce o seca, incluso espumante. Las bebidas alcohólicas hechas de miel eran comunes en la antigua Escandinavia, Galia, Europa teutónica y Grecia; particularmente en el norte de Europa, donde la uva no se da bien. En el s. XIV, la cerveza y el vino endulzado empezaron a sobrepasar en popularidad al aguamiel. Hoy, el aguamiel se elabora como un vino de baja graduación alcohólica, dulce o seco.

Aguán, río Río del norte de Honduras. Nace en la sierra central al oeste de Yoro y desciende hacia el nordeste rumbo al plano costero, cubriendo una distancia de 240 km (150 mi). Desemboca en el mar Caribe cerca de Santa Rosa de Aguán. Las tierras ribereñas se destinan principalmente a la agricultura, a pesar de estar expuestas a inundaciones y huracanes.

aguardiente ver BRANDY

aguas, planta de abastecimiento de Instalaciones para la recolección, tratamiento, almacenamiento y distribución del agua. Los métodos antiguos comprendían pozos, depósitos de almacenamiento, CANALES y ACUEDUCTOS, y sistemas de distribución de las aguas. Hacia 2500 AC aparecieron procedimientos más avanzados que culminaron en el sistema de acueductos romanos. En la Edad Media, el abastecimiento de agua se descuidó demasiado y se hicieron comunes las epidemias causadas por organismos transmitidos por el agua. En los s. XVII–XVIII se comenzaron a instalar sistemas de distribución que utilizaban tuberías, acueductos y bombas de hierro fundido. La relación entre el agua contaminada y las enfermedades vino a entenderse en el s. XIX, y se introdujeron métodos de tratamiento, como el filtrado lento con arena y la desinfección con cloro. Los depósitos modernos se forman generalmente mediante la construcción de REPRESAS cerca del punto de captación del escurrimiento de aguas cordilleranas o en los ríos. En los puntos de captación de agua, se trata para mejorar su calidad; luego se bombea, ya sea directamente al sistema de distribución de una ciudad o pueblo, o a un depósito elevado, como una torre de agua. Ver también PLOMERÍA.

Aguascalientes Estado (pob., 2000: 943.506 hab.) del centro de México. Con una superficie de 5.471 km^2 (2.110 mi^2), es uno de los estados más pequeños del país. Ocupa parte de la meseta central. Explorado por los españoles en el s. XVI, llegó a convertirse en un importante centro carbonífero. Durante la revolución de 1919–20 fue escenario de encarnizados combates. Hoy es una zona agrícola fértil y se destaca también por su producción minera. Su capital es la ciudad de AGUASCALIENTES.

Aguascalientes Ciudad (pob., 2000: 594.056 hab.), capital del estado de AGUASCALIENTES, México. Ubicada junto al río Aguascalientes, fue fundada como asentamiento minero en 1575 y se convirtió en capital del estado en la década de 1850. Se la llama a veces “la ciudad perforada”, por un laberinto de túneles subterráneos construido por un pueblo precolombino desconocido. Es un centro agrícola y cuenta con varias industrias. Sus iglesias poseen muestras notables de arte religioso colonial.

aguatinta Técnica de AGUAFUERTE que produce áreas tonales finamente granuladas en lugar de trazos, de modo que las láminas finales se asemejan con frecuencia a la ACUARELA o el *gouache*. Una plancha de cobre, cubierta por una capa de resina granulada o azúcar, se expone al ácido, lo cual produce un tono gris finamente jaspeado cuando la placa se entinta y se imprime. La textura y la profundidad del tono se controlan con la intensidad de los baños de ácido y la duración del tiempo en que la plancha se expone a ellos. A fines del s. XVIII, la aguatinta se convirtió en el método más popular para producir impresiones tonales; su exponente más notable fue FRANCISCO DE GOYA. En el s. XIX, EDGAR DEGAS y CAMILLE PISSARRO experimentaron con esta técnica y en el s. XX la aguatinta al azúcar fue utilizada por PABLO PICASSO, GEORGES ROUAULT y ANDRÉ MASSON.

águila Cualquiera de las AVES DE PRESA de gran tamaño, pico acerado y grandes patas, perteneciente a la familia Accipitridae, distribuida en todo el mundo. Las águilas son por lo general más grandes y fuertes que los halcones (ver GAVILÁN) y más parecidas al BUITRE en sus características corporales y de vuelo, pero tienen plumaje en toda la cabeza (a menudo presentan una cresta) y están dotadas de patas potentes con grandes garras curvas. La mayoría de las especies subsisten sobre todo de presas vivas, que atrapan generalmente en el suelo. Las águilas han sido el símbolo de la guerra y del poder imperial desde los tiempos de Babilonia. Son monógamas de por vida. Anidan en lugares inaccesibles y ocupan el mismo nido todos los años. Su largo varía de 60 cm a 1 m (24 pulg.–3,3 pies). Las ÁGUILAS MARINAS incluyen el ÁGUILA CALVA. Ver también ÁGUILA DORADA.

águila calva Especie de ÁGUILA MARINA (*Haliaetus leucocephalus*) que vive tierra adentro en ríos y grandes lagos. De una belleza sorprendente, es la única ÁGUILA nativa de América del Norte y ha sido el ave nacional de EE.UU. desde

Águila calva *(Haliaetus leucocephalus)*.
FOTOBANCO

1782. El adulto mide cerca de 1 m (40 pulg.) y tiene una envergadura de 2 m (6,5 pies); es de color pardo oscuro con cabeza y cola blancas. El pico, los ojos y las patas son amarillos. Las águilas calvas agarran peces en la superficie del agua, le roban los pescados al ÁGUILA PESCADORA y comen carroña. Anidan en árboles solitarios, habitualmente en islas fluviales. Aunque en EE.UU. se mantiene bajo protección, el águila calva ya no se considera entre las especies en riesgo de extinción.

águila dorada ÁGUILA parda oscura (*Aquila chrysaetos*) con plumas doradas foliformes en la región de la nuca, pico gris, piernas totalmente cubiertas de plumas, grandes patas amarillas y poderosas garras. Su envergadura bordea 2,3 m (8 pies). Habita desde México central (donde es el ave nacional), a lo largo de la costa del Pacífico y las montañas Rocosas hasta Alaska, encontrándose algunos ejemplares desde Terranova hasta Carolina del Norte. También se encuentra en África septentrional, y es más común en Rusia, China meridional y Japón. Anida en cavernas de acantilados y en árboles solitarios. En EE.UU. la especie está protegida.

Águila dorada *(Aquila chrysaetos)*.
© ENCYCLOPÆDIA BRITANNICA, INC.

águila marina Cualquiera de las grandes ÁGUILAS ictiófagas (especialmente del género *Haliaeetus*), de las cuales la más conocida es el ÁGUILA CALVA. Las águilas marinas viven a lo largo de ríos, grandes lagos y en las costas de todo el mundo, excepto en América del Sur. Algunas alcanzan más de 1 m (3 pies) de largo. Todas tienen un pico excepcionalmente grande y curvo y tarsos desnudos. La cara inferior de los dedos es rugosa, lo que les permite sujetar las presas resbaladizas. Se alimentan preferentemente de carroña, pero a veces cazan y atrapan peces desde la superficie del agua y, a menudo, robándoselos a su principal competidor, el ÁGUILA PESCADORA. Las especies asiáticas de esta águila comprenden la pescadora de cabeza gris (más grande) y la pescadora más pequeña.

águila pescadora *o* **gavilán pescador** Especie (*Pandion haliaetus*) de GAVILÁN de alas largas que habita a lo largo de litorales y grandes cursos de aguas interiores. Las águilas pescadoras miden unos 65 cm (26 pulg.) de largo y son de color pardo en el dorso y blanco en el vientre con algo de blanco en la cabeza. El águila pescadora vuela sobre la superficie del agua, se cierne sobre su presa, sumerge sus patas primero y atrapa el pez con sus largas garras curvas. Se reproducen en todos los continentes, excepto en Sudamérica, donde viven sólo en el invierno. Anidan habitualmente solas o en colonias, en lo alto de los árboles o en acantilados. En el s. XX, la bioacumulación de pesticidas causó la merma de sus poblaciones, aunque en la actualidad se encuentran en recuperación.

aguilucho Cualquiera de unas 11 especies de halcones (ver GAVILÁN) (subfamilia Circinae; familia Accipitridae) de aspecto común, delgados, de patas y cola largas. Los aguiluchos hacen vuelos rasantes sobre praderas y pantanos en busca de ratones, culebras, ranas, pequeñas aves e insectos. Miden unos 50 cm (20 pulg.) de largo y tienen un pico pequeño y las plumas faciales forman un disco. Anidan en pantanos o en lugares de hierbas altas. El aguilucho más conocido es la arpella o gavilán pollero (*Circus cyaneus*), que se reproduce en las regiones templadas y septentrionales de todo el hemisferio norte. Otras especies comunes se encuentran en África, América del Sur, Europa y Asia.

Emilio Aguinaldo.
BROWN BROTHERS

Aguinaldo, Emilio (23 mar. 1869, cerca de Cavite, Luzón, Filipinas–6 feb. 1964, Manila). Líder de la independencia filipina. Nacido de padres chino y tagalo, fue educado en la Universidad de Santo Tomás, Manila. Se convirtió en líder de Katipunan, una sociedad revolucionaria que combatía a los españoles. La independencia de Filipinas fue declarada en 1898, convirtiéndose Aguinaldo en presidente, pero meses después España firmó un tratado en el que cedía las islas a EE.UU. Aguinaldo combatió contra las fuerzas estadounidenses hasta que fue capturado en 1901. Después de prestar juramento de lealtad a EE.UU., fue inducido a retirarse de la vida pública. Colaboró con los japoneses durante la segunda guerra mundial. Después de la guerra fue encarcelado por corto tiempo; liberado por una amnistía presidencial, fue reivindicado con su designación al Consejo de Estado en 1950. En sus últimos años promovió el nacionalismo, la democracia y el mejoramiento de las relaciones entre EE.UU. y Filipinas.

aguja Utensilio básico utilizado en costura o bordado y, en formas que varían, para tejido de punto y ganchillo. La aguja de coser es pequeña, delgada y en forma de varilla. Un extremo es muy puntiagudo para hacer que atraviese fácilmente la tela; el otro extremo tiene una ranura (llamada ojo) para pasar un HILO DE COSER. Las agujas de coser modernas están hechas de acero. Las agujas de ganchillo carecen de ojo y tienen un gancho en un extremo y generalmente son de acero o de plástico. Las agujas para tejido de punto son largas, están hechas de diversos materiales y poseen una punta roma en uno o en ambos extremos, a veces con un botón en el extremo opuesto a la punta.

Agujas, cabo de las *portugués* **cabo das Agulhas** Cabo del extremo meridional del continente africano. Su nombre, *agulhas* en portugués, se refiere a las rocas y arrecifes que han hecho naufragar muchas embarcaciones. El meridiano del cabo, 20° de longitud este, es el límite oficial entre los océanos Atlántico e Índico.

agujero negro Cuerpo cósmico de gravedad (ver GRAVITACIÓN) tan intensa, que nada, ni siquiera la LUZ, puede escapar a su campo gravitacional. Se sospecha que su formación se produce durante la muerte y el colapso de una ESTRELLA que ha retenido al menos tres veces la masa del Sol. Estrellas con una masa menor evolucionan a una ESTRELLA ENANA BLANCA O ESTRELLA DE NEUTRONES. Los detalles de la estructura de un agujero negro se calculan a partir de la teoría general de la RELATIVIDAD de ALBERT EINSTEIN: una "singularidad" de volumen cero y densidad infinita captura toda la materia y energía que entra en el HORIZONTE DE EVENTOS definido en torno al agujero por el radio de SCHWARZSCHILD. Los agujeros negros no pueden observarse directamente por su pequeño tamaño y porque no emiten luz. Sin embargo, sus enormes campos gravitacionales afectan la materia circundante, que es absorbida por el agujero negro, emitiendo rayos X al colisionar a altas velocidades fuera del horizonte de eventos. Algunos agujeros negros pueden tener un origen no estelar. Los astrónomos especulan que los agujeros negros supermasivos, ubicados en el centro de los QUASARES y de muchas galaxias, son la fuente de la actividad energética que se observa. STEPHEN W. HAWKING teorizó acerca de la creación de numerosos agujeros negros pequeños, posiblemente de una masa no mayor a la de un asteroide, durante el BIG BANG. Estos "miniagujeros negros" primigenios pierden masa con el tiempo y desaparecen como resultado de la radiación HAWKING. Aunque los agujeros negros continúan siendo teóricos, su existencia está apoyada por muchas observaciones de fenómenos que calzan con sus efectos predichos.

Representación artística de un agujero negro.
ARCHIVO EDIT. SANTIAGO

Agulhas, cabo das ver cabo de las AGUJAS

Agusan, río Río de MINDANAO, Filipinas. Nace en el sudeste y corre hacia el norte 390 km (240 mi) hasta desembocar en la bahía de Butuán, en el mar de Bohol. Forma un valle fértil de aprox. 65–80 km (40–50 mi) de ancho entre la región montañosa del centro de Mindanao y la cordillera costera. Tiene 260 km (160 mi) navegables. A pesar de que los nativos tuvieron los primeros contactos con españoles ya en el s. XVII, la mayor parte del valle ha permanecido poco poblado por aquellos.

Agustín I ver Agustín de ITURBIDE

Agustín de Canterbury, san (¿Roma?–26 may. 604/605, Canterbury, Kent, Inglaterra; festividad: 26 de mayo en Inglaterra y Gales, 28 de mayo en otras partes). Primer arzobispo de Canterbury. Prior benedictino en Roma, fue escogido por el papa GREGORIO I para conducir 40 monjes misioneros a Inglaterra. Arribaron en 597, y fueron acogidos por el rey ETELBERTO I de Kent, quien les cedió una iglesia en Canterbury a instancias de la reina. Agustín convirtió al rey y a miles de sus súbditos y fue designado obispo de los ingleses. Siguiendo instrucciones papales, purificó templos paganos y consagró a otros 12 obispos. Fundó la Christ Church (Iglesia de Cristo) en Canterbury, convirtiéndola en su catedral, e hizo de Canterbury la sede primada de Inglaterra. Trató infructuosamente de unificar las iglesias de Inglaterra con las iglesias celtas del norte de Gales.

Agustín, san *o* **san Agustín de Hipona** (13 nov. 354, Tagaste, Numidia–28 ago. 430, Hippo Regio; festividad: 28 de agosto). Teólogo cristiano y uno de los padres latinos de la Iglesia. Nacido en el norte de África romana, en su juventud adoptó el MANIQUEÍSMO, enseñó retórica en Cartago y engendró un hijo. Después de trasladarse a Milán se convirtió al cristianismo bajo la influencia de san AMBROSIO, quien lo bautizó en el año 387. Volvió a África para llevar una vida contemplativa, y en 396 fue nombrado obispo de Hipona (hoy, Annaba, Argelia), cargo que conservó hasta su muerte, ocurrida mientras esta ciudad era sitiada por un ejército vándalo. Sus obras más conocidas son *Las confesiones*, una meditación autobiográfica sobre la gracia de Dios, y *La ciudad de Dios*, un tratado acerca de la naturaleza de la sociedad humana y el lugar del cristianismo en la historia. Sus obras teológicas *Acerca de la doctrina cristiana* y el *Tratado de la Santísima Trinidad* también son ampliamente consultadas. Sus sermones y cartas denotan la influencia del neoplatonismo y mantienen un debate con los defensores del maniqueísmo, del DONATISMO y del PELAGIANISMO. Sus visiones sobre la predestinación influyeron en teólogos posteriores, notoriamente sobre JUAN CALVINO. Fue declarado doctor de la Iglesia a principios de la Edad Media.

agustino *o* **agustiniano** En la Iglesia católica, miembro de cualquiera de las órdenes y congregaciones religiosas cuyas constituciones están basadas en la regla de san AGUSTÍN, entre ellos, los hospitalarios (Caballeros de MALTA) y los DOMINICOS. Sin embargo, las dos ramas principales son los agustinos ermitaños y los agustinos canónicos. Aquellos fueron una de las cuatro grandes órdenes mendicantes de la Edad Media; sus miembros (como MARTÍN LUTERO) fueron muy influyentes en la vida de las universidades europeas y en los asuntos eclesiásticos. Estos se convirtieron en el s. XI en la primera orden católica en combinar el estatus clerical con la plena vida común. La orden declinó después de la REFORMA, pero continuó su trabajo misionero, educativo y hospitalario. Otras órdenes agustinas destacadas son los agustinos recoletos (fundada en el s. XVI) y la segunda orden de san Agustín (1264) para monjas, ambas, todavía activas.

agutí Cualquiera de varias especies (género *Dasyprocta*) de ROEDORES, de tamaño similar al conejo, que habitan en América tropical (desde el sur de México hasta el norte de América del Sur). Los agutíes miden 40–60 cm (16–24 pulg.) de largo y tienen un cuerpo alargado, orejas pequeñas, rabones, patas delgadas con garras largas semejantes a pezuñas. Su pelaje tieso es rojizo oscuro a negruzco. Cada pelo es de color pardo o negruzco en la base y amarillo en las puntas, configurando lo que se ha llamado patrón agutí. Viven generalmente en los bosques y se alimentan de raíces, hojas y frutas.

Agutí (*Dasyprocta aguti*).

Ahaggar, montes *o* **montes Hoggar** Macizo montañoso del sur de Argelia, en el SAHARA central. Se extiende 1.550 km (970 mi) de norte a sur y 2.100 km (1.300 mi) de este a oeste. Su altitud promedio supera los 900 m (3.000 pies). Su cumbre más alta es el monte Tahat (2.918 m [9.573 pies]). La principal ruta de caravanas a KANO (Nigeria) bordea su margen occidental.

Ahidjo, Ahmadou (ago. 1924, Garoua, Camerún–30 nov. 1989, Dakar, Senegal). Primer presidente de Camerún, 1960–82. Presidió uno de los pocos intentos exitosos de unidad africana: la unificación de la mitad sur del antiguo Camerún británico con el extenso Camerún francófono. En 1982, tras haber logrado construir una nación estable y relativamente próspera (mediante un régimen de partido único), marchó al exilio tras ser implicado en un complot contra su sucesor, Paul Biya.

ahimsa (sánscrito: "no-violencia"). Virtud ética fundamental del JAINISMO, también respetada por el BUDISMO y el HINDUISMO. En el jainismo, ahimsa es la medida por la cual se juzgan todas las acciones. Ahimsa obliga a un jefe de familia, que observa votos menores (*anuvrata*), a abstenerse de matar cualquier vida animal. En cambio, un asceta, que observa votos mayores (*mahavrata*), debe poner el máximo cuidado en no dañar sustancia viviente alguna, aun inadvertidamente. La inobservancia de ahimsa interrumpe el progreso espiritual e incrementa el propio karma, retrasando la liberación de ese ser del ciclo de los renacimientos. MOHANDAS K. GANDHI, padre espiritual (satyagraha) de la India contemporánea, amplió en el s. XX esta virtud ética al ámbito político.

Ahlgren Abraham, Nelson ver Nelson ALGREN

Ahmad Kan, Sir Sayyid (17 oct. 1817, Delhi–27 mar. 1898, Aligarth, India). Educador y jurista indio. Nació en el seno de una familia de altos funcionarios de la dinastía MOGOL, trabajó para la Compañía Británica de las Indias Orientales y ostentó varios cargos judiciales. Apoyó a los británicos en el motín indio de 1857, pero criticó sus errores en su influyente documento *Causes of the Indian Revolt*. Otras obras de su autoría son *Essays on the Life of Mohammed* (1870), comentarios sobre la BIBLIA y el CORÁN. Fundó escuelas en las ciudades de Muradabad y Ghazipur, estableció la Sociedad Científica, luchó por fortalecer la comunidad musulmana mediante el periódico reformista *Tahdhib al-Akhlaq* y participó activamente en la fundación de la universidad musulmana, Anglo-Mohammedan Oriental College en Aligarth, en 1877.

Aḥmad, Mīrzā Ghulām ver Mīrzā GHULĀM Aḥmad

Aḥmad Sha Durrānī (c. 1722, Multán, Punjab–¿16 oct.? 1772, Toba Maʿrūf, Afganistán). Fundador del moderno Afganistán. Hijo de un jefe afgano, se convirtió en sha en 1747, a la muerte del conquistador persa NĀDIR SHA, en cuyo ejército había servido. Durante los 22 años siguientes invadió India en nueve ocasiones con el propósito de controlar las rutas comerciales entre India septentrional y Asia central y occidental. Se convirtió en gobernante de un imperio que se extendía desde el AMU DARYÁ hasta el océano Índico y desde Jurāsān hasta el norte de la actual India. Su dominio sobre el Punjab, gobernado por su hijo Tīmūr Shah, se vio debilitado por rebeliones internas en Afganistán, perdiendo finalmente el control de la región a manos de los sijs. Gran parte de su imperio se desintegró después de su muerte.

Aḥmadiyyah Secta islámica fundada en 1889, en India, por MĪRZĀ GHULĀM AḤMAD. Sostiene que JESÚS había simulado su muerte y resurrección para escaparse luego a India, y que la YIHAD era una batalla pacífica contra los no creyentes. En 1914, tras la muerte del sucesor de Ghulām Aḥmad, la Aḥmadiyyah se dividió. La facción qadiani, con sede en Rabwah, Pakistán, reconoció a Ghulām Aḥmad como profeta. Son misioneros fervientes, que predican desde entonces las creencias almodíes como el único verdadero ISLAM. Otra secta con sede en Lahore, considera a Ghulām Aḥmad tan sólo un reformador que, en general, buscaba allegar conversos al Islam. El término Aḥmadiyyah también se usa para describir varias órdenes sufíes (ver SUFISMO), en particular, la fundada por Aḥmad al-Badawī (m. 1276). La Aḥmadiyyah es una de las órdenes más populares en Egipto y tiene ramas por todo el mundo islámico.

Devotos musulmanes orando ante la mezquita Jama Masjid en Ahmedabad, India.

JOHN HENRY CLAUDE WILSON/ROBERT HARDING WORLD IMAGERY/GETTY IMAGES

Ahmadu ver AMADU

Aḥmed ibn Ḥanbal (780, Bagdad, Irak–855, Bagdad). Teólogo y jurista musulmán. A los quince años comenzó a estudiar los hadices (ver HADIZ) (narraciones acerca de los hechos del profeta). Incansable viajero, recorrió el mundo musulmán para estudiar con los grandes maestros y realizó cinco peregrinaciones a La Meca. En 833–835 prefirió resistir con valor las flagelaciones y el encarcelamiento, antes que aceptar y suscribir la doctrina MUʿTAZILÍ, que proponía un Corán creado, en vez de uno eterno. Es recordado como fiel defensor del tradicionalismo musulmán. Compiló las tradiciones de Mahoma y es el epónimo de la escuela Ḥanbalī, la más tradicional entre las cuatro escuelas ortodoxas de jurisprudencia musulmana. Se opuso a la codificación de la ley, porque creía que los juristas necesitaban libertad para derivar soluciones legales a partir del Corán y de la SUNNA. Aḥmed es reverenciado como uno de los padres del Islam.

Ahmedabad *o* **Ahmadābād** Ciudad (pob., est. 2001: área metrop., 4.519.278 hab.) del estado de GUJARAT, en el centro-oeste de India, junto al río Sabarmati, a 467 km (290 mi) al norte de MUMBAI (Bombay). Fundada en 1411 por el sultán Aḥmad Shah, Ahmedabad alcanzó su apogeo a fines del mismo siglo, pero luego declinó. Durante el s. XVII resurgió bajo el dominio de los emperadores de la dinastía MOGOL, pero en 1818 cayó en manos británicas. Con la apertura de hilanderías de algodón en 1859, se convirtió en el mayor centro industrial del interior de India. La ciudad está asociada con el nacionalismo indio; fue ahí donde en 1930 MOHANDAS GANDHI inició su movimiento de agitación política. En 2001, la ciudad fue azotada por un violento terremoto que cobró muchas víctimas.

ahorro Acto de apartar una porción del ingreso actual para uso futuro, o el conjunto de recursos acumulados de esta manera en un período determinado. El ahorro puede consistir en depósitos bancarios y efectivos en caja o valores. El monto que ahorran los individuos depende de sus preferencias por el consumo futuro respecto al consumo presente y sus expectativas de ingresos futuros. Si el consumo de los individuos supera el valor de sus ingresos, entonces su ahorro es negativo y se dice que desahorran. El ahorro individual se puede medir estimando el ingreso disponible y restándole los gastos del CONSUMO actual. Una medida del ahorro empresarial es el incremento del valor neto registrado en un BALANCE. El ahorro nacional total es el ingreso nacional excedentario sobre el consumo y los impuestos. El ahorro es importante para el progreso económico, debido a su relación con la INVERSIÓN: el incremento de la riqueza productiva requiere que algunos individuos se abstengan de consumir el total de sus ingresos y destinen sus ahorros a la inversión.

ahorro y préstamo, asociación de Institución financiera que capta los ahorros de los depositantes y usa esos fondos principalmente para otorgar créditos hipotecarios. Las asociaciones de ahorro y préstamo de EE.UU. (savings and loan association, S&Ls) se originaron de las cooperativas británicas de la construcción del s. XVIII, en las que los trabajadores se unían para financiar la construcción de sus viviendas. La primera asociación de ahorro y préstamo de EE.UU. se creó en Filadelfia en 1831. En sus inicios fueron cooperativas en las que los ahorrantes eran accionistas y recibían dividendos en proporción a las ganancias, pero en la actualidad son organizaciones mutuales que ofrecen una diversidad de planes de ahorro. Dado que están facultadas para obtener créditos de otras instituciones financieras y comercializar VALORES hipotecarios, títulos del mercado monetario y ACCIONES, no están obligadas a depender de depósitos individuales para obtener fondos. La INFLACIÓN elevada y las tasas de interés crecientes de la década de 1970 hicieron que las hipotecas a tasa fija dejaran de ser rentables, lo que obligó a modificar las normas para que dichas sociedades pudieran renegociar las hipotecas. Como consecuencia de una regulación inadecuada que permitió el florecimiento de inversiones riesgosas y fraudes, un número creciente de asociaciones quebraron a fines de la década de 1980. El gobierno de EE.UU. se vio obligado a cubrir grandes pérdidas, que superaron los US$ 200.000 millones, y la Federal Savings and Loan Insurance Corp. (FSLIC) fue declarada insolvente en 1989. Sus funciones de aseguradora fueron asumidas por una nueva organización, supervisada por la CORPORACIÓN FEDERAL DE SEGUROS DE DEPÓSITOS, y se creó la Resolution Trust Corp. para sacar de apuros a las asociaciones quebradas.

Ahram, Al (egipcio: "Las pirámides"). Periódico egipcio editado en El Cairo. Fundado en Alejandría en 1875 por los hermanos Beshara y Saleem Takla, es el más antiguo y prestigioso del país. Concebido inicialmente como un boletín económico, recogía el sentimiento anticolonialista mayoritario del pueblo. Por su postura, las autoridades llegaron incluso a clausurarlo por algunos días. Tras la muerte de Saleem en 1899, quedó bajo la dirección de su hermano, quien introdujo importantes cambios tecnológicos y de contenido, y se transformó en uno de los más importantes del mundo árabe. Tiene ediciones en inglés (*Al-Ahram Weekly*) y francés (*Al-Ahram Hebdo*).

Aḥsāʾī, Ahmed al *p. ext.* **Shaykh Aḥmad ibn Zayn al-Dīn Ibrahim al-Aḥsāʾī** (1753, Al-Hasa, Arabia–1826, cerca de Medina). Fundador de la secta heterodoxa islámica iraní chiita shaykhī. Viajó mucho por Persia y el Medio Oriente. En 1808 se estableció en Yazd, Persia, donde atrajo seguidores con su interpretación del chiismo. Declaraba que su conocimiento provenía de visiones de MAHOMA y de los imanes (ver IMÁN) y sostenía que estos eran originalmente seres de luz divina que participaron en la creación del mundo. En 1824, los teólogos chiitas ortodoxos lo declararon un apóstata. Murió dos años más tarde en una peregrinación a La Meca, pero su creación, la secta shaykhī, le sobrevivió.

Ahura Mazda Supremo dios de la antigua religión iraní; en especial, del ZOROASTRISMO. Ahura Mazda fue adorado por DARÍO I y por sus sucesores como el dios y el protector del soberano justo. ZOROASTRO enseñó que Ahura Mazda creó el universo y mantiene el orden cósmico, y que la historia del mundo consiste en la batalla permanente entre los dos espíritus creados por él: el benévolo Spenta Mainyu y el destructivo Angra Mainyu. El AVESTA identifica al propio Ahura Mazda con el espíritu benévolo y lo representa como omnisciente y bondadoso, y el creador de todo lo bueno. En fuentes tardías (del s. III), Zurvan ("El Tiempo") es el padre de los gemelos Ormazd (Ahura Mazda) y Ahriman (Angra Mainyu), quienes en el mazdeísmo ortodoxo (zoroastrismo y parsismo) reinan de manera alternada sobre el mundo hasta la victoria suprema de Ormazd.

Símbolo de Ahura Mazda, dios supremo del zoroastrismo.
GENTILEZA DEL INSTITUTO ORIENTAL, UNIVERSIDAD DE CHICAGO

Ahvenanmaa *sueco* **Åland** Archipiélago del sudoeste de Finlandia que constituye la *kunta* (provincia) autónoma de Ahvenanmaa. Consiste en alrededor de 35 islas habitadas (pob., est. 2002: 26.000 hab.) y más de 6.000 islas deshabitadas, con una superficie terrestre total de 1.552 km² (599 mi²). En Ahvenanmaa, la isla más grande, se halla Maarianhamina, capital administrativa y puerto principal del archipiélago. Las islas fueron convertidas al cristianismo por misioneros suecos en el s. XII. Cuando Finlandia declaró su independencia en 1917, la población quiso formar parte de Suecia. Aunque el archipiélago ha permanecido como territorio finlandés, se le ha otorgado un estatuto de autonomía único.

Ai Ciudad del este de CANAÁN, en la antigua PALESTINA. Según la Biblia (Josué 7–8), fue destruida por los israelitas comandados por JOSUÉ. Las referencias bíblicas concuerdan en localizarla al este de BET-EL (Baytin actual), CISJORDANIA, durante la temprana edad del bronce, hoy llamada El-Tell. Las excavaciones realizadas entre 1933 y 1935 dieron con un templo que data del tercer milenio AC. Se cree que los episodios bíblicos ocurridos en Ai, corresponden al período comprendido c. 1400–1200 AC, época en la cual los hechos indican que, en realidad, el pueblo no habría estado habitado; la tradición temprana pudo haber identificado el pueblo cananeo de Bet-el con las ruinas cercanas de El-Tell.

Aidan, san (Irlanda–31 ago. 651, Bamburgh, Northumberland, Inglaterra; festividad: 31 de agosto). Apóstol de Northumbria y fundador de LINDISFARNE. Era monje en un monasterio de Iona, Escocia, cuando el rey Osvaldo de Northumbria le pidió que fuera obispo de los northumbrianos. Con ese fin, Aidan estableció su iglesia, sede y monasterio en la isla de Lindisfarne, cerca de la fortaleza real de Bamburgh. Desde ahí evangelizó el norte de Inglaterra, fundando iglesias, monasterios y una escuela. San BEDA, el Venerable, lo alabó por su sabiduría, caridad y sencillez de vida.

Aiken, Conrad (Potter) (5 ago. 1889, Savannah, Ga., EE.UU.–17 ago. 1973, Savannah). Escritor estadounidense. Aiken sufrió un grave trauma en su niñez, cuando su padre asesinó a su madre y luego se suicidó. Educado en la Universidad de Harvard, Aiken escribió la mayor parte de su obra narrativa en las décadas de 1920 y 1930. En sus obras se percibe la influencia de la teoría psicoanalítica temprana. Por lo general, sus cuentos tuvieron más éxito que sus novelas, especialmente "Strange Moonlight" [Extraña luz de luna], de *Bring! Bring!* [¡Trae, trae!] (1925) y "Silent Snow, Secret Snow" [Nieve silenciosa, nieve secreta] y "Mr. Arcularis", de *Among the Lost People* [Entre la gente perdida] (1934). Su mejor poesía, entre ellas *Preludes to Definition* [Preludios a la definición], se encuentra compilada en *Poemas escogidos* (1953).

Aiken, Howard H(athaway) (9 mar. 1900, Hoboken, N.J., EE.UU.–14 mar. 1973, St. Louis, Mo.). Matemático e inventor estadounidense. Obtuvo su Ph.D. en la Universidad de Harvard. Con otros tres ingenieros, empezó a trabajar en 1939 en una máquina automática de cálculo que podía ejecutar cualquier secuencia elegida de entre cinco operaciones aritméticas (adición, sustracción, multiplicación, división y referencia a resultados previos) sin intervención humana. La primera de tales máquinas, la Harvard Mark I (1944), tenía 15 m (51 pies) de largo, 2,4 m (8 pies) de alto y pesaba 31,5 Tm (35 t).

aikido Arte japonés de autodefensa. Emplea llaves y agarres, utilizando el principio de no resistencia para que el ímpetu del oponente se vuelque en su contra. El aikido enfatiza la importancia de lograr una completa tranquilidad mental y control del cuerpo, a fin de dominar el ataque del oponente. Carece de movimientos ofensivos. Su origen se remonta a las tradiciones marciales japonesas de los samuráis del s. XIV, y fue desarrollado en su forma moderna a principios del s. XX por Ueshiba Morihei. Ver ARTES MARCIALES.

Ailanthus Género de angiospermas perteneciente a la familia Simaroubaceae, nativas de Asia oriental y meridional y de Australia septentrional, pero naturalizadas en otras regiones subtropicales y templadas. Presentan hojas alternas sobre los tallos y compuestas de múltiples folíolos dispuestos a lo largo de un eje. La especie más conocida es el ÁRBOL DEL CIELO.

Ailey, Alvin, Jr. (5 ene. 1931, Rogers, Texas, EE.UU.–1 dic. 1989, Nueva York, N.Y.). Bailarín y coreógrafo estadounidense. En 1942 se trasladó a Los Ángeles donde estudió danza y coreografía (1949–54). Luego se mudó a Nueva York donde participó en diversas producciones escénicas. En 1958 fundó el Alvin Ailey American Dance Theater, compuesto fundamentalmente por artistas afroamericanos. Entre las numerosas coreografías que realizó para esta compañía, destaca la que lo caracteriza *Revelations* (1960), una adaptación de espirituales negros. Entre las décadas de 1960 y 1980, su compañía realizó giras internacionales y Ailey llegó a ser uno de los coreógrafos estadounidenses más famosos del mundo.

Bailarinas del Alvin Ailey American Dance Theater en la producción escénica *Reminiscin*, Sadler's Wells Theatre, Londres, Inglaterra, 2005.
FOTOBANCO

Ailly, Pierre d' (1350, Compiègne, Francia–9 ago. 1420, Aviñón). Teólogo y cardenal francés. Se empeñó en poner fin al gran CISMA DE OCCIDENTE. Defendió la doctrina del CONCILIARISMO, que sostenía que la autoridad suprema de la Iglesia residía en un concilio general. Participó activamente en el concilio de Pisa (1409), que depuso tanto al papa como al ANTIPAPA en favor del nuevo papa conciliar, Alejandro V, pero que fracasó en poner fin al cisma. Participó también en el concilio de Constanza (1414–18), que exigió la abdicación del antipapa Juan XXIII (r. 1410–15) y la elección de un nuevo papa (MARTÍN V), dando término al cisma. Sus escritos comprenden un tratado geográfico, *Imago mundi* [Imagen del mundo], utilizado por CRISTÓBAL COLÓN.

AIM ver movimiento INDIO AMERICANO

aimara ver AYMARA

AINE *o* **antiinflamatorios no esteroidales** Medicamentos que reducen la INFLAMACIÓN y son efectivos contra el dolor (ver ANALGÉSICO) y la FIEBRE. La mayoría se puede obtener sin receta y suelen usarse por períodos cortos para dolores leves. La ASPIRINA es técnicamente un AINE, pero el término se aplica generalmente a una nueva clase de drogas que incluye al IBUPROFENO y otros medicamentos similares (p. ej., naproxeno, ketoprofeno) que, tal como la aspirina, inhiben la síntesis de PROSTAGLANDINAS. Tienen pocos efectos secundarios, pero las personas sensibles a la aspirina no deben usarlos.

Aintab ver GAZIANTEP

ainu Pueblo aborigen del actual Japón. Desplazados hacia el norte por el pueblo japonés durante los últimos 2.000 años, hoy los escasos ainus puros viven principalmente en Hokkaido septentrional, Sajalín e islas Kuriles. Otrora física y culturalmente distintos de los japoneses, sus orígenes y su rol en la prehistoria e historia de Japón han sido tema de debate académico. Muchos ainus contemporáneos reivindican algún tipo de vinculación con la prehistórica cultura JOMON. La lengua ainu, que no tiene relación conocida con ninguna otra lengua, está virtualmente extinta y ha sido reemplazada por el JAPONÉS. Los ainus eran por tradición cazadores, pescadores y tramperos; su religión estaba centrada en los espíritus, que creían presentes en los animales y el mundo natural.

Air France *p. ext.* **Compagnie Internationale Air France** Aerolínea francesa de pasajeros y carga con más de 200 destinos en 90 países. Introdujo el servicio del CONCORDE supersónico en 1976. El gobierno francés comenzó a privatizar esta ex línea aérea nacional en julio de 2002.

Airbus S.A.S. Fabricante europeo de aviones, el segundo mayor constructor de aviones comerciales a nivel mundial (después de BOEING CO.). Sus dueños son la empresa germano-franco-española EUROPEAN AERONAUTIC DEFENCE AND SPACE CO. (EADS), con un 80% de participación, y la británica BAE SYSTEMS, con un 20%. Airbus se formó en 1970 como un consorcio, con firmas aeroespaciales francesas y alemanas (más adelante se incorporaron compañías españolas y británicas) para llenar un espacio del mercado de aviones de reacción comerciales de corto a mediano alcance y de alta capacidad, y además para competir con fabricantes estadounidenses de larga trayectoria. Su primer producto, el A300, entró en servicio en 1974. Fue el primer avión de fuselaje ancho equipado con sólo dos motores para un funcionamiento más económico. El bimotor A320 (que entró en servicio en 1988) incorporó numerosas innovaciones técnicas, especialmente el control de vuelo computacional "fly-by-wire" (con enlace eléctrico en vez de mecánico). El cuadrimotor A340 (1993) y el bimotor de menor tamaño, el A330 (1994), son aviones comerciales de largo alcance. El consorcio se constituyó en una sola compañía en 2001. En 2005, Airbus presentó oficialmente el modelo A380, el avión de pasajeros más grande del mundo con capacidad para 555 personas.

aire Mezcla de gases que constituyen la atmósfera terrestre. Algunos gases están en concentraciones fijas. Los más importantes son el nitrógeno molecular (N_2), 78% en volumen, y el oxígeno molecular (O_2), 21%. Hay también pequeñas cantidades de argón (Ar; 1,9%), neón (Ne), helio (He), metano (CH_4), criptón (Kr), hidrógeno (H_2), óxido nitroso (N_2O) y xenón (Xe) en proporciones casi constantes. Otros gases aparecen en concentraciones variables: vapor de agua (H_2O), ozono (O_3), dióxido de carbono (CO_2), dióxido de azufre (SO_2) y dióxido de nitrógeno (NO_2). El aire, además, contiene cantidades rasa de amoníaco y sulfuro de hidrógeno. Los componentes variables son importantes para mantener la vida. El vapor de agua es la fuente de todas las formas de precipitación y es un importante absorbente y emisor de radiación infrarroja. El dióxido de carbono es necesario para la fotosíntesis; también es un importante absorbente y emisor de radiación infrarroja. El ozono de la ESTRATOSFERA (ver CAPA DE OZONO) es un absorbente efectivo de la radiación ultravioleta proveniente del Sol, pero a nivel del suelo es un contaminante corrosivo y un gran constituyente del *smog*.

aire comprimido AIRE reducido en volumen y mantenido a PRESIÓN. La FUERZA del aire comprimido se usa para hacer funcionar numerosos instrumentos y herramientas, como perforadoras de rocas, sistemas de frenado de trenes, remachadoras, prensas de forjar, pulverizadores y atomizadores de pintura. Se han utilizado fuelles desde la temprana edad del bronce que suministran aire para la fundición y el forjado. En el s. XX aumentó considerablemente el uso de dispositivos de aire comprimido. La introducción de los motores de reacción para aeronaves militares y de pasajeros estimuló el uso y el mejoramiento de los compresores centrífugos y de flujo axial. Se pueden usar componentes de control neumático lógico digital (desarrollados en la década de 1960) en sistemas de CONTROL y de potencia (ver DISPOSITIVO NEUMÁTICO).

airedale terrier El más grande de los perros de la raza TERRIER, descendiente talvez del otterhound y del extinto Old English terrier. Tiene una alzada de unos 58 cm (23 pulg.) y pesa 18–23 kg (40–50 lb); tiene una apariencia musculosa, con un hocico largo y rectangular. Su pelaje es denso y tieso, con el lomo negro y las patas, el hocico y el vientre de color canela. Es inteligente, valiente, fuerte y afectuoso (es reservado frente a extraños). El airedale ha sido usado como perro mensajero en tiempo de guerra, perro policial, guardián y perro de caza mayor.

Airedale terrier.
WALTER CHANDOHA

ʿĀʾishah (bint Abī Bakr) (614, La Meca, Arabia–jul. 678, Medina). Tercera esposa de MAHOMA. Hija de su partidario, ABŪ BAKR, a los 18 años quedó viuda y sin hijos y Mahoma la convirtió en su esposa favorita. Con el tiempo y tras la muerte del Profeta, asumió un decisivo papel político bajo el reinado del tercer califa, ʿUTHMĀN IBN ʿAFFĀN, al encabezar la oposición que culminó con el asesinato de ese príncipe en 656. Con posterioridad, encabezó un ejército que se levantó contra el califa sucesor, ʿALĪ, pero fue derrotada en la batalla del "camello". Se le permitió vivir sus años restantes en paz y aislamiento en Medina. Mérito especial suyo fue haber transmitido para la posteridad más de mil hadices (ver HADIZ).

aislacionismo Política nacional que consiste en evitar complicaciones políticas o económicas con otros países. El aislacionismo ha sido un tema recurrente en la historia de EE.UU. Se manifestó en el discurso de despedida del presidente GEORGE WASHINGTON y en la doctrina MONROE de principios del s. XIX. El término se aplica con mayor frecuencia al ambiente político reinante en EE.UU. en la década de 1930. El fracaso del internacionalismo del presidente WOODROW WILSON, la oposición liberal a la guerra como un instrumento de políticas y los rigores de la GRAN DEPRESIÓN fueron algunas de las causas de la reticencia de EE.UU. a preocuparse por el crecimiento del FASCISMO en Europa. La ley Johnson (1934) y las leyes de neutralidad (1935) impidieron eficazmente la ayuda económica o militar a cualquier país que estuviera involucrado en las disputas europeas que se intensificarían hasta llegar a la segunda guerra mundial. El aislacionismo estadounidense alentó a los británicos en su política de APACIGUAMIENTO y contribuyó a la parálisis de Francia frente a la creciente amenaza planteada por la Alemania nazi. Ver también NEUTRALIDAD.

Hotel de Ville en Aix-en-Provence, ciudad capital de Provenza, Francia.
ARCHIVO EDIT. SANTIAGO

aislante Sustancia que bloquea o retarda el flujo de la CORRIENTE ELÉCTRICA o del calor. Un aislante es un mal CONDUCTOR porque tiene una alta RESISTENCIA a dicho flujo. Los aislantes eléctricos se utilizan comúnmente para sostener los conductores en su lugar, separándolos entre sí y de las estructuras circundantes, para crear una barrera entre las diferentes partes energizadas de un circuito eléctrico, y de ese modo confinar el flujo de corriente a los alambres u otras vías conductoras. Entre los aislantes eléctricos figuran el caucho, la mayoría de los plásticos, la porcelana y la mica. Los aislantes térmicos que se interponen al flujo del calor mediante la absorción del calor radiante son la fibra de vidrio, el corcho y la lana mineral, entre otros.

Aix-en-Provence Ciudad (pob., 1999: 134.222 hab.) del sudeste de Francia. Fundada como una colonia militar por los romanos c. 123 AC, fue el lugar donde CAYO MARIO derrotó a los teutones en 102 AC. La ciudad fue saqueada sucesivamente por visigodos, francos, lombardos y finalmente invasores musulmanes provenientes de España. Como capital de PROVENZA, fue un centro cultural durante la Edad Media; se convirtió en parte de Francia en 1486. Ahora es un suburbio residencial de MARSELLA; sus industrias son el turismo, el procesamiento de alimentos y la fabricación de maquinaria eléctrica.

Aix-la-Chapelle ver AQUISGRÁN

Aizawl Ciudad (pob., est. 2001: 229.714 hab.), capital del estado de MIZORAM, India. Se sitúa en un cerro a unos 900 m (2.950 pies) de altura sobre el nivel del mar. La región circundante es parte de la provincia geológica de Assam-Myanmar, con cadenas de colinas de fuertes pendientes. Gran parte de la población proviene de Myanmar. Durante la década de 1970, Aizawl fue el escenario de un ataque armado al edificio de la tesorería de gobierno perpetrado por miembros del Frente Nacional Mizo. Entre sus manufacturas figuran utensilios de aluminio, textiles artesanales y muebles.

ajedrea Hierba (*Satureja hortensis*) anual aromática de la familia de las Labiadas (ver HIERBABUENA), nativa de Europa meridional. Las hojas secas y las inflorescencias terminales se usan como saborizante y en atados de hierbas. La ajedrea de invierno o enana (*S. montana*) es más pequeña y florece en esa estación. Tanto esta como la especie estival se usan casi indistintamente con fines culinarios.

ajedrez Juego de tablero que enfrenta a dos jugadores, cada uno de los cuales mueve 16 piezas en un tablero cuadriculado de acuerdo con reglas fijas y trata de capturar o inmovilizar al rey del rival (jaque mate). El juego podría ser originario de Asia, donde habría surgido en el s. VI, aunque continuó evolucionando a medida que se introdujo y expandió en Europa durante la época bizantina. Las reglas modernas fueron aceptadas a nivel general en Europa en el s. XVI. Un jugador usa las piezas blancas, el otro las negras, y el juego comienza con las piezas ordenadas en extremos opuestos del tablero. Los reyes se mueven un espacio en cualquier dirección, menos cuando están amenazados (jaque). Los alfiles se mueven diagonalmente, mientras que las torres lo hacen en forma horizontal o vertical todos los espacios que se desee, siempre que estén desocupados. Las reinas se mueven indistintamente como los alfiles o las torres. Los caballos se mueven en forma de "L" a los espacios del color opuesto no adyacentes a su posición, sin importar que haya piezas en esos espacios. Las piezas del adversario son capturadas moviendo las propias hacia un espacio ocupado por el rival. Los peones se mueven hacia adelante un espacio, salvo en su primer movimiento, en el que pueden avanzar dos; en caso de llegar a la última fila contraria, pueden ser cambiados por cualquier otra pieza menos el rey. Los peones sólo capturan piezas rivales ubicadas diagonalmente delante de ellos. Por una vez, los peones tienen la opción, conocida como comer al paso, de capturar un peón enemigo que acaba de hacer su primer movimiento de dos espacios en vez de uno para evitar ser comido: la captura ocurre como si el peón sólo hubiera avanzado un espacio. Cuando en la primera fila no hay más piezas entre el rey y una de las dos torres, se puede hacer una maniobra conocida como enroque, siempre que el

Piezas de ajedrez ubicadas en la posición de partida en el tablero. En el diagrama, el primer movimiento de las piezas blancas se realiza con el caballo, que puede saltar por sobre otras que se encuentren en su camino.

rey y esa torre no se hayan movido. El enroque consiste en mover el rey dos espacios hacia la torre, mientras ella se coloca en el lado contrario del rey. Este movimiento no puede ser hecho cuando el rey está en jaque o puede quedar en esa condición a partir del enroque. Un empate, denominado tablas en este juego, se produce automáticamente cuando hay un jaque ahogado, es decir, cuando un jugador no está en jaque, pero cualquier movimiento lo dejaría en esa situación. Las tablas también se producen cuando el jaque ocurre tres veces, lo que se conoce como "jaque perpetuo".

Ajmatova, Anna *orig.* **Anna Andréievna Gorenko** (23 jun. 1889, Bolshói Fontan, cerca de Odessa, Ucrania, Imperio ruso–5 mar. 1966, Domodedovo, cerca de Moscú). Poetisa rusa. Se hizo famosa con sus primeros poemarios (1912, 1914). Poco después de la Revolución de 1917, las autoridades soviéticas condenaron su obra por considerarla centrada en preocupaciones estrechas como Dios y el amor.

Anna Ajmatova, poetisa rusa.

AGENCIA NOVOSTI

En 1923, tras la ejecución de su ex esposo, acusado de conspirar contra la Revolución, entró en un largo período de silencio literario. Después de la segunda guerra mundial volvió a ser denunciada y se la expulsó de la Unión de Escritores. Tras la muerte de STALIN en 1953, se la rehabilitó gradualmente. En su vejez tuvo gran influencia sobre un grupo de jóvenes poetas rusos. Su obra más extensa, el *Poema bez geroya* [Poema sin héroe], se considera uno de los grandes poemas del s. XX. Hoy se la recuerda como una de las más notables poetisas rusas de todos los tiempos, y se admiran también sus traducciones de la obra de otros poetas, así como sus memorias.

Ajnatón *o* **Aknatón** *orig.* **Amenhotep IV** (r. 1353–36 AC). Faraón egipcio de la XVIII dinastía (1539–1292 AC). Ascendió al trono en una época en que imperaba Egipto, pues controlaba Palestina, Fenicia y Nubia. Poco después de iniciar su reinado, comenzó a fomentar el culto exclusivo a la poco conocida deidad ATÓN, dios sol al que consideraba como la fuente de todas las bendiciones. Tomando para sí el nombre de Ajnatón ("Útil a Atón"), trasladó su capital desde Tebas a la actual TELL EL-AMARNA para escapar de los poderes religiosos establecidos y dar inicio a una nueva etapa. Se hizo popular un nuevo estilo artístico que estaba más interesado en los detalles de la vida real que en la eternidad. En materia de gobierno, Ajnatón trató de recobrar la antigua autoridad del faraón, delegada en gran parte en burócratas y oficiales militares, pero su interés en la nueva religión lo hizo descuidar los asuntos de Estado, lo que provocó la desintegración del imperio asiático de Egipto. Fue sucedido por dos de sus yernos, Semenjara y TUTANKAMÓN, pero después de la prematura muerte de este último, el ejército se apoderó del trono y la nueva religión de Ajnatón fue abandonada.

ajo Planta perenne, bulbosa (*Allium sativum*) de la familia de las LILIÁCEAS, nativa de Asia central y que crece en forma silvestre en Italia y el sur de Francia. Los bulbos se usan como condimento. Ingrediente clásico de muchas tradiciones culinarias, el ajo tiene un sabor y aroma fuerte similar a la cebolla; su amplio uso en EE.UU. tuvo sus orígenes en los inmigrantes europeos. Desde la antigüedad y la época medieval ha sido muy valorado por sus propiedades medicinales; fue usado como amuleto contra los vampiros y otros males. Los bulbos de ajo se usan picados o molidos para condimentar salsas, estofados y en aderezos para ensaladas. La capa membranosa del bulbo encierra hasta 20 bulbitos comestibles llamados dientes. Ver también ALLIUM.

Bulbos de ajo (*Allium sativum*), valorado por sus propiedades medicinales.

ARCHIVO EDIT. SANTIAGO

ajo chalote *o* **chalote** *o* **chalota** Planta herbácea de aroma suave (*Allium ascalonicum*) de la familia de las LILIÁCEAS, cuyo origen probable es asiático, usado para sazonar alimentos. De parentesco cercano con la CEBOLLA y el AJO, es una planta perenne resistente con hojas pequeñas, cortas, cilíndricas y huecas; las flores forman una umbela compacta y varían de púrpura claro a rojo; los BULBOS son pequeños, alargados y angulosos. De manera muy similar al ajo, los bulbos se desarrollan en racimos (cabeza) sobre una base común. Las hojas verdes se comen a veces. El así llamado ajo chalote que se comercializa mucho como cebollín verde de primavera es de hecho una variedad de cebolla.

Ajodhiá ver AYODHYA

ajonjolí ver SÉSAMO

AK-47 RIFLE DE ASALTO soviético. Diseñado por Mijaíl T. Kalashnikov (su nombre significa "automático Kalashnikov, 1947"), tenía capacidades tanto automáticas como semiautomáticas y disparaba munición de poder intermedio de 7.62 mm. Fabricado en la ex Unión Soviética y en países del ex bloque soviético, muy rápido se transformó en el arma básica de infantería para virtualmente todos los ejércitos comunistas, así como para muchas guerrillas y movimientos nacionalistas. En la fuerza militar soviética fue reemplazado en la década de 1960 por el AKM, que se caracterizaba por un cajón de mecanismos estampado, más liviano y económico, y en la década de 1970 por el AK-74, que disparaba a alta velocidad una munición de 5.45 mm. Ver también fusil M16.

Akal Tajt Centro principal de la autoridad religiosa para los devotos sijs de India, ubicado en Amritsar, frente al TEMPLO DORADO. El lugar sirve también como sede central del Partido AKALI. Desde que la línea de los gurúes (ver GURÚ) llegó a su fin en 1708, la comunidad sij ha resuelto disputas políticas y religiosas en reuniones frente al Akal Tajt. En el s. XX, las congregaciones locales comenzaron a aprobar resoluciones sobre materias de doctrina sij y normas de conducta. Las resoluciones impugnadas podían apelarse al Akal Tajt. En 1984, este centro religioso sufrió severos daños durante el asalto al Templo Dorado por el ejército indio, tras lo cual tuvo que ser reconstruido. Ver también SIJISMO.

Akali, Partido Partido político sij de India. El término Akali se usó por primera vez para nombrar a los escuadrones suicidas surgidos en la milicia sij c. 1690, en respuesta a la persecución mogol. El nombre Akali resurgió en la década de 1920 durante el movimiento reformador GURDWARA, para referirse a las fuerzas paramilitares de voluntarios opuestos al dominio británico. El movimiento Akali encabezó la agitación que luchaba por un Estado con una mayoría sij de lengua panjabi, meta lograda en 1966 con el establecimiento del estado indio del PANJAB. El moderno Partido Akali participa en las elecciones nacionales, pero se ocupa sobre todo del estatus de la población sij del Panjab.

akan Grupo de pueblos que habitan el sur de Ghana, el este de Costa de Marfil y partes de Togo. Hablan diversas lenguas KWA, rama de las lenguas NIGEROCONGOLEÑAS. En los s. XIV–XVIII se formaron varios estados akan, en especial la confederación FANTI y el Imperio ASHANTI, en regiones donde se explotaba y comerciaba el oro. En la actualidad, muchos de los akan, quienes suman unos 16 millones de personas, trabajan en distritos urbanos.

Jefe tribal del pueblo akan.
JACQUES JANGOUX

Akbar *p. ext.* **Abū al-Fatḥ Jalāl al-Dīn Muḥammad Akbar** (15 oct. 1542, Umarkot, Sind, India–1605, Agra). El más grande de los emperadores mogoles (ver dinastía MOGOL) de India (r. 1556–1605). Akbar, cuyos ancestros fueron TAMERLÁN y GENGIS KAN, ascendió al trono cuando era muy joven. Inicialmente, su reino se extendía sólo sobre el Panjab (o Punjab) y la zona circundante a Delhi. El rajá Rajput de Amber (Jaipur) reconoció su soberanía en 1562, siendo imitado por otros rajás Rajput. Akbar colocó a los príncipes Rajput y a otros hindúes en los niveles más altos de su gobierno y redujo la discriminación contra quienes no eran musulmanes. Continuando sus conquistas, capturó Gujarat en el oeste (1573) y Bengala en el este (anexada en 1576). Hacia el final de su reinado, conquistó Cachemira (1586) y avanzó hacia el sur, en el Decán. En lo administrativo, fortaleció el poder central, estableció que todos los oficiales militares y funcionarios civiles debían ser designados por el emperador. Patrocinó a sabios, poetas, pintores y músicos, convirtiendo a su corte en un centro de la cultura. Hizo traducir clásicos sánscritos al persa y fue admirador entusiasta de las pinturas europeas que le llevaron misioneros jesuitas. Su reinado fue considerado a menudo por gobiernos posteriores como un modelo de fortaleza, benevolencia, tolerancia e ilustración. Ver también BĀBER.

Akerlof, George A. (n. 17 jun. 1940, New Haven, Conn., EE.UU.). Economista estadounidense. Estudió en la Universidad de Yale (B.A., 1962) y en el Massachusetts Institute of Technology (Ph.D., 1966). En 1966 se inició como docente en la Universidad de California, Berkeley, y llegó a ser profesor de economía Goldman en 1980. Las investigaciones de Akerlof con frecuencia recurrieron a otras disciplinas como psicología, antropología y sociología, y desempeñaron un papel importante en el desarrollo de la economía conductual. Su estudio señero sobre la información asimétrica en el mercado de los automóviles usados demostró cómo los mercados operan defectuosamente cuando los vendedores tienen mayor información que los compradores. En 2001, compartió el Premio Nobel de Economía con A. MICHAEL SPENCE y JOSEPH E. STIGLITZ.

Akheloos ver río AQUELOOS

Akiba ben Joseph (40 DC–c. 135, Cesarea, Palestina). Sabio judío, uno de los fundadores del JUDAÍSMO RABÍNICO. Se dice que era un pastor analfabeto que comenzó a estudiar después de los 40 años. Creía que las Escrituras contenían muchos significados implícitos, además de su significado explícito, y consideraba que la ley escrita (Torá) y la ley oral (Halaká) eran en definitiva una sola. Recopiló y sistematizó las tradiciones orales concernientes a la conducta en la vida social y religiosa de los judíos, formando de este modo las bases de la MISHNÁ. Pudo haberse visto envuelto en la fallida rebelión de BARCOKEBAS contra Roma. Akiba dio su título al líder rebelde y lo reconoció como el MESÍAS. Por causa de su prédica y enseñanzas fue encarcelado y martirizado por los romanos. Ver también ISHMAEL BEN ELISHA.

Aki-Hito *o* **emperador Heisei** (n. 23 dic. 1933, Tokio, Japón). Emperador de Japón desde 1989. Hijo de HIRO-HITO, su rol, tal como el de su padre después de 1945, ha sido en gran parte ceremonial. Es el primer emperador japonés en haberse casado con una plebeya, lo que en su época fue considerado un matrimonio por amor más que uno concertado según la costumbre. Sus hijos son el príncipe heredero Naru-Hito, el príncipe Akishino y la princesa Nori.

akita Raza de perro de trabajo originaria de las zonas montañosas del norte de Japón. En 1931, el gobierno japonés declaró a esta raza tesoro nacional. Es un animal fuerte y musculoso, de cabeza ancha, de orejas puntiagudas erectas y con una gran cola enroscada sobre la espalda o contra el flanco. Los colores y marcas varían desde totalmente blanco hasta pinto y moteado. A excepción del akita blanco, todos tienen una máscara distintiva (mancha oscura alrededor del morro). Los machos miden 66–71 cm (26–28 pulg.) de alto y las hembras 60–66 cm (24–26 pulg.).

'Akko ver ACRE

Akmola ver ASTANA

Aknatón ver AJNATÓN

Akron Ciudad (pob., 2000: 217.074 hab.) del nordeste de Ohio, EE.UU., a orillas del río CUYAHOGA. A 370 m (1.200 pies) sobre el nivel del mar, Akron fue bautizada así por su "alta posición" (griego: *acros*) de la cuenca entre el río MISSISSIPPI y los GRANDES LAGOS. Fundada en 1825, la ciudad se aseguró un crecimiento sustancial con la construcción de dos canales (1827, 1840). La abundante reserva de agua y la llegada del ferrocarril impulsó a Benjamin Franklin Goodrich en 1871, a trasladar a la ciudad una fábrica de caucho. Akron se hizo conocida como la "capital mundial del caucho", aunque a comienzos del s. XXI, gran parte de la producción se ha trasladado fuera de la región.

Aksum *o* **Axum** Antiguo reino del norte de Etiopía. Durante su apogeo (s. III–VI DC), los mercaderes de Aksum comerciaron con lugares tan lejanos como ALEJANDRÍA, llegando incluso más allá del río NILO. Hoy el pueblo de Aksum (pob., 1994: 27.148 hab.), otrora capital del reino, es un centro religioso conocido por sus antigüedades. Desde hace largo tiempo, la Iglesia ORTODOXA ETÍOPE la ha considerado una ciudad santa; de acuerdo con la tradición, el rey Menelik I, hijo de SALOMÓN y de la reina de SABA, llevó el ARCA DE LA ALIANZA de Jerusalén a Aksum. Por sus antigüedades, Aksum se ha convertido en un centro turístico.

Peregrinos durante una festividad religiosa en Aksum, ciudad santa de la Iglesia ortodoxa de Etiopía.

JP DE MANNE/ROBERT HARDING WORLD IMAGERY/GETTY IMAGES

Akwamu Estado histórico de la COSTA DE ORO (actual Ghana), África occidental. Fundado por el pueblo AKAN c. 1600, se enriqueció con la venta de oro. En su apogeo, a principios del s. XVIII, Akwamu se extendía por más de 400 km (250 mi) a lo largo de la costa, desde Whydah (actual Ouidah, en Benín) en el este, hasta más allá de Winneba (hoy parte de Ghana) en el oeste. En 1710, el estado fue presionado por otros grupos (como los ASHANTI), que habían ganado poder en el área, y en 1731 dejó de existir.

al- En la lengua árabe, artículo definido que significa "el" o "la". Prefija los sustantivos árabes, de los que generalmente está separado por un guión cuando se transcribe al alfabeto latino. En esta enciclopedia, las entradas están alfabetizadas por el sustantivo que el artículo prefija (p. ej., ver Universidad al-AZHAR).

Āl Entre los árabes, el término denota una tribu, clan, familia u otra filiación patrilineal. A menudo se refiere a un linaje o dinastía gobernante y generalmente precede a un nombre sustantivo (p. ej., Āl Saʿūd), pero no está conectado por un guión. Nada tiene que ver con el artículo definido árabe, *al-*. En esta enciclopedia, las entradas de las tribus y los grupos dinásticos árabes están alfabetizadas por el sustantivo (p. ej., para Āl Saʿūd, ver dinastía SAʿŪDÍ).

ala En zoología, una de las estructuras pares que ciertos animales usan para volar. Las alas de los murciélagos y pájaros son modificaciones de los miembros anteriores de los VERTEBRADOS. En los pájaros, los dedos se han achicado y el antebrazo se ha alargado. Las plumas primarias propulsan al pájaro hacia delante y las secundarias (de la parte proximal del ala) le dan sustentación. Las alas de los murciélagos consisten en una membrana extendida entre los huesos delgados y largos del brazo y manos. Las alas de los insectos son pliegues de integumento ("piel"). La mayoría de los insectos tienen dos pares de alas; los DÍPTEROS (moscas) poseen sólo un par desarrollado y los COLEÓPTEROS tienen dos, pero sólo usan uno para volar. Habitualmente las dos alas de un lado se mueven juntas, pero en las LIBÉLULAS las alas trabajan en forma independiente.

Alá (árabe: "Dios"). Vocablo árabe clásico para designar a Dios, empleado tanto por árabes cristianos como por musulmanes. Según el CORÁN, Alá es el creador y juez de la humanidad, omnipotente, misericordioso y compasivo. La profesión de fe musulmana afirma que no hay otra deidad sino Dios y enfatiza que es inherentemente único: "nada es como Él". Todo lo que sucede ocurre por su voluntad; la sumisión a Dios es la base del ISLAM. El Corán y los hadices (ver HADIZ) contienen los "noventa y nueve nombres más hermosos de Dios", entre ellos el Uno y Único, el Viviente, la Verdad Real, el Oidor, el Visionario, el Benefactor y el Constante dador de perdón.

Alabama Estado (pob., 2000: 4.447.000 hab.) del centro-sur de EE.UU. Limita con Tennessee, Georgia, Florida y Mississippi; hacia el sudoeste se extiende el golfo de México. Cubre una superficie de 133.950 km^2 (51.718 mi^2). Su capital es MONTGOMERY. Su población original comprendía indios CHEROKEES, CHICKASAWS, CHOCTAWS y CREEKS; se pueden encontrar indicios de su presencia cerca de Tuscaloosa. HERNANDO DE SOTO llegó hasta allí y, en 1702, los franceses fundaron un poblado en Fort Louis. El Territorio de Alabama fue creado en 1817, y la condición de estado le fue otorgada en 1819. Alabama se separó de la Unión en 1861, y formó parte de la Confederación; fue readmitido en 1868. Durante la RECONSTRUCCIÓN los esfuerzos para incluir afroamericanos en el gobierno fracasaron y Alabama permaneció segregacionista hasta la década de 1960. Dependiente del algodón hasta principios del s. XX, el estado ha diversificado su producción agrícola y desarrollado un proceso de industrialización, especialmente en BIRMINGHAM. MOBILE se ha convertido en una terminal oceánica importante.

Alabama, cuestión del Reivindicaciones marítimas de EE.UU. contra Gran Bretaña durante la guerra de SECESIÓN. Aunque Gran Bretaña había declarado su neutralidad oficial en la guerra, permitió la construcción en Inglaterra del crucero confederado *Alabama*, que más adelante destruyó 68 barcos de la Unión. El embajador de EE.UU., CHARLES FRANCIS ADAMS, exigió que los británicos se hicieran responsables de estos perjuicios y recurrió al arbitraje para resolver el conflicto. En mayo de 1871, las partes firmaron el tratado de Washington que establecía determinadas obligaciones para los neutrales en tiempo de guerra. El tribunal arbitral también declaró a Gran Bretaña responsable de los daños y otorgó a EE.UU. una indemnización de US$ 15,5 millones.

Capitolio del estado de Alabama, en Montgomery, EE.UU.

AL MICHAUD/TAXI/GETTY IMAGES

Alabama, río Río del sur de Alabama, EE.UU. Formado por los ríos COOSA y Tallapoosa al nororiente de MONTGOMERY, serpentea hacia el oeste hasta Selma y luego corre hacia el sur a lo largo de 512 km (318 mi). Al norte de MOBILE se junta con el Tombigbee para formar los ríos Mobile y Tensaw, que desembocan en el golfo de MÉXICO. Mobile y Montgomery se convirtieron en ciudades importantes gracias sobre todo a su emplazamiento a orillas de esta importante arteria fluvial.

Alabama, Universidad de Universidad del estado de Alabama, EE.UU., con campus en Tuscaloosa (campus principal), Birmingham y Huntsville. Los tres ofrecen una gran variedad de planes de estudio y programas de bachillerato, maestría y doctorado. La facultad de derecho se encuentra en Tuscaloosa y la facultad de medicina en Birmingham. Constituida en 1831, es la universidad pública más antigua del estado. En 1963, un mandato judicial ordenó poner fin a la segregación racial, a lo que el gobernador GEORGE C. WALLACE se opuso en un principio.

alabarda Arma que consta de una hoja en forma de hacha y una púa montada en el extremo de una larga pica. El arma, por lo general de 1,5–2 m (5–6 pies) de largo, tuvo gran importancia en Europa central, durante el s. XV y comienzos del s. XVI. Permitía al soldado de infantería hacer frente a un jinete dotado de armadura; el cabezal con su púa mantenía al jinete a distancia, y con la hoja en forma de hacha podía asestar un violento golpe cortante. Las armas de fuego y el uso declinante de la ARMADURA dejaron a la alabarda obsoleta.

alabastro YESO de grano fino que ha sido utilizado por siglos en la estatuaria, el tallado y demás ornamentos. Normalmente es blanco como la nieve y translúcido, pero se puede teñir en forma artificial; mediante tratamiento térmico se puede lograr una apariencia opaca, similar al mármol. Florencia, Livorno, Milán y Berlín son importantes centros de comercio de alabastro. Antiguamente se llamaba alabastro a un mármol ónix de color marrón amarillento.

Alaca Hüyük Localidad de la antigua Anatolia, en el centro-norte de Turquía. Se sitúa al nordeste de la antigua capital HITITA de Bogazköy. A comienzos del s. XX se encontraron allí los vestigios de una construcción hittita y bajo estas, una necrópolis real con tumbas que datan c. 2500 AC. También se hallaron indicios de los notables adelantos metalúrgicos de la EDAD DEL COBRE, como joyas, cuencos y jarras. Aunque no se ha establecido la identidad étnica de los primeros habitantes, probablemente pertenecieron a la población no indoeuropea que antecedió a los hititas.

Especies de álamo.

ALADI *sigla de* **Asociación Latinoamericana de Integración** *ant. (hasta 1980)* **Asociación Latinoamericana de Libre Comercio (ALALC)** Asociación internacional de países latinoamericanos originalmente dedicada a incrementar el bienestar económico de sus miembros a través del libre comercio. Al momento de su fundación, en 1960, la ALALC estaba integrada por Argentina, Brasil, Chile, México, Paraguay, Perú y Uruguay; en 1970 se sumaron Ecuador, Colombia, Venezuela y Bolivia. La organización tenía por finalidad eliminar todas las barreras al comercio en un plazo de 12 años, pero la diversidad geográfica y económica de sus miembros hizo imposible alcanzar dicho objetivo. La ALALC fue sustituida en 1980 por la ALADI, que estableció acuerdos de comercio bilaterales entre sus miembros, divididos en tres grupos diferentes según el nivel de desarrollo económico de los mismos. Cuba fue admitida como observador en 1986 y se convirtió en miembro pleno en 1999. Ver también BID.

Aladino Héroe de un conocido cuento de *Las* MIL Y UNA NOCHES. Hijo de una viuda pobre, Aladino es un muchacho flojo y descuidado que conoce a un mago africano que afirma ser su tío. Este envía a Aladino a buscar una lámpara mágica en una cueva, pero Aladino se niega a entregarla hasta estar a salvo fuera de ella. El mago encierra al muchacho en la cueva y se marcha, pero Aladino descubre que puede convocar a poderosos genios (jinn) frotando la lámpara. Los genios le conceden todos sus deseos y Aladino se hace rico, se casa con la bella hija del sultán y reina por muchos años.

ALALC ver ALADI

Alamein, batallas de El ver batallas de EL-ALAMEIN

Alamgīr II *p. ext.* **'Azīz al-Dīn 'Alamgīr II** (6 jun. 1699, Multan, India–29 nov. 1769, Delhi). Emperador mogol de India (1754–59). Fue entronizado por el visir imperial Imād al-Mulk Ghāzī al-Dīn. Siempre fue títere de hombres más poderosos, como el gobernante afgano AḤMAD SHAH DURRANI, cuyas fuerzas ocuparon Delhi en 1757 e hicieron de Alamgīr el emperador nominal del Indostán. Fue asesinado por Ghāzi al-Dīn, quien temía que Alamgīr pudiera ser capturado y utilizado en su contra en otra invasión afgana.

álamo Nombre común de al menos 35 especies de árboles y de sus numerosos híbridos naturales pertenecientes al género *Populus*, familia de las Salicáceas (ver SAUCE). Los álamos crecen en las regiones templadas septentrionales, algunos incluso allende el círculo polar ártico. Son de crecimiento rápido, pero de vida relativamente breve. Sus hojas se agitan frente a la más suave brisa, debido a sus pecíolos comprimidos lateralmente. La madera, de relativa blandura, se usa para fabricar cajas de cartón, jabas, papel y chapas. En Norteamérica existen tres grupos de álamos nativos: ÁLAMOS AMERICANOS, ÁLAMOS TEMBLONES y ÁLAMOS BALSÁMICOS.

álamo americano Cualquiera de varios árboles norteamericanos de rápido crecimiento pertenecientes al género *Populus*. Miembros de la familia de las Salicáceas (ver SAUCE), los álamos americanos tienen hojas dentadas acorazonadas y semillas algodonosas. Las hojas colgantes castañetean con el viento. El álamo americano oriental (*P. deltoides*) tiene hojas gruesas y brillantes. El álamo de Carolina (*P. angulata*) y *P. eugenei* pueden ser híbridos naturales entre *P. deltoides* y el álamo negro euroasiático (*P. nigra*). El álamo de Fremont (*P. fremontii*) es el más alto del grupo. Ver también ÁLAMO.

álamo balsámico ÁLAMO (*Populus balsamifera*) de América del Norte, nativo de la zona que abarca desde la península de Labrador hasta Alaska, atravesando el extremo septentrional de EE.UU. Suele cultivarse como árbol de sombra. Tiene las yemas cubiertas con una gruesa capa de resina aromática que se utiliza para hacer jarabe para la tos. Esta especie se da mejor en el noroeste de Canadá.

álamo temblón Cualquiera de tres especies arbóreas del género *Populus*, de la familia de las Salicáceas (ver SAUCE): *P. tremula* (álamo temblón europeo común), *P. tremuloides* (álamo temblón americano) y *P. grandidentata* (álamo temblón americano dentudo). Nativos del hemisferio norte, los álamos temblones son conocidos por el tremolar de sus hojas ante la más suave brisa. Estos árboles crecen más al norte y a mayores altitudes que las otras especies del género *Populus*. Todos los álamos temblones tienen una corteza lisa, gris-verdosa, ramificación desordenada, hojas de un intenso color verde que se tornan amarillo brillante en otoño y AMENTOS que aparecen antes que las hojas en primavera.

Álamo, El Misión del s. XVIII, situada en San Antonio, Texas, y lugar histórico donde un ejército mexicano sitió a una partida de texanos (1836) durante la guerra de Texas por independizarse de México. La misión abandonada fue ocupada esporádicamente por tropas españolas, quienes la llamaron El Álamo por los árboles que la rodeaban. Al inicio de la guerra en diciembre de 1835, unos voluntarios ocuparon el lugar y juraron resistir hasta la muerte todo intento de recapturarla. En febrero de 1836, un ejército mexicano de varios miles de soldados inició un sitio que duró 13 días. Las fuerzas texanas de unos 180 hombres, entre ellos JIM BOWIE, que los lideraba, y DAVY CROCKETT, fueron sobrepasadas y casi todos los defensores murieron (a unas 15 personas, en su mayoría mujeres y niños, se les perdonó la vida). Las bajas mexicanas sumaron por lo menos 600. "Remember the Alamo!" (¡Recuerden El Álamo!) se convirtió en un grito de combate de los texanos hasta el fin de la guerra.

Alan West, Jerome ver Jerry WEST

Alanbrooke (de Brookeborough), Alan Francis Brooke, 1er vizconde (23 jul. 1883, Bagnères-de-Bigorre, Francia–17 jun. 1963, Hartley Wintney, Hampshire, Inglaterra). Jefe militar británico. Participó en la primera guerra mundial, convirtiéndose luego en director de instrucción militar (1936–37) y experto en artillería. Durante la segunda guerra mundial fue al principio comandante de un cuerpo en Francia y protegió la evacuación de DUNKERQUE. Después de ser comandante de las fuerzas británicas en la isla (1940–41), fue ascendido a jefe de estado mayor (1941–46). Estableció buenas relaciones con las fuerzas de EE.UU. y ejerció una fuerte influencia en la estrategia aliada. Fue ascendido a mariscal de campo en 1944 y nombrado vizconde en 1946.

1er vizconde Alanbrooke de Brookeborough.
KARSH DE OTTAWA-CAMERA PRESS

alanina Uno de dos compuestos orgánicos. La alfa-alanina es uno de los AMINOÁCIDOS no esenciales que se encuentran en la mayoría de las PROTEÍNAS y es particularmente abundante en la fibroína, la proteína de la SEDA. Se utiliza en investigación y como un suplemento dietético. La beta-alanina es un aminoácido de origen natural que no se encuentra en las proteínas. Es un componente importante de la vitamina ácido PANTOTÉNICO y se utiliza en su síntesis, así como en investigación bioquímica, galvanizado y síntesis orgánica.

Alarico I (c. 370, isla de Peuce–410, Cosenza, Bruttium). Jefe de los VISIGODOS (395–410). Comandó tropas godas en el ejército romano antes de convertirse en jefe de los visigodos. Condujo a su tribu a Grecia, donde saqueó ciudades hasta que fue aplacado por el emperador de Oriente (397). En dos ocasiones invadió Italia, logrando obtener la segunda vez una gruesa suma de dinero del Senado romano. Las fuerzas de Alarico crecieron en número después de que los romanos masacraron a las esposas y los hijos de los visigodos que servían en el ejército romano. Asedió Roma (408, 409), proclamando a Priscus Attalus emperador de Occidente. En 410 ocupó y saqueó Roma, siendo la primera vez en 800 años que la ciudad era capturada por un enemigo extranjero. Ver también GODO.

Alaska Estado (pob., 2000: 626.932 hab.) de EE.UU. Se ubica en el extremo noroeste de Norteamérica. Es el más grande de los estados de EE.UU. y abarca una superficie de 1.522.595 km² (587.875 mi²). Limita con Canadá al este y sudeste y al oeste está separada de SIBERIA por el estrecho y el mar de Bering. Posee la cumbre más alta de Norteamérica, el monte MCKINLEY. Su capital es JUNEAU. Se cree que sus habitantes autóctonos, indígenas y esquimales, migraron hasta allí por un puente terrestre a través del estrecho de Bering y desde el Ártico. El primer poblado europeo fue establecido en la isla KODIAK a fines del s. XVIII por comerciantes de pieles rusos. Los comerciantes de la HUDSON'S BAY CO. también estaban interesados en la misma región, y la rivalidad comercial entre rusos y canadienses se prolongó hasta bien entrado el s. XIX. En 1867, WILLIAM SEWARD negoció la venta de Alaska por los rusos a EE.UU. El subsiguiente descubrimiento de oro en la región estimuló la colonización estadounidense. Alaska fue territorio estadounidense desde 1912 hasta que fue admitido como el 49° estado de la Unión en 1959. Su economía se ha centrado, cada vez más, en la producción de petróleo y gas natural: desde la apertura del oleducto de ALASKA en 1977, sólo ha sido superado por Texas, en la producción estadounidense de petróleo crudo.

Alaska, adquisición de Compra que realizó EE.UU. a Rusia en 1867, de 1,5 millones de km² (586.412 mi²) de tierras en el extremo noroccidental de América del Norte, hoy estado de Alaska, EE.UU. El territorio, que pertenecía a Rusia desde 1741, se estimó una carga económica, por lo cual en 1866, fue ofrecido en venta. WILLIAM SEWARD, secretario de Estado del pdte. ANDREW JOHNSON, negoció la compra en US$ 7,2 millones, equivalente a unos 2 centavos por acre. Los críticos motejaron la adquisición como "Seward's Folly" (la locura de Seward), y la oposición del congreso demoró la asignación de fondos hasta 1868, cuando el cabildeo sistemático y los sobornos del ministro ruso en EE.UU. consiguieron los votos necesarios.

Alaska, autopista de *ant.* **Alcan Highway** Carretera que atraviesa el territorio del Yukón, y une Dawson Creek, Columbia Británica, con Fairbanks, Alaska, con una extensión de 2.451 km (1.523 mi). Fue construida por los ingenieros del ejército de EE.UU. en 1942, como una medida de emergencia bélica para contar con una vía terrestre de suministros de pertrechos a Alaska. Es una ruta panorámica, abierta ahora todo el año.

Alaska, cordillera de Cordillera del sur de Alaska, EE.UU. Prolongación de las montañas costeras, se extiende a su vez en semicírculo desde la península de ALASKA hasta el límite de YUKÓN. El monte MCKINLEY, en el parque nacional DENALI, es el punto más alto de Norteamérica. Muchas cumbres cercanas sobrepasan los 3.960 m (13.000 pies), como los montes Silverthrone, Hunter, Hayes y Foraker. El oleoducto de ALASKA cruza la cordillera por el paso Isabel.

El glaciar Muldrow en la cordillera de Alaska, EE.UU.
CHARLES J. OTT—PHOTO RESEARCHERS/EB INC.

Alaska, golfo de Golfo del sur de Alaska, EE.UU. Situado entre la península de ALASKA y el archipiélago ALEXANDER, recibe a los ríos Susitna y Copper. En el golfo se ubican los puertos de ANCHORAGE, Seward y Valdez; este último es el puerto libre de hielo más septentrional de Norteamérica y el terminal del oleoducto de ALASKA. El cap. JAMES COOK, su descubridor europeo, ingresó al golfo en 1778 y siguió rumbo al norte hasta la bahía Prince William.

Alaska, oleoducto de Conducción metálica que recorre 1.300 km (800 mi) de norte a sur a través de Alaska en EE.UU. Se terminó su construcción en 1977; transporta petróleo crudo desde los yacimientos petrolíferos de bahía de PRUDHOE en el océano Ártico hasta el puerto libre de hielos de Valdez. Para evitar el descongelamiento del PERMAFROST adyacente, aproximadamente la mitad del oleoducto corre elevada.

Alaska, península de Península del sudoeste de Alaska, EE.UU. Se extiende por unos 800 km (500 mi) entre el océano Pacífico y la bahía de Bristol. La cordillera volcánica Aleutiana la recorre en toda su longitud. En la península se encuentra el parque nacional y reserva KATMAI, el ANIAKCHAK NATIONAL MONUMENT AND PRESERVE y los refugios nacionales de vida silvestre de Becherof, de la península de Alaska y de Izembek.

Alaska, Universidad de Universidad del estado de Alaska, EE.UU., con campus en Fairbanks, Anchorage y Juneau (University of Alaska Southeast). Fundada en Fairbanks en 1917, los cursos se iniciaron en 1922. Los tres campus ofrecen grados de máster en negocios y educación; Fairbanks y Anchorage también cuentan con facultades de ingeniería y de artes y ciencias. Fairbanks ofrece doctorados en ciencias naturales. Los grupos de investigación incluyen el Instituto de geofísica y el de ciencias marinas.

alaskan malamute Perro utilizado para tirar trineos, desarrollado por los esquimales malemiut. Tiene una estructura robusta con cabeza ancha, orejas erectas y cola en forma de pluma sobre la espalda. Su grueso pelaje suele ser gris y blanco o negro y blanco; presenta frecuentemente en la cabeza una máscara o birrete de los mismos colores. Su talla es de 58–64 cm (23–25 pulg.) y pesa 34–39 kg (75–85 lb). Muy leal y amistoso, ha sido utilizado en las expediciones a la Antártida.

Alaskan malamute.
© KENT & DONNA DANNEN

Alaungpaya, dinastía *o* **dinastía Konbaung** (1752–1885). Última dinastía gobernante de Myanmar. Ante la fragmentación de la dinastía TOUNG, Alaungpaya (n. 1714–m. 1760), jefe de una aldea cercana a Mandalay, reclutó un ejército y sojuzgó al separatista pueblo MON del sur de Myanmar, para luego conquistar los estados Shan del nordeste. Atacó la capital siamesa de AYUTTHAYA (en la actual Tailandia), pero fue forzado a retirarse. Su hijo Hsinbyushin, tercer rey de la dinastía (r. 1763–76), dirigió sus ejércitos contra los reinos vecinos y rechazó con éxito cuatro invasiones chinas organizadas en represalia. El sexto rey, BODAWPAYA (r. 1782–1819), fracasó en sus campañas contra los siameses y trasladó la capital a Amarapura. Conquistó además el reino de Arakan, pero sus incursiones en Assam despertaron la ira de los británicos. Bajo BAGYIDAW (r. 1819–37), Myanmar (luego Birmania) fue derrotada en la primera guerra ANGLO-BIRMANA. A partir de entonces, el control ejercido por la dinastía sobre Myanmar fue declinando gradualmente, hasta que el reino fue anexado por los británicos en 1885.

alawi *o* **alauí** *o* **nuṣayriyya** Secta minoritaria CHIITA del Islam. Esta secta, que existe principalmente en Siria, remonta sus orígenes a las enseñanzas de Muḥammad ibn Nuṣayr al-Namīrī (c. 850) y fue fundada por Ḥusayn ibn Ḥamdān al-Khaṣībī (m. 957/958). Su doctrina básica consiste en la deificación de ʿALĪ y una interpretación simbólica de los cinco pilares del Islam. Algunas de sus prácticas religiosas son secretas; celebra ciertas festividades musulmanas y otras cristianas.

alazor *o* **cártamo** Planta anual angiosperma (*Carthamus tinctorius*) de la familia de las COMPUESTAS. Originaria de lugares de Asia y África, se la cultiva hoy ampliamente para producir aceite en EE.UU., Canadá, Australia, Israel y Turquía. El aceite que se obtiene de las semillas es un ingrediente de margarinas suaves, aceite para ensaladas y de cocina, muy apreciado por su alta proporción de lípidos poliinsaturados. Dado que no amarillea con el tiempo, es también una base útil para barnices y pinturas. La planta, que llega a 0,3–1,2 m (1–4 pies) de alto, tiene flores rojas, anaranjadas, amarillas o blancas, que antes eran fuente de anilinas textiles.

Alazor o cártamo (*Carthamus tinctorius*).
J.C. ALLEN AND SON

Alba, Fernando Álvarez de Toledo (y Pimentel), 3er duque de (29 oct. 1507, Piedrahíta, Castilla la Vieja, España–11 dic. 1582, Lisboa, Portugal). Militar español. Dirigió los ejércitos imperiales de CARLOS V que derrotaron a la Liga de ESMALCALDA en 1547 y fue virrey de Nápoles (1556–59). Como primer ministro de FELIPE II, se hizo tristemente célebre por su tiranía como gobernador general de Flandes (1567–73), donde estableció el Tribunal de los Tumultos. Dicho tribunal desechó las leyes locales y condenó a unas 12.000 personas por rebelión. Llamado de vuelta a España en 1573, dirigió más tarde una brillante campaña contra Portugal (1580), pero nunca recobró el favor de Felipe.

albacora Gran ATÚN oceánico (*Thunnus alalunga*) notable por su fina carne. El cuerpo estilizado de estos voraces predadores está adaptado para nadar rápido y continuo. Habitan tanto en el océano Atlántico como en el Pacífico y migran grandes distancias. Algunas veces el atún de aleta azul es llamado albacora.

albahaca Hierba culinaria obtenida de las hojas secas del *Ocimum basilicum*, planta herbácea anual de la familia de las Labiadas (ver HIERBABUENA), nativa de India e Irán. Las variedades de hojas grandes secas tienen un aroma fragante que recuerda vagamente al ANÍS y un sabor cálido, dulce, aromático y levemente picante. Las hojas secas de la albahaca común son menos fragantes y más picantes. La albahaca se cultiva mucho como hierba culinaria. El TÉ hecho de hojas de albahaca sirve como estimulante. En Italia, la hoja de albahaca acorazonada es un símbolo de amor.

Albahaca (*Ocimum basilicum*).
© ENCYCLOPÆDIA BRITANNICA, INC.

albanés Lengua INDOEUROPEA hablada por cinco a seis millones de personas en Albania, en Kosovo (Serbia y Montenegro), en el oeste de Macedonia y en enclaves de otros lugares como el sur de Italia y de Grecia. Existen dos grupos dialectales principales, el guego, en el norte (Kosovo y Macedonia) y el tosco en el sur. El albanés es la única lengua que se conserva de una rama específica del indoeuropeo, cuyo origen balcánico prerromano es incierto. El testimonio escrito más antiguo del albanés data del s. XV, aunque sólo en 1909 se adoptó la ortografía estándar que usa el alfabeto LATINO. El vocabulario básico del albanés es autóctono, pese a que en el curso de su historia ha absorbido muchas voces extranjeras del GRIEGO, del LATÍN de lenguas romances balcánicas (ver RUMANO), de lenguas ESLAVAS y del TURCO.

Albani, Francesco *o* **Francesco Albano** (17 mar. 1578, Bolonia, Estados Pontificios–oct. 1660, Bolonia). Pintor italiano. Estudió con la familia CARRACCI en Bolonia, luego se trasladó a Roma en 1601 y colaboró con Aníbal Carracci y

DOMENICHINO en la decoración del palacio Farnesio. Mientras estaba en Roma estableció su propio taller y pintó frescos en varias iglesias y palacios. En 1617 regresó a Bolonia y produjo retablos, pinturas alegóricas y paisajes idílicos. Sus pinturas más conocidas son de temas mitológicos y poéticos.

ALBANIA

- **Superficie:** 28.703 km² (11.082 mi²)
- **Población:** 3.130.000 hab. (est. 2005)
- **Capital:** TIRANA
- **Moneda:** lek

Albania *ofic.* **República de Albania** País ubicado en la costa adriática occidental de la península BALCÁNICA. Idioma: albanés (oficial). Étnicamente los albaneses están compuestos por guegos y toscos. Religiones: Islam, cristiana (minoría; ortodoxos griegos, católicos). Albania puede ser dividida en dos regiones principales, una zona montañosa y una llanura costera occidental que contiene las tierras agrícolas del país y a la mayor parte de su población. Tiene una economía de libre mercado en desarrollo, que hasta 1991 estaba configurada por un sistema socialista de propiedad estatal. Los albaneses descienden de los ilirios, un antiguo pueblo indoeuropeo que vivió en Europa central y emigró al sur al principio de la edad de hierro (ver ILIRIA). De los dos grupos migratorios de los ilirios, los guegos se asentaron en el norte y los toscos en el sur junto con los colonizadores griegos. La región estaba bajo control romano en el s. I AC; después de 395 DC estaba vinculado administrativamente con Constantinopla (ver ESTAMBUL). La invasión turca comenzó en el s. XIV y continuó hasta entrado el s. XV; aunque el héroe nacional, SCANDERBEG, pudo resistirlos por un tiempo, después de su muerte (1468) los turcos consolidaron su dominio. El país alcanzó su independencia en 1912 y fue admitido en la Sociedad de Naciones en 1920. Durante un breve lapso fue una república (1925–28), luego se convirtió en una monarquía bajo el rey ZOGI I, cuya alianza inicial con BENITO MUSSOLINI se deterioró hasta culminar con la invasión italiana a Albania en 1939. En la posguerra se instaló un gobierno socialista encabezado por ENVER HOXHA y gradualmente Albania se fue apartando de la comunidad internacional, primero de la no socialista y luego de todos los demás países, incluso China, su último aliado político. En 1990, la difícil situación económica era motivo de manifestaciones antigubernamentales que llevaron a la elección de un gobierno no comunista en 1992 y al fin del aislamiento internacional de Albania. En 1997, el país se sumergió en el caos debido al colapso de esquemas piramidales de inversión. En 1999, Albania se vio invadida por población étnicamente albanesa que buscaba refugio huyendo de Yugoslavia (ver crisis de KOSOVO). Al iniciarse el s. XXI, Albania enfrenta el reto de reformar su economía y de mantener buenas relaciones con sus vecinos europeos.

Albano Francesco ver Francesco ALBANI

Albany Ciudad (pob., 2000: 95.658 hab.), capital del estado de Nueva York, EE.UU. Se ubica junto al río HUDSON, 230 km (145 mi) al norte de la ciudad de Nueva York. El primer asentamiento permanente, llamado Beverwyck, fue construido en 1624 por los holandeses. Cuando los británicos ocuparon el lugar en 1664, la aldea fue rebautizada en homenaje al duque de York y Albany. En 1754, el Congreso de ALBANY adoptó el "Plan de Unión" de BENJAMIN FRANKLIN. En el s. XIX, Albany se convirtió en un importante centro de transportes. Hoy su centro neurálgico es el Empire State Plaza, un complejo gubernamental, cultural y centro de convenciones.

Albany, Congreso de Conferencia convocada en 1754 por la Junta británica de comercio y celebrada en Albany, N.Y. Proponía la unión de las colonias británicas de América del Norte, en parte con miras a asegurar una unión defensiva contra los franceses antes del estallido de la guerra FRANCESA E INDIA. Además de los delegados de las colonias, asistieron varios representantes de la Confederación IROQUESA. Los delegados, entre ellos BENJAMIN FRANKLIN, apoyaron un plan para unificar las siete colonias, pero nunca se aprobó. El plan se convirtió en modelo de las propuestas que se formularon durante la guerra de independencia de los ESTADOS UNIDOS DE AMÉRICA.

albañilería *o* **mampostería** Artesanía de la construcción en piedra, LADRILLO o bloque. Ya en 4000 AC, Egipto había desarrollado una refinada técnica de cantería. En Creta, Italia y Grecia se levantaron obras ciclópeas que lograron superar la debilidad del material mediante el uso de enormes piedras de forma irregular sin mortero, reduciendo de ese modo el número de junturas. Los albañiles africanos también fueron hábiles para trabajar sin mortero, y los muros sin mortero de los castillos japoneses resistieron a los terremotos. El invento romano del concreto y del mortero permitió el desarrollo del ARCO, como una de las formas básicas de construcción, y dio origen a numerosas variaciones del revestimiento usado para muros: bloques cuadrados de piedra, concreto tachonado con piedras toscas, concreto con hileras diagonales de piedra, concreto revestido de ladrillos y cerámica, y ladrillo combinado con piedras. Los imperios persa y asirio, que carecían de canteras, usaron ladrillos de arcilla secados al sol. Piedra y arcilla fueron los materiales básicos de la albañilería en la Edad Media y también posteriormente. Los bloques de HORMIGÓN PREFABRICADO, que suelen usarse como relleno en estructuras de acero modernas, no compitieron con el ladrillo hasta el s. XX. Ladrillo y bloque son a menudo combinados o usados en MUROS SORDOS. Los muros de bloque de vidrio, que utilizan barras de acero para reforzar las uniones de mortero, admiten la entrada de luz y ofrecen mayor protección contra intrusos y vándalos que el vidrio corriente. Ver también ADOBE, PIEDRA para construcción.

albaricoque *o* **damasco** Fruto del árbol *Prunus armeniaca*, de la familia de las Rosáceas (ver ROSA), que por lo general se cultiva en las regiones templadas del mundo. Se consume fresco, cocido en postres, conservas o seco. Los albaricoqueros son voluminosos y frondosos, con hojas verde oscuro acorazonadas. Las flores son blancas. El fruto es una drupa, casi lisa y generalmente similar al melocotón (ver ME-

Albaricoques o damascos, frutos del árbol *Prunus armeniaca*.
ARCHIVO EDIT. SANTIAGO

LOCOTONERO) en la forma, pero con poco o nada de vello al madurar. Los albaricoques son una buena fuente de vitamina A y tienen un alto contenido de azúcares. Los frutos secos son una excelente fuente de hierro.

albatros Cualquiera de las más de doce especies de grandes pájaros marinos (familia Diomedeidae). Los albatros son las aves planeadoras más espectaculares. En climas ventosos pueden mantenerse en vuelo por varias horas sin batir sus alas. Beben agua de mar y, por lo general, comen calamares. Los albatros van a tierra sólo para criar en colonias establecidas en islas oceánicas alejadas. Los adultos alcanzan una envergadura de 2,3–3,5 m (7–11 pies). Los albatros son longevos y se cuentan entre los escasos pájaros que pueden morir de viejos. Fueron reverenciados por los marinos, pues creían que matarlos traería mala suerte.

Albatros (*Diomedea immutabilis*).

albedo Fracción de luz reflejada por un cuerpo o superficie, usada comúnmente en astronomía para describir las propiedades reflectantes de los PLANETAS, SATÉLITES naturales y ASTEROIDES. El albedo "normal" (el brillo relativo de una superficie cuando es iluminada y observada directamente desde arriba) se usa a menudo para determinar la composición de la superficie de los satélites y asteroides. El albedo, el diámetro y la distancia de tales objetos, combinados, determina su brillo.

Albee, Edward (Franklin) (n. 12 mar. 1928, Virginia, EE.UU.). Dramaturgo estadounidense. Fue el nieto adoptivo y homónimo de un afamado productor de teatro de vodevil. Su primera obra de un acto, *La historia del zoo* (1959), y otras obras tempranas, entre ellas *The sandbox* (1960) y *El sueño americano* (1961) fueron características del TEATRO DEL ABSURDO. Su obra *Quién teme a Virginia Woolf* (1962; llevada al cine en 1966) fue ampliamente aclamada. Ganó premios Pulitzer por *Delicado equilibrio* (1966), *Seascape* (1975) y *Tres mujeres altas* (1991). Además, adaptó al teatro obras de otros escritores, como *Lolita* (1981) de VLADIMIR NABOKOV.

Albemarle, estrecho de Ensenada del nordeste de Carolina del Norte, EE.UU. Protegida del océano Atlántico por los OUTER BANKS, tiene 80 km (50 mi) de longitud y 8–23 km (5–14 mi) de ancho. Se conecta con la bahía de CHESAPEAKE por el gran pantano DISMAL y los canales de Albemarle y de Chesapeake. Elizabeth City es su puerto principal. Explorada por Ralph Lane en 1585, fue posteriormente bautizada en homenaje a George Monck, duque de Albemarle.

Albéniz, Isaac (Manuel Francisco) (29 may. 1860, Camprodón, España–18 may. 1909, Cambo-les-Bains, Francia). Compositor español. Niño prodigio del piano a los cuatro años, estudió más tarde en Leipzig y Bruselas. Regresó a España para impartir clases en Barcelona y Madrid. En 1893 se radicó en Francia. Debe su fama a sus piezas para piano, las cuales, debido a la influencia de FELIPE PEDRELL, adoptan estilos melódicos, ritmos y armonías de la música folclórica española. *Iberia* (1905–09) es una colección de 12 piezas para virtuosos del piano; otras de sus obras para piano son la *Suite española* (1886), *Cantos de España* (1896) y cinco sonatas. Escribió además varias óperas.

albergue juvenil Hostal supervisado que proporciona alojamiento económico, especialmente dirigido a gente joven. Los albergues se encuentran con frecuencia en áreas de interés histórico o turístico y varían desde simples casas de campo hasta hoteles capaces de albergar a cientos de personas. Los huéspedes a menudo cocinan sus comidas, hacen sus camas y realizan otros quehaceres domésticos. En compensación reciben alojamiento a un costo mucho menor que las tarifas comerciales usuales. Los albergues limitan la duración de la estadía y antiguamente también fijaban un límite máximo de edad para sus huéspedes. El concepto de albergue fue creado por el maestro de escuela alemán Richard Schirrmann, cuya principal preocupación fue la salud de la gente joven que respiraba el aire contaminado de las ciudades industriales. A principios de 1900, este tipo de hostales era común en Alemania, y sólo se difundieron por Europa y otras partes del mundo después de la primera guerra mundial. En 1932 se formó una organización internacional, actualmente conocida como Albergues Internacionales con sede en Londres. Sus miembros son federaciones nacionales de albergues de más de 60 países, que representan alrededor de 4.000 hostales en el mundo. Algunos albergues todavía imponen límite de edad para sus huéspedes.

Albers, Josef (19 mar. 1888, Bottrop, Alemania–25 mar. 1976, New Haven, Conn., EE.UU.). Pintor, poeta, profesor y teórico germano-estadounidense. Estudió y enseñó en la BAUHAUS. En 1933 se convirtió en uno de los primeros profesores de esa escuela en emigrar a EE.UU., donde enseñó en el Black Mountain College y luego en Yale. Desarrolló un estilo de pintura caracterizado por diseños rectilíneos abstractos y colores primarios, así como en negro y blanco. Su serie de pinturas más conocida, *Homenaje al cuadrado* (iniciada en 1950 y continuada hasta su muerte), restringe su repertorio de formas a cuadrados coloridos superpuestos. La disposición de estos cuadrados está cuidadosamente calculada para que el color de cada cuadrado altere en forma óptica su tamaño, matices y las relaciones espaciales con los otros. Su investigación en torno a la teoría del color fue publicada en la influyente *Interaccción del color* (1963).

Josef Albers, fotografía de Arnold Newman, 1948.

Alberta Provincia (pob., 2001: 2.974.807 hab.) de Canadá. La más occidental de las tres provincias de las Praderas. Con una superficie de 661.190 km² (255.287 mi²), Alberta limita con Saskatchewan, la Columbia Británica, los Territorios del Noroeste y EE.UU. Su capital es EDMONTON. Habitada desde antaño por distintos pueblos indígenas, la zona fue explorada por los europeos en la década de 1750. Finalmente quedó en manos de la HUDSON'S BAY CO., que la transfirió al Dominio de Canadá en 1870. Se integró a los Territorios del Noroeste en 1882. Su población aumentó con la llegada del ferrocarril y la expansión del cultivo del trigo. Alberta se convirtió en provincia en 1905. Otrora dependiente de la agricultura, experimentó un gran crecimiento económico con el descubrimiento de petróleo en 1947 y los hallazgos subsiguientes de otros importantes yacimientos de petróleo y gas.

Alberta, Universidad de Universidad pública ubicada en Edmonton, Canadá. Inaugurada en 1908, es una de las cinco universidades de investigación más grandes del país. Ofrece estudios de pregrado y de posgrado en artes liberales, agricultura y silvicultura, ciencias e ingeniería, negocios, derecho, educación y profesiones del área de la salud. Ofrece además programas especiales que incluyen la Escuela de estudios nativos y la Facultad Saint-Jean, en la que todos los cursos se dictan en francés y también se ofrece una licenciatura bilingüe en comercio.

Alberti, Leon Battista (14 feb. 1404, Génova–25 abr. 1472, Roma). Arquitecto, teórico del arte y humanista italiano. Después de seguir una carrera literaria como secretario papal, en 1438 fue incentivado a orientar sus talentos hacia el campo de la arquitectura. Sus diseños para el palacio Rucellai (c. 1445–51) y la fachada de Santa María Novella (1456–70), ambos en Florencia, sobresalen por sus armónicas proporciones. Su iglesia de plano central de Sant'Andrea, en Mantua (comenzada en 1472), con su motivo de arco de triunfo, es una obra maestra del Renacimiento temprano. Alberti fue uno de los teóricos más destacados del arte y la arquitectura renacentista, conocido por codificar los principios de la perspectiva lineal (en *Sobre la pintura*, 1436). Como prototipo del hombre renacentista, también hizo aportes a la filosofía moral, la cartografía y la criptografía.

Alberti, Rafael (16 dic. 1902, Puerto de Santa María, Cádiz, España–28 oct. 1999, Puerto de Santa María). Escritor español de la llamada GENERACIÓN DE 1927. Su estilo combina las raíces populares españolas con la tradición de la poesía culta de habla castellana y con tendencias contemporáneas como el SURREALISMO y el ULTRAÍSMO. Su primer libro de poemas, *Marinero en tierra* (1925), le valió el Premio Nacional de Literatura. Sus obras principales son *Sobre los ángeles* (1929) y *Entre el clavel y la espada* (1941). Posteriormente publicó varios libros de poesía política, entre los que se destacan *Las coplas de Juan Panadero* (1949) y *La primavera de los pueblos* (1961). Obtuvo el Premio CERVANTES en 1983.

Alberto I (8 abr. 1875, Bruselas, Bélgica–17 feb. 1934, Marche-les-Dames, cerca de Namur). Rey de Bélgica (1909–34). Sucedió a su tío, el rey LEOPOLDO II, en 1909. Fortaleció el ejército mientras reafirmaba la neutralidad de Bélgica en 1914, al rechazar la petición de GUILLERMO II (2 ago. 1914) de permitir el libre paso de tropas alemanas a través del país. Después del armisticio, procuró abolir la neutralidad belga, apoyó el sufragio universal masculino y dirigió el esfuerzo de reconstrucción nacional.

Alberto, lago *o* **lago Mobutu Sese Seko** Lago del centro-este de África. Situado a una altura de 616 m (2.021 pies) sobre el nivel del mar, tiene 160 km (100 mi) de longitud y un ancho promedio aprox. de 32 km (20 mi). El río SEMLIKI, en el sudoeste, desagua el lago EDUARDO en el lago Alberto. En su extremo nordeste, justo antes de las cataratas Murchison, recibe las aguas del Nilo Victoria provenientes del lago VICTORIA. Fue bautizado en 1864, por Samuel Baker, su primer visitante europeo, en honor del consorte de la reina Victoria. Inicialmente formó parte de Uganda, hoy marca parte del límite entre Uganda y la República Democrática del Congo.

Alberto Magno, san (c. 1200, Lauingen, villa del Danubio, cerca de Ulm, Baviera–15 nov. 1280, Colonia; canonizado el 16 dic. 1931; festividad: 15 de noviembre). Clérigo, teólogo y filósofo germano. Hijo de un acaudalado noble alemán, estudió en Padua, donde se unió a la orden de los DOMINICOS (1223). En la Universidad de París se inició en las obras de ARISTÓTELES y en los comentarios de AVERROES, y decidió presentar a sus contemporáneos una enciclopedia del conocimiento humano, tal como era entendido por Aristóteles y sus comentaristas. Por 20 años trabajó en su *Física*, obra que abarca ciencias naturales, lógica, retórica, matemática, astronomía, ética, economía, política y metafísica. San Alberto creía que muchos aspectos de la doctrina cristiana eran reconocibles tanto por la fe como por la razón. En 1248 organizó el primer *studium generale* ("casa de estudios generales", institución precursora de la universidad) de la orden dominica, en Colonia, Alemania. Santo TOMÁS DE AQUINO, quien había estado con Alberto en París, se unió a él en Colonia y fue por entonces su discípulo más importante. Sus obras representaron la totalidad del conocimiento europeo de su época y contribuyó de manera capital al desarrollo de las ciencias naturales.

San Alberto Magno, detalle de un fresco de Tommaso da Modena, c. 1352; Iglesia de San Nicolo, Treviso.
ALINARI—ART RESOURCE/EB INC.

Alberto, parque nacional ver parque nacional VIRUNGA

Alberto, príncipe consorte de Gran Bretaña e Irlanda *orig.* **Franz Albrecht August Karl Emanuel, príncipe von Sajonia-Coburgo-Gotha** (26 ago. 1819, Schloss Rosenau, cerca de Coburgo, Sajonia-Coburgo-Gotha–14 dic. 1861, castillo de Windsor, Berkshire, Inglaterra). Príncipe consorte de la reina VICTORIA de Gran Bretaña e Irlanda y padre de EDUARDO VII. Alberto contrajo matrimonio con Victoria, su prima carnal, en 1840, convirtiéndose en su secretario privado y principal consejero confidencial. Su felicidad matrimonial ayudó a asegurar la continuidad de la monarquía, por entonces algo incierta. Aunque Alberto fue inmerecidamente impopular debido a su origen alemán, el pueblo británico reconoció tardíamente su valía después de que murió a la edad de 42 años, víctima de fiebre tifoidea. En los años siguientes, la afligida reina tomó decisiones políticas basada en lo que ella pensaba que Alberto habría hecho.

albigense ver CÁTARO

albinismo Ausencia del pigmento melanina en los ojos, piel, pelo, escamas o plumas. Se origina en un defecto genético y afecta a los seres humanos y otros vertebrados. Debido a la ausencia de los pigmentos que normalmente generan la coloración protectora y que filtran los rayos solares ultravioleta, los animales albinos rara vez sobreviven en ambientes naturales. El hombre ha seleccionado intencionalmente algunos animales albinos por su apariencia (p. ej., conejos). Los seres humanos con albinismo total o generalizado presentan la piel y el pelo de color blanco lechoso, el iris del ojo rosado y las pupilas rojas. Asociadas al albinismo, son comunes las alteraciones visuales como astigmatismo, nistagmo (oscilación involuntaria rápida del ojo) y fotofobia (hipersensibilidad a la luz). El albinismo generalizado se manifiesta en el mundo aproximadamente en una de cada 20.000 personas.

Albinoni, Tomaso (Giovanni) (8/14 jun. 1671, Venecia–17 ene. 1751, Venecia). Compositor italiano. Nacido en el seno de una familia veneciana acomodada, no tuvo la obligación de trabajar para sustentarse y se convirtió en un compositor muy prolífico. Entre 1694 y 1741 estrenó con éxito más de 50 óperas, pero sólo unas pocas se han conservado. Cerca de 60 conciertos suyos se hicieron populares; además escribió más de 80 sonatas para distintas combinaciones instrumentales y varias cantatas para solista. Estas obras se distinguen sobre todo por su encanto melódico.

Albinus, Bernard Siegfried (24 feb. 1697, Francfort del Oder, Brandeburgo–9 sep. 1770, Leiden, Países Bajos). Anatomista holandés de origen alemán. Profesor en la Universidad de Leiden, conocido por los excelentes grabados de sus *Tables of the Skeleton and Muscles of the Human Body* [Cuadros del esqueleto y músculos del cuerpo humano] (1747). Fue el primero en demostrar la conexión de los sistemas vasculares de la madre y el feto. Con HERMANN BOERHAAVE editó los trabajos de ANDREAS VESALIUS y WILLIAM HARVEY.

albita FELDESPATO común, aluminosilicato de sodio ($NaAlSi_3O_8$), que aparece sobre todo en PEGMATITAS y rocas ígneas ácidas como el granito. También se puede encontrar en rocas metamórficas de bajo grado (aquellas formadas a temperaturas y presiones relativamente bajas) y en ciertas rocas sedimentarias. A menudo, la albita forma cristales quebradizos y vidriosos, que pueden ser transparentes, blancos, amarillos, rosados, verdes o negros. Se usa en la fabricación de vidrios y cerámicos, pero su importancia geológica fundamental radica en que es un mineral petrógeno.

Albright, Ivan (Le Lorraine) (20 feb. 1897, North Harvey, Ill., EE.UU.–18 nov. 1983, Woodstock, Vt.). Pintor estadounidense, hijo de pintor. Poseedor de una fortuna personal, estudió en varias instituciones y desarrolló un estilo detalladamente meticuloso. Solía dedicar varios años de esmerado trabajo a una sola pintura. Con una precisión extrema y una alucinante hiperclaridad, representó reiteradamente el deterioro, la corrupción y los despojos de la edad, a menudo con gran intensidad emocional. Entre sus obras más importantes está *That Which I Should Have Done I Did Not Do* (1931–41). Se hizo famoso con su retrato (1943–44) del protagonista de la película *El retrato de Dorian Gray* (1945), que representa la fase final de la libertina vida de Gray.

albúmina Cualquiera de las diversas clases de PROTEÍNAS definidas históricamente por su capacidad de disolverse en agua y en una solución semisaturada (ver SATURACIÓN) de sulfato de amonio. Coagulan fácilmente por calentamiento. La albúmina del suero es un componente principal del PLASMA; la α-lactalbúmina se encuentra en la leche; la ovalbúmina constituye la mitad de las proteínas de la clara de huevo, y la conalbúmina es otra proteína de la clara de huevo. La ovalbúmina se utiliza comercialmente en muchas industrias, entre ellas, la de alimentos, vino, adhesivos, recubrimientos de papel, productos farmacéuticos y también en investigación.

Albuquerque Ciudad (pob., 2000: 448.607 hab.) de Nuevo México, EE.UU. Es la mayor ciudad del estado y se sitúa junto al río Grande del Norte (ver río BRAVO) al sudoeste de Santa Fe. Fundada por el gobernador de Nuevo México, fue nombrada en honor del duque de Alburquerque (la primera *r* se omitió con posterioridad), virrey de NUEVA ESPAÑA. Después de 1800, el comercio creciente en la ruta de SANTA FE trajo la llegada de colonos; un puesto del ejército fue establecido allí luego de la ocupación estadounidense en 1846. Con la llegada del ferrocarril en 1880, la población se expandió. La característica "ciudad antigua" española con su misión (1706) han subsistido. Desde los años 1930, muchos organismos federales relacionados con la defensa se han establecido en la ciudad.

Típico carruaje en la zona antigua de Albuquerque, Nuevo México, EE.UU.

Albuquerque, Alfonso de *o* **Alfonso el Grande** (1453, Alhandra, cerca de Lisboa–15 dic. 1515, en el mar, frente a Goa, India). Militar portugués, conquistador de Goa (1510) y Malaca (1511). Ganó experiencia militar como soldado en África del norte durante diez años, pero hizo su fama combatiendo en Asia. Allanó el camino a la dominación portuguesa en el Sudeste asiático gracias a sus esfuerzos por obtener el control de todas las principales rutas comerciales marítimas de Oriente y construir fortalezas permanentes habitadas por colonos. Sus conquistas estuvieron más inspiradas en el espíritu de cruzado del rey Juan II, que en consideraciones de lucro mercantil.

Alca (*Pinguinnus impennis*).

alca En general, cualquiera de las 22 especies de aves buceadoras (familia Alcidae), especialmente la pequeña alca y la alca común. Las alcas son palmípedas, tienen un largo de 15–40 cm (6–16 pulg.) y poseen patas y alas cortas. Habitan sólo en el Ártico y en regiones subárticas y templadas (algunas pocas especies viven en la parte sur de la Baja California). Anidan en colonias en los bordes de acantilados o en grietas o escondrijos en rocas cerca del mar; muchas pasan el invierno lejos de tierra. Se alimentan de peces, crustáceos, moluscos y plancton. Las alcas genuinas son blanquinegras y se paran erguidas sobre el suelo. Ver también GRAN ALCA.

alcachofa *o* **alcaucil** Planta herbácea perenne de la familia de las COMPUESTAS, voluminosa, de textura tosca y similar al cardo (*Cynara scolymus*). Las brácteas (hojas) gruesas comestibles y el fondo (corazón) de la flor inmadura son una exquisitez culinaria. La alcachofa es nativa del Mediterráneo y se cultiva extensamente en otras regiones de suelo rico y clima húmedo benigno.

Alcachofa o alcaucil (*Cynara scolymus*).

Alcalá Zamora, Niceto (6 jul. 1877, Priego, España–18 feb. 1949, Buenos Aires, Argentina). Político español. Después de ser ministro de obras públicas (1917) y ministro de guerra (1922), se opuso a la dictadura de MIGUEL PRIMO DE RIVERA y se unió al movimiento republicano. Como líder del comité revolucionario que exigió y obtuvo la abdicación de ALFONSO XIII, se convirtió en jefe de Gobierno en 1931 y fue elegido presidente de la Segunda República ese mismo año. Intentó moderar las políticas de las facciones extremistas, pero fue depuesto en 1936, después de la elección del Frente Popular, partió al exilio a Francia y luego a la Argentina.

alcalde Jefe político de una corporación municipal. Los alcaldes son designados o elegidos por un período determinado. En Europa, hasta mediados del s. XIX, la mayoría de los alcaldes eran designados por el gobierno central; en Francia, todavía son agentes del gobierno central. En EE.UU. son elegidos directamente por el pueblo o escogidos por un consejo igualmente elegido. Algunos cumplen sólo funciones ceremoniales, y el poder ejecutivo lo tiene un administrador profesional contratado por la legislatura. Los poderes de un alcalde pueden contemplar la facultad de efectuar designaciones, vetar leyes, administrar presupuestos y desempeñar funciones administrativas. Ver también GOBIERNO MUNICIPAL.

álcali Compuesto inorgánico, cualquier HIDRÓXIDO (—OH) soluble de los METALES ALCALINOS: LITIO, SODIO, POTASIO, rubidio y CESIO. En sentido lato, también se denominan álcalis el hidróxido de amonio (ver AMONÍACO) y los hidróxidos solubles de los METALES ALCALINOTÉRREOS. Las BASES fuertes, que vuelven azul el papel TORNASOL y reaccionan con ÁCIDOS para dar SALES, son cáusticas, y en forma concentrada corroen los tejidos orgánicos. El hidróxido sódico (SODA CÁUSTICA) y el hidróxido de potasio (potasa cáustica) son productos químicos industriales muy importantes que se utilizan en la fabricación de jabones, vidrio y muchos otros productos. El MINERAL de trona, un compuesto de carbonato y bicarbonato de sodio, es un álcali de origen natural. Puede extraerse en minas o recuperarse desde los lechos de lagos secos.

alcaloide Compuestos orgánicos básicos (ver BASE) de origen vegetal, que contienen NITRÓGENO combinado. Como los alcaloides son AMINAS, sus nombres generalmente terminan en "ina" (p. ej., CAFEÍNA, NICOTINA, MORFINA, QUININA). La mayoría tiene estructuras químicas complejas de sistemas de anillos múltiples. Tienen diversos efectos fisiológicos importantes sobre los seres humanos y otros animales, pero poco se sabe de sus funciones en las plantas que los originan. Algunas plantas (p. ej., la ADORMIDERA y el hongo CORNEZUELO) producen muchos alcaloides diferentes, pero la mayoría produce sólo uno o unos pocos. Ciertas familias de plantas, como la de las PAPAVERÁCEAS y la de las SOLANÁCEAS, son muy ricas en ellos. Los alcaloides se extraen disolviendo la planta en ÁCIDO diluido.

Alcámenes *o* **Alkamenes** (floreció s. V AC, Lemnos y Atenas). Escultor griego. Discípulo de FIDIAS, se destacó por la delicadeza y el acabado de sus obras, entre las cuales destaca un Hefesto y una *Afrodita de los jardines*. Se ha identificado una copia de la cabeza de su *Hermes Propileo en Pérgamo* por una inscripción, y es mencionado por el viajero griego Pausanias (s. II DC) como el creador de uno de los frontones del templo de Zeus en Olimpia.

Alcan Highway ver autopista de ALASKA

alcanfor Compuesto orgánico de la familia ISOPRENOIDE. Un sólido ceroso blanco, con un aroma a moho algo penetrante, se obtiene de la madera del laurel de alcanfor (ver LAURÁCEAS), de la *Cinnamomum camfora* (que se encuentra en Asia), o se produce sintéticamente a partir del aceite de TREMENTINA. Se ha utilizado por largo tiempo en incienso y como medicina. Entre sus aplicaciones modernas figuran el uso como plastificante del nitrato de celulosa, como repelente de polillas, como aromatizante, para embalsamar y en fuegos artificiales. El aceite alcanforado contiene un 20% de alcanfor en aceite de oliva.

alcano Cualquiera de la clase de HIDROCARBUROS cuyas MOLÉCULAS consisten sólo en átomos de carbono y de hidrógeno unidos por ENLACES COVALENTES simples (fórmula general $C_nH_{(2n+2)}$). El más simple es el METANO (CH_4). Los alcanos con más de tres átomos de carbono pueden tener ISÓMEROS lineales y ramificados. Los cicloalcanos tienen estructura anular (pero no son COMPUESTOS AROMÁTICOS) con dos átomos menos de hidrógeno por molécula que el alcano correspondiente; muchos tienen más de un anillo. Sus fuentes comerciales son el PETRÓLEO y el GAS NATURAL. Sus usos, a menudo como mezclas, abarcan combustibles, SOLVENTES y materias primas. Ver también PARAFINA.

alcantarillado Conjunto de tubos y colectores, obras de tratamiento y tuberías de descarga (alcantarillas) para las aguas residuales de una comunidad. Las antiguas civilizaciones construyeron a menudo sistemas de drenaje en áreas urbanas para manejar las escorrentías de aguas lluvias. Los romanos construyeron complejos sistemas que también drenaban las aguas residuales de los baños públicos. En la Edad Media, estos sistemas se fueron deteriorando. Al paso que crecían las poblaciones urbanas, estallaron epidemias desastrosas de cólera y de fiebre tifoidea, como resultado de una separación ineficaz entre las aguas servidas y el agua potable. A mediados del s. XIX se adoptaron las primeras medidas para tratar las aguas residuales. La concentración de la población y la costumbre de descargar desechos fabriles en las aguas servidas, hecho que sucedió durante la REVOLUCIÓN INDUSTRIAL, aumentaron la necesidad de un tratamiento eficaz de estas aguas. La tubería de alcantarilla se instala siguiendo el trazado de las calles, y los pasos o registros de acceso, con tapas metálicas, permiten la inspección y limpieza periódicas. Los sumideros en las esquinas y las cunetas de las calles recogen la escorrentía superficial de las aguas lluvias y la dirigen hacia las alcantarillas correspondientes. Los ingenieros civiles determinan el volumen probable de aguas servidas, la ruta del sistema y la pendiente de la tubería para asegurar un flujo parejo por gravedad que no deje sólidos tras de sí. En regiones planas se necesitan a veces estaciones de bombeo. Los sistemas modernos de alcantarillado constan de alcantarillas domésticas e industriales y colectores de aguas lluvias. Las plantas de tratamiento de aguas servidas eliminan la materia orgánica de las aguas residuales a través de una serie de etapas. A medida que las aguas de alcantarilla ingresan a la planta, se tamizan los objetos grandes (como maderas y grava); luego se eliminan la arenilla y la arena mediante decantación o cribado con malla más fina. Las aguas servidas remanentes pasan a tanques de sedimentación primaria, donde se decantan los sólidos (lodo) suspendidos. Las aguas servidas remanentes se airean y se mezclan con microorganismos para descomponer la materia orgánica. Un tanque de sedimentación secundaria permite que cualquier sólido restante se decante; el efluente líquido remanente se descarga en una masa de agua. El lodo proveniente de los tanques de sedimentación se puede descargar en vertederos terraplenados, botar en el mar, usar como fertilizante o descomponer ulteriormente en tanques calentados (tanques de digestión) para producir gas metano, destinado a suministrar energía a la planta de tratamiento.

Alcantarillado: descarga de aguas servidas.

LESTER LEFKOWITZ/TAXI/GETTY IMAGES

alcaparra Cualquier arbusto espinoso de baja altura del género *Capparis* (familia Capparaceae), de la región del Mediterráneo. La alcaparra europea (*C. spinosa*) es conocida por sus inflorescencias, las que son escabechadas en vinagre y usadas como condimento picante. El término alcaparra también se refiere a las inflorescencias o bayas tiernas escabechadas. Las yemas de *C. decidua* se consumen como hortaliza; a su vez, con las semillas y frutos de la especie *C. zeylandica* se preparan CURRIES.

alcaravea Fruto seco, comúnmente llamado semilla, de *Carum carvi*, una hierba bienal de la familia de las Umbelíferas (ver PEREJIL). Nativa de Europa y Asia occidental, ha sido cultivada desde tiempos antiguos. Tiene un aroma característico y un sabor cálido, algo picante. Se usa como condimento, y su aceite se utiliza como saborizante de bebidas alcohólicas y como medicamento.

alcaraz *o* **pez castor** Voraz pez de agua dulce (*Amia calva*), el único representante vivo de la familia Amiidae, que data del JURÁSICO (206–144 millones de años atrás). Habita en aguas lentas de Norteamérica desde los Grandes Lagos hasta el golfo de México. De color verde y pardo moteado, tiene una larga aleta dorsal y poderosos dientes cónicos. La hembra, de mayor tamaño que el macho, alcanza una longitud de 75 cm (30 pulg.). El alcaraz desova en primavera, una vez que el macho construye un nido tosco y cuida tanto los huevos fecundados como los alevines. Algunas veces se le llama pez perro.

alcatraz Cualquiera de tres especies de aves oceánicas (familia Sulidae) parientes cercanos del PIQUERO. El alcatraz habita en el Atlántico norte, donde es la mayor de las aves marinas, y en las aguas templadas de África, Australia y Nueva Zelanda. El adulto es generalmente de color blanco con las puntas de las alas negras, de cabeza grande amarillenta o color de ante con anteojeras negras. Tienen el pico ahusado y la cola puntiaguda. Se zambullen con las alas semicerradas para pescar peces y calamares. Pese a ser expertas voladoras, anadean en tierra, pero pasan la mayor parte de sus vidas en el agua. Anidan en los acantilados en grandes colonias. El alcatraz del norte es la mayor de las especies y mide 1 m (40 pulg.).

Alcatraz, isla de Isla rocosa en la bahía de SAN FRANCISCO, California, EE.UU. Tiene una superficie de 9 ha (22 acres) y está ubicada a 2 km (1,5 mi) de la costa, frente a la ciudad de SAN FRANCISCO. Sitio del primer faro (1854) en la costa de California, fue primero una guarnición del ejército (1859) y luego una prisión militar (1868). De 1934 a 1963 sirvió de prisión federal para reos civiles de alto riesgo. Entre sus reclusos más famosos se cuentan AL CAPONE, George "Machine Gun" ("Ametralladora") Kelly y Robert Stroud, "Birdman of Alcatraz" ("Hombre pájaro de Alcatraz"). Actualmente se encuentra abierta al público.

La isla de Alcatraz, vista desde Hyde Street, San Francisco, EE.UU.
TIM THOMPSON

alcaucil ver ALCACHOFA

alcaudón Cualquiera de unas 64 especies de aves canoras, predadoras y solitarias (familia Laniidae), en especial cualquiera de las 25 especies del género *Lanius*. Cazan insectos, lagartijas, ratones y aves utilizando su pico o empalando su presa sobre una púa (de ahí su nombre de pájaro carnicero). La mayoría de las especies son de color gris o parduzco y tienen un reclamo áspero; varias especies euroasiáticas tienen manchas rojizas o pardas. El gran alcaudón gris (*L. excubitor*), llamado en Canadá y EE.UU., alcaudón del norte, mide 25 cm (10 pulg.) y presenta un antifaz negro. La única otra especie del Nuevo Mundo es el alcaudón necio (*L. ludovicianus*), similar pero más pequeño, que habita en Norteamérica.

alcázar Forma de arquitectura militar de la España medieval, generalmente rectangular, con muros defendibles y torres esquineras macizas. Adentro había un espacio abierto (patio) rodeado de capillas, salones, hospitales y, algunas veces, jardines. El ejemplo más magnífico que perdura del período morisco es el Alcázar de Sevilla; comenzado en 1181 bajo la dinastía ALMOHADE y continuado por los cristianos, exhibe características tanto moriscas como góticas, incluso una torre decagonal de ladrillos, llamada la Torre del Oro.

El alcázar de Segovia, fortaleza y residencia real, levantada sobre una colina, en tiempos de la España medieval.
FOTOBANCO

alce Cualquiera de las diversas especies de grandes CIERVOS del género *Cervus*, entre los que destacan el CIERVO COMÚN de Europa, el venado de Cachemira y el shou del Himalaya, así como el ciervo de Norteamérica, llamado con más propiedad UAPITÍ. El animal denominado alce en Europa es un miembro de la especie (*Alces alces*), conocido en Norteamérica como ALCE AMERICANO. El nombre se aplica también al extinto ALCE IRLANDÉS.

alce africano ver ELAND

alce americano La especie de mayor tamaño (*Alces alces*) de la familia Cervidae (ver CIERVO), presente en Norteamérica septentrional y Eurasia. Los ALCES americanos son patilargos, tienen un hocico bulboso y movible, cuello y cola cortos y un pelaje marrón, áspero e hirsuto. Su alzada es de 1,5–2 m (5–7 pies) y pesan hasta 820 kg (1.800 lb). Los machos tienen astas enormes, aplanadas y con púas, que se desprenden y renuevan anualmente. Vadean lagos y ríos con riberas boscosas, comiendo plantas acuáticas sumergidas y ramonean hojas, ramillas y cortezas. Son normalmente solitarios, pero los alces americanos a menudo se reúnen en manadas en invierno. Se extienden por todos los bosques coníferos de Canadá y EE.UU. septentrional. Se ha evitado su exterminio regulando la cacería. Ver también UAPITÍ.

Alce americano (*Alces alces*).
© ENCYCLOPÆDIA BRITANNICA, INC.

alce irlandés Cualquier miembro del género (*Megaloceros*) del extinguido CIERVO gigante encontrado como fósiles en sedimentos del pleistoceno (1,8 millones–10.000 años atrás) en Europa y Asia. Su tamaño era similar al del ALCE AMERICANO actual; tenía la mayor cornamenta de los ciervos conocidos y, en ciertos individuos, alcanzaba alrededor de 4 m (13 pies). Puede haber sobrevivido hasta c. 700–500 AC.

alcéfalo Cualquiera de dos especies de ANTÍLOPES veloces y esbeltos (género *Alcelaphus*) que viven en manadas en las planicies abiertas y lomajes del África subsahariana. A menudo se juntan con manadas de otros antílopes o CEBRAS. Los alcéfalos tienen una alzada de 1,2 m (4 pies) y el lomo en declive entre el fuerte cuarto delantero y la grupa estrecha. En ambos sexos, la cabeza alargada se ve acentuada por cuernos anillados con forma de lira y unidos en la base. El alcéfalo rojo es de color rojizo pardusco pálido con la grupa más clara. El alcéfalo de Swayne y el tora son dos subespecies en peligro de extinción.

Alceo *o* **Alkaios** (c. 620 AC, Mitilene, Lesbos–c. 580 AC). Poeta lírico griego. Sólo subsisten fragmentos y citas de su obra, compuesta por himnos en honor de dioses y héroes, poesía amorosa, canciones tabernarias y poemas políticos. Muchos de estos reflejan la intensa participación de Alceo en la vida de su Mitilene natal, especialmente en el ámbito de la política. Su poesía era el modelo favorito de HORACIO, quien tomó de él su estrofa conocida como "arcaica".

Alcestes En la mitología griega, la hermosa hija de Pelias, rey de Yolco (Tesalia). Admeto, hijo del rey de Feres, pidió su mano. Para obtenerla, Admeto debía uncir un león y un jabalí a un carro, lo que consiguió con la ayuda de APOLO. Cuando Apolo se enteró de que Admeto no viviría por mucho tiempo, persuadió a las PARCAS para que prolongaran su vida, a condición de que alguien muriera en su lugar. Como leal esposa, Alcestes consintió en hacerlo, pero fue rescatada desde el Hades (el Infierno) por HERACLES, quien luchó con la Muerte en la misma tumba de esta princesa. Su historia se relata en la obra *Alcestes* de EURÍPIDES.

Alcibíades (c. 450 AC, Atenas–404 AC, Frigia). Político y comandante ateniense. Tras morir su padre en batalla, PERICLES fue su tutor. Creció sin mucha orientación, pero cuando joven se entusiasmó con la fuerza moral y agudeza mental de SÓCRATES. Este último, a su vez, fue atraído por la belleza física del joven y su promisoria inteligencia. Sirvieron juntos en la guerra del PELOPONESO, salvándose mutuamente la vida en batalla; sin embargo, con el tiempo, Alcibíades se dejó llevar por su ambición inescrupulosa. Ya era general en 420. Exhortado en 415 a retornar de una expedición en Sicilia por cargos de sacrilegio, huyó a Esparta. Si bien ayudó a la causa espartana contra Atenas, con el tiempo fue rechazado y buscó asilo con el gobernador persa de Sardes. La flota ateniense lo llamó de vuelta, y dirigió las victorias atenienses de 411–408. Aun cuando logró un estatus de héroe, sus enemigos lo forzaron a irse. Desde Tracia advirtió a Atenas que presentía el peligro en la batalla de EGOSPÓTAMOS. Huyó de Tracia a Frigia, donde los espartanos conspiraron para asesinarlo. Su agitación política constituyó un factor decisivo en la derrota de Atenas en la guerra del Peloponeso. Su mala conducta contribuyó a afianzar los cargos esgrimidos contra Sócrates en 339.

Alcindor, (Ferdinand) Lew(is) ver Kareem ABDUL-JABBAR

Alcmeón En la mitología GRIEGA, el hijo del vidente Anfiarao. Anfiarao había sido persuadido por su esposa para unirse a la expedición de los Siete contra TEBAS. Al percatarse de que moriría, encomendó a Alcmeón y a sus otros hijos vengar su muerte. Alcmeón condujo a los hijos de los siete en la destrucción de Tebas y luego obedeció la orden paterna de matar a su madre, crimen por el cual las FURIAS lo hicieron enloquecer. Fue purificado por el rey Figeo de Sofis, a cuya hija desposó, pero a la que finalmente asesinó. Siguiendo el consejo de un oráculo, se estableció en una isla en la desembocadura del río Aqueloo (en Epiro), donde se casó nuevamente, pero fue muerto por Figeo y sus hijos.

Alcmeónidas, familia de los Importante familia ateniense de los s. VI–V AC. Durante la magistratura del ARCONTE Megacles (¿632? AC), la familia fue desterrada por asesinato; esta regresó dos veces para derrocar al tirano PISÍSTRATO antes de ser nuevamente exiliada. El hijo de Megacles, CLÍSTENES, se convirtió en arconte en 525/524, pero en 514 el hijo de Pisístrato, Hipias, exilió nuevamente a la familia por el asesinato de su hermano. La familia se restableció luego que los espartanos expulsaron a los pisístratos en 510. La generación siguiente habría ayudado a los persas en la batalla de MARATÓN (490). ALCIBÍADES y PERICLES pertenecían a los Alcmeónidas.

Alcoa Empresa estadounidense, la mayor productora mundial de aluminio. Creada en 1888 en Pittsburgh, Pa., pasó a denominarse Aluminum Co. of America en 1907. En 1910, introdujo al mercado el papel de aluminio y desarrolló nuevos usos para el aluminio en las industrias nacientes de automóviles y aviones. En 1913 fundó el pueblo de Alcoa en el este de Tennessee, como una comunidad industrial planificada. Un fallo antimonopolio de 1945 obligó a la empresa a vender su subsidiaria canadiense, hoy conocida como Alcan Aluminum Ltd., su más férreo competidor. En 1998 Alcoa adquirió Alumax Inc. Otros artículos de la gama de productos de esta empresa abarcan contenedores plásticos y equipos de embalaje.

alcohol Cualquiera de la clase de compuestos orgánicos comunes que contienen uno o más grupos hidroxilo (—OH), unido a uno o más átomos de carbono en una cadena de HIDROCARBURO. El número de otros grupos sustituyentes (R) en ese átomo de carbono hace que un alcohol sea primario (RCH_2OH), secundario (R_2CHOH) o terciario (R_3COH). Muchos alcoholes existen naturalmente y son productos intermedios valiosos en la síntesis de otros compuestos por las REACCIONES QUÍMICAS características del grupo hidroxilo. La oxidación (ver OXIDACIÓN-REDUCCIÓN) de los alcoholes primarios da ALDEHÍDOS y (si prosigue) ácidos CARBOXÍLICOS; la oxidación de los alcoholes secundarios da CETONAS. Los alcoholes terciarios se descomponen con la oxidación. Generalmente los alcoholes reaccionan con ácidos carboxílicos para producir ÉSTERES. También pueden ser convertidos a ÉTERES y OLEFINAS. Los productos de estas numerosas reacciones comprenden grasas y ceras, detergentes, plastificantes, emulsionantes, lubricantes, emolientes y agentes espumantes. El ETANOL (alcohol de grano) y el METANOL (alcohol de madera) son los alcoholes con un grupo hidroxilo más conocidos. Los GLICOLES (por ejemplo, etilenglicol o anticongelante) contienen dos grupos hidroxilo; el GLICEROL, tres, y los polioles tres o más. Ver también ALCOHOLISMO; BEBIDA ALCOHÓLICA.

alcohol de grano ver ETANOL

alcohol de madera ver METANOL

alcohol etílico ver ETANOL

alcohol metílico ver METANOL

Alcohólicos Anónimos (AA) Asociación voluntaria de personas que padecen de ALCOHOLISMO, quienes procuran mantenerse sobrios mediante autoayuda mutua, reuniéndose en grupos vecinales independientes para compartir sus experiencias en común. El anonimato, la confidencialidad y el hecho de entender el alcoholismo como enfermedad liberan a los miembros para hablar francamente. Muchos consideran que AA es el método más eficaz para luchar contra el alcoholismo; la participación mejora las posibilidades de éxito de otros tratamientos. Entre sus 12 pasos hacia la recuperación destacan el reconocimiento del problema, la fe en un "poder superior" según las creencias de cada cual, el examen de conciencia y el deseo de cambiar positivamente y ayudar a otros a recuperarse. Creada por dos alcohólicos en 1935, AA ha crecido hasta alcanzar unos 2 millones de miembros en todo el mundo. Las organizaciones similares para adictos a otras drogas, y para jugadores y deudores habituales se basan en sus mismos principios.

alcoholismo Consumo habitual excesivo de bebidas alcohólicas a pesar del daño físico, mental, social o económico (p. ej., CIRROSIS, accidentes por conducir en estado de ebriedad, conflictos familiares, ausentismo laboral frecuente). Las personas que beben grandes cantidades de alcohol con el tiempo devienen tolerantes a sus efectos. El alcoholismo suele ser considerado una adicción y una enfermedad. Sus causas no están claras, pero pueden deberse a una predisposición genética. Es más común en los hombres, pero es más probable que las mujeres lo oculten. El tratamiento puede ser fisiológico (con medicamentos que inducen vómitos y sensación de pánico si se consume alcohol, tratamiento inefectivo a largo plazo), psicológico (con terapia y rehabilitación) o social (con terapias de grupo). Las terapias de grupo como ALCOHÓLICOS ANÓNIMOS constituyen los tratamientos más efectivos. La suspensión repentina de la ingestión excesiva puede causar síntomas de privación, incluido el DELIRIUM TREMENS.

alcornoque ver CORCHO

Alcott, (Amos) Bronson (29 nov. 1799, Wolcott, Conn., EE.UU.–4 mar. 1888, Concord, Mass.). Profesor y filósofo estadounidense. Hijo autodidacta de un granjero pobre, trabajó como buhonero antes de fundar una serie de innovadoras escuelas para niños, proyecto que terminó fracasando. Viajó a Inglaterra con dinero prestado por RALPH WALDO EMERSON, y regresó trayendo consigo al místico Charles Lane, con quien fundó luego la efímera comunidad utópica Fruitlands, en las afueras de Boston. A Alcott se le atribuye el mérito de haber fundado la primera asociación de padres y profesores en Concord, Mass., cuando fue superintendente escolar de esa zona. Miembro prominente de los trascendentalistas, escribió varios libros, pero sólo consiguió estabilidad financiera cuando su hija LOUISA MAY ALCOTT triunfó como escritora.

Alcott, Louisa May (29 nov. 1832, Germantown, Pa., EE.UU.–6 mar. 1888, Boston, Mass.). Escritora estadounidense. Hija del reformista BRONSON ALCOTT, creció en los círculos trascendentalistas de Boston y Concord, Mass. Comenzó a escribir para contribuir al sustento de su madre y hermanas. Partidaria fervorosa de la causa abolicionista, se ofreció como enfermera durante la guerra de Secesión, en la cual contrajo la fiebre tifoidea, que afectaría su salud por el resto de su vida; sus cartas, publicadas con el título de *Apuntes del hospital* (1863), fueron la primera obra en hacerla famosa. Tras el éxito apoteósico de la novela autobiográfica *Mujercitas* (1868–69), logró por fin saldar sus deudas. *Una muchacha anticuada* (1870), *Hombrecitos* (1871) y *Los muchachos de Jo* (1886) se inspiraron también en sus experiencias como educadora.

Louisa May Alcott, retrato de George Healy; colección de Louisa May Alcott Memorial Association, Concord, Mass., EE.UU.

GENTILEZA DE LOUISA MAY ALCOTT MEMORIAL ASSOCIATION

Alcuino (c. 732, en o alrededores de York, Yorkshire, Inglaterra–9 may. 804, Tours, Francia). Poeta, educador y clérigo anglolatino. Como jefe de la escuela palatina de CARLOMAGNO, introdujo las tradiciones del humanismo anglosajón en Europa occidental y fue el erudito principal de la restauración cultural conocida como Renacimiento carolingio. También realizó reformas significativas en la liturgia católica, preparó una nueva edición de la Biblia Vulgata, escribió varios poemas y dejó más de 300 cartas en latín, una valiosa fuente de información histórica de su época. Aunque la tradición lo avala como el autor de los libros carolingios y creador de la letra minúscula carolingia, hoy a Alcuino se le atribuye un papel menor en su creación. Fue también un asesor político destacado y confidente de Carlomagno.

aldehído Cualquiera de la clase de compuestos orgánicos que contienen un grupo carbonilo (—C=O; ver GRUPO FUNCIONAL) en el cual el átomo de carbono está unido al menos a un átomo de hidrógeno. Muchos tienen olores característicos. La oxidación (ver OXIDACIÓN-REDUCCIÓN) de aldehídos produce ÁCIDOS; la reducción produce ALCOHOLES. Participan en muchas REACCIONES QUÍMICAS y experimentan fácilmente la POLIMERIZACIÓN en cadenas que contienen decenas de miles de moléculas del MONÓMERO. La combinación de aldehídos (p. ej., FORMALDEHÍDO) con otras moléculas da como resultado varios de los PLÁSTICOS conocidos. Muchos aldehídos son materiales industriales a gran escala, útiles como solventes, monómeros, ingredientes de perfumes y productos intermediarios. Muchos AZÚCARES son aldehídos, como también lo son varias HORMONAS naturales y sintéticas, y compuestos como el retinal (un derivado de la VITAMINA A, importante en la visión) y el fosfato de piridoxal (una forma de VITAMINA B_6).

Alden, John (¿1599?, Inglaterra–12 sep. 1687, Duxbury, Mass., EE.UU.). Peregrino estadounidense de origen inglés. Los comerciantes de Londres que financiaron la expedición del *Mayflower* al Nuevo Mundo, en 1620, lo contrataron como tonelero. Alden firmó el pacto del *MAYFLOWER* y ocupó diversos cargos cívicos en la colonia, incluido el de ayudante del gobernador (1623–41, 1650–86). La tradición popular le atribuye ser el primer PEREGRINO que puso pie en Plymouth Rock y de haber sido el sustituto de MILES STANDISH para cortejar a Priscilla Mullens, según el poema *The Courtship of Miles Standish* [El cortejo de Miles Standish] (1858), escrito por HENRY W. LONGFELLOW. Alden efectivamente se casó con la joven Mullens en 1623.

Aldrich, Nelson W(ilmarth) (6 nov. 1841, Foster, R.I., EE.UU.–16 abr. 1915, Nueva York, N.Y.). Senador y financista estadounidense. Fue miembro de la Cámara de Representantes (1879–81) y del Senado (1881–1911). Su desempeño en la presidencia de la Comisión monetaria nacional (1908–12) ayudó a preparar el camino para la creación del Sistema de la RESERVA FEDERAL (1913). También hizo inversiones rentables en la banca, electricidad, gas, caucho y azúcar.

Aldrich, Robert (9 ago. 1918, Cranston, R.I., EE.UU.–5 dic. 1983, Los Ángeles, Cal.). Productor y director de cine estadounidense. Se desempeñó en diversos trabajos en RKO desde 1941, colaborando para directores como JEAN RENOIR y CHARLIE CHAPLIN. Después de dirigir su primera película, *The Big Leaguer* (1953), formó su propia compañía productora y alcanzó cierta reputación por sus filmes de conciencia social, pero a menudo violentos. Entre estos se cuentan *Apache* (1954), *El beso mortal* (1955), *¿Qué pasó con Baby Jane?* (1962) y *Los doce del patíbulo* (1967).

Aldrich, Thomas Bailey (11 nov. 1836, Portsmouth, N.H., EE.UU.–19 mar. 1907, Boston, Mass.). Poeta, cuentista y editor estadounidense. Aldrich abandonó la escuela a la edad de 13 años y poco después comenzó a colaborar en diversas revistas y diarios. Fue director de *The ATLANTIC MONTHLY* entre 1881 y 1890. Se basó en su propia niñez para escribir la clásica novela infantil *The Story of a Bad Boy* [La historia de un niño malo] (1870). Su empleo de finales sorpresivos influyó en el desarrollo del cuento en EE.UU. Los poemas de Aldrich reflejan la cultura de Nueva Inglaterra y sus experiencias de viajes por Europa.

Aldrin, Edwin Eugene, Jr. *llamado* **Buzz Aldrin** (n. 20 ene. 1930, Montclair, N.J., EE.UU.). Astronauta estadounidense. Se graduó en West Point y voló 66 misiones de combate durante la guerra de Corea. En 1963 obtuvo un Ph.D. del MIT y fue elegido para ser astronauta. En 1966 acompañó a James A. Lovell, Jr. (n. 1928) en la misión Gemini 12 (ver programa GEMINI), de cuatro días de duración. La caminata espacial de 5,5 horas realizada por Aldrin demostró que los seres humanos pueden efectuar tareas en el vacío y la ingravidez del espacio. En julio de 1969, en la misión Apolo 11 (ver programa APOLO), se convirtió en el segundo hombre en caminar en la Luna.

Edwin Aldrin en suelo lunar durante la misión Apolo 11, 1969.

ARCHIVO EDIT. SANTIAGO

ale Tipo de CERVEZA hecha a base de MALTA fermentada, de gran cuerpo y algo amarga, con un fuerte sabor a LÚPULO. Hasta el s. XVII, la ale era una fermentación de LEVADURA, agua y malta, que no contenía lúpulo, mientras que la cerveza era el mismo fermento al que se agregaba lúpulo. La ale moderna (ahora en inglés un sinónimo de *beer*) es hecha con levadura de fermentación de superficie y procesada a temperaturas más altas que la cerveza *lager*. La ale clara tiene hasta un 5% de contenido alcohólico; la más oscura y fuerte contiene hasta un 6,5%.

aleación Sustancia metálica compuesta de dos o más elementos, ya sea como una mezcla, un compuesto o una solución sólida. Los componentes de las aleaciones son comúnmente

METALES, aunque el CARBONO es un componente no metálico esencial del ACERO. Las aleaciones se producen por lo general fundiendo la mezcla de ingredientes. El valor de las aleaciones se descubrió en épocas muy antiguas; el LATÓN (cobre y cinc) y el BRONCE (cobre y estaño) fueron importantísimos. Hoy, las aleaciones más significativas son los aceros aleados, que tienen una amplia gama de propiedades especiales, como dureza, tenacidad, resistencia a la corrosión, magnetizabilidad y laborabilidad.

alegoría Obra de expresión escrita, oral o visual que se sirve de figuras, objetos y acciones simbólicas para transmitir verdades o generalizaciones sobre la conducta y la experiencia humanas. Abarca formas como la FÁBULA y la parábola. Sus personajes suelen personificar conceptos o tipos abstractos, y la acción del relato habitualmente sugiere algo que no se declara en forma explícita. Las alegorías simbólicas, en las que los personajes pueden tener también una identidad diversa del mensaje que transmiten, han sido utilizadas a menudo para representar situaciones políticas e históricas, y han gozado de popularidad a lo largo de la historia como vehículos de la SÁTIRA. El poema extenso *The Faerie Queen* de EDMUND SPENSER es un ejemplo famoso de alegoría simbólica.

Alegría, Ciro (4 nov. 1909, Sartimbamba, Huamachuco, Perú–17 feb. 1967, Trujillo). Político, periodista y escritor peruano. Fue alumno de CÉSAR VALLEJO en la escuela primaria donde cursó sus primeros estudios en su región andina natal. Prosiguió sus estudios en Trujillo, en el Colegio Nacional San Juan y en la universidad de la misma ciudad, sin llegar a graduarse. En 1930 se afilió al APRA. Fue encarcelado en 1933 durante la persecución iniciada por el gobierno contra los apristas, y al año siguiente fue exiliado a Chile. Allí, desde la ideología original del Partido Aprista, produjo sus obras literarias más importantes: *La serpiente de oro* (1935), *Los perros hambrientos* (1939) y *El mundo es ancho y ajeno* (1941), que lo consagraron como un alto exponente del INDIGENISMO. De 1941 a 1948 residió en EE.UU., después en Puerto Rico, en cuya universidad enseñó, y más tarde en Cuba, donde se interesó por el proceso revolucionario. En 1957 regresó al Perú, donde ejerció el periodismo. En 1963 fue elegido diputado por Lima, después de haber renunciado al APRA, y publicó el libro de cuentos *Duelo de caballeros*.

alegría del hogar Nombre común que reciben las dos especies norteamericanas del género IMPATIENS, conocidas también como hierba de Santa Catalina, que crecen en zonas húmedas. La *Impatiens capensis*, también denominada *I. biflora*, generalmente tiene flores de color naranja, manchadas de carmesí. La *I. pallida* tiene flores amarillas a blancas, a veces manchadas de marrón rojizo. Son malezas comunes nativas de extensas regiones de Norteamérica oriental. Se dice que su zumo es un remedio para las ronchas producidas por la HIEDRA VENENOSA.

Aleixandre, Vicente (26 abr. 1898, Sevilla, España–14 dic. 1984, Madrid). Poeta español. Miembro del grupo de escritores españoles conocidos como la GENERACIÓN DE 1927, su obra está marcada por un fuerte influjo del SURREALISMO. Su primer libro importante, *La destrucción o el amor* (1935), ganó el Premio Nacional de Literatura. Entre sus demás obras destacan *Historia del corazón* (1954), *En un vasto dominio* (1962) y *Diálogos del conocimiento* (1974). Recibió el Premio Nobel de Literatura en 1977.

Alejandra *ruso* **Alexandra Fiódorovna** *orig.* **Alix, princesa von Hesse-Darmstadt** (6 jun. 1872, Darmstadt, Imperio alemán–16/17 jul. 1918, Yekaterinburg, Rusia). Consorte del zar de Rusia NICOLÁS II. Nieta de la reina VICTORIA, contrajo matrimonio con Nicolás en 1894 e intentó restaurar el poder absoluto de la monarquía. Desesperada por ayudar a su hijo hemofílico Alexis, acudió a los poderes hipnóticos de GRIGORI RASPUTÍN, quien se convirtió en su consejero espiritual. En 1915, Nicolás dejó Moscú para dirigir las fuerzas rusas en la primera guerra mundial. Alejandra destituyó a ministros capaces y los reemplazó por nulidades recomendadas por Rasputín. Su desgobierno contribuyó al colapso del régimen imperial. Después del golpe de Estado bolchevique en la REVOLUCIÓN RUSA DE 1917, la familia real fue tomada prisionera y después ejecutada.

Alejandría Ciudad (pob., área metrop., 1996: 3.328.196 hab.) y principal puerto marítimo del norte de EGIPTO. Se ubica sobre una franja de tierra entre el mar MEDITERRÁNEO y el lago Mareotis. La antigua isla de Faros, cuyo faro fue una de las SIETE MARAVILLAS DEL MUNDO, es hoy una península conectada con el continente. El moderno puerto de Alejandría se ubica al oeste de la península. La ciudad fue fundada en 332 AC por ALEJANDRO MAGNO y fue famosa como centro de la cultura helénica. Su biblioteca (destruida en los primeros siglos de la era cristiana) fue la más grande de la antigüedad. En 2001 se inauguró una nueva biblioteca. La ciudad fue tomada por los árabes en 640 DC y por el Imperio OTOMANO en 1517. A comienzos del s. XIX y después de un largo período de decadencia causado por el desarrollo de EL CAIRO, Alejandría resurgió comercialmente, cuando MEHMET ALÍ la unió con el río Nilo mediante un canal. La moderna Alejandría es hoy una próspera comunidad comercial. Su principal producto de exportación es el algodón, y en las cercanías se encuentran importantes yacimientos petrolíferos. Ver también MUSEO DE ALEJANDRÍA.

Esfinge y columna de Pompeyo, Alejandría, Egipto.
ARCHIVO EDIT. SANTIAGO

Alejandría, Biblioteca de ver BIBLIOTECA DE ALEJANDRÍA

Alejandría, san Atanasio de ver san ATANASIO

alejandrino En castellano, se conoce como alejandrino un verso de catorce sílabas con cesura (pausa) en la séptima, utilizado por los autores medievales del mester de clerecía como GONZALO DE BERCEO en su obra *Los milagros de Nuestra Señora* y el autor del *Libro de Alexandre*. El verso alejandrino fue recuperado por los poetas del MODERNISMO. En la poesía francesa, consta de 12 sílabas con una cesura tras la sexta, acentos importantes en la sexta y última sílabas, y un acento secundario en cada hemistiquio. Es una forma de verso flexible, adaptable a temas muy diversos. Se convirtió en el tipo de verso típico de la poesía dramática y narrativa francesa en el s. XVII. Alcanzó su máximo desarrollo en las tragedias de PIERRE CORNEILLE y JEAN RACINE.

alejandristas Filósofos del Renacimiento italiano, encabezados por Pietro Pomponazzi (1462–1525), quien siguió la explicación de Alejandro de Afrodisia (s. II–III DC) sobre el libro *De anima* de ARISTÓTELES. Alejandro sostenía que *De anima* negaba la inmortalidad individual, al considerar el alma una entidad material, y por tanto mortal, orgánicamente conectada al cuerpo. Los alejandristas disentían de santo TOMÁS DE AQUINO y sus seguidores, quienes interpretaban que Aristóteles decía que el alma individual es inmortal, y de los averroístas latinos (ver AVERROES), quienes sostenían que el intelecto individual es reabsorbido después de la muerte por el intelecto eterno.

Alejandro I *ruso* **Alexandr Pávlovich** (23 dic. 1777, San Petersburgo, Rusia–1 dic. 1825, Taganrog). Zar de Rusia (1801–25). Se convirtió en zar en 1801 después del asesinato de su padre PABLO I. Él y sus consejeros corrigieron muchas de las injusticias del reinado precedente, pero no abolieron la servidumbre. Durante las guerras NAPOLEÓNICAS, tanto combatió como ofreció su amistad a Napoleón y contribuyó a formar la coalición que finalmente lo derrotó. Alejandro participó además en el Congreso de VIENA (1814–15) y formó la SANTA ALIANZA (1815). Después de su repentina muerte en 1825, surgió la leyenda de que había simplemente "partido" a un retiro en Siberia.

Alejandro I (4 dic. 1888, Cetinje, Montenegro–9 oct. 1934, Marsella, Francia). Rey de Yugoslavia (1921–34). Después de dirigir las fuerzas serbias durante la primera guerra mundial, Alejandro sucedió a su padre PEDRO I, como rey del Reino de los SERBIOS, CROATAS Y ESLOVENOS en 1921. En 1929 abolió la constitución y estableció una dictadura monárquica. Como parte de sus esfuerzos para unificar a sus súbditos, cambió el nombre del país a Yugoslavia; proscribió los partidos políticos organizados sobre la base de distinciones étnicas, religiosas o regionales; reorganizó el estado; y estandarizó los regímenes legales, los programas escolares y las fiestas nacionales. En 1934, fue asesinado por un agente de los separatistas croatas.

Alejandro I, isla Situada en el mar de Bellingshausen, separada de la península antártica por el estrecho de Jorge VI. Es una región extremadamente escarpada con cimas de hasta 3.000 m (9.800 pies) de altura. Tiene 435 km (270 mi) de largo y 200 km (125 mi) de ancho como máximo, con una superficie de 43.250 km² (16.700 mi²). El explorador ruso F.G. von Bellingshausen descubrió este territorio en 1821 y le dio el nombre de ALEJANDRO I en honor al zar. Se creía que formaba parte del continente antártico hasta que, en 1940, una expedición estadounidense comprobó que se trataba de una isla, conectada al continente por una enorme barrera de hielo flotante. Ha sido reivindicada por Gran Bretaña (desde 1908), Chile (1940) y la Argentina (1942).

Alejandro II (24 ago. 1198, Haddington, Lothian–8 jul. 1249, isla Kerrera). Rey de Escocia (1214–49). Ascendió al trono a la muerte de su padre, GUILLERMO I (el León). En 1215, apoyó a los barones ingleses rebeldes en contra del rey JUAN (sin Tierra), con la esperanza de recuperar tierras en el norte de Inglaterra. Fracasada la rebelión (1217), rindió pleitesía al rey de Inglaterra ENRIQUE III y en 1221 desposó a Juana, hermana de Enrique. Consolidó la autoridad real en Escocia y sometió a Argyll en 1222. En 1237 suscribió la paz de York con Enrique, en virtud de la cual renunció a sus reivindicaciones de tierras en Inglaterra y recibió a cambio varios feudos en ese país.

Alejandro II *ruso* **Alexandr Nikolaievich** (29 abr. 1818, Moscú, Rusia–13 mar. 1881, San Petersburgo). Zar de Rusia (1855–81). Ascendió al trono en el clímax de la guerra de CRIMEA, que reveló el atraso de Rusia en el escenario mundial. Para revertir esta situación, emprendió drásticas reformas, que mejoraron las comunicaciones, el gobierno y la educación, y lo que es más importante, emancipó a los siervos (1861). Sus reformas redujeron los privilegios de clase y favorecieron el progreso social y el desarrollo económico. Aunque a veces ha sido descrito como un liberal, Alejandro fue en realidad un firme defensor de los principios autocráticos. Un intento de asesinato en 1866 fortaleció su compromiso con el conservadurismo. En 1866 se inició un período de represión que provocó el resurgimiento del terrorismo revolucionario y en 1881 fue asesinado en una conspiración planificada por la organización terrorista Voluntad del Pueblo.

Alejandro III ver ALEJANDRO MAGNO

Alejandro III *orig.* **Rolando Bandinelli** (c. 1105, Siena, Toscana–30 ago. 1181, Roma). Papa (1159–81). Miembro de un grupo de cardenales que temía el creciente poder del SACRO IMPERIO ROMANO, ayudó a formar una alianza con los NORMANDOS (1156). Como representante del papa ADRIÁN IV, provocó la ira de FEDERICO I (Federico Barbarroja) al referirse al Imperio como un "beneficio", dando a entender que era una dádiva papal. Elegido papa en 1159, un grupo minoritario de cardenales apoyados por Federico, eligió al primero de varios ANTIPAPAS y la oposición imperial obligó a Alejandro a huir a Francia (1162). Enérgico defensor de la autoridad papal, apoyó a santo TOMÁS BECKET contra el rey de Inglaterra ENRIQUE II. Regresó a Roma en 1165, pero fue nuevamente exiliado al año siguiente. Ganó apoyo con la formación de la Liga LOMBARDA que derrotó a Federico en Legnano en 1176, lo que creó las condiciones para firmar la paz de VENECIA y poner fin al cisma papal. Alejandro se mantuvo en la tradición reformista y presidió el tercer concilio de LETRÁN (1179).

Alejandro III (2 sep. 1241–18/19 mar. 1286, cerca de Kinghorn, Fife, Escocia). Rey de Escocia (1249–86). Hijo de ALEJANDRO II, ascendió al trono a la edad de siete años. En 1251 fue casado con Margarita, hija del rey de Inglaterra ENRIQUE III, quien buscaba dominar Escocia. En 1255 Alejandro fue secuestrado por un partido pro inglés de Escocia, pero en 1257 el partido antiinglés logró controlar el gobierno hasta que fue mayor de edad (1262). En 1263 repelió una invasión noruega y en 1266 adquirió a Noruega las islas Hébridas y Man. Más tarde, su reinado fue considerado como una edad dorada por los escoceses que se encontraban atrapados en el largo conflicto con Inglaterra.

Alejandro III, detalle de un retrato por un artista desconocido, s. XIX.

GENTILEZA DE HILLWOOD, WASHINGTON, D.C.

Alejandro III *ruso* **Alexandr Alexandrovich** (10 mar. 1845, San Petersburgo, Rusia–1 nov. 1894, Livadia, Crimea). Zar de Rusia (1881–94). Ascendió al trono después del asesinato de su padre, ALEJANDRO II. Impulsó reformas internas destinadas a corregir lo que consideraba tendencias demasiado liberales del reinado de su padre. Se opuso al gobierno representativo y apoyó fervorosamente el nacionalismo ruso. Su ideal político era una nación que contuviera una única nacionalidad, lengua, religión y tipo de administración, por lo que instituyó programas como la rusificación de las minorías nacionales del imperio ruso y la persecución de los grupos religiosos no ortodoxos.

Alejandro VI *orig.* **Rodrigo de Borja y Doms** (1431, Játiva, Aragón–18 ago. 1503, Roma). Papa (1492–1503). Nació en la rama española de la familia Borgia, amasó una gran fortuna y vivió en forma escandalosa, engendró cuatro hijos ilegítimos (antes de su elección como papa), quienes jugaron un importante papel en sus complicados planes dinásticos. Combatió a los turcos otomanos y obligó a Francia a desistir de su intento de apoderarse de Nápoles. El asesinato de su hijo Juan (1497) lo impulsó transitoriamente a tratar de refrenar la corrupción en la corte papal. Sin embargo, sus ambiciones políticas resurgieron con el matrimonio de su hijo César, cuyas campañas militares pusieron el norte de Italia bajo el control de los

Alejandro VI, detalle de un fresco de Pinturicchio, 1492–94; Museos y Galerías del Vaticano.

ALINARI—ART RESOURCE/EB INC.

Borgia. Estableció una alianza con España y negoció el tratado de TORDESILLAS (1494). Mecenas de las artes, embelleció los palacios del Vaticano y comisionó a MIGUEL ÁNGEL para diseñar los planos de reconstrucción de la basílica de SAN PEDRO.

Alejandro Magno *o* **Alejandro III** (356 AC, Pela, Macedonia–13 jun. 323 AC, Babilonia). Rey de Macedonia (336–323) y supremo adalid de la antigüedad. Hijo de FILIPO II de Macedonia, fue instruido por ARISTÓTELES. Desde muy joven demostró su destreza militar, colaborando en el triunfo de la batalla de QUERONEA a los 18 años. Sucedió a su padre asesinado en 336 y se apoderó rápidamente de Tesalónica y Tracia; arrasó brutalmente Tebas a excepción de sus templos y la casa de PÍNDARO. Este tipo de destrucción se transformó en su método habitual y los demás estados griegos se sometieron dócilmente. En 334 cruzó hasta Persia y derrotó al ejército persa en el río Gránico. Se dice que cortó el nudo gordiano en Frigia (333), por cuyo acto, según la leyenda, estaba destinado a gobernar toda Asia. En la batalla de ISOS en 333, derrotó al ejército comandado por el rey persa Darío III, quien logró escapar. Entonces se apoderó de Siria y Fenicia, aislando a la flota persa de sus puertos. En 332 culminó el sitio de siete meses a Tiro, considerado su mayor logro militar, y luego se apoderó de Egipto. Allí recibió la doble corona de los faraones, fundó ALEJANDRÍA y visitó el oráculo del dios AMÓN, el fundamento para reivindicar su divinidad. Con la costa este del Mediterráneo en sus manos, en 331 derrotó a Darío en la decisiva batalla de GAUGAMELA, aunque este escapó de nuevo. A continuación, se apoderó de la provincia de Babilonia. En 330 incendió el palacio de JERJES I en PERSÉPOLIS, Persia, e imaginó un imperio gobernado conjuntamente por macedonios y persas. Continuó hacia el este, reprimiendo conspiraciones reales o imaginarias entre sus hombres y tomó el control de los ríos Oxus (Amu Daryá) y Jaxartes (Syr Daryá), fundó ciudades (la mayoría con el nombre de Alejandría) para conservar el territorio. Al conquistar la actual Tayikistán, se casó con la princesa Roxana y adoptó el absolutismo persa, se vistió con ropas persas e impuso las costumbres cortesanas de ese país. En 326 alcanzó el Hifasis en India, donde sus hombres cansados se amotinaron; regresó marchando y saqueando a lo largo del Indo, y llegó a Susa sufriendo muchas bajas. Siguió promoviendo su impopular política de fusión racial, un intento aparente de formar una raza persa-macedónica. Cuando su favorito Hefestión (324) murió, Alejandro dispuso una celebración de un funeral de héroe en el que debían rendírsele honores divinos. Tras banquetear y beber en exceso, se enfermó y falleció a la edad de 33 años en Babilonia. Fue enterrado en Alejandría, Egipto. Su imperio, el más grande que hubiera existido hasta ese tiempo, se extendía desde Tracia a Egipto y desde Grecia al valle del Indo.

Alejandro Magno en la batalla de Isos; mosaico c. siglo II AC, Museo Arqueológico Nacional, Nápoles.

FOTOBANCO

Alejandro Nevski, san (c. 1220, Vladímir, Gran Principado de Vladímir–14 nov. 1263, Gorodets). Príncipe de Nóvgorod (1236–52) y de Kíev (1246–52) y gran príncipe de Vladímir (1252–63). Rechazó a los invasores suecos en 1240 en el río Neva (de donde deriva el epíteto Nevski). Fue llamado nuevamente para derrotar a la Orden TEUTÓNICA en 1242. También obtuvo victorias sobre los lituanos y los finlandeses. Colaboró con la HORDA DE ORO, para imponer el dominio mongol sobre Rusia. El Gran Kan lo nombró gran príncipe de Vladímir, aunque Alejandro continuó gobernando Nóvgorod a través de su hijo. Ayudó a los mongoles en la recaudación de impuestos e intercedió ante el Kan para impedir represalias cuando estallaban rebeliones. Héroe nacional, fue canonizado por la Iglesia ortodoxa rusa.

Alejo *ruso* **Alexei Mijáilovich** (9 mar. 1629, Moscú, Rusia–29 ene. 1676, Moscú). Zar de Rusia (1645–76). Hijo de MIGUEL, el primer monarca de la dinastía ROMÁNOV de Rusia, Alejo ascendió al trono a la edad de 16 años. Fomentó el comercio con Occidente, lo que provocó un repunte de las influencias extranjeras. Durante su reinado, los campesinos fueron convertidos en siervos, las asambleas rurales cayeron gradualmente en desuso, aumentó la importancia de la burocracia profesional y el ejército regular, y se adoptaron las reformas de la Iglesia ortodoxa rusa del patriarca NIKÓN. Aunque descrito como simpático y popular, Alejo fue un gobernante débil que a veces confió asuntos de Estado a favoritos incompetentes.

Alejo I Comneno (1048, Constantinopla–15 ago. 1118). Emperador bizantino (1081–1118). Experimentado jefe militar, se apoderó del trono en 1081, rechazó a los invasores NORMANDOS y turcos, y fundó la dinastía de los comnenos. Fortaleció el dominio bizantino en Anatolia y el Mediterráneo oriental, pero no logró limitar el poder de los magnates terratenientes que antes habían dividido el imperio. Protegió la Iglesia ortodoxa oriental, pero no vaciló en apoderarse de sus bienes cuando tuvo necesidades financieras. Su llamado en demanda de apoyo occidental en 1095 fue una de las causas que motivaron la convocatoria del papa URBANO II a la primera CRUZADA. La relación de Alejo con los cruzados fue problemática y a contar de 1097 estos frustraron su política exterior.

Alejo V Ducas *llamado* **Marzuflo** (m. 1204, Constantinopla). Emperador bizantino. En 1204 encabezó una rebelión griega contra los coemperadores ISAAC II y Alejo IV Ángelo, quienes habían sido apoyados por la cuarta CRUZADA. Después de ejecutarlos se proclamó emperador y exigió a los cruzados abandonar Constantinopla, pero en respuesta, estos asediaron la ciudad. Huyó para unirse al fugitivo Alejo III (su suegro), quien en vez de aliarse con él, hizo que lo cegaran. Capturado por los cruzados, lo ejecutaron precipitándolo desde lo alto de una columna. Fue el último emperador griego de un Bizancio unificado antes de ser dividido por los cruzados.

Aleksandrovsk ver ZAPÓRIZHZHIA

alelo Una de las dos o más formas alternativas de un GEN que puede ocurrir alternativamente en un sitio dado de un CROMOSOMA. Los alelos pueden ocurrir en pares o puede haber múltiples alelos que afecten la expresión de un carácter particular. Si los alelos pareados son los mismos, se dice que el organismo es homocigoto para ese carácter; si son diferentes, es heterocigoto. Un alelo dominante anulará los caracteres de un alelo recesivo en un par heterocigoto (ver DOMINANCIA Y RECESIVIDAD). En algunos caracteres, los alelos pueden ser codominantes (i.e., ninguno actúa como dominante o recesivo). Un individuo no puede poseer más de dos alelos para un carácter determinado. Todos los caracteres genéticos son el resultado de interacciones de alelos.

alemán Lengua oficial de Alemania y Austria, y una de las lenguas oficiales de Suiza, empleada por más de 100 millones de hablantes. Pertenece al grupo germánico occidental de las lenguas GERMÁNICAS. El alemán tiene cuatro declinaciones y tres géneros: masculino, femenino y neutro. Sus numerosos DIALECTOS pertenecen ya sea al grupo alto alemán

(*Hochdeutsch*) o al grupo bajo alemán (*Plattdeutsch*). El alto alemán moderno, hablado en las tierras altas del centro y sur de Alemania, Austria y Suiza, es actualmente el alemán escrito estándar que se utiliza en la administración, la educación superior, la literatura y en los medios de comunicación de masas, tanto en las zonas donde se habla el alto alemán como en aquellas donde se habla el bajo alemán.

Alemán, Mateo (bautizado el 28 sep. 1547, Sevilla, España–c. 1614, México). Novelista español. Descendiente de judíos forzados a convertirse al catolicismo, expresó en su obra diversos aspectos de la experiencia y los sentimientos de los nuevos cristianos en la España del s. XVI. Su obra literaria más importante es *Guzmán de Alfarache* (1599–1604), una de las primeras NOVELAS PICARESCAS, que lo hizo famoso en toda Europa, pero con poco provecho.

Alemana, Escuela Histórica *o* **Escuela Histórica Alemana de Economía** Rama del pensamiento económico, desarrollada principalmente en Alemania en las postrimerías del s. XIX, bajo la cual la situación económica de una nación se entiende como el resultado de su experiencia histórica total. Los exponentes del enfoque histórico estudiaron el desarrollo integral del orden social, en el que los motivos económicos y las decisiones eran sólo un componente más, objetando de esta manera las "leyes" de razonamiento deductivo de la ECONOMÍA CLÁSICA. Consideraban la intervención del gobierno en la economía como una fuerza positiva y necesaria. Sus primeros fundadores, como Wilhelm Roscher y Bruno Hildebrand, desarrollaron la idea del método histórico y procuraron identificar las etapas generales del desarrollo económico que todos los países debían atravesar necesariamente. Miembros de la escuela tardía, en particular, Gustav von Schmoller (n. 1813–m. 1917), realizaron una investigación histórica más detallada e intentaron descubrir tendencias culturales a través de la indagación histórica.

alemanda *o* **alemana** Danza procesional de parejas solemne y pausada, de moda en el s. XVI, especialmente en Francia. Una hilera de parejas extendían hacia adelante sus manos tomadas y desfilaban de ida y de vuelta por la sala de baile. Resurgió en el s. XVIII como baile de figuras para cuatro parejas, en que cada una daba intrincadas vueltas bajo los brazos de las demás, figura que subsiste en parte en el "allemand" del SQUARE DANCE estadounidense. A fines del s. XVII, fue desarrollada independientemente por los compositores que usaron una versión estilizada de este baile, con compás de 4 por 4, como primer movimiento de la SUITE.

ALEMANIA

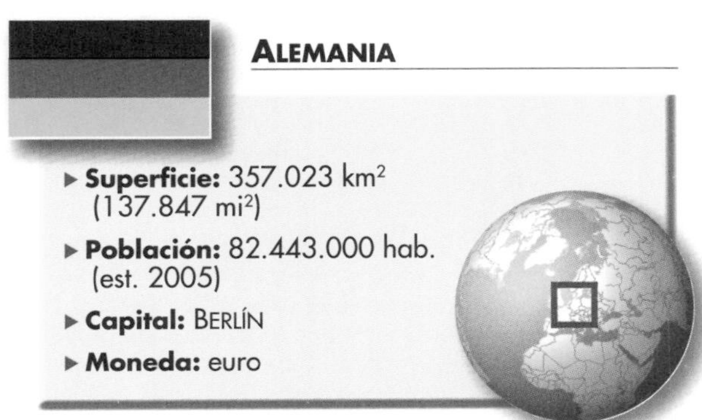

- **Superficie:** 357.023 km² (137.847 mi²)
- **Población:** 82.443.000 hab. (est. 2005)
- **Capital:** BERLÍN
- **Moneda:** euro

Alemania *ofic.* **República Federal de Alemania** República del centro-norte de Europa. La mayoría de la población es germana. Idioma: alemán (oficial). Religiones: luterana, católica. Su topografía es generalmente llana en el norte y con cerros en las regiones nordeste y central, que se elevan hasta los Alpes bávaros en el sur. La cuenca del RIN domina las partes centrales y occidentales del país; otros ríos importantes son el ELBA, el DANUBIO y el ODER. Alemania ha desarrollado una economía de libre mercado basada en gran parte en servicios y manufacturas. Es uno de los países más ricos del mundo. Sus exportaciones comprenden vehículos motorizados y productos de hierro y acero. El jefe de Estado es el presidente y el jefe de Gobierno es el canciller. El poder federal está centrado en el parlamento bicameral. Las tribus germánicas entraron en Alemania c. s. II AC, desplazando a los celtas. Los romanos no pudieron conquistar la región, la cual se convirtió en una entidad política sólo con la división del Imperio CAROLINGIO en el s. IX DC. La monarquía era débil y la nobleza organizada en estados feudales acrecentó continuamente su poder. La monarquía se restauró bajo el gobierno sajón en el s. X, y se rearticuló el SACRO IMPERIO ROMANO, centrado en Alemania y el norte de Italia. El conflicto constante entre los sacro emperadores romanos y los papas católicos socavaron el imperio, y la rebelión de MARTÍN LUTERO (1517), que dividió a Alemania y, en definitiva, a Europa en facciones protestantes y católicas, culminó en la guerra de los TREINTA AÑOS (1618–48), que aceleró su disolución. La población y las fronteras de Alemania se redujeron considerablemente y sus numerosos príncipes feudales obtuvieron virtualmente la plena soberanía. En 1862, OTTO VON BISMARCK llegó al poder en PRUSIA y en 1871 reunificó Alemania en el Imperio alemán. Este fue disuelto en 1918, después de la derrota alemana en la primera guerra mundial y se declaró la República de WEIMAR. A Alemania se le despojó de gran parte de su territorio y todas sus colonias. En 1933, ADOLF HITLER se convirtió en canciller y estableció un estado totalitario, el TERCER REICH, dominado por el PARTIDO NAZI. La invasión de Polonia, por Hitler en 1939, sumió al mundo en la segunda guerra mundial. Luego de su derrota en 1945, Alemania fue dividida por las potencias aliadas en cuatro zonas de ocupación. Los desacuerdos con la Unión Soviética sobre su reunificación llevaron a la creación en 1949 de la República Federal de Alemania (ALEMANIA OCCIDENTAL) y de la República Democrática Alemana (ALEMANIA ORIENTAL). Berlín, la antigua capital, permaneció dividida. Alemania Occidental se convirtió en una próspera democracia parlamentaria; Alemania Oriental se transformó en un Estado unipartidista bajo control soviético. En 1952, Alemania Occidental fue uno de los miembros fundadores de la COMUNIDAD EUROPEA DEL CARBÓN Y DEL ACERO (CECA), ante-

Las exportaciones de vehículos motorizados generan importantes divisas a Alemania. En la foto, edificio multipisos de la BMW en Munich, Baviera.
FOTOBANCO

Ruinas de la Iglesia Memorial, destruida en un bombardeo en 1943, contrasta con un edificio moderno en Berlín, capital de Alemania.
ARCHIVO EDIT. SANTIAGO

cesora de la UNIÓN EUROPEA (UE). El gobierno comunista de Alemania Oriental fue derrocado pacíficamente en 1989 y Alemania fue reunificada en 1990. Después de la euforia inicial por la reunificación, la integración política y económica de la antigua Alemania Oriental a la República Federal representó una pesada carga financiera para los alemanes occidentales más acomodados. Sin embargo, el país siguió avanzando hacia una integración política y económica más profunda con Europa occidental a través de su membresía en la Unión Europea.

Patio interior de la mezquita árabe de Zacarías, en Alepo, Siria.
SAM ABBOUD-FPG

Alemania Occidental *ofic.* **República Federal de Alemania** Ex república (1949–90) de Europa centro-occidental. Abarcaba los dos tercios occidentales de lo que ahora se conoce como República Federal de ALEMANIA. Se constituyó en 1949 cuando se unifican las zonas de ocupación estadounidense, británica y francesa de Alemania, mientras que la zona soviética pasó a ser ALEMANIA ORIENTAL. Se convirtió en un país soberano y miembro de la OTAN en 1955, aunque sus ocupantes mantuvieron bases militares. Se unió con el SARRE en 1957, e ingresó a la ONU en 1973. Se reunificó con Alemania Oriental en octubre de 1990.

Alemania Oriental *ofic.* **República Democrática Alemana** Ex república (1949–90) del centro–norte de Europa. Hoy es la porción oriental de la República Federal de ALEMANIA. En 1945, la Alemania ocupada fue dividida en zonas bajo control de estadounidenses, británicos, franceses y soviéticos. En 1949, las zonas bajo control de estadounidenses, británicos y franceses se unieron para crear ALEMANIA OCCIDENTAL, mientras que la zona soviética se convirtió en un Estado comunista conocido como Alemania Oriental. Declarado país soberano en 1955, fue miembro fundador del pacto de VARSOVIA. Los regímenes de WALTER ULBRICHT y más tarde de ERICH HONECKER fueron brutalmente represivos. El muro de BERLÍN fue construido en la frontera de la dividida ciudad (ver BERLÍN), en 1961, para contener la huida de los ciudadanos de Alemania Oriental hacia Occidente. El gobierno comunista fue disuelto en 1989–90 y el país adoptó la constitución y el nombre de Alemania cuando ambos estados se reunificaron en octubre de 1990.

Alentejo *ant.* **Alemtejo** Provincia histórica de Portugal. Ubicada al sudeste del río TAJO, limita con España y el océano Atlántico. La región produce dos tercios del corcho del mundo. Hasta la revolución portuguesa de 1974, en Alentejo predominaban los latifundios, la mayoría pertenecientes a terratenientes ausentes; desde entonces, muchas de estas tierras han sido repartidas entre los alentejanos.

alenu (hebreo: "es nuestro deber"). Palabras iniciales de una plegaria judía recitada al final de los tres períodos de oración diaria desde la Edad Media. La primera parte es un rezo de agradecimiento porque Dios escogió a Israel para su servicio; la segunda expresa la esperanza en la era mesiánica venidera. Aunque tradicionalmente esta oración es atribuida a JOSUÉ, con frecuencia también se la adscribe a Abba Arika, un erudito judío que vivió en Babilonia durante el s. III DC.

Alepo *árabe* **Ḥalab** Ciudad (pob., 1994: 1.582.930 hab.) del noroeste de Siria. Es la ciudad más grande del país, a unos 48 km (30 mi) de la frontera turca. Ubicada en el cruce de grandes rutas comerciales, está habitada desde muy antiguo y aparece mencionada por primera vez al final del tercer milenio AC. Cayó sucesivamente bajo el dominio de muchos reinos, entre los que se cuentan los HITITAS (s. XVII–XIV AC). Fue gobernada también por la dinastía persa aqueménida durante los s. VI–IV AC. Luego cayó bajo el dominio de la dinastía helénica SELÉUCIDA, bajo los cuales fue rebautizada como Beroia. Absorbida por el Imperio romano en el s. I AC, disfrutó de varios siglos de prosperidad. En 637 DC fue conquistada por los árabes, bajo cuyo dominio recobró su antiguo nombre, Ḥalab. La ciudad se defendió bien de los cruzados (1124), cayó frente a los MONGOLES (1260) y finalmente fue incorporada al Imperio OTOMANO (1516). Alepo moderno es un centro industrial e intelectual que rivaliza con la capital siria, DAMASCO.

alerce Nombre común de 10–12 especies de coníferas arbóreas del género *Larix* de la familia de las Pináceas (ver PINO), nativas de regiones templadas frías y subárticas del hemisferio norte. Aunque los alerces tienen la forma piramidal típica de las CONÍFERAS, su follaje verde claro, de hojas cortas aciculares cae en otoño. El alerce de más amplia distribución en Norteamérica es el tamarack o alerce americano (*L. laricina*), que madura en 100–200 años, puede alcanzar 12–30 m (40–100 pies) de altura y tiene una corteza gris a marrón rojiza. La madera de alerce, de hebra gruesa resistente, dura y pesada, es utilizada en la construcción de naves y para postes de teléfono, maderamen de minas y durmientes. El alerce sudamericano, especie del género *Fitzroya* de la familia de las Cupresáceas, es nativo de las regiones templadas frías de la Argentina y Chile, y sus hábitats son la cordillera de la Costa y cordillera de los Andes. Crece con suma lentitud y alcanza gran altura. Su madera, de corteza rojiza, es de excelente calidad, fuerte y liviana. Se utiliza en la construcción de viviendas y barcos y para postes de teléfono.

Alerce americano o tamarack (*Larix laricina*).
© ENCYCLOPÆDIA BRITANNICA, INC.

alergia Reacción corporal exagerada a sustancias extrañas que son inocuas para la mayoría de las personas. Esas sustancias, llamadas alergenos o ANTÍGENOS, pueden abarcar PÓLENES, DROGAS, polvos, alimentos u otros. Las reacciones alérgicas inmediatas se deben a predisposición genética o sensibilización por exposición previa. Los vasos sanguíneos se dilatan y las vías aéreas bronquiales se constriñen. Una reacción severa (ANAFILAXIS) puede obstruir la respiración y resultar fatal. Las respuestas alérgicas tardías (p. ej., DERMATITIS de contacto) aparecen 12 o más horas después de la exposición. Se puede prevenir o tratar las alergias evitando los alergenos y tomando ANTIHISTAMÍNICOS. Cuando la evitación no es factible y los antihistamínicos no alivian los síntomas, puede intentarse la DESENSIBILIZACIÓN.

alero Extensión descendente de la roca circundante que protruye en la cara superior de las rocas intrusivas. La mayoría de las intrusiones que contienen aleros son relativamente poco profundas; los aleros aparecen como cuerpos aislados de la masa circundante dentro de la masa intrusiva. Dado que los aleros quedan al descubierto por la erosión de las rocas suprayacentes, su presencia indica que el cuerpo ígneo se observa cerca de su cara superior. Los aleros pueden analizarse para determinar algunas de las condiciones que existían al momento de la intrusión, como la temperatura y composición del MAGMA.

Alessandri Palma, Arturo (20 dic. 1868, Longaví, Chile–24 ago. 1950, Santiago). Presidente de Chile (1920–25, 1932–38). Hijo de un inmigrante italiano, su elección en 1920 representó la primera confrontación exitosa de las clases urbanas con la oligarquía chilena. Cuando defendió a grupos de trabajadores e intentó realizar reformas liberales, se encontró con una firme oposición en el congreso. Un golpe encabezado por CARLOS IBÁÑEZ le envió al exilio, pero pronto fue llamado de regreso y elaboró una nueva constitución que acrecentó el poder presidencial. Alcanzó nuevamente la presidencia en 1932, durante la GRAN DEPRESIÓN, con el apoyo de la derecha política. La declaración de un estado de sitio en respuesta a huelgas generalizadas le quitó el respaldo de sus seguidores de clase media y obrera.

Aleutianas, islas Cadena de pequeñas islas de Alaska, EE.UU. Forman el límite sur del mar de BERING, extendiéndose en un arco de unos 1.800 km (1.100 mi) desde el extremo oeste de la península de ALASKA hasta la isla Attu. Los mayores grupos de islas, de este a oeste, son las islas Fox (incluidas Unimak y Unalaska), las islas de las Cuatro Montañas, las islas Andreanof (incluida Adak) y las islas Near Islands (incluida Attu). Los principales poblados están en Unalaska y Adak. Originalmente habitadas por los ALEUTIANOS, las islas fueron exploradas por barcos financiados por los rusos en 1741. A medida que los cazadores de pieles siberianos se desplazaban hacia el este a través de las islas, los rusos se fueron afianzando en Norteamérica, al tiempo que estuvieron cerca de provocar la extinción de los aleutianos. Rusia vendió las islas junto al resto de Alaska a EE.UU. en 1867.

aleutiano Cualquier nativo de las islas Aleutianas y de la parte occidental de la península de Alaska. El término deriva de aleut, vocablo utilizado en 1745 por comerciantes de pieles rusos de la península de Kamchatka, para referirse principalmente a los habitantes de las islas Aleutianas, quienes se autodenominan unangan o unangas. Además, por extensión, alude a los yupik del Pacífico, que se autodenominan alutiit (plural de alutiiq), adaptación a su vez del nombre ruso. Los aleutianos hablan dos dialectos principales y se encuentran, tanto física como culturalmente, muy próximos a los ESQUIMALES. Tradicionalmente, sus aldeas se ubicaban en la costa, en la proximidad de fuentes de agua dulce; cazaban mamíferos marinos, peces, pájaros, caribúes y osos. Las mujeres tejían finas cestas de paja; también trabajaban la piedra, el hueso y el marfil. Tras el arribo de los rusos en el s. XVIII, su población disminuyó en forma drástica. Sólo cerca de 6.600 personas declararon poseer ancestros exclusivamente aleutianos en el censo estadounidense de 2000.

Alexander, archipiélago Grupo de unas 1.100 islas al sudeste de Alaska, EE.UU., que se extienden hacia el sur desde la bahía GLACIER. Sus islas principales son Chichagof, Admiralty, Baranof, Kupreanof, Príncipe de Gales y Revillagigedo. Los pueblos principales son Sitka (en Baranof) y Ketchikan (en Revillagigedo). Las islas están separadas del continente por profundos y angostos canales que forman parte del INSIDE PASSAGE. El nombre del archipiélago, acuñado en 1867, honra al zar ALEJANDRO II.

Alexander, Harold (Rupert Leofric George) Alexander, 1er conde (10 dic. 1891, Londres, Inglaterra–16 jun. 1969, Slough, Buckinghamshire). Mariscal de campo británico durante la segunda guerra mundial. En 1940 ayudó a dirigir la evacuación de DUNKERQUE y fue el último hombre en abandonar las playas. Nombrado comandante en jefe británico en el teatro de operaciones del Mediterráneo en 1942, ayudó a dirigir la campaña de ÁFRICA DEL NORTE contra los alemanes. Dirigió las invasiones de Sicilia e Italia, convirtiéndose luego en comandante en jefe de las fuerzas aliadas en Italia. Después de la guerra fue gobernador general de Canadá (1946–52) y ministro de defensa de Gran Bretaña (1952–54).

1er conde Alexander, óleo sobre papel de John Gilroy, 1957; National Portrait Gallery, Londres.

GENTILEZA DE LA NATIONAL PORTRAIT GALLERY, LONDRES

Alexanderson, Ernst F(rederik) W(erner) (25 ene. 1878, Uppsala, Suecia–14 may. 1975, Schenectady, N.Y., EE.UU.). Ingeniero eléctrico estadounidense de origen sueco, pionero de la televisión. Emigró a EE.UU. en 1901 y pasó la mayor parte de las cinco décadas siguientes en la empresa General Electric; desde 1952 en adelante trabajó para la RCA. Desarrolló un alternador de alta frecuencia capaz de producir ondas de radio continuas, lo que revolucionó las comunicaciones radiales. Una vez finalizado su alternador (1906), este mejoró enormemente las comunicaciones transoceánicas y afianzó el uso de dispositivos inalámbricos de radio en la navegación y en las operaciones militares. También desarrolló un sofisticado sistema de control (1916) para automatizar complejos procesos de fabricación y operar cañones antiaéreos. En 1955 se le otorgó su patente Nº 321 por el receptor de TV en colores que desarrolló para RCA.

Alexandre, Libro de Extenso poema de más de diez mil versos, del llamado MESTER DE CLERECÍA, atribuido por algunos tratadistas a Juan Lorenzo de Astorga, que trata sobre las empresas legendarias de Alejandro, rey de Macedonia. Se ha señalado que en la obra pueden apreciarse influencias tanto latinas como francesas y árabes. El poema, supuestamente escrito en la primera mitad del s. XIII, está en la habitual forma medieval de la cuaderna vía, estrofas de cuatro versos ALEJANDRINOS con monorrima consonante. Esta obra fue editada por primera vez en el s. XVIII por Tomás Antonio Sánchez, a partir de un manuscrito del s. XIV que se encuentra en la Biblioteca Nacional de Madrid.

Alexandria Ciudad (pob., 2000: 128.283 hab.) del norte de Virginia, EE.UU., junto al río POTOMAC. Fue fundada en 1695, y en 1749 fue bautizada así en honor a John Alexander, el concesionario original del lugar. Fue parte de Washington D.C. de 1791 a 1847, después de lo cual fue devuelta a Virginia. Muchos edificios coloniales subsisten en la "antigua Alexandria"; en las cercanías se encuentra la hacienda de MOUNT VERNON que perteneció a GEORGE WASHINGTON.

Alexandrina, lago Lago ubicado en el sudeste de Australia Meridional. Cubre 570 km^2 (220 mi^2) y tiene aprox. 37 km (23 mi) de largo y 21 km (13 mi) de ancho. Con el lago Albert y la laguna de Coorong, forma la desembocadura del río MURRAY. En 1830, el explorador Charles Sturt bautizó el lago con el nombre de princesa Alexandrina (posteriormente reina VICTORIA). Cinco represas construidas en la década de 1940, en los brazos del río, evitan la entrada de agua de mar aguas arriba, lo que permite el desarrollo de la agricultura en la región.

Alexéiev, Vasili (n. 7 ene. 1942, Pokrovo-Shishkino, Rusia, U.R.S.S.). Levantador de pesas soviético en la categoría superpesado; quebró 80 récords mundiales entre 1970 y 1978, y ganó la medalla de oro en los Juegos Olímpicos de 1972 y 1976. Fue el primer hombre en levantar más de 227 kg (500 lb) en envión y arranque. Se retiró luego de no conseguir su tercera medalla de oro en los Juegos Olímpicos de 1980.

Alfa Centauro ESTRELLA triple de la constelación de Centauro, cuyo componente menos brillante, Próxima Centauri, es actualmente la estrella más cercana al Sol (cerca de 4,2 años-luz de distancia). Los dos componentes más brillantes están a unos 0,2 años-luz más lejos del Sol. Visto desde la Tierra, el sistema aparece como la tercera estrella más brillante (después de SIRIO y Canopus). A simple vista, Próxima Centauri no se distingue como una estrella aparte. Alfa Centauro puede observarse desde la superficie terrestre sólo desde puntos situados al sur de la latitud 40° N.

alfabetismo Capacidad de leer y escribir. El término puede también referirse tanto a tener familiaridad con la literatura como a un nivel de instrucción elemental obtenido a través de la palabra escrita. En civilizaciones antiguas como la sumeria y la babilónica, el alfabetismo pertenecía al dominio de un grupo elitista de eruditos y sacerdotes. El alfabetismo estuvo a menudo restringido a miembros de las clases sociales altas, aunque esto prevaleció en mayor medida en la Grecia clásica y en Roma. La propagación del alfabetismo en Europa durante la Edad Media se manifestó en el empleo de la escritura en funciones que antes se realizaban oralmente, como los contratos de trabajo forzoso de sirvientes y el registro de pruebas en los juicios. El aumento del alfabetismo en Europa estuvo fuertemente vinculado con las grandes transformaciones sociales, especialmente la Reforma, que introdujo el estudio individual de la Biblia y el desarrollo de la ciencia moderna. La expansión del alfabetismo durante la Reforma y el Renacimiento se facilitó en gran medida por el desarrollo de la IMPRESIÓN con tipos móviles y por la adopción de lenguas vernáculas en lugar del latín. La enseñanza obligatoria, que se estableció en Gran Bretaña, Europa y EE.UU. en el s. XIX, ha contribuido a elevar los niveles de alfabetismo del mundo industrializado moderno.

alfabeto Conjunto de símbolos o caracteres que representan los sonidos de la lengua por escrito (ver ESCRITURA). Generalmente, cada símbolo representa una VOCAL simple, un diptongo (dos vocales) o una o dos CONSONANTES. Se denomina silabario a un sistema de escritura en el que un solo carácter representa una sílaba completa. Se cree que el primer alfabeto fue el semítico del norte, que se originó en la región del Mediterráneo oriental entre 1700 y 1500 AC. Entre los alfabetos que surgieron durante los 500 años siguientes se cuentan el cananeo y el arameo, de los cuales descienden los alfabetos hebreo y árabe modernos, el griego (ancestro del alfabeto LATINO), considerado el primer alfabeto genuino porque comprende tanto consonantes como vocales. Los eruditos han intentado establecer una correspondencia exacta entre cada sonido y su símbolo en alfabetos nuevos como el ALFABETO FONÉTICO INTERNACIONAL (AFI).

Alfabeto Fonético Internacional (AFI) Conjunto de símbolos concebido como un sistema universal de transcripción de sonidos del habla. La difusión y la actualización del AFI han sido objetivos principales de la Asociación Fonética Internacional (Association Phonétique Internationale), fundada en París en 1886. La primera cartilla de la AFI se publicó en 1888. Los símbolos de la AFI se basan en una versión ampliada del alfabeto LATINO, con modificaciones de ciertas letras y el uso de símbolos adicionales, algunos de los cuales se habían usado en ALFABETOS fonéticos anteriores. Los diacríticos se usan principalmente para mostrar varios tipos de ARTICULACIONES secundarias.

alfabeto romano ver alfabeto LATINO

alfalfa LEGUMINOSA (*Medicago sativa*) perenne, parecida al TRÉBOL. Se cultiva ampliamente para heno, pastura y ensilaje. Es conocida por su tolerancia a la sequía, el calor, el frío y por mejorar el suelo a través de la nitrificación, debida a las bacterias asociadas a sus raíces (ver BACTERIA NITRIFICANTE). La planta, que alcanza 30–90 cm (1–3 pies) de alto, desarrolla numerosos tallos a partir de una corona muy ramificada a nivel del suelo. Cada tallo tiene muchos folíolos trifoliados. Posee una larga raíz primaria que puede alcanzar hasta 15 m (50 pies) en algunas plantas, lo que les confiere la rara habilidad de tolerar la sequía. Su notable capacidad de regenerar densas masas de tallos y hojas después de una siega, permite realizar hasta 13 cosechas de heno en una temporada de cultivo. El heno de alfalfa es muy nutritivo y sabroso, rico en proteínas, minerales y vitaminas.

Alfalfa (*Medicago sativa*).

Alfarabí ver FĀRĀBĪ, AL-

alfarería Una de las artes decorativas más antiguas y difundidas, que consiste en objetos (en su mayoría utilitarios, como vasijas, platos y cuencos) hechos de arcilla y endurecidos al horno. La LOZA es su forma más antigua y simple; la CERÁMICA DE GRES se cuece a altas temperaturas para producir su vitrificación y endurecimiento, y la PORCELANA es un tipo de alfarería fina generalmente translúcida. Los chinos iniciaron su sofisticada producción de alfarería en el período neolítico y ya producían porcelana a comienzos del s. VII DC. La porcelana china fue ampliamente exportada a Europa y ejerció una profunda influencia tanto en los fabricantes como en el gusto europeo. Las culturas de la Grecia clásica y del Islam también son conocidas por sus innovaciones artísticas y técnicas en la alfarería. En las culturas mesoamericanas se caracterizó por una decoración incisa o policroma, como la de los mayas, toltecas y aztecas. Entre las culturas andinas destacan la cerámica Valdivia originaria de los Andes septentrionales, la más antigua del continente (4400 AC) y la de las culturas mochica y nazca, en el Perú, como las vasijas y jarras con asa de estribo antropomorfas y zoomorfas, ejecutadas mediante la técnica del modelado.

Jarra-retrato con asa de estribo de la alfarería mochica, Perú.

alfarería griega ALFARERÍA hecha en la antigua Grecia. Su decoración pintada se ha convertido en la principal fuente de información acerca del desarrollo del arte pictórico griego. Se fabricaba en una variedad de tamaños y formas, de acuerdo con el uso proyectado. Se utilizaban grandes vasijas para el almacenaje y transporte de líquidos (vino, aceite de oliva, agua) y vasijas más pequeñas para perfumes y ungüentos. El estilo más temprano, conocido como estilo GEOMÉTRICO (c. 1000–700 AC), presenta diseños geométricos y más tarde escenas narrativas con figuras estilizadas. Desde fines del s. VIII AC hasta principios del s. VII AC, la creciente influencia oriental provocó la "orientalización" de los motivos (p. ej., esfinges, grifos), sobre todo en las piezas hechas en Corinto (c. 700 AC), donde los pintores desarrollaron la CERÁMICA DE FIGURAS NEGRAS. Los atenienses adoptaron el estilo de figuras negras y desde el 600 AC se convirtieron en los principales fabricantes de la alfarería griega. Inventaron la CERÁMICA DE FIGURAS ROJAS c. 530 AC. En el s. IV AC, en Atenas, la decoración figurativa de la alfarería declinó y hacia fines de siglo se extinguió.

Alfasi, Isaac ben Jacob (1013, cerca de Fez, Marruecos–1103, Lucena, España). Eminente talmudista judeomarroquí. Pasó la mayor parte de su vida en Fez, pero en 1088 fue denunciado ante el gobierno y se vio obligado a huir a España. Se convirtió en el jefe de la comunidad judía en Lucena y fundó una respetada academia talmúdica que impulsó el renacimiento de los estudios talmúdicos en España. Su codificación del Talmud *Séfer ha-Halakhot* [Libro de leyes], trata de la HALAKÁ (ley hebrea) y se ubica a la altura de las obras de MAIMÓNIDES y Karo. Alfasi fue decisivo en el establecimiento de la primacía del Talmud babilónico sobre el Talmud palestino.

Alfeo, río *griego* **Alpheios** *o* **Alfíos** Río del sur de Grecia. Con alrededor de 120 km (75 mi), es el río más extenso del PELOPONESO. Nace en Arcadia y corre hacia el noroeste por el sur de Elias hasta el mar Jónico. OLIMPIA está en su ribera norte. Comparte su nombre con el de la antigua divinidad fluvial y aparece en las leyendas griegas, en la limpieza de los establos de Augias por Hércules, y en el poema *Kubla Khan* de SAMUEL TAYLOR COLERIDGE.

Alferov, Zhores (Ivanovich) (n. 15 mar. 1930, Vítebsk, Bielorrusia, U.R.S.S.). Físico soviético. En 1970 obtuvo un Ph.D. en el A.F. Ioffe Physico-Technical Institute y llegó a ser director de ese instituto en 1987. En 1966, con un equipo de investigación, desarrolló el primer dispositivo electrónico de heteroestructura de aplicación práctica y siguió a la vanguardia del desarrollo de componentes electrónicos hechos a partir de heteroestructuras, como el primer láser de heteroestructura. Su labor condujo a grandes avances en la tecnología de las comunicaciones. En 2000, compartió el Premio Nobel de Física con HERBERT KROEMER y JACK S. KILBY.

Alfieri, Vittorio, conde (16 ene. 1749, Asti, Piamonte–8 oct. 1803, Florencia). Poeta trágico y dramaturgo italiano. Con sus poemas y obras dramáticas, contribuyó a reavivar el espíritu nacional italiano. Luego de un período de viajes en el que conoció la libertad política inglesa y leyó las obras de MONTESQUIEU y otros escritores franceses, abandonó la carrera militar y comenzó a escribir. Sus tragedias suelen presentar el conflicto entre un defensor de la libertad y un tirano. Las mejores de las 19 tragedias cuya publicación autorizó en una edición de 1787–89 son *Filippo*, *Antígona*, *Orestes*, *Mirra* y su obra maestra *Saúl*, considerada a menudo la creación dramática más impresionante del teatro italiano. Su autobiografía (1804) es su obra en prosa más importante.

Vittorio Alfieri, detalle de una pintura al óleo de François-Xavier Fabre; Museo Cívico, Turín.
GENTILEZA DEL MUSEO CÍVICO, TURÍN, ITALIA

alfombra y tapiz Cualquier textil decorativo normalmente fabricado con material grueso y destinado a cubrir el piso. Las esteras hechas de juncos entretejidos datan del 5000–4000 AC. Los tapices se fabricaron por primera vez en Asia central y occidental como cubresuelos; también se usaban como frazadas, cubiertas de monturas, bolsas de almacenamiento, puertas de carpas y cubiertas de tumbas. Los tapices orientales importados a Europa durante los s. XVI–XVII eran considerados demasiado valiosos como para ponerlos en el piso y frecuentemente se usaban para decorar muros. Todavía son populares como decoración mural en Rusia. El tejido de tapices alcanzó su punto artístico culminante en Persia en el s. XVI. En Occidente se produjeron notables tapices en fábricas, durante el s. XVII en Francia, y en el s. XVIII en Inglaterra. La mayoría de los tapices hechos a mano están fabricados con lana de oveja. Se utilizaron tinturas naturales hasta el s. XIX, tiempo en que se introdujeron las tinturas químicas. Ver también tapiz de AUBUSSON; alfombra de AXMINSTER.

Alfombras tunecinas hechas a mano.
ARCHIVO EDIT. SANTIAGO

alfombrilla ver SARAMPIÓN

Alfonsín (Foulkes), Raúl (Ricardo) (n. 13 mar. 1926/7, Chascomús, Buenos Aires, Argentina). Presidente civil de la Argentina (1983–89). Se licenció en derecho y fundó un periódico antes de ingresar a la política en 1953. Luego de que la Argentina perdiera la guerra de las MALVINAS, los militares, desacreditados, permitieron la realización de elecciones libres, en las que Alfonsín derrotó al candidato PERONISTA. Enjuició a miembros de las fuerzas armadas acusados de violaciones a los derechos humanos, pero la presión militar (incluidas varias rebeliones armadas) lo impulsó a indultar a la mayoría de los oficiales procesados. Su administración sufrió el flagelo de una inflación elevada, una enorme deuda externa, los conflictos laborales y el descontento militar. Debido a la crisis económica y a los saqueos a supermercados en varias ciudades, accedió tras largas negociaciones a entregar el cargo al presidente electo CARLOS MENEM quien asumió cinco meses antes de lo estipulado.

Alfonso I *llamado* **Alfonso el Conquistador** (1109/11, Guimarães, Portugal–6 dic. 1185, Coimbra). Primer rey de Portugal (1139–85). Se apoderó del trono (1128) tras derrotar a su madre. Gobernó primero como vasallo de su primo Alfonso VII de León, pero luego consiguió la independencia de Portugal, y fue proclamado rey (1139). Derrotó a sus vecinos musulmanes, a quienes impuso tributo, y luego capturó Lisboa (1147) con la ayuda de los cruzados. Logró finalmente extender Portugal más allá del río TAJO. Compartió el poder con su hijo SANCHO I, a quien dejó una monarquía estable e independiente.

Alfonso III (5 may. 1210, Coimbra, Portugal–16 feb. 1279, Lisboa). Rey de Portugal (1248–79). Emigró a Francia, convirtiéndose en conde de Boulogne por medio del matrimonio. Asumió la corona portuguesa cuando su hermano mayor SANCHO II fue depuesto por orden del papa. Como rey, Alfonso recuperó el control del distrito de Faro (1249) y completó la reconquista del Algarve de manos de los musulmanes. Bajo su reinado, los plebeyos fueron por primera vez admitidos en las Cortes portuguesas (parlamento). Su reivindicación del derecho real a recuperar tierras de la Iglesia le valió ser excomulgado por el papa.

Alfonso V *llamado* **Alfonso el Magnánimo** (1396–27 jun. 1458, Nápoles). Rey de ARAGÓN (1416–58) y del reino de NÁPOLES (como Alfonso I, 1442–58). Siguió una política de expansión en el Mediterráneo, en la que pacificó Cerdeña y Sicilia, y atacó Córcega (1420). Tomado prisionero por los genoveses (1435) mientras preparaba un ataque a Nápoles, convenció a sus captores de formar una alianza, y conquistó la ciudad (1442), la que convirtió en sede de su corte. Participó en muchas acciones militares y diplomáticas en África, los Balcanes y el Mediterráneo oriental, con el fin de proteger su comercio con el Oriente y defender la cristiandad contra los turcos. Murió durante un ataque a Génova.

Alfonso VI *llamado* **Alfonso el Valiente** (antes de jun. 1040–1109, Toledo, Castilla). Rey de LEÓN (1065–70) y de CASTILLA Y LEÓN (1072–1109). Heredó León de su padre, Fernando I. Combatió contra su envidioso hermano Sancho II, a cuya muerte heredó Castilla (1072). Ocupó Galicia y encarceló a su hermano García, su legítimo gobernante. En 1077, Alfonso se autoproclamó emperador de toda España. Conquistó Toledo a los musulmanes, pero sus exigencias de tributo provocaron la invasión de España por los ALMORÁVIDES de África del norte, siendo derrotado en Sagrajas (1086). El CID se convirtió en su aliado y defendió el este de España, pero Alfonso continuó perdiendo terreno frente a los ejércitos bereberes.

Alfonso X *llamado* **Alfonso el Sabio** (23 nov. 1221, Burgos, Castilla–4 abr. 1284, Sevilla). Rey de Castilla y León (1252–84). Aplastó las rebeliones de los musulmanes (1252) y de los nobles (1254), y anexó Murcia. Sin embargo, fracasó en sus reiterados intentos por tomar a Granada y así restablecer la unidad política española, y por pasar al África para destruir allí, en sus raíces, el poder de los musulmanes. Reclamó el título de emperador del Sacro Imperio romano (1256), pero GREGORIO X lo convenció de renunciar a esa pretensión. Se destacó por su labor legisladora al introducir el derecho romano y organizar un corpus de textos jurídicos, doctrinales y normativos, entre ellos el *Fuero real*, el *Espéculo* y las *Siete Partidas*. El énfasis que dio a la cultura le mereció el apelativo de "Sabio". Probablemente, lo que más marcó su reinado en el ámbito cultural fue su vinculación de Occidente con Oriente, siendo la máxima expresión de esta cultura de síntesis la creación de la Escuela de traductores de Toledo. En el campo de la astronomía, su obra más destacada fue *Tablas astronómicas alfonsíes*, elaboradas en 1272. Su interés historiográfico se concretó con la *Estoria de España* y la *Grande e general estoria*, redactadas en lengua romance. En poesía, dejó el repertorio de Cantigas, entre las que resaltan las de carácter religioso o de *Santa María*, escritas en galaicoportugués. Fue el creador de la prosa literaria castellana.

"Los fabricantes de dados", manuscrito iluminado medieval de las Cantigas de Alfonso el Sabio, s. XIII.

FOTOBANCO

Alfonso XII (28 nov. 1857, Madrid, España–25 nov. 1885, Madrid). Rey español cuyo reinado (1874–85) alentó las esperanzas de quienes aspiraban a una monarquía constitucional estable. Acompañó a su madre ISABEL II al exilio después de que fue depuesta por la revolución de 1868. Fue proclamado rey en 1874 y regresó a España el año siguiente. Su reinado estuvo marcado por una tranquilidad desacostumbrada, pues en 1876 fueron resueltos los problemas más urgentes: el fin de la guerra civil con los carlistas (ver CARLISMO) y la redacción de una constitución. Alfonso fue un rey popular y su muerte prematura, víctima de tuberculosis, desilusionó a quienes deseaban una monarquía constitucional.

Alfonso XIII (17 may. 1886, Madrid, España–28 feb. 1941, Roma, Italia). Rey de España (1886–1931). Hijo póstumo de ALFONSO XII, fue proclamado rey apenas nacido, bajo la regencia de su madre, y asumió plena autoridad a los 16 años. Disfrutaba del poder, por lo que después de la primera guerra mundial pasó a un sistema de gobierno más personal, buscando incluso desembarazarse de las Cortes (parlamento). Se asoció con la dictadura de MIGUEL PRIMO DE RIVERA (1923–30), pero después de la caída de este último, los republicanos que habían ganado las elecciones libres exigieron la abdicación de Alfonso, quien fue obligado a abandonar España. Su nieto se convirtió en soberano de España como JUAN CARLOS I en 1975.

Alfonso XIII, rey de España (1886–1931).

FOTOBANCO

Alfonso el Grande ver Alfonso de ALBUQUERQUE

alforfón *o* **trigo sarraceno** Cualquiera de dos especies (*Fagopyrum esculentum* o *sagittatum* y *F. tataricum*) de plantas herbáceas y sus semillas triangulares, comestibles, utilizadas como CEREAL, aunque la planta no es una HIERBA cereal. Es menos productivo que otros cultivos de grano en suelos buenos, pero se adapta muy bien a terrenos áridos escarpados y a climas fríos. Como madura rápidamente, se puede manejar como un cultivo de fines de temporada. Mejora las condiciones para la producción de otros cultivos, asfixiando las malezas, y puede plantarse como cultivo para ABONO VERDE. Generalmente, el alforfón se utiliza como pienso para aves de corral y ganado. Tiene un alto contenido de carbohidratos y alrededor de 11% de proteínas y 2% de grasa. Los granos descascarados, o desvainados, se pueden cocer y servir como el arroz. La harina de alforfón no es buena para pan, pero se usa para hacer panquecas ("tortas de alforfón").

Alfredo *llamado* **Alfredo el Grande** (849–899). Rey de Wessex (871–99) en el sudoeste de Inglaterra. Luchó con su hermano, el rey Etelred I, contra un ejército danés en Mercia (868). Sucesor de su hermano, Alfredo combatió a los daneses en Wessex en 871 y nuevamente en 878, cuando era el único líder sajón occidental que rehusaba someterse a su autoridad, siendo empujado a la isla de Athelney. Derrotó a los daneses en la batalla de Edington (878) y salvó a Kent de otra invasión danesa en 885. Al año siguiente tomó la ofensiva y capturó Londres, victoria que llevó a todos los ingleses libres del dominio danés a reconocerlo como rey. La conquista del DANELAW por sus sucesores fue posible gracias a su estrategia, que incluyó la construcción de fuertes y de una flota, y la reforma del ejército. Alfredo redactó un importante código legal (ver derecho ANGLOSAJÓN) y fomentó la alfabetización y la educación, traduciendo personalmente del latín al anglosajón las obras de BOECIO, del papa GREGORIO I y de san AGUSTÍN. Durante su reinado comenzó a ser compilada la crónica anglosajona.

alga Cualquier miembro de un grupo de organismos fotosintéticos (ver FOTOSÍNTESIS), principalmente acuáticos, que escapa a una definición precisa. Sus tamaños van desde el flagelado microscópico *Micromonas* hasta las ALGAS PARDAS gigantes, que alcanzan 60 m (200 pies) de largo. Las algas suministran gran parte del oxígeno de la Tierra, sirven de alimento base de casi toda la vida acuática y proveen de alimentos y productos industriales, incluidos los derivados del petróleo. Sus pigmentos fotosintéticos son más variados que los de las plantas, y sus células presentan características no halladas en plantas ni animales. La clasificación de las algas cambia con rapidez debido a que se descubre nueva información taxonómica. Basándose en las moléculas pigmentarias de sus CLOROPLASTOS, las algas se clasificaban en tres grupos principales: algas rojas, pardas y verdes. Actualmente se reconocen mucho más que tres grupos, cada uno de los cuales comparte un conjunto común de tipos pigmentarios. Las algas no están muy relacionadas entre sí en un sentido evolutivo. Hay grupos específicos de algas que pueden distinguirse de los PROTOZOOS y de los HONGOS sólo por la presencia de cloroplastos y su capacidad de realizar la fotosíntesis; esos grupos específicos tienen entonces una relación evolutiva más cercana con los protozoos u hongos que con otras algas. Es común encontrar algas sobre rocas legamosas en arroyos (ver DIATOMEAS) y como visos verdes en las piscinas y estanques. El uso de las algas es tal vez tan antiguo como la misma humanidad; muchas especies son consumidas como alimento por sociedades establecidas en zonas costeras.

alga marina Cualquiera de ciertas especies de ALGAS marinas rojas, verdes y pardas, que están ancladas generalmente en el fondo marino o a una estructura sólida mediante un disco rizoide, cuya única función es el anclaje y no la extracción de nutrientes como lo hacen las raíces de las plantas superiores. Las algas marinas más visibles son las algas pardas; las alfombras de algas rojas parecidas al musgo son sólo visibles durante la bajamar. Las algas marinas suelen ser densas en aguas someras. Las ALGAS PARDAS incluyen a las algas más grandes y a los SARGAZOS. Algunas algas marinas tienen flotadores huecos y llenos de aire que mantienen sus frondas en la superficie del agua. Pocas algas verdes son marinas, entre ellas se encuentran las especies del género *Ulva*, comúnmente llamadas lechugas de mar. Las algas marinas son usadas como alimento y las algas pardas como FERTILIZANTE. La alga roja *Gelidium* es usada para elaborar un producto similar a la gelatina llamado agar.

alga parda Cualquiera de unos 30 géneros de grandes algas marinas que componen el orden Laminariales (ver ALGAS), que se encuentran en los mares fríos. La *Laminaria*, abundante a lo largo de las costas del Pacífico y las islas Británicas, es una fuente de YODO comercial. Su estípete (estructura semejante a un tallo) mide de 1–3 m (3–10 pies) de largo. La alga parda más grande conocida, *Macrocystis*, puede llegar hasta 65 m (215 pies) de largo. Su cuerpo, que posee un gran disco rizoide, un estípete hueco y láminas ramificadas con vejigas llenas de aire, se asemeja al de las plantas superiores. Es rica en minerales y alguina, un carbohidrato complejo usado como emulsionante para evitar la formación de cristales de hielo en los helados. Hay especies de algas pardas que son consumidas profusamente en Asia oriental.

Gigantesco ejemplar de alga parda *Macrocystis pirifera*.
MARK CONLIN/TAXI/GETTY IMAGES

alga verde azul ver CIANOBACTERIA

Algardi, Alessandro (1595, Bolonia, Estados Pontificios–10 jun. 1654, Roma). Escultor italiano. Se formó en Bolonia con la familia CARRACCI y en 1625 se trasladó a Roma, donde diseñó las decoraciones en estuco en San Silvestre del Quirinal. Luego se convirtió en el escultor barroco más destacado de Roma, después de GIAN LORENZO BERNINI. Fue un escultor prolífico de bustos, y su colosal relieve en mármol del *El encuentro de Atila con san León el Grande* (1646–53) en la basílica de San Pedro influenció el desarrollo y popularidad de los relieves ilusionistas. Su labor como restaurador de estatuaria antigua le acarreó notoriedad.

"El encuentro de Atila con san León el Grande", relieve colosal en mármol de Alessandro Algardi, 1646–53; basílica de San Pedro, Roma.
ALINARI—ANDERSON DE ART RESOURCE/EB INC.

algarrobo europeo Leguminosa arbórea (*Ceratonia siliqua*) SIEMPREVERDE, nativa de la región del Mediterráneo oriental y cultivada en muchos lugares. El árbol, de unos 15 m (50 pies) de altura, tiene hojas compuestas, lustrosas, con folíolos gruesos. Sus flores rojas van seguidas de vainas coriáceas planas, que contienen 5–15 semillas duras, de color marrón, inmersas en una pulpa dulce, comestible, con un sabor similar al chocolate.

álgebra booleana ver álgebra BOOLEANA

álgebra lineal Rama del álgebra (ver ÁLGEBRA Y ESTRUCTURAS ALGEBRAICAS) que estudia los métodos de solución de sistemas de ECUACIONES lineales; de manera más general, es la matemática de las TRANSFORMACIONES LINEALES y de los ESPACIOS VECTORIALES. "Lineal" se refiere a la forma de las ecuaciones que, en un ejemplo bidimensional, sólo involucra expresiones del tipo $ax + by = c$. Geométricamente, esto representa una línea recta. Si las variables de esta expresión son reemplazadas por VECTORES, FUNCIONES o DERIVADAS, la ecuación se convierte en una transformación lineal. Un sistema de ECUACIONES de este tipo es un sistema de transformaciones lineales. Debido a que muestra cuándo dicho sistema tiene una solución y cómo encontrarla, el álgebra lineal es esencial en la teoría del ANÁLISIS matemático y de las ECUACIONES DIFERENCIALES. Sus aplicaciones se extienden más allá de las ciencias físicas y alcanzan, por ejemplo, a la biología y a la economía.

álgebra, teorema fundamental del Teorema de ecuaciones demostrado por CARL FRIEDRICH GAUSS en 1799. Establece que toda ecuación polinomial (ver POLINOMIO) de grado n con NÚMEROS COMPLEJOS como coeficientes, tiene n raíces o soluciones en los números complejos.

álgebra y estructuras algebraicas Versión generalizada de la aritmética que usa VARIABLES para representar números no especificados. Su propósito es resolver ECUACIONES ALGEBRAICAS o sistemas de ECUACIONES. Ejemplos de tales soluciones son la fórmula cuadrática (para resolver una ECUACIÓN CUADRÁTICA o de segundo grado) y la eliminación de Gauss-Jordan (para resolver un sistema de ecuaciones en forma matricial, ver MATRIZ). En matemática superior, un "álgebra" es una estructura que consiste en una clase de objetos y un conjunto de reglas (análogas a la adición y a la multiplicación) para combinarlos. Las estructuras algebraicas básicas y superiores comparten dos características esenciales: (1) los cálculos entrañan un número finito de pasos y (2) los cálculos involucran símbolos abstractos (por lo general letras) que representan objetos más generales (comúnmente números). El álgebra superior (también conocida como álgebra moderna o álgebra abstracta) comprende toda el álgebra elemental, así como también la teoría de GRUPOS, la teoría de ANILLOS, la teoría de CAMPOS, las VARIEDADES y los ESPACIOS VECTORIALES.

Algeciras, conferencia de (16 ene.–7 abr. 1906). Conferencia celebrada en Algeciras, España, que resolvió la primera de las crisis MARROQUÍES. En 1905, el káiser GUILLERMO II se opuso a los intentos de Francia de ejercer influencia en Marruecos, lo que movió a convocar una conferencia de las potencias europeas y EE.UU. Aparentemente, el acta de Algeciras (1906) pareció limitar la penetración francesa, pero la verdadera importancia de la conferencia fue el apoyo diplomático que Gran Bretaña y EE.UU. dieron a Francia, prefigurando sus roles en la primera guerra mundial.

Alger, Horatio, Jr. (13 ene. 1832, Chelsea, Mass., EE.UU.–18 jul. 1899, Natick, Mass.). Escritor estadounidense. Hijo de un pastor de la Iglesia unitaria, después de graduarse con honores en Harvard, obtuvo un grado académico en su escuela de teología. Durante dos años fue ministro unitario; comenzó a escribir tras verse forzado a abandonar el púlpito por acusaciones de actitudes impropias con menores. Escribió más de cien obras –*Ragged Dick* [Dick el harapiento] (1868) fue la primera–, todas con un mensaje muy similar: el de que, gracias a su honradez, alegre perseverancia y trabajo duro, un muchacho pobre pero virtuoso tendría su justa recompensa (aunque casi siempre gestada por la buena suerte). A pesar de que sus tramas y diálogos dejaban mucho que desear, sus libros vendieron más de 20 millones de ejemplares, y Alger fue uno de los escritores más populares y socialmente influyentes de fines del s. XIX.

Algodón (*Gossypium hirsutum*).

algodón Fibra pilosa de la semilla de varias plantas del género *Gossypium*, de la familia de las MALVÁCEAS, nativas de la gran mayoría de los países subtropicales. Son plantas arbustivas que producen flores de color blanco cremoso, seguidas de pequeñas vainas verdes (cápsulas del algodón), que contienen las semillas. Las fibras que crecen de la cáscara de la semilla terminan por llenar la cápsula a presión. Cuando esta madura, revienta y revela suaves masas de fibras de color blanco a blanco amarillento. El algodón se cosecha cuando las cápsulas se abren. Es uno de los principales cultivos agrícolas del mundo. Por su abundancia y bajo costo de producción, los productos hechos de algodón son relativamente baratos. Las fibras pueden ser utilizadas en diversos tipos de telas, apropiadas para una gran variedad de prendas de vestir, de mobiliario doméstico y de aplicaciones industriales. Las telas de algodón pueden ser extremadamente durables y son cómodas de usar. El algodón sin hilar, elaborado mediante la fusión o adhesión de las fibras, sirve para producir artículos desechables como toallas, paños para lustrar, bolsas de té, manteles, vendas, uniformes y sábanas para hospital y demás usos médicos.

ALGOL LENGUAJE DE PROGRAMACIÓN computacional algebraico de alto nivel, desarrollado a finales de la década de 1950 como un lenguaje internacional para la expresión de ALGORITMOS (su nombre deriva de ALGOrítmico y Lenguaje) tanto entre personas como entre personas y máquinas. Usado especialmente en aplicaciones científicas y matemáticas, el ALGOL alcanzó más popularidad en Europa que en EE.UU., pero fue un precursor importante del lenguaje PASCAL e influyó en el desarrollo del lenguaje C.

algonquinas, lenguas Familia de 25 a 30 lenguas indígenas norteamericanas, que se hablan o hablaron en un amplio territorio del este y centro de Norteamérica. Convencionalmente se dividen en tres grupos geográficos. Las lenguas algonquinas orientales se hablan desde el golfo de San Lorenzo hacia el sur hasta la costa de Carolina del Norte y comprenden el micmac, el abenaki oriental y occidental, el delaware, el massachusett y el powhatan (o algonquino de Virginia); estas dos últimas extintas desde hace largo tiempo. Las lenguas algonquinas centrales incluyen el shawnee, el miami-illinois, el sauk, el kickapoo, el potawatomi, el menomini (todas habladas alrededor de los Grandes Lagos), el ojibwa (alrededor de la cuenca superior de los Grandes Lagos y al norte desde Quebec oriental hasta Manitoba) y el cree-montagnais-naskapi (hablado desde Labrador hacia el oeste hasta la bahía Hudson y Alberta). El grupo de lenguas algonquinas de las llanuras incluye las lenguas de los cheyenes, los arapahos, los atsina (Gros Ventres), y de los blackfoot (habladas en las Grandes Llanuras del centro y del norte).

algoritmo Procedimiento que da la respuesta a una pregunta o la solución de un problema en un número finito de pasos. A un algoritmo que da una respuesta afirmativa o negativa se le conoce como procedimiento decisorio; a uno que conduce a una solución, como procedimiento de computación. Una fórmula matemática y las instrucciones de un programa computacional son ejemplos de algoritmos. Los *Elementos* de EUCLIDES (c. 300 AC) contenían un algoritmo para encontrar el máximo común divisor de dos enteros. La manipulación de listas (búsqueda, inserción y eliminación de elementos) puede realizarse eficientemente usando algoritmos.

algoritmos, análisis de Disciplina básica de la ciencia computacional que facilita el desarrollo de programas eficientes. El análisis de algoritmos proporciona una comprobación de la exactitud de los algoritmos, permitiendo la predicción certera del desempeño del programa, y puede usarse como una medida de la COMPLEJIDAD COMPUTACIONAL. Ver también DONALD KNUTH.

Algren, Nelson *orig.* **Nelson Ahlgren Abraham** (28 mar. 1909, Detroit, Mich., EE.UU.–9 may. 1981, Sag Harbor, N.Y.). Escritor estadounidense. Hijo de un maquinista, se crió en Chicago y logró graduarse en la Universidad de Illinois durante la gran depresión. Sus novelas sobre los desposeídos captan hábilmente el talante de la parte oculta de la ciudad y se alzan por sobre el naturalismo rutinario a través del orgullo, el humor y los anhelos insaciables que Algren imprime a sus personajes. Entre sus libros más exitosos se cuentan *El hombre del brazo de oro* (1949; película, 1956) y *A Walk on the Wild Side* [Un paseo por el lado salvaje] (1956; película, 1962). Publicó asimismo una admirable colección de cuentos, *La selva de neón* (1947).

alguacil En EE.UU., principal funcionario encargado de hacer cumplir la ley en un condado. Generalmente es elegido y puede designar a un delegado o suplente. El alguacil y su delegado tienen iguales atribuciones que los funcionarios de policía para hacer cumplir las leyes penales y pueden imponer a particulares la obligación de ayudarlos a mantener el orden (la *posse comitatus*, o "fuerza del condado"). La principal función judicial de un alguacil es hacer cumplir las resoluciones y las ÓRDENES JUDICIALES emanadas de los tribunales. En Inglaterra, Gales, Escocia e Irlanda del Norte también hay funcionarios del mismo nombre. En Inglaterra, el cargo de alguacil existía antes de la conquista normanda (1066).

Alhambra Palacio de los monarcas moriscos de Granada, España, construido (1238–1358) en una meseta sobre la ciudad. Su nombre (del árabe: "la roja") aludiría al color de los ladrillos secados al sol, utilizados en los muros exteriores. La Alhambra, de la cual sólo tres partes permanecen intactas, está compuesta por una serie de cuartos y jardines agrupados alrededor de tres patios principales, con abundantes fuentes y estanques. Sus superficies presentan una decoración y variedad asombrosa, con sobresalientes ejemplos de elementos en forma de estalactitas.

Patio de los leones del palacio de la Alhambra, famoso por su elaborada decoración morisca.
FOTOBANCO

alholva Leguminosa (*Trigonella foenum-graecum*) herbácea, anual, delgada, o sus semillas secas; se usa como alimento, saborizante y medicamento. Nativa de Europa meridional y del Mediterráneo, se cultiva en el centro y sudeste de Europa, Asia occidental, India y norte de África. Las semillas tienen un olor y un sabor fuerte, algo dulce y un poco amargo, parecido al azúcar quemada. De textura harinosa, pueden mezclarse con harina para pan, o consumirse crudas o cocidas. La alholva es un ingrediente característico de algunos curries y salsas condimentadas y se usa como sucedáneo del jarabe de arce.

ʿAlī (ibn Abī Ṭālib) (c. 600, La Meca–ene. 661, Al-Kūfah, Irak). Primo y yerno del profeta MAHOMA y cuarto CALIFA (656–661). ʿAlī fue pupilo de Mahoma, del mismo modo en que el propio Mahoma había sido pupilo del padre de ʿAlī, Abū Ṭālib. Uno de los primeros convertidos al Islam, ayudó a frustrar un complot para asesinar a Mahoma. Le siguió en la HÉGIRA a Medina (622) y combatió a su lado contra sus enemigos, ganando fama como militar. Tras la muerte de Mahoma surgió una controversia en la comunidad musulmana. Mientras algunos sostenían que Mahoma no había nombrado a su sucesor, otros afirmaban que había designado a ʿAlī. La pretensión de ʿAlī de ocupar el califato desembocó en un cisma fundamental en el Islam, que condujo finalmente a la creación de una rama CHIITA (de *shīʿat ʿAlī*, "partido de ʿAlī") y otra sunní. Su buena disposición para llegar a un acuerdo con sus adversarios durante la primera FITNA, hizo que parte de sus tropas desertaran y formaran la secta JĀRIYÍ, uno de cuyos miembros lo asesinó más tarde. En la posterior hagiografía islámica, ʿAlī fue presentado como el paradigma de la caballerosidad y el virtuosismo juvenil tanto por chiitas como por sunníes. Ver también al-ḤUSAYN IBN ʿALĪ; masacre de KARBALĀʾ; MUʿĀWIYAH I.

Alí, Muhammad *orig.* **Cassius (Marcellus) Clay** (n. 17 ene. 1942, Louisville, Ky., EE.UU.). Boxeador estadounidense. Cassius Clay se inició en el boxeo a los 12 años de edad y recorrió los *rankings* de aficionados hasta ganar la corona olímpica de los mediopesados en 1960. Su primer título profesional de peso pesado lo obtuvo derrotando a Sonny Liston en 1964. Luego de defender el cetro nueve veces entre 1965 y 1967, fue despojado de la corona por rehusarse a integrar las fuerzas armadas de su país conforme a las enseñanzas del movimiento NACIÓN DEL ISLAM. Fue entonces cuando cambió su nombre por el de Muhammad Alí. En 1974, Alí reconquistó su título tras vencer al ex campeón Joe Frazier y al campeón de entonces GEORGE FOREMAN. Después perdió con Leon Spinks en 1978, pero meses más tarde recuperó la corona por tercera vez, convirtiéndose en el primer peso pesado en lograrlo. Se retiró en 1979, tras haber perdido sólo tres de los 59 combates que disputó. Intentó retornos fallidos a la actividad en 1980 y 1981. A través de su carrera, Alí fue conocido por su agresivo encanto, actitud invencible y sus coloridos alardes, expresados a menudo en un lenguaje insolente. "Soy el más grande" era su credo personal. Los últimos años de Alí han estado marcados por el deterioro físico. El daño cerebral, causado por los golpes recibidos en la cabeza, ha redundado en un habla defectuosa, movimientos lentos y otros síntomas propios del mal de Parkinson.

Muhammad Alí (derecha) en combate con Ernie Terrell, 1967.
UPI COMPIX

Aliakmon, río *ant.* **río Vistritsa** Río del norte de Grecia. Nace en los montes Grammos y corre hacia el sudeste y luego al nordeste por 297 km (185 mi) hasta desembocar en la parte norte del golfo de Salónica; es el río más largo de la Macedonia griega. A través de la historia ha servido como una línea defensiva natural contra los invasores provenientes del norte.

alianza En política internacional, una unión para la acción conjunta de varias potencias o estados. Como ejemplos cabe citar la alianza entre las potencias europeas y EE.UU. contra Alemania y sus aliados durante la segunda guerra mundial, y la alianza de los países de la OTAN contra la Unión Soviética y sus aliados durante la GUERRA FRÍA. Muchas alianzas descansan en el principio de la seguridad colectiva, en virtud del cual el ataque a un miembro de la alianza se considera como un ataque a todos los miembros de la misma. Las principales alianzas formadas después de la segunda guerra mundial son el pacto ANZUS, la Liga ÁRABE, la ASEAN, la OEA, la ORGANIZACIÓN DEL TRATADO DEL SUDESTE ASIÁTICO (SEATO) y el pacto de VARSOVIA.

alianza En las escrituras hebreas, un acuerdo o tratado entre pueblos o naciones; pero, lo que es más memorable, las promesas que Dios hizo a la humanidad (p. ej., la promesa a NOÉ de nunca volver a destruir la Tierra mediante un diluvio, o la promesa a ABRAHAM de que sus descendientes se multiplicarían y heredarían la tierra de Israel). La revelación de la ley que Dios hizo a MOISÉS en el monte SINAÍ creó un pacto entre Dios e Israel conocido como la alianza del Sinaí. En el cristianismo, la muerte de Jesús estableció una nueva alianza entre Dios y la humanidad. El Islam sostiene que la última alianza fue entre Dios y el profeta MAHOMA.

Alianza canadiense *francés* **Alliance Canadienne** Ex partido político conservador canadiense. Surgió en 2000 de la fusión del Partido reformista de Canadá con otros grupos conservadores en un esfuerzo por enfrentar unidos al gobernante PARTIDO LIBERAL DE CANADÁ. En 1997, el Partido Reformista, cuyo apoyo había estado concentrado en las provincias canadienses occidentales, tenía 60 escaños en la cámara baja canadiense y era el partido oficial de oposición. La nueva Alianza canadiense obtuvo 66 escaños en la elección de 2000 y se convirtió en la oposición oficial, pero no logró hacer avances significativos en el este del país. En 2003, el partido se fusionó con el Partido Conservador Progresista para formar el Partido conservador de Canadá. En términos generales, la plataforma del partido favorece una reducción del tamaño del Estado, impuestos más bajos y posturas conservadoras en cuanto a temas sociales.

Alianza Cuádruple ver CUÁDRUPLE ALIANZA (1718)

Alianza Cuádruple ver CUÁDRUPLE ALIANZA (1815)

Alianza para el Progreso Programa de desarrollo internacional. Iniciativa de EE.UU. a la cual se sumaron 22 países latinoamericanos en 1961, cuyo objetivo era fortalecer los gobiernos democráticos y promover reformas sociales y económicas en América Latina. El programa, que otorgó préstamos y ayuda de EE.UU. y la comunidad financiera internacional, permitió construir cierto número de escuelas y hospitales, pero a comienzos de la década de 1970 era ampliamente considerado como un fracaso. No se logró una REFORMA AGRARIA significativa, el crecimiento de la población sobrepasó a los adelantos en salud y bienestar, y la disposición de EE.UU. para respaldar dictaduras militares que impidieran los avances del comunismo, generó desconfianza y debilitó las reformas que la Alianza intentaba promover.

Alianza, Santa ver SANTA ALIANZA

Alicante Ciudad (pob., 2001: 284.580 hab.) del sudeste de España, localizada en la bahía de Alicante, en el mar Mediterráneo. Fue fundada como una colonia griega en 325 AC y fue capturada por los romanos en 201 AC, quienes la llamaron Lucentum. Después de haber sido gobernada por los moros (718–1249), fue incorporada al reino de ARAGÓN en 1265. La ciudad fue sitiada por los franceses en 1709 y por los federalistas de CARTAGENA en 1873. Su economía se basa en el turismo y en la exportación de vinos y productos agrícolas.

Panorámica del balneario de Benidorm, Alicante, España.

Alice Springs Localidad (pob., est. 2001: 26.990 hab.) del Territorio del Norte en Australia. Se ubica entre DARWIN y ADELAIDA, virtualmente en el centro. Fue fundada en 1870 como una estación del telégrafo de la Overland Telegraph Line. Por su ubicación se ha transformado en un importante centro de transporte. Su clima templado en invierno lo convierte en un popular destino turístico.

alienación En el contexto de las ciencias sociales, el estado de enajenación o aislamiento de una persona con relación a su propio medio, trabajo, resultados del trabajo o respecto de sí misma. El concepto aparece implícita o explícitamente mencionado en los trabajos de ÉMILE DURKHEIM, FERDINAND TÖNNIES, MAX WEBER y GEORG SIMMEL, pero está asociado notoriamente con KARL MARX, quien señaló que los trabajadores estaban siendo alienados de su trabajo y sus productos bajo el CAPITALISMO. En otros contextos, el término alienación, como el de ANOMIA, puede sugerir una sensación de impotencia, falta de sentido, ausencia de normas, aislamiento social o cultural o de autoenajenación, surgida de la incompatibilidad entre las necesidades o expectativas individuales y aquellas del orden social.

aligátor Cualquiera de dos especies de reptiles de hocico largo que forman el género *Alligator* (familia Alligatoridae, orden Crocodilia). Los aligátores se diferencian de los COCODRILOS en la forma del hocico y en la ubicación de los dientes. Habitan grandes cuerpos de agua como lagos, pantanos y ríos; estos carnívoros con forma de lagarto usan su potente cola para defenderse y nadar. Los ojos, orejas y ollares localizados en la parte superior de su gran cabeza se proyectan sobre la superficie del agua. Cavan madrigueras en las cuales se guarecen del peligro e hibernan en las épocas frías. El aligátor americano del sudeste de EE.UU., que estuvo en peligro de extinción, puede llegar a medir 5,7 m (19 pies) de largo, pero por lo general, mide entre 1,8 y 3,7 m (6–12 pies). El aligátor chino de la región del río Yangtzé (Chang), con un tamaño de 1,5 m (5 pies), se encuentra en serio peligro de extinción.

Aligátor americano (*Alligator mississippiensis*).

alimentaria, intoxicación ver INTOXICACIÓN ALIMENTARIA

alimentario, canal *o* **tubo digestivo** Conducto a lo largo del cual los alimentos viajan después de ser ingeridos y desde el que se expulsan los residuos sólidos. Compuesto por la BOCA, la FARINGE, el ESÓFAGO, el ESTÓMAGO, el INTESTINO DELGADO, el INTESTINO GRUESO y el canal ANAL. Ver también DIGESTIÓN.

alimentarios, trastornos Hábitos alimentarios anómalos que comprenden ANOREXIA NERVIOSA, BULIMIA, sobrealimentación compulsiva y pica (apetito por sustancias no alimentarias). Estos trastornos, que habitualmente tienen un componente psicológico, pueden causar baja de peso, OBESIDAD o MALNUTRICIÓN.

alimentos, conservación de ver CONSERVACIÓN DE ALIMENTOS

aliso Cualquiera de 30 especies de árboles y arbustos ornamentales del género *Alnus*, de la familia de las Betuláceas (ver ABEDUL), que crecen en lugares húmedos y fríos del hemisferio norte y del oeste de Sudamérica. Los alisos se distinguen de los abedules por sus yemas de invierno generalmente pedunculadas y sus frutos secos, parecidos a CONOS, que permanecen en las ramas después de que las pequeñas semillas aladas se liberan. Los alisos tienen una corteza escamosa, hojas ovaladas que se caen sin cambiar de color y flores (AMENTOS) masculinas y femeninas separadas en el mismo árbol. Algunos alisos comunes de Norteamérica son el aliso rojo (*A. rubra* o *A. oregona*); el aliso blanco (*A. rhombifolia*) y el aliso jaspeado (*A. rugosa*). La madera del aliso es de textura fina y durable aun bajo el agua; se utiliza en mueblería, marquetería y tornería, manufactura de carbón vegetal y para construir maquinaria de molinos. Los extensos sistemas

Aliso rojo (*Alnus rubra* o *A. oregona*).

radiculares de los alisos y su tolerancia a los suelos húmedos permiten plantarlos en las riberas, a fin de controlar las crecidas y la erosión.

Alitalia Línea aérea internacional italiana, con sede en Roma. Aunque la línea aérea ya no mantiene una posición monopólica en su país, el gobierno italiano aún poseía en 2002 un paquete mayoritario de acciones de la compañía.

aliteración *o* **rima inicial** Repetición de fonemas consonánticos en dos o más palabras o sílabas contiguas. Recurso frecuente en poesía, a menudo se estudia junto con la asonancia (repetición de fonemas vocales acentuados dentro de dos o más palabras con diferentes consonantes finales) y la consonancia (repetición de consonantes finales o mediales).

aliyá (hebreo: "ascendente"). En el judaísmo, honor concedido a un fiel de ser llamado a leer un pasaje asignado de la Torá en los servicios matinales del sabbat; o inmigración judía a Israel. Dado que el pasaje asignado a cada servicio matinal del sabbat se subdivide en un mínimo de siete secciones, al menos se llama a siete personas distintas a realizar estas lecturas. Aliyá, en el sentido de inmigración a Israel, es un proceso permanente que también ocurre en oleadas. Las dos primeras oleadas inmigratorias ocurrieron en 1882–1914, las siguientes tres durante 1919–39. La sexta aliyá (1945–48) llevó a muchos sobrevivientes del HOLOCAUSTO. Oleadas posteriores de inmigración incluyeron a los FALACHA de Etiopía, emigrantes de la ex Unión Soviética, y otros. Ver también SIONISMO.

al-Jazīrah ver al-JAZEERA

al-Jwārizmī ver al-JWĀRIZMĪ

Alkaios ver ALCEO

Alkalai, Judah ben Solomon Hai (1798, Sarajevo, Bosnia, Imperio otomano–1878, Jerusalén). Rabino sefardita. Criado en Jerusalén, se convirtió en rabino en Semlín, Croacia. Alkalai argumentaba que era necesario para la salvación del pueblo judío, el retorno físico a Israel (Palestina), en vez del retorno simbólico a través del arrepentimiento y la práctica religiosa, concepto que lo enemistó con la ortodoxia judía. Interpretó el caso de antisemitismo ocurrido en Damasco en 1840, como parte de un plan divino para hacer que los judíos reconsideraran la realidad de su condición en el exilio. Como no logró ganar apoyo para la emigración judía a Palestina, se estableció en Tierra Santa en 1871. Sus escritos allanaron el camino al SIONISMO.

Alkamenes ver ALCÁMENES

Allahābad *o* **Prayag Raj** Ciudad (pob., est. 2001: área metrop., 1.049.579 hab.) del norte de India, en la confluencia de los ríos GANGES y YAMUNA. Es una antigua ciudad santa de peregrinos hindúes, donde se encuentra la Columna de Asoka (erigida en 240 AC). Estuvo bajo dominio musulmán entre 1194 y 1801, año en que fue cedida a los británicos. A fines del s. XVI, el emperador mogol AKBAR construyó un fuerte en el lugar. En 1857 fue escenario de un grave estallido conocido como la rebelión de los CIPAYOS. Como ciudad natal de la familia NEHRU fue el centro del movimiento para la independencia india. Allí se encuentran la Jamia Masjid (Gran mezquita) y la Universidad de Allahābād.

allanamiento e incautación En materia de ejecución de la LEY, investigación exploratoria de un lugar o de una persona, incautando bienes o deteniendo a la persona con el propósito de obtener pruebas de culpabilidad o de la realización de actividades ilegales. El alcance de las atribuciones otorgadas a las autoridades policiales para llevar a cabo este tipo de procedimientos varía enormemente de un país a otro. En EE.UU., la IV enmienda de la constitución prohíbe realizar allanamientos e incautaciones injustificadas y tras encontrarse motivos fundados exige una orden de allanamiento previa decretada por un tribunal. La orden debe especificar el lugar que será allanado y los bienes y personas que pueden ser objeto del procedimiento.

Allbutt, Sir Thomas Clifford (20 jul. 1836, Dewsbury, Yorkshire, Inglaterra–22 feb. 1925, Cambridge, Cambridgeshire). Médico inglés. Introdujo el termómetro clínico moderno (hasta entonces el termómetro había sido un instrumento de 30 cm de largo que tardaba 20 minutos en registrar la temperatura) y esbozó el uso del oftalmoscopio para inspeccionar el interior del ojo. Demostró el origen aórtico de la angina de pecho. Sus investigaciones mejoraron el tratamiento de las enfermedades arteriales y culminaron entre otros trabajos, en *Diseases of the Arteries, Including Angina Pectoris* [Enfermedades de las arterias, incluida la angina de pecho] (1915). Su publicación principal fue *Systems of Medicine* [Sistemas de la medicina] (8 vol., 1896–99).

Allegheny, montes Cordillera de los APALACHES ubicada en Pensilvania, Maryland, Virginia y Virginia Occidental, EE.UU.; corre, en su mayoría en forma paralela, al oeste de los montes BLUE RIDGE. Se extiende por unos 800 km (500 mi) hacia el sud-sudoeste, con alturas superiores a los 1.460 m (4.800 pies). La ladera oriental a veces recibe el nombre de Frente Allegheny, mientras la meseta Allegheny se extiende por toda el área altiplánica, desde la meseta de CUMBERLAND hasta el valle Mohawk en Nueva York.

Allegheny, río Río de Pensilvania y Nueva York, EE.UU. Nace en el cond. Potter en Pensilvania, serpentea hacia el noroeste para penetrar en el estado de Nueva York, y se devuelve hacia Pensilvania, donde se une con el MONONGAHELA para formar el río OHIO en PITTSBURGH. Tiene una longitud de 523 km (325 mi); sus principales afluentes son el Clarion, el Kiskiminetas y el French Creek. Varias represas lo hacen navegable desde Pittsburgh hasta East Brady, Pa.

allegro de sonata, forma ver forma SONATA

Allen, Ethan (21 ene. 1738, Litchfield, Conn., EE.UU.–12 feb. 1789, Burlington, Vt., EE.UU.). Soldado y explorador fronterizo estadounidense. Luego de combatir en la guerra FRANCESA E INDIA (1754–63), se estableció en lo que es hoy Vermont. Al estallar la guerra de independencia de los ESTADOS UNIDOS DE AMÉRICA, su milicia de los Green Mountain Boys (Muchachos de las montañas verdes), organizada en 1770, ayudó a derrotar en la batalla de TICONDEROGA (1775) a los británicos. Como voluntario de las tropas al mando del gral. PHILIP SCHUYLER, intentó tomar Montreal, pero los británicos lo capturaron y lo mantuvieron prisionero hasta 1778. Regresó a Vermont, donde procuró que este territorio obtuviera la condición de estado. Al no lograrlo, intentó negociar la anexión de Vermont a Canadá.

Allen, Richard (14 feb. 1760, Filadelfia, Pa.–26 mar. 1831, Filadelfia, EE.UU.). Líder religioso estadounidense. Nació de padres esclavos y siendo niño su familia fue vendida a un hacendado de Delaware. Se convirtió al metodismo a los 17 años de edad, y cinco años más tarde fue autorizado para predicar. En 1786, rescatada su libertad, se estableció en Filadelfia donde se unió a la Iglesia metodista episcopal de san Jorge. La discriminación racial lo obligó a retirarse en 1787, pero ese mismo año transformó una vieja herrería en la primera iglesia afroamericana de EE.UU. Richard Allen y sus seguidores construyeron la Iglesia metodista africana Bethel y en 1799 él mismo fue ordenado su ministro. En 1816 organizó una conferencia de líderes afroamericanos de la que surgió la Iglesia episcopal metodista africana y Allen fue nombrado su primer obispo.

Allen, Woody *orig.* **Allen Stewart Konigsberg** (n. 1 dic. 1935, Brooklyn, N.Y., EE.UU.). Director de cine, guionista y actor estadounidense. Después de escribir números para comediantes y actuar como humorista en clubes nocturnos, escribió la obra de Broadway *No bebas el agua* (1966). Sus primeras películas, como *Bananas* (1971) y *Dormilón* (1973), combinaban la comedia intelectual con la bufonesca. Comedias románticas posteriores como *Annie Hall* (1977), con la que obtuvo dos premios de la Academia, y *Manhattan* (1979) mostraban una mirada agridulce de la vida neoyorquina. Hasta hoy, Allen sigue filmando películas a un ritmo ágil y regular, entre las que destacan *Hannah y sus hermanas* (1986), *Crímenes y pecados* (1989) *Disparos sobre Broadway* (1994), *La maldición del escorpión jade* (2001) y *Melinda y Melinda* (2004).

Allenby (de Megiddo y de Felixstowe), Edmund Henry Hynman Allenby, 1er vizconde (23 abr. 1861, Brackenhurst, cerca de Southwell, Nottinghamshire, Inglaterra–14 may. 1936, Londres). Mariscal de campo británico. Combatió en la guerra de los BÓERS y fue inspector general de caballería (1910–14). En la primera guerra mundial sirvió con distinción en el Medio Oriente. Su victoria sobre los turcos en Gaza (1917) condujo a la captura de Jerusalén. Su victoria en Megiddo, junto con su captura de Damasco y Alepo, acabó con el dominio otomano en Siria. Sus éxitos se debieron en parte a su uso innovador de la caballería y otras fuerzas móviles, y es recordado como el último gran comandante británico de la caballería montada. Como alto comisionado para Egipto (1919–25) maniobró para que ese país fuese reconocido como Estado soberano (1922).

1er vizconde Allenby, retrato de Eric Henri Kennington; National Portrait Gallery, Londres.

GENTILEZA DE LA NATIONAL PORTRAIT GALLERY, LONDRES

Allende (Gossens), Salvador (26 jul. 1908, Valparaíso, Chile–11 sep. 1973, Santiago). Presidente socialista de Chile (1970–73). Nacido en la clase media alta, se tituló de médico y, en 1933, participó en la fundación del Partido Socialista de Chile. Fue candidato a la presidencia en tres ocasiones antes de ganar estrechamente la elección en 1970. Obtuvo el 30,4% de los votos populares contra el 29,3% de la derecha y el 23,3% de la Democracia Cristiana. Al no existir segunda vuelta en ese entonces, el parlamento debió elegir entre las dos primeras mayorías, y Allende salió elegido con los votos de la Democracia Cristiana. Intentó reestructurar la sociedad chilena de acuerdo con los lineamientos socialistas. Sin embargo, sus esfuerzos por redistribuir la riqueza y su política de estatización de las empresas privadas condujeron a la paralización de la producción, a la escasez de alimentos, a la hiperinflación y a huelgas generalizadas. Su incapacidad para controlar a los componentes radicales de su gobierno enajenó aún más a la clase media. Sus políticas extinguieron el crédito externo y llevaron a una campaña encubierta de la CIA (Agencia central de inteligencia) estadounidense para desestabilizar su gobierno. Fue derrocado por un golpe militar, durante el cual murió por un disparo, presumiblemente de su propia mano. Lo reemplazó el gral. AUGUSTO PINOCHET. Ver también EDUARDO FREI.

Allentown Ciudad (pob., 2000: 106.632 hab.) del este de Pensilvania, EE.UU. Fue trazada junto al río Lehigh en 1762 y bautizada como Northampton por William Allen, quien posteriormente sería presidente de la Corte Suprema. El nombre se cambió en 1838 en honor a Allen. Durante la guerra de independencia de los ESTADOS UNIDOS DE AMÉRICA, la campana de la Libertad fue trasladada hasta allí para su custodia. Es un importante centro minero y del hierro.

Alliance Israélite Universelle Organización política fundada en Francia en 1860 con el propósito de brindar asistencia a los judíos. Sus fundadores eran un grupo de judíos franceses que disponían de recursos para ayudar a los pobres, ofreciendo apoyo político, facilitando la emigración y finalmente estableciendo programas de educación judía en Europa oriental, Medio Oriente y África del norte. En 1945 manifestó su apoyo al SIONISMO político (que buscaba la creación de un estado judío) y en 1946 sus actividades diplomáticas fueron asumidas por el Consejo consultivo de organizaciones judías en Nueva York.

Allingham, Margery (Louise) (20 may. 1904, Londres, Inglaterra–30 jun. 1966, Colchester, Essex). Escritora de novelas policiales británica. Publicó su primer relato a los ocho años, su primera novela a los 19, y su primera narrativa policial cuando era una veinteañera. Las historias protagonizadas por el detective ficticio Albert Campion llegaron a ser muy populares, y el estilo intelectual y la perspicacia psicológica de obras como *El tigre de Londres* (1952) y *The China Governess* [La institutriz de China] (1962) contribuyeron para que la novela de ficción detectivesca fuera considerada como género literario serio. La BBC realizó adaptaciones de ocho de sus novelas a fines de la década de 1980.

Allium Gran género de plantas herbáceas, bulbosas, con olor a ajo o cebolla, de la familia de las LILIÁCEAS, a saber, CEBOLLA, AJO, CEBOLLINO, PUERRO y AJO CHALOTE. Las especies del género *Allium* se encuentran en la mayoría de las regiones del mundo, excepto en los trópicos, Nueva Zelanda y Australia. Algunas son cultivadas como plantas ornamentales para arriates.

Especies del género *Allium*: cebolla, cebollino, puerro y ajo chalote.

NINO MASCARDI/THE IMAGE BANK/GETTY IMAGES

Allport, Gordon W(illard) (11 nov. 1897, Montezuma, Ind., EE.UU.–9 oct. 1967, Cambridge, Mass.). Psicólogo estadounidense. Fue profesor de la Universidad de Harvard (1930–67), llegando a ser reconocido por su teoría de la personalidad, centrada en el "yo" adulto, en vez de las emociones y experiencias de la infancia o niñez, y que expone en su libro *Personalidad: interpretación psicológica* (1937). Allport realizó también importantes contribuciones al análisis del prejuicio, expuestas en *The Nature of Prejudice* [La naturaleza del prejuicio] (1954).

Allston, Washington (5 nov. 1779, plantación Allston, Brook Green Domain junto al río Waccamaw, S.C., EE.UU.–9 jul. 1843, Cambridgeport, Mass.). Pintor y escritor estadounidense. Estudió en la Universidad de Harvard y en la Royal Academy de Londres (con BENJAMIN WEST). Se estableció en Massachusetts en 1830, convirtiéndose en el pintor más importante de la primera generación del romanticismo estadounidense. También escribió poesía y ficción, y sus teorías del arte fueron publicadas póstumamente bajo el título de *Lectures on Art* (1850).

alma Aspecto inmaterial o esencia de una persona, unida al cuerpo durante la vida y separable con la muerte. El concepto de alma se encuentra en casi todas las culturas y religiones, aunque las interpretaciones de su naturaleza varían considerablemente. Los antiguos egipcios concebían un alma dual, una que sobrevivía a la muerte pero permanecía cercana al cuerpo, mientras la otra avanzaba hacia el reino de los muertos. Los primeros hebreos no consideraban el alma como distinta del cuerpo, pero los escritores judíos posteriores percibieron el alma y el cuerpo como entes separados. La teología cristiana adoptó el concepto griego del alma inmortal, y agregó la noción de que Dios creó el alma y la infundió en el cuerpo al momento de la concepción. En el Islam se cree que el alma cobra existencia simultáneamente con el cuerpo, pero es inmortal y sujeta a eterna bienaventuranza o perpetuo tormento tras la muerte del cuerpo. En el HINDUISMO, cada alma, o ATMAN, fue creada al principio del tiempo y se encarna y queda atrapada en un cuerpo terrenal; al morir este se dice que el alma pasa a un nuevo cuerpo de acuerdo con las leyes del KARMA. El BUDISMO niega la idea de un alma individual, afirmando que cualquier sentido de identidad propia es ilusorio.

ALMA ver ATACAMA LARGE MILLIMETER ARRAY (ALMA)

Almagesto Enciclopedia astronómica y matemática compilada c. 140 DC por TOLOMEO. Sirvió de guía básica a los astrónomos árabes y europeos hasta el s. XVII. El nombre proviene del árabe: "el más grande". Sus 13 libros abarcan temas como el modelo geocéntrico (centrado en la Tierra) o tolomeico del sistema solar, los eclipses, las coordenadas y tamaños de algunas estrellas fijas y las distancias al Sol y la Luna.

Almagro, Diego de (1475, Almagro, Castilla–1538, Cuzco, Perú). Soldado español que desempeñó un papel protagónico en la conquista española del Perú. Luego de servir en la armada española, arribó a América del Sur en 1524; con FRANCISCO PIZARRO lideró la expedición que conquistó el imperio de los INCAS en el actual Perú. En 1536, Almagro preparó una expedición de conquista hacia Chile. Atravesó la cordillera de los Andes bajo duras condiciones climáticas, hasta llegar al valle del Aconcagua, sin encontrar las riquezas esperadas y regresó al Perú. Tras despertarse una enconada enemistad con Pizarro, Almagro tomó prisioneros a los dos hermanos de este por insubordinación durante una rebelión indígena. Entonces Pizarro derrotó a la hueste almagrista y condenó a muerte a su antiguo amigo.

almanaque Libro o catálogo que contiene el calendario de un año determinado y un registro de varios fenómenos astronómicos, además de pronósticos meteorológicos, consejos para los agricultores e información diversa. El primer almanaque impreso apareció a mediados del s. XV. BENJAMIN FRANKLIN empezó a publicar sus célebres almanaques *Poor Richard's* en 1732. Los almanaques del s. XVIII proporcionaban información útil y amena donde era escaso el material de lectura y constituían una forma de literatura popular. Un ejemplo que perdura es el *Old Farmer's Almanac*. Los almanaques modernos suelen ser publicaciones anuales que reúnen información estadística, tabulada y miscelánea.

Alma-Tadema, Sir Lawrence (8 ene. 1836, Dronrijp, Países Bajos–25 jun. 1912, Wiesbaden, Alemania). Pintor angloholandés. Luego de estudiar en la Academia de Amberes, visitó Italia (1863) y se sintió cautivado por el mundo grecorromano de la antigüedad y la arqueología egipcia; la antigüedad iba a proveerle sus temas principales. Después de establecerse en Londres en 1870, sobresalió por su precisa recreación de escenas del mundo antiguo, de trajes exóticos y por la sensual representación de mujeres hermosas sobre fondos de mármol, bronce y seda. Tales imágenes figurativas combinaban el sentimentalismo y la anécdota. Fue elegido miembro de la Royal Academy en 1879 y el título de caballero le fue conferido en 1899. La obra de Alma-Tadema fue inmensamente popular en su tiempo, pero después de su muerte cayó en el olvido.

Almaty *ant.* **Alma-Ata** Ciudad (pob., 1999: 1.129.400 hab.) del sudeste de KAZAJSTÁN. Fue su capital, pero en 1995 fue reemplazada por Akmola (hoy ASTANA). La ciudad nueva fue fundada en 1854, cuando los rusos establecieron una fortificación en el sitio de la antigua ciudad de Almaty, que fue destruida por los MONGOLES en el s. XIII. Su población creció rápidamente gracias a la llegada del ferrocarril en 1930. Durante la segunda guerra mundial (1939–45), la industria pesada tuvo un gran desarrollo debido a su traslado desde la Rusia europea a la zona. La ciudad sigue siendo un centro industrial importante.

almeja En general, cualquier MOLUSCO BIVALVO. En estricto rigor, las almejas verdaderas tienen ambas valvas de igual tamaño, que se cierran con dos músculos aductores y poseen un potente pie muscular minador. Habitualmente se encuentran enterradas en la arena de aguas marinas someras. A través de dos tubos, los sifones, las almejas succionan y expelen agua para respirar y alimentarse. Su tamaño varía desde 0,1 mm hasta 1,2 m (0,004 pulg.–4 pies) de ancho. Muchas especies son comestibles, entre ellas la COQUINA, la ALMEJA PANOPEA, la ALMEJA DURA y la almeja de concha blanda.

almeja dura ALMEJA comestible de concha gruesa de EE.UU. La almeja dura del norte (*Mercenaria mercenaria*), también conocida como almeja joven o piedra cereza, mide 8–13 cm (3–5 pulg.) de largo. La concha blanca opaca es gruesa, redondeada y presenta líneas concéntricas prominentes. Se encuentra en la zona intermareal desde el golfo de San Lorenzo hasta el golfo de México. Es la almeja comestible más importante de la costa atlántica. La almeja dura del sur (*M. campechiensis*) se encuentra en la zona intermareal desde la bahía de Chesapeake hasta las Indias Occidentales; tiene un largo de 8–15 cm (3–6 pulg.) y una concha voluminosa, blanca y pesada.

almeja panopea BIVALVO marino (*Panopea generosa*) que habita la zona intermareal de la costa del Pacífico desde el sur de Alaska hasta Baja California. Es el mayor de los bivalvos minadores conocidos, con una concha de unos 18–23 cm (7–9 pulg.) de largo y sifones de hasta 1,3 m (4 pies). Pueden llegar a pesar hasta 3,6 kg (8 lb). Viven enterradas profundamente en la arena y, pese a que son muy apreciadas como alimento, es muy difícil extraerlas. Hay especies parecidas en otras partes del mundo.

almenaje Parapeto (porción que rebasa el techo) del muro exterior de una fortificación, con bloques (almenas) que alternan con aberturas (aspilleras). Los defensores se protegen con las almenas y disparan por las aspilleras durante un asedio. Los almenajes medievales se proyectaban hacia fuera del muro (ver MÉNSULA) para formar un matacán con aspilleras en el piso, por las cuales los defensores dejaban caer objetos sobre los atacantes.

Diferentes especies de almeja.

almendro Árbol (*Prunus dulcis*) de la familia de las Rosáceas (ver ROSA), nativo del sur de Asia; la almendra es su semilla comestible. El árbol es muy hermoso cuando está en floración y es un poco más grande y longevo que el MELOCOTONERO. Las almendras pueden ser dulces o amargas. Las dulces son comestibles como las nueces o se usan para cocinar. El aceite extraído de las almendras amargas se emplea para fabricar extractos saborizantes utilizados en comidas y licores. Las almendras aportan pequeñas cantidades de proteínas, hierro, calcio, fósforo, vitaminas B y son ricas en grasas. Se usan en confitería, especialmente en la elaboración de mazapán, un confite europeo tradicional.

Almendro y su fruto (*Prunus dulcis*), familia de las Rosáceas.

Almendros, Néstor (30 oct. 1930, Barcelona, España–4 mar. 1992, Nueva York, N.Y., EE.UU.). Director de fotografía español. En 1948 emigró de España a Cuba, donde trabajó con documentalistas. Después de mudarse a Francia en 1961, colaboró con ERIC ROHMER en *Mi noche con Maud* (1969) y *La rodilla de Clara* (1970), y con FRANÇOIS TRUFFAUT en *El niño salvaje* (1970). Entre sus trabajos en EE.UU. destacan *La decisión de Sofía* (1982) y *Billy Bathgate* (1991).

almidón Cualquiera de varios compuestos orgánicos blancos, granulares, producidos por todas las plantas verdes. Son POLISACÁRIDOS de fórmula química general $(C_6H_{10}O_5)_n$ en que n puede extenderse desde 100 hasta varios miles; los MONOSACÁRIDOS constituyentes son unidades de GLUCOSA que se fabrican durante la FOTOSÍNTESIS. Las cadenas de glucosa se encuentran no ramificadas en la amilosa y ramificadas en la amilopectina, las cuales se hallan mezcladas en los almidones. El almidón consumido por los animales es descompuesto en glucosa por las ENZIMAS durante la DIGESTIÓN. El almidón comercial se fabrica principalmente de maíz, aunque también se utilizan el almidón de trigo, tapioca, arroz y patata. El almidón tiene muchos usos en alimentos y en la industria alimentaria, así como en las industrias del papel, textil y de productos de cuidado personal, y en adhesivos, explosivos, fluidos para perforadoras de pozos de petróleo y como agente desmoldante. El almidón animal se llama también GLUCÓGENO. Ver también CARBOHIDRATO.

Almirantazgo, Corte Superior del En Inglaterra, tribunal que era presidido por un delegado del comandante en jefe de la armada. Fue creada c. 1360 para ocuparse de cuestiones disciplinarias y casos de PIRATERÍA y de presa (buques y bienes capturados en el mar); pero finalmente tuvo jurisdicción sobre cuestiones mercantiles y navieras. En 1875 fue fusionada con los demás tribunales superiores de justicia de Inglaterra para constituir la Corte Suprema de Justicia.

Almirantazgo, islas del Grupo insular (pob., est. 2000: 41.748 hab.) de Papúa y Nueva Guinea. Es una extensión del archipiélago BISMARCK y comprende aprox. 40 islas. Las islas del Almirantazgo se ubican a unos 300 km (190 mi) al norte de la isla principal de Papúa y Nueva Guinea en el océano Pacífico sur. En la isla Manus, que representa la mayor parte del territorio, se ubica Lorengau, el poblado principal de las islas. Avistadas primero por el explorador holandés Willem Schouten en 1616, fueron bautizadas por el capitán británico Philip Carteret en 1767. Gobernadas sucesivamente por alemanes, australianos y japoneses las islas pasaron a formar parte del Territorio Fiduciario de Nueva Guinea bajo la administración de las Naciones Unidas en 1946. Cuando Papúa y Nueva Guinea obtuvo su independencia en 1975, las islas pasaron a ser parte del nuevo país.

Almodóvar, Pedro (n. 24 sep. 1951, Calzada de Calatrava, Ciudad Real, España). Director de cine y guionista español. Llegó muy joven a Madrid, proveniente de un pequeño pueblo manchego. Filmó sus primeros cortos y largometrajes con el dinero que ganaba trabajando en Telefónica España. Su debut cinematográfico *Pepi, Luci y Bom y otras chicas del montón* (1980) fue la primera de una serie de películas que registraron, con estética kitsch e historias bizarras, el espíritu irreverente y contracultural de la "movida madrileña" posterior a la dictadura de FRANCISCO FRANCO. Entre estas películas destacan *¿Qué he hecho yo para merecer esto?* (1984), *Matador* (1985) y *Mujeres al borde de un ataque de nervios* (1988), con la que obtuvo, por primera vez, un reconocimiento internacional. Sus películas posteriores se han caracterizado por un intenso sentido del melodrama y lo han consagrado como uno de los cineastas más importantes de la actualidad. De este período destacan *La flor de mi secreto* (1995), *Todo sobre mi madre* (1999, premio de la Academia a la mejor película extranjera) y *Hable con ella* (2002, premio de la Academia al mejor guión original).

almohade, dinastía *árabe* **al-Muwaḥḥidūn** (1130–1269). Confederación de BEREBERES que nació de la oposición religiosa a las doctrinas islámicas de la dinastía ALMORÁVIDE. Su nombre en árabe *al-Muwaḥḥidūn* significa "Unitarios". El líder almohade Ibn Tūmart inició su rebelión en la década de 1120. Marrakech fue capturada en 1147 bajo el mando de su sucesor ʿABD AL-MU'MIN ALI. En la década de 1170, todo el MOGREB estaba unificado bajo un mismo poder por primera y única vez en su historia, y la España musulmana también estaba bajo el control almohade. Su gobierno se caracterizó, por una parte, por el cultivo de las ciencias y la filosofía, y por otra, por sus esfuerzos para lograr la unificación religiosa, obligando a judíos y cristianos a convertirse o emigrar. Fueron desplazados de España por los cristianos en 1212 y de sus provincias de África del norte por la dinastía de los HAFSÍES de Túnez (1236) y por la dinastía de los BENIMERINES de Marrakech (1269).

almorávide, dinastía *árabe* **al-Murābiṭūn** (1056–1147). Confederación de BEREBERES que sucedió a la dinastía FATIMÍ en el MOGREB. Floreció en el s. XI y principios del XII. Su fundador, ʿAbd Allāh ibn Yasīn fue un sabio musulmán de la escuela Mālikī que usó la reforma religiosa como un medio de ganar partidarios a mediados del s. XI. Los almorávides tomaron Marruecos y luego el resto del Mogreb tras la decadencia de la dinastía de los ziríes. En 1082 controlaban ARGEL. En 1110 dominaban también la España musulmana, pero los cristianos comenzaron a recuperar territorio en 1118. En la década de 1120, otra coalición bereber, la dinastía ALMOHADE, inició una rebelión que finalmente desplazó a los almorávides.

áloe *o* **aloe** Cualquier planta arbustiva SUCULENTA del género *Aloe*, de la familia de las LILIÁCEAS. Nativas de África, la mayoría de las 200 o más especies, tienen una roseta de hojas en la base, pero carecen de tallo. Varias especies de este género se cultivan como plantas ornamentales. El zumo de algunas de ellas, en especial aquella cultivada popularmente como planta de maceta, el *Aloe vera*, se usa como ingrediente en la elaboración de cosméticos, como purgante y como tratamiento de las quemaduras.

alondra Cualquiera de unas 75 especies de aves canoras (familia Alaudidae) que se encuentran en todo el Viejo Mundo continental. Sólo la alondra cornuda (*Eremophila alpestris*) es originaria del Nuevo Mundo. El pico puede ser pequeño, angosto y cónico o también largo, curvado hacia abajo, con la garra posterior larga y a veces recta. El plumaje es liso o veteado, muy parecido al color de la tierra. Su cuerpo tiene 13–23 cm (5–9 pulg.) de largo. Las bandadas de alondras se alimentan de insectos y semillas del suelo. Todas las especies tienen un canto fuerte, agudo y melodioso. Ver también ALONDRA COMÚN.

Alondra cornuda (*Eremophila alpestris*).

alondra común Especie (*Alauda arvensis*) de ALONDRA del Viejo Mundo muy afamada por su canto hermoso y sostenido y por cantar al remontarse en el aire. Mide unos 18 cm (7 pulg.) de largo, con cabeza y dorso de color pardo terroso y vientre blanco sucio. Se reproduce en toda Europa y ha sido introducida en Australia, Nueva Zelanda, Hawai y en la Columbia Británica.

Alonso, Alicia *orig.* **Alicia Martínez Hoyo** (n. 21 dic. 1921, La Habana, Cuba). Bailarina, coreógrafa y directora de ballet cubana. Estudió en La Habana y Nueva York, donde bailó en el Ballet Theatre (luego, AMERICAN BALLET THEATRE; 1940–41, 1943–48, 1950–55, 1958–59). En 1948 formó su propia compañía, el Ballet Alicia Alonso (llamado Ballet Nacional de Cuba en 1959), con el cual se presentó muchas veces en giras por América Latina. A pesar de que fue perdiendo la visión, durante muchos años siguió bailando papeles principales como artista invitada en el American Ballet Theatre y en otras compañías.

alopecia ver CALVICIE

alosa Importante pez comestible de América del Norte (*Pomolobus* o *Alosa, pseudoharengus*) de la familia Clupeidae (ver ARENQUE). Crece hasta unos 30 cm (1 pie). La mayoría de las poblaciones viven varios años a lo largo de la costa atlántica de Norteamérica, antes de remontar los ríos para desovar cada primavera, en lagunas o en remansos fluviales.

alosaurio Gran dinosaurio carnívoro perteneciente a un grupo similar al del TIRANOSAURIO, encontrado originalmente como fósil en rocas del jurásico tardío en Norteamérica. Pesaba 1.800 kg (casi 2 t) y crecía hasta los 10,5 m (35 pies) de largo. Su cola larga y bien desarrollada, que alcanzaba la mitad de su longitud total, servía probablemente de contrapeso de su cuerpo. El *alosaurio* caminaba sobre sus dos patas traseras usando sus miembros delanteros mucho más pequeños para agarrar las presas. Poseía mandíbulas poderosas y flexibles y, para alimentarse cazaba probablemente dinosaurios de tamaño mediano, aunque es posible que también fuera carroñero que cazaba en grupos. Ciertos alosaurios afines (*Giganotosaurus*, *Carcharodonotosaurus*) habrían sido más grandes que el *Tyrannosaurus rex*.

alostérico, control Inhibición o activación de una ENZIMA por una pequeña molécula reguladora que interactúa con la enzima en un sitio (llamado alostérico) distinto de su sitio activo (donde ocurre la actividad catalítica). La interacción cambia la forma de la enzima, afectando así al sitio activo del complejo habitual entre la enzima y su sustrato (sustancia sobre la que actúa la enzima). Como consecuencia, la capacidad de la enzima para catalizar una reacción (ver CATÁLISIS) se inhibe o se refuerza. Si la molécula reguladora inhibe una enzima en la vía de su propia síntesis, se dice que el control es de inhibición por RETROALIMENTACIÓN. El control alostérico permite que la célula regule rápidamente las sustancias que necesita.

alótropo Cualquiera de dos o más formas del mismo ELEMENTO QUÍMICO. Pueden presentar diferentes distribuciones de los ÁTOMOS en los CRISTALES del sólido (p. ej., GRAFITO y DIAMANTE para el CARBONO) o diferentes números de átomos en sus MOLÉCULAS, p. ej., OXÍGENO corriente (O_2) y OZONO (O_3). Otros elementos que tienen alótropos son ESTAÑO, AZUFRE, ANTIMONIO, ARSÉNICO, SELENIO y FÓSFORO.

Alp Arslan (c. 1030–¿nov.? 1072/ene. 1073). Segundo sultán de la dinastía SELYÚCIDA. Anexó Georgia, Armenia y gran parte de Anatolia a sus dominios del JURĀSĀN y oeste de Irán. Prefirió conquistar a gobernar, y dejó la administración de su imperio en manos de su famoso visir, NIẒĀM AL-MULK. En 1071, su victoria sobre el Imperio BIZANTINO en la batalla de MANZIKERT abrió el camino a la futura conquista turca de Anatolia. Murió un año más tarde cuando fue herido mortalmente por un prisionero durante una reyerta.

alpaca Especie sudamericana (*Lama pacos*) de la familia Camelidae (ver CAMELLO). La alpaca, el GUANACO, la LLAMA y la VICUÑA son parientes cercanos y conocidos como auquénidos o camélidos sudamericanos. Fue domesticada hace varios miles de años por los indígenas andinos. Tiene un cuerpo esbelto, cuello y patas largas, cabeza pequeña, cola corta y orejas grandes y aguzadas. Tiene una alzada de 90 cm (35 pulg.) y pesa 54–65 kg (120–145 lb). Vive a grandes altitudes, en terrenos pantanosos de la zona central y sur del Perú y del oeste de Bolivia. Es el camélido sudamericano más importante para producción de lana.

Alpaca (*Lama pacos*).

Alpes Sistema montañoso del centro-sur de Europa. Los Alpes se extienden en una medialuna por alrededor de 1.200 km (750 mi) desde la costa del Mediterráneo, entre Francia e Italia, hasta Viena y cubre más de 207.000 km² (80.000 mi²). Varios picos sobrepasan los 3.000 m (10.000 pies), siendo la cumbre más alta el MONT BLANC. Los Alpes forman una divisoria entre el océano Atlántico, el mar Mediterráneo y el mar Negro, y dan origen a varios de los principales ríos de Europa, como el RÓDANO, el DANUBIO y el PO. Los glaciares cubren alrededor de 3.900 km² (1.500 mi²), mayoritariamente en elevaciones superiores a 3.000 m (10.000 pies). El paso de SAN GOTARDO es uno de los túneles más notables de los Alpes. GRENOBLE, INNSBRUCK y Bolzano son algunas de las principales ciudades alpinas.

El Wetterhorn (cuerno de las tempestades), pico de los Alpes berneses, Suiza.

Alpes australianos Cadena montañosa del sudeste de Australia. La forman el extremo sur de la GRAN CORDILLERA DIVISORIA y la cuenca entre los afluentes del río MURRUMBIDGEE y los ríos que corren en dirección sur hacia el océano Pacífico. La cumbre más alta es el monte KOSCIUSKO. Los valles de los Alpes australianos se han destinado a la pastura, mientras que en las tierras altas se han desarrollado exploraciones mineras aisladas.

Alpes berneses *alemán* **Berner Oberland** Segmento de los ALPES en Suiza. Esta sección de los Alpes se encuentra al norte del río RÓDANO y al sur de los lagos Brienzer y Thuner y se extiende al este desde Martigny-Ville hasta el paso Grimsel y el valle del curso superior del río AARE. Muchas cumbres, entre las que se cuenta el Finsteraarhorn, el Jungfrau y el Aletschhorn, sobrepasan los 3.660 m (12.000 pies). Los Alpes berneses son cruzados por los pasos Lötschen, Gemmi y Pillon, y el túnel ferroviario de Lötschberg. Muchos centros turísticos, entre los que destacan Interlaken, Grindelwald y Gstaad, se encuentran en esta zona.

Alpes dolomitas *o* **Alpes dolomíticos** *italiano* **Alpi Dolomitiche** Cadena montañosa en el norte de los Alpes italianos. Cuenta con varios picos imponentes, 18 de los cuales se elevan a más de 3.050 m (10.000 pies). Sus macizos y rocas características deben su nombre al geólogo francés del s. XVIII, Dieudonné Dolomieu, quien realizó el primer estudio científico de la región. Las montañas están formadas de piedra caliza dolomítica de suaves colores, que con la erosión ha adquirido formas fantásticamente escarpadas. Muchos de los poblados de la región son destino preferido por turistas y alpinistas.

Macizos de los Alpes dolomitas.
ARCHIVO EDIT. SANTIAGO

Alpes julianos Sierra de los ALPES orientales. Esta sierra se extiende hacia el sudeste desde los Alpes cárnicos, en el nordeste de Italia, hasta la ciudad de LJUBLJANA en Eslovenia. Su pico más alto es el Triglav (2.864 m [9.396 pies]), que es también la cumbre más alta de ese país.

Alpes lepontinos Segmento de los ALPES centrales a lo largo de la frontera italosuiza. Sus límites son los Alpes peninos en el oeste y sudoeste y el distrito de los lagos italianos en el sur; su pico más alto, el monte Leone, se alza hasta los 3.553 m (11.657 pies) y se ubica en su extremo occidental. Pasos importantes son el paso de SAN GOTARDO, de SIMPLÓN, de Lukmanier y de SAN BERNARDINO.

Alpes meridionales Cadena montañosa de la isla del SUR de Nueva Zelanda. Se extiende a lo largo de prácticamente toda la isla y es la cordillera más alta de Australasia. Sus alturas van desde los 900 m (3.000 pies) hasta sobre los 3.050 m (10.000 pies), siendo su punto más alto el monte Cook de 3.764 m (12.349 pies). Desde las nieves eternas que coronan los Alpes meridionales descienden los glaciares. La cordillera divide climáticamente la isla. Las boscosas laderas y la estrecha planicie costera del lado occidental, son mucho más húmedas que las laderas y las amplias llanuras de Canterbury del lado oriental.

Alpes réticos Segmento de los ALPES centrales localizado principalmente en Suiza, pero que también se extiende a lo largo de las fronteras italosuiza y austriacosuiza. El pico Bernina, en la frontera italiana, es su punto más alto, y alcanza los 4.049 m (13.284 pies). En la sección oriental se encuentra el parque nacional Suizo, creado en 1914, con una superficie de 169 km² (65 mi²); es conocido por su escarpado paisaje alpino y su vida silvestre.

al-Qaeda ver al-QAEDA

alquimia Seudociencia centrada en el intento de transformar los metales básicos en oro. Los antiguos alquimistas creían que bajo condiciones astrológicas adecuadas el plomo podía ser "perfeccionado" en oro. Convencidos de que tal mutación podía suceder, trataban de apurar esta transformación, calentando y refinando el metal con una serie de procesos químicos, la mayoría de los cuales se mantenía en secreto. La alquimia se practicó en buena parte del mundo antiguo, desde China e India hasta Grecia. Se trasladó a Egipto durante el período helenístico y más tarde renació en la Europa del s. XII por medio de las traducciones de textos árabes al latín. Los alquimistas europeos medievales hicieron algunos descubrimientos útiles, como los ácidos minerales y el alcohol. Su renacimiento llevó al desarrollo de la FARMACOLOGÍA bajo la influencia de PARACELSO y al surgimiento de la QUÍMICA moderna. Pero no fue sino hasta el s. XIX que el proceso alquímico de fabricar oro fue desacreditado finalmente.

Alsacia-Lorena Área del este de Francia. Usualmente se considera hoy que comprende los departamentos franceses de Alto Rin, Bajo Rin y Mosela. El área fue cedida por Francia a Alemania en 1871 después de la guerra FRANCO-PRUSIANA. Le fue devuelta a Francia después de la primera guerra mundial, fue ocupada por los alemanes durante la segunda guerra mundial y nuevamente devuelta a Francia al finalizar esta. Las políticas gubernamentales francesas de la preguerra que chocaban con las particularidades de la región han sido modificadas desde entonces. El dialecto alemán conocido como alsaciano permanece como la lingua franca, y en los colegios se enseña tanto el francés como el alemán.

álsine Dos especies de malezas de hojas pequeñas, de la familia de las CARIOFILÁCEAS. El álsine común (*Stellaria media*), aunque es nativo de Europa, está ampliamente naturalizado. Suele crecer hasta 45 cm (18 pulg.), pero se comporta como una maleza anual baja que se propaga en prados de guadaña. El álsine oreja de ratón (*Cerastium vulgatum*), también de Europa, es una especie perenne rastrera, generalmente más pequeña, que forma una alfombra y tiene muchos tallos erguidos. Crece en prados, pasturas y campos cultivados en todas las regiones templadas. Ambas especies tienen flores estrelladas sencillas y delicadas de color blanco.

Álsine común (*Stellaria media*).
© ENCYCLOPÆDIA BRITANNICA, INC.

Alta Comisión, Tribunal de ver TRIBUNAL DE ALTA COMISIÓN

alta mar En DERECHO MARÍTIMO, aguas situadas más allá del límite del MAR TERRITORIAL de los Estados. En la Edad Media, varios Estados marítimos ejercieron soberanía sobre extensas zonas de la alta mar. La doctrina de que en tiempos de paz la alta mar está abierta a todas las naciones fue propuesta por primera vez por HUGO GROCIO (1609), pero hasta el s. XIX no se convirtió en principio generalmente aceptado de DERECHO INTERNACIONAL. Las actividades permitidas en alta mar comprenden la navegación, la pesca, el tendido de cables y tuberías submarinos, y el sobrevuelo de aeronaves.

Altái, montes *ruso* **Altai** *chino* **Altai Shan** *mongol* **Altain Nuruu** Sistema montañoso de Asia central. Esta cadena se extiende aprox. 2.000 km (1.200 mi) en dirección sudeste-noroeste, desde el desierto de GOBI hasta la llanura siberiana occidental, atravesando China, Mongolia, Rusia y

Vista de los montes Altái que se elevan en los confines del desierto de Gobi, Mongolia.

Kazajstán. La cumbre más alta es el pico Beluja en Rusia, de aprox. 4.600 m (15.000 pies) de alto. Los ríos IRTISH y OBI nacen en estas montañas que se destacan por su potencial minero e hidroeléctrico.

altaicas, lenguas Grupo de más de 50 lenguas, que comprende las subfamilias de las lenguas TURCAS, las MONGOLES y las MANCHÚ-TUNGÚS. Las lenguas altaicas son habladas a través de Eurasia por más de 140 millones de personas (la gran mayoría de ellas habla lenguas turcas). Un gran número de estudiosos considera que el altaico mismo constituye una familia de lenguas, de relación genética comprobada, aunque una minoría de ellos atribuye las similitudes de las lenguas a préstamos y a convergencias regionales. En algún momento se consideró que las familias de las lenguas URÁLICAS y altaicas constituían una hiperfamilia, sin embargo, no se han demostrado correspondencias confiables de sonidos y, actualmente, las numerosas similitudes entre los dos grupos se atribuyen a influencias regionales.

Altamira Cueva ubicada cerca de SANTANDER, en el norte de España, famosa por sus magníficas pinturas y grabados prehistóricos. Las pinturas, fechadas en 14.000–12.000 AC, fueron descritas por primera vez en 1880. La cueva de Altamira tiene una longitud de 270 m (890 pies). El techo de la cámara principal está cubierto de pinturas, principalmente de bisontes, en brillantes colores rojo, negro y violeta. También hay otras figuras de un estilo más simple, como jabalíes salvajes, caballos y una cierva, además de ocho figuras antropomórficas y numerosas impresiones y bosquejos de manos. Los artefactos grabados, así como otros restos materiales encontrados, sugieren que el sitio pudo haber sido un centro de reuniones durante ciertas estaciones del año. Ver también ARTE RUPESTRE; cultura MAGDALENIENSE.

Altan *o* **Anda** (m. 1583, Mongolia). KAN mongol que aterrorizó China en el s. XVI. Estableció en su patria un gobierno de estilo chino y suscribió un tratado de paz con la dinastía MING de China en 1571. Convirtió a los MONGOLES a la secta DGE-LUGS-PA, rama reformada del budismo tibetano. En 1578, Altan concedió al líder de esta secta el título de DALAI LAMA. Con el apoyo militar de los mongoles, los Dalai Lamas aplastaron a la secta tibetana Karma-pa (posteriores Bonete rojo) más consolidada, convirtiéndose así en los gobernantes espirituales y temporales del Tíbet. Ver también dinastía TSANGPA.

altar Estructura elevada o lugar que se usa para sacrificar, adorar o rezar. Los altares probablemente se originaron en la creencia de que objetos o lugares (p. ej., un árbol o un manantial) estaban habitados por espíritus o deidades dignos de plegarias u ofrendas. El SACRIFICIO a las deidades requería de estructura sobre la cual inmolar la víctima y encauzar la sangre o quemar la carne. En el antiguo Israel, el altar era una piedra rectangular con una cubeta ahuecada en la parte superior. Los antiguos griegos pusieron altares (ver BETILOS) en casas, mercados, edificios públicos y huertos sagrados. Los altares romanos también eran ubicuos y fueron, por lo general, decorados con esculturas en relieve. En el cristianismo primitivo no se usaron altares, pero en el s. III la mesa sobre la cual se celebraba la EUCARISTÍA se consideró un altar. El altar pasó a ser el foco de atención de la MISA en las iglesias cristianas y en las iglesias de Occidente a menudo se adornó el altar con un BALDAQUÍN y un RETABLO.

altavoz *o* **altoparlante** En la reproducción del SONIDO, dispositivo para convertir la energía eléctrica en energía de señal acústica (sonora) que es irradiada en una sala o al aire libre (ver ACÚSTICA). La parte del altavoz que convierte la energía eléctrica en energía mecánica se suele llamar motor o bobina acústica. El motor hace vibrar un diafragma que a su vez hace vibrar el aire que está en contacto directo con dicho diafragma, produciendo una onda sonora que corresponde al modelo de la voz, música u otra señal acústica original.

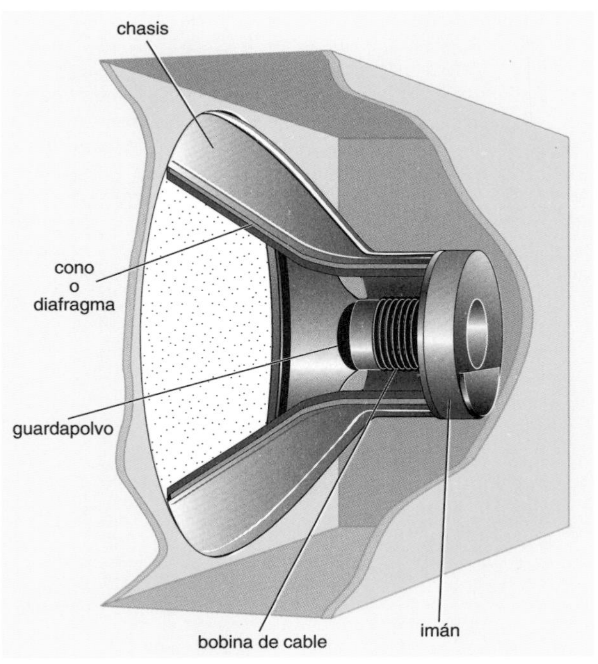

Piezas de un altavoz. Las señales eléctricas enviadas a través de una bobina la hacen funcionar como un electroimán, el cual es repelido o atraído en forma alternada por el imán permanente. Este movimiento hace vibrar el cono o diafragma y crea ondas sonoras.

Altdorfer, Albrecht (c. 1480–12 feb. 1538, Ratisbona). Pintor y grabador alemán. Fue el artista más relevante de la escuela del DANUBIO. La mayor parte de su obra pictórica representa temas religiosos, pero fue uno de los primeros artistas en desarrollar el paisajismo como género independiente, especializándose en la luz del atardecer y ruinas a la hora del crepúsculo. Sus dibujos demuestran estas destrezas en negro con toques de luz blanca sobre papel oscuro. La influencia de ALBERTO DURERO es evidente en sus grabados en miniatura y en sus xilografías. Desde 1526 hasta su muerte se desempeñó como arquitecto en Ratisbona. No existen obras arquitectónicas de su autoría que hayan perdurado.

Alte Pinakothek (alemán: "Pinacoteca antigua"). Museo de arte, una de muchas colecciones de las galerías de pintura de los estados bávaros en Munich, Alemania, y uno de los grandes museos del mundo. Se especializa en pintura europea que abarca desde la Edad Media hasta fines del s. XVIII; sus principales colecciones otrora pertenecieron a varios antiguos príncipes electores de Baviera. El edificio actual es una reconstrucción de 1957 de la galería original del s. XIX, destruida durante la segunda guerra mundial. Otros museos son la Neue Pinakothek ("Pinacoteca nueva"), la cual se formó a partir de colecciones privadas de reyes bávaros y ofrece pintura y escultura europea de los s. XVIII–XX; la colección de pintura alemana romántica tardía de la Galería Schack y la Galería estatal de arte moderno.

alteración de orden público Conducta que atenta contra el orden público o las buenas costumbres. Se ha sostenido que comprende el uso en público de lenguaje procaz, las riñas en lugares públicos, el bloqueo de la vía pública y las amenazas. Las leyes que sancionan este tipo de conductas deben señalar concretamente los actos que la constituyen. Por lo general, estos delitos acarrean penas menores.

alteración meteorológica Cambio deliberado o involuntario de las condiciones atmosféricas por actividad humana, suficiente para modificar las condiciones meteorológicas a una escala local o regional. Las modificaciones deliberadas comprenden el cubrimiento de las plantas durante la noche, para mantenerlas tibias; la siembra de nubes que induce o aumenta la precipitación, y el disparo de partículas de yoduro de plata en las nubes para mitigar o prevenir el granizo y reducir la niebla en los aeropuertos. Las alteraciones involuntarias son el resultado de la industrialización y urbanización, que han añadido miles de millones de toneladas de dióxido de carbono y otros gases a la atmósfera. (ver efecto INVERNADERO; LLUVIA ÁCIDA; RECALENTAMIENTO DE LA TIERRA).

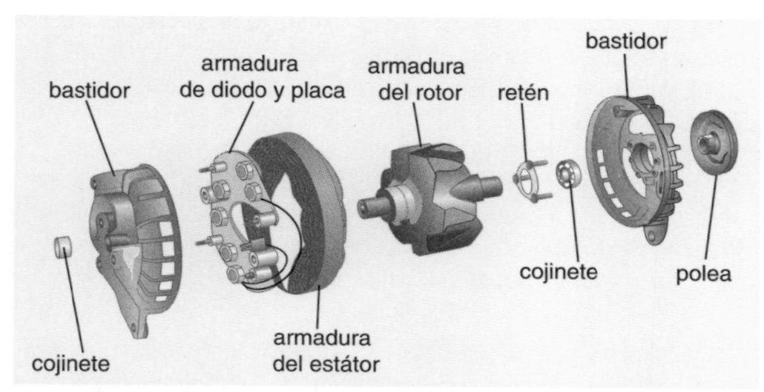

Vista esquemática de un alternador de automóvil. El cigüeñal del motor, conectado por una correa a la polea del alternador, hace girar el rotor magnético dentro de la armadura del estátor fijo, lo que genera una corriente alterna. La armadura de diodos rectifica la corriente alterna y produce corriente continua, que satisface la demanda del sistema eléctrico del vehículo y recarga la batería.

alternador Fuente de CORRIENTE ELÉCTRICA continua en los vehículos modernos para el encendido, luces, ventiladores y otros usos. La energía eléctrica es generada por un alternador acoplado mecánicamente al motor, con la bobina inductora del rotor alimentada con corriente mediante anillos colectores y un estátor con un devanado trifásico. Un rectificador convierte la corriente eléctrica alterna en continua. Un regulador asegura que el voltaje de salida coincida con el voltaje de la batería al variar la velocidad del motor. Un alternador inductor es un tipo especial de generador sincrónico en el que ambos devanados, el de campo y el de salida, se encuentran en el estátor.

alternancia de generaciones En biología, alternancia de una fase sexual (GAMETOFITO) y una fase asexual (ESPOROFITO) en el ciclo vital de un organismo. Las dos fases o generaciones suelen ser distintas en estructura y a veces en la composición cromosómica (ver CROMOSOMA). La alternancia de generaciones es común en ALGAS, HONGOS, MUSGOS, HELECHOS y ESPERMATÓFITAS. La naturaleza y extensión de ambas fases varía ampliamente entre los diferentes grupos de plantas y algas. Durante el curso de la evolución, la fase del gametofito se ha reducido progresivamente. De esta manera, en las PLANTAS VASCULARES superiores, el esporofito es la fase dominante, en tanto, en plantas más primitivas, no vasculares, el gametofito es la fase dominante. En los animales, muchos invertebrados (p. ej., PROTOZOOS, AGUAS VIVAS, PLATELMINTOS) tienen una alternancia de generaciones sexuales y asexuales.

Altgeld, John Peter (30 dic. 1847, Niederselters, Prusia–12 mar. 1902, Joliet, Ill., EE.UU.). Político estadounidense, de origen alemán. Gobernador de Illinois (1893–97). Emigró de Alemania cuando niño. En la década de 1870 se trasladó a Chicago, donde acumuló una pequeña fortuna en bienes raíces y participó activamente en política por el Partido Demócrata. En 1892 obtuvo el cargo de gobernador como candidato reformista. En 1893, a instancias de CLARENCE DARROW y de dirigentes obreros, perdonó a tres hombres condenados por complicidad en la revuelta de HAYMARKET. El polémico indulto provocó el clamor de los conservadores e influyó en su derrota, en 1896, cuando postuló a la reelección. Más adelante, sin embargo, su decisión suscitó una amplia aprobación en círculos judiciales.

altímetro Instrumento que mide la altitud de la superficie terrestre o de cualquier objeto, como un avión. El altímetro barométrico mecánico mide la presión atmosférica en relación con el nivel del mar mediante una serie de fuelles, engranajes y resortes que mueven punteros en un dial. Los radioaltímetros miden la altura de una aeronave tanto sobre tierra como sobre el nivel del mar, y lo hacen mediante indicación del tiempo que tarda un pulso de energía radioeléctrica (ver RADIO) en desplazarse de ida y vuelta entre el avión y la tierra/mar; se usan en sistemas de navegación automática y de aterrizaje instrumental.

Altiplano andino Región del sudeste del Perú y oeste de Bolivia. Comprende una serie de altiplanicies. Nace al noroeste del lago TITICACA, en el sur del Perú, y se extiende hacia el sudeste hasta el sudoeste de Bolivia. La fauna silvestre de la región estaba constituida originalmente de alpacas y llamas, las que ahora se crían como ganado lanar. Las ciudades de Puno y Juliaca (Perú) y La PAZ (Bolivia) se ubican junto al lago Titicaca. El área ha estado poblada desde tiempos remotos.

Reserva nacional Eduardo Avaroa, ubicada en el Altiplano boliviano.

Altman, Robert (B.) (n. 20 feb. 1925, Kansas, Mo., EE.UU.). Director de cine estadounidense. Aprendió el oficio dirigiendo películas para industrias, luego dirigió diversas series de televisión antes de realizar su primer filme, *Cuenta regresiva* (1967). La exitosa comedia antibélica *M*A*S*H* (1970) consolidó su reputación como director independiente cuya labor se centra en los personajes y los ambientes por sobre la trama. Entre sus películas más aclamadas se cuentan *McCabe y la Sra. Miller* (1971), *Nashville* (1976), *El pez gordo* (1992) y *Vidas cruzadas* (1993).

Altman, Sidney (n. 7 may. 1939, Montreal, Quebec, Canadá). Biólogo molecular estadounidense de origen canadiense. Estudió en el MIT y en la Universidad de Colorado, y enseña en la Universidad de Yale desde 1971. Trabajando por separado, Altman y THOMAS CECH descubrieron que el ARN, antes considerado un simple transportador pasivo de los códigos genéticos entre diferentes partes de la célula viviente, también podía iniciar y llevar a cabo (i.e., catalizar) algunas reacciones, lo que abrió nuevos campos de investigación y en la biotecnología. Ambos compartieron el Premio Nobel en 1989.

alto ver CONTRALTO

alto horno Horno de cuba vertical que produce METALES líquidos por la reacción del aire introducido a presión en la parte inferior del horno, con una mezcla de MENA metálica, combustible y FUNDENTE que se introduce por la parte superior (tragante). Los altos hornos se usan para producir ARRABIO, proveniente del mineral de hierro, para su posterior procesamiento en forma de ACERO; también se emplean para procesar plomo, cobre y otros metales. La corriente de aire presurizado mantiene una combustión rápida. Los altos hornos ya se utilizaban en China en 200 AC y aparecieron en Europa en el s. XIII, reemplazando el proceso de fundición en FORJA BAJA. Los altos hornos modernos tienen una altura de 20–35 m (70–120 pies), con diámetros de crisol de 6–14 m (20–45 pies), usan COQUE como combustible y pueden producir 900–9.000 Tm (1.000–10.000 t) de arrabio al día. Ver también FUNDICIÓN DE MINERAL; METALURGIA.

Alto Volta ver BURKINA FASO

altoparlante ver ALTAVOZ

Altria Group, Inc. SOCIEDAD DE CARTERA estadounidense con participaciones en las áreas de tabaco, alimentos y servicios financieros. Conocida anteriormente como Philip Morris Cos., Inc.; en enero de 2003, el grupo cambió su nombre a Altria. Entre sus haberes se cuentan KRAFT FOODS, INC. (incluida NABISCO), Philip Morris International Inc. y Philip Morris USA Inc. (ver compañías de tabaco PHILIP MORRIS) y una participación en SABMiller PLC, creada en 2002 tras la fusión de South African Breweries PLC y Miller Brewing Co. Philip Morris adquirió la empresa Miller Brewing Co en 1969. A continuación redujo su dependencia del negocio del tabaco y adquirió diversas empresas, entre las que se cuentan General Foods (1985), Kraft Foods (1988) y Nabisco (2000), entre otras. Como parte del arreglo convenido tras la demanda interpuesta por 46 estados contra la sociedad y otras compañías tabacaleras, en 1998 la sociedad acordó participar en el pago de más de US$ 200.000 millones a los estados en cuestión, fondos destinados a cubrir los costos en atenciones de salud relacionadas con el tabaquismo.

altruismo Teoría ética que considera el bien de los otros como el fin de la acción moral; por extensión, la disposición a estimar el bien de los demás como un fin en sí mismo. El término (francés, *altruisme*, derivado del latín *alter*: "otro") fue acuñado en el s. XIX por AUGUSTE COMTE y adoptado en general como una antítesis adecuada de EGOÍSMO. La mayoría de los altruistas han sostenido que las personas tienen la obligación de fomentar los placeres y aliviar los sufrimientos de los demás. El mismo argumento es válido si se considera que la felicidad, y no el placer, es la finalidad de la vida.

altura ver TIMBRE

altura ver TONO

altura, mal de *o* **mal de montaña** Reacción aguda al ascenso desde altitudes bajas a altitudes superiores a 2.400 m (8.000 pies). La mayoría de las personas se adapta gradualmente, pero algunas sufren una reacción severa, que puede ser fatal a menos que regresen a altitudes bajas. Las adaptaciones normales a la menor presión parcial de oxígeno a gran altura (p. ej., jadeo y taquicardia) se exageran. Otras manifestaciones son dolor de cabeza, molestias gastrointestinales y debilidad. El EDEMA pulmonar se revierte prontamente con oxígeno y el traslado hacia una zona más baja.

altura sacra *hebreo* **bama** En el antiguo Israel o CANAÁN, un santuario construido en un sitio elevado. Para los cananeos, los santuarios eran consagrados a las deidades de la fertilidad, a los BAALS o a las diosas semíticas llamadas las Asherot. Los santuarios incluían a menudo un altar y un objeto sagrado, como un pilar de piedra o un poste de madera. Una de las alturas sacras más antiguas conocidas data c. 2500 AC y está en MEGIDDO. Los israelitas también asociaban los lugares elevados con la presencia divina y, tras conquistar Canaán, ellos mismos usaron las alturas sacras cananeas para rendir culto a Yahvé (Dios). Con el tiempo, el templo de JERUSALÉN, construido sobre el monte Sión, se convirtió en la única y exclusiva altura sacra aceptada por la tradición hebrea.

alucinación Percepción de objetos, sonidos o sensaciones que carecen de realidad demostrable y que emana usualmente de un trastorno del sistema nervioso o en respuesta a ciertas drogas (ver ALUCINÓGENO). Las alucinaciones se asemejan de muchas maneras a los SUEÑOS: sus contenidos provienen de percepciones conocidas por la MEMORIA, las que pueden estar muy deformadas. Se pueden presentar alucinaciones cuando, debido a la existencia de un estado de alerta intenso, originado por ansiedad extrema, excitación, fatiga u otras causas, la ATENCIÓN colapsa. Las alucinaciones son un elemento diagnóstico cardinal de la ESQUIZOFRENIA.

alucinógeno Sustancia que produce efectos psicológicos normalmente asociados sólo con los SUEÑOS, la ESQUIZOFRENIA o las visiones religiosas. Produce cambios en la percepción (desde distorsiones en lo percibido hasta llegar a la percepción de objetos donde no los hay), en el pensamiento y en los sentimientos. Algunos de los alucinógenos que han suscitado mayor controversia son el ÉXTASIS, el LSD, la MESCALINA, la psilocibina (de ciertos hongos) y la bufotenina (de la piel de los sapos); algunos añadirían la MARIHUANA. Su modo de acción todavía no está claro; es posible que afecten la SEROTONINA, la EPINEFRINA u otros NEUROTRANSMISORES.

alumbrado, unidad de Dispositivo eléctrico que produce luz para iluminar un objeto o un recinto, consistente en una o más fuentes de luz (bombillas o tubos que emiten luz), sus portalámparas, las piezas que sostienen la lámpara en su lugar y la protegen, el cableado que conecta la lámpara a la corriente eléctrica, y un reflector que ayuda a dirigir y distribuir la luz. Las lámparas fluorescentes por lo general tienen difusores o persianas para reducir el deslumbramiento y orientar la luz emitida. Las unidades de alumbrado pueden ser tanto movibles como fijas.

alumbre Compuesto inorgánico; clase de SALES hidratadas dobles que generalmente consisten en sulfato de ALUMINIO, agua de hidratación (una parte esencial de la composición del CRISTAL) y el SULFATO de otro elemento. Los alumbres más importantes son aquellos de sulfato de potasio (alumbre de potasio o alumbre de potasa, $K_2SO_4{\cdot}Al_2(SO_4)_3{\cdot}24H_2O$), sulfato de amonio y sulfato de sodio. Los alumbres de origen natural se encuentran en varios minerales, y se pueden preparar y purificar por cristalización de sus soluciones. La mayoría son cristales blancos, con un sabor ácido, astringente. Se utilizan como agentes para encolado de papel, agentes floculantes en el tratamiento del agua, mordientes en tinturas y encurtidos, polvos de hornear, extintores y medicamentos.

aluminio ELEMENTO QUÍMICO metálico, símbolo químico Al, número atómico 13. METAL blanco plateado, liviano; químicamente es tan reactivo que siempre se da en compuestos. Es el elemento metálico más abundante en la corteza terrestre, principalmente en la BAUXITA (su MENA principal), FELDESPATOS, MICAS, minerales de ARCILLA y LATERITA. También se encuentra en piedras preciosas, como TOPACIO, GRANATE y crisoberilo; el ESMERIL, CORINDÓN, RUBÍ y ZAFIRO son ÓXIDOS de aluminio cristalino. El aluminio fue aislado por primera vez en 1825, su comercialización data de finales del s. XIX y hoy es el metal más utilizado después del HIERRO. Su superficie se oxida de inmediato y forma una película dura, resistente, que impide una mayor corrosión. Se utiliza en edificación y construcción, equipos químicos inoxidables, partes de automóviles y de aeronaves, líneas de transmisión de energía, planchas de fotograbado, menaje de cocina y otros bienes de consumo, y tubos para ungüentos y pastas. Sus compuestos importantes comprenden ALUMBRES; alúmina (óxido de aluminio), útil como corindón y como transportador para muchos catalizadores; cloruro de aluminio, un catalizador muy utilizado para síntesis orgánicas, e hidróxido de aluminio, que se utiliza para impermeabilizar telas.

Lingotes de aluminio para uso industrial.
LUIS CASTANEDA/THE IMAGE BANK/GETTY IMAGES

Al-'Uqāb, batalla de ver batalla de las NAVAS DE TOLOSA

Alvarado, Pedro de (c. 1485, Badajoz, Castilla–1541, en Guadalajara o sus alrededores, Nueva España). Conquistador y gobernador colonial español. En 1519 fue lugarteniente del ejército de HERNÁN CORTÉS que conquistó México. En 1522 se convirtió en el primer alcalde de Tenochtitlán (Ciudad de México). En 1523 conquistó los pueblos indígenas de Guatemala y fundó la ciudad de Santiago de los Caballeros que se convirtió en la primera capital de la región de Guatemala, la que más tarde incluyó buena parte de América Central. Fue gobernador de Guatemala en 1527–31. En 1539 emprendió una expedición a la región central de México, pero murió mientras sofocaba una sublevación indígena.

Álvarez de Toledo (y Pimentel), Fernando ver 3er duque de ALBA

Alvarez, Luis W(alter) (13 jun. 1911, San Francisco, Cal., EE.UU.–1 sep. 1988, Berkeley, Cal.). Físico experimental estadounidense. En 1936 se incorporó al cuerpo docente de la Universidad de California en Berkeley, donde permaneció hasta 1978. En 1938 descubrió que algunos elementos radiactivos se desintegran cuando un electrón orbital se fusiona con su núcleo, lo que produce un elemento con un número atómico menor en una unidad, una forma de DESINTEGRACIÓN BETA. En 1939, con Félix Bloch (n. 1905–m. 1983), midió por primera vez el momento magnético del neutrón. Durante la segunda guerra mundial desarrolló un sistema de guía por radar para el aterrizaje de aviones y participó en el proyecto Manhattan para desarrollar la bomba atómica. Más tarde, ayudó a construir el primer ACELERADOR LINEAL de protones y construyó la CÁMARA DE BURBUJAS de hidrógeno líquido. Con su hijo, el geólogo Walter Alvarez (n. 1940), contribuyó al desarrollo de la teoría que liga la extinción de los dinosaurios con el impacto de un gran asteroide o cometa. Por su trabajo, que incluye el descubrimiento de muchas partículas subatómicas, recibió el Premio Nobel de Física en 1968.

Luis W. Alvarez, Premio Nobel de Física (1968).
GENTILEZA DEL LAWRENCE RADIATION LABORATORY, UNIVERSIDAD DE CALIFORNIA, BERKELEY, EE.UU.

alvéolo pulmonar Cualquiera de los cerca de 300 millones de pequeños espacios aéreos de los PULMONES por donde el dióxido de carbono sale de la sangre y el oxígeno entra a ella. Los alvéolos forman racimos (sacos alveolares) conectados por conductos alveolares a los bronquíolos. Sus tenues paredes contienen numerosos capilares, sostenidos por una malla de fibras elásticas y colágenas; el intercambio gaseoso entre ellos se hace por DIFUSIÓN. Una película de sustancias grasas (surfactante) sobre sus paredes reduce la tensión superficial, evitando que los alvéolos se colapsen y facilitando la expansión pulmonar. Los macrófagos alveolares (ver LEUCOCITO; TEJIDO LINFÁTICO) actúan como aseadores móviles, englutiendo las partículas extrañas en los pulmones.

al-Yazā'ir ver ARGEL

Alzheimer, mal de Trastorno degenerativo del cerebro. Ocurre entre la madurez y la senectud; destruye las neuronas y conexiones en la CORTEZA CEREBRAL, lo que provoca una pérdida importante de la masa cerebral. Es la forma más común de DEMENCIA, y avanza desde un deterioro de la memoria reciente a una pérdida más extensa de ella, con menoscabo del lenguaje, de las habilidades perceptivas y motrices, inestabilidad del ánimo y, en casos avanzados, insensibilidad, con pérdida de la movilidad y del control de las funciones corporales; la muerte sobreviene habitualmente en 5–10 años. Descrita originalmente en 1906 por el neuropatólogo alemán Alois Alzheimer (1864–1915), en referencia a una persona de 55 años, y considerada como una demencia presenil, el mal de Alzheimer se reconoce actualmente como el mayor responsable de la demencia senil que antes se presumía normal con el envejecimiento. El 10% de los casos que comienzan antes de los 60 años se deben a una mutación heredada. Los hallazgos principales en la autopsia cerebral son las placas seniles y las marañas neurofibrilares, que certifican el diagnóstico de esta enfermedad. Hasta hoy no se ha encontrado cura a este mal. La mayoría de los tratamientos apuntan a controlar la depresión, los trastornos de conducta y el insomnio, que suelen acompañar a esta enfermedad.

AM *sigla de* **amplitud modulada** Variación de la amplitud de una onda portadora (comúnmente una ONDA DE RADIO) en correspondencia con las fluctuaciones de la señal de audio o vídeo que se transmiten. La AM es el método más antiguo de transmisión de programas de radio. Las emisoras comerciales de AM operan en un rango de frecuencia de 535 a 1.605 kHz. Dado que las ondas de radio de esas frecuencias las refleja la ionosfera en la superficie terrestre, pueden ser detectadas por receptores a cientos de kilómetros de distancia. Además de la radiodifusión comercial, la AM también se emplea en transmisiones de radio de onda corta y en la transmisión de la parte de vídeo de los programas de televisión. Ver también FM.

AMA ver ASOCIACIÓN MÉDICA AMERICANA

Amadeo VI *llamado* **Amadeo el Conde Verde** (1334, Chambéry, Saboya [Francia]–1 mar. 1383, Castropignano [Italia]). Conde de SABOYA (1343–83). Gobernante de Saboya desde la edad de nueve años, extendió en forma considerable el territorio y el poderío de su reino. En la década de 1350, después de anexionar tierras del lado italiano, controlaba casi por completo los Alpes occidentales. Se unió a una cruzada contra los turcos (1366) y restauró a JUAN V PALEÓLOGO en el trono de Bizancio. Mediador en las disputas entre los gobernantes italianos, se propuso rescatar a la reina JUANA I de Nápoles de sus enemigos (1382), pero murió víctima de la peste durante la expedición.

Amado, Jorge (10 ago. 1912, Ferradas, cerca de Ilhéus, Brasil–6 ago. 2001, Salvador, Bahía). Novelista brasileño. Nació y creció en una plantación de cacao. Publicó su primera novela a los 20 años. Sus primeras obras, entre ellas *Tierras del sinfín* (1942), aluden a la explotación y el sufrimiento de los trabajadores de las plantaciones. Activista de izquierda, la prisión y el exilio no le impidieron seguir escribiendo novelas, muchas de las cuales se prohibieron otrora en Brasil y Portugal. Sus obras de madurez, como *Gabriela, clavo y canela* (1958), *Doña Flor y sus dos maridos* (1966) y *La desaparición de la santa* (1993), conservan su visión política, pero son más sutiles en la sátira. Muchas de sus obras han sido adaptadas al cine y la televisión.

Amadu *o* **Ahmadu** (1833–1898, Sokoto, Nigeria septentrional). Segundo y último gobernante del Imperio tucoror de África occidental. Tras suceder a su padre, al-Ḥājj ʿUmar, en 1864, Amadu gobernó sobre un gran imperio que tuvo como centro el antiguo reino BAMBARA de Ségou, en el actual Malí. En 1887 fue forzado a abandonar Ségou y aceptar la condición de protectorado francés. En 1891, la mayoría de sus plazas fuertes habían sido capturadas.

Amalarico I (1136–11 jul. 1174). Rey de Jerusalén (1163–74). Fue un gobernante enérgico que contribuyó a romper la unidad de los musulmanes que rodeaban Tierra Santa. Aprobó una ley que otorgaba a los vasallos el derecho de apelar a un tribunal superior contra el trato injusto de sus señores. Su invasión de Egipto (1163) provocó una guerra con Nur al-Din de Siria, la que Amalarico perdió a pesar de la ayuda prestada por MANUEL I COMNENO. Aunque el intento de conquistar Egipto fracasó, la alianza entre Palestina y Bizancio se mantuvo.

Amalarico II (c. 1155–1 abr. 1205). Rey de Chipre (1194–1205) y de Jerusalén (1197–1205). Heredó el reino de Chipre a la muerte de su hermano, Guy de Lusignan, y formó una estrecha alianza con el gobernante de Palestina. También se convirtió en vasallo del emperador ENRIQUE VI. Cuando el gobernante de Palestina murió, Amalarico desposó a su viuda y devino en rey de Jerusalén. Gobernó Jerusalén en forma separada de sus otras posesiones e hizo la paz con sus vecinos musulmanes después de la muerte de SALADINO (1193).

Amalfi Municipio (pob., 2000: comuna, 5.527 hab.) del sur de Italia, en el golfo de Salerno. Fue de poca importancia hasta mediados del s. VI, cuando cayó bajo dominio bizantino. Creció hasta volverse una de las primeras repúblicas marítimas de Italia en el s. IX, convirtiéndose en rival de VENECIA y GÉNOVA. Anexada por ROGER II de Sicilia en el año 1131, fue saqueada por PISA en los años 1135 y 1137, y perdió importancia rápidamente, aunque su código marítimo, la Tavola Amalfitana, fue reconocido hasta 1570 en el Mediterráneo. Hoy, Amalfi es un notable centro turístico.

Vista de Amalfi, con la catedral de Sant'Andrea iluminada (abajo, izquierda).
AMENDOLA/FRANCA SPERANZA

amalgama ALEACIÓN de MERCURIO con uno o más METALES diferentes. Aquellas de plata, oro y paladio son de origen natural. Aquellas con un contenido muy alto de mercurio son líquidas; otras son cristalinas. Las amalgamas de plata y estaño, con pequeñas cantidades de cobre y cinc, se utilizan en odontología para obturaciones. La amalgama de sodio se emplea en la fabricación de cloro y de hidróxido de sodio mediante la electrólisis de la salmuera. Las amalgamas se utilizan para recuperar plata y oro de sus minerales: el mineral se agita con mercurio, la amalgama se separa y se calienta hasta que el mercurio destila completamente (ver DESTILACIÓN) y el metal precioso es el residuo. Las amalgamas se usan también para platear espejos y aplicar otros recubrimientos de metal.

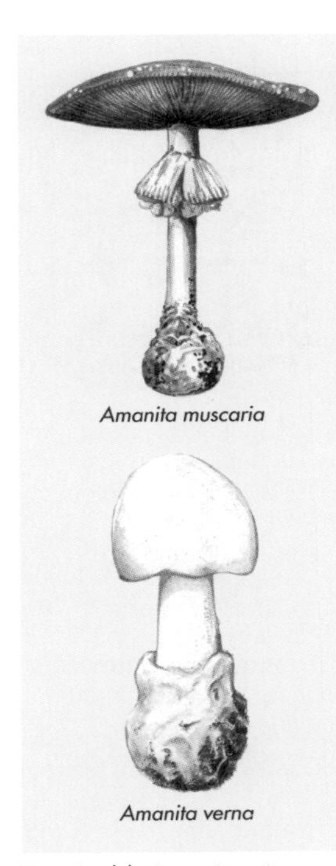

Especies del género *Amanita*.

Amanita Género de SETAS u hongos que comprende unas 100 especies, algunas de las cuales son venenosas para el hombre. Entre las setas más letales están *A. bispongera*, *A. ocreata*, *A. verna* y *A. virosa*, que se encuentran en los bosques durante los períodos lluviosos de verano y otoño. Otro hongo letal, *A. phalloides*, de sombrero verde o marrón, se encuentra en zonas boscosas durante el verano y principios del otoño. El hongo venenoso *A. muscaria*, que se halla en praderas y campos durante el verano, alguna vez se usó como veneno contra las moscas. Entre las especies comestibles comunes figuran *A. caesarea*, *A. rubescens* y *A. vaginata*.

Amar Das (1479, ¿Khadur?, India–1574, Goindwal). Tercer GURÚ sij. Muy venerado por su sabiduría y devoción, Amar Das fue reconocido como Gurú a los 73 años. Se destacó por sus esfuerzos misioneros en expandir el SIJISMO y por la división del PANJAB en 22 diócesis. Para fortalecer la fe, instituyó cada año tres grandes festivales sijs y convirtió a la ciudad de Goindwal en un centro de aprendizaje sij. Difundió la costumbre del *langar* ("cocina y comedor abierto") sin restricción de castas y exigió que cualquiera que quisiera verlo a él, tenía que comer primero en el langar. Preconizó una vía intermedia entre los extremos del ascetismo y el placer sensual, depuró el sijismo de prácticas hindúes, fomentó los matrimonios entre castas, permitió a las viudas volver a casarse y prohibió la práctica SUTTEE (la autoinmolación de una viuda en la pira funeraria de su esposo).

Amarantáceas Familia de plantas que comprende cerca de 60 géneros y más de 800 especies herbáceas y algunos arbustos, árboles y enredaderas, nativos de las regiones tropicales de América y África. La perpetua (*Gomphrena*) y la cresta de gallo (*Celosia*) se cultivan como plantas ornamentales. El extenso género *Amaranthus* contiene las plantas ornamentales amaranto rojo (*A. caudatus*) y papagayo (*A. tricolor*) y también muchas malezas conocidas como cenizo, especialmente *A. retroflexus*. Existen especies de *Amaranthus* que son PLANTAS RODADORAS y algunas son cultivos potenciales de granos ricos en proteínas.

Amaranthus retroflexus, familia de las Amarantáceas.

Amarāvatī, escultura de Estilo de escultura hallada en la región de Andhra Pradesh, sudeste de India. Allí floreció desde aproximadamente el s. II AC hasta fines del s. III DC, durante el reinado de la dinastía Sātavāhana. Talladas en relieve en piedra caliza blanco verdosa, estas esculturas representan eventos de la vida de BUDA. Las composiciones son dinámicas, sensuales y dramáticas, con figuras que se superponen, y diagonales que sugieren profundidad. El estilo se diseminó desde las ruinas de Amarāvatī hacia Mahārāshtra al oeste y de ahí hasta Sri Lanka (Ceilán) y a gran parte de Asia meridional. La *stupa* Amarāvatī fue una de las más grandes de la India budista y en el s. XIX fue destruida casi en su totalidad por constructores contratistas para hacer mortero de cal.

"El sueño de Maya presagiando el nacimiento de Buda", relieve en mármol representativo de la escultura de Amarāvatī, India.
P. CHANDRA

amárico *o* **amhárico** Lengua SEMÍTICA de Etiopía. El amárico lo hablan más de 18 millones de personas como lengua materna y se usa como LINGUA FRANCA en buena parte de las tierras montañosas centrales de Etiopía. Su estatus como lengua nacional de *facto* se debe, en gran medida, al prolongado dominio de los soberanos amáricos (ver AMHARA) en la monarquía etíope. El amárico se escribe con una forma modificada de la caligrafía parcialmente silábica y parcialmente alfabética usada para escribir el geʿez, la lengua clásica de la civilización etíope cristiana (ver lenguas ETIÓPICAS). Aun cuando se sabe de manuscritos en amárico desde el s. XIV, sólo recientemente se ha empleado esta lengua como medio general en la literatura, el periodismo y la educación.

Amarilidáceas Familia de plantas del orden Liliales, que comprende alrededor de 65 géneros y al menos 835 especies herbáceas perennes. Se encuentran principalmente en regiones tropicales y subtropicales, y son apreciadas por sus vistosas flores, las cuales crecen sobre un escapo liso y hueco con pocas o ninguna hoja. Muchas plantas tropicales parecidas a los lirios pertenecen también a esta familia, entre ellas los géneros *Haemanthus* (tulipán del Cabo), *Alstroemeria* (lirio de Chile) e *Hippeastrum*. Algunas especies se cultivan en jardines ornamentales y otras como plantas de interior.

Amaryllis vittata, familia de las Amaralidáceas.

amarilla, fiebre ver FIEBRE AMARILLA

Amarillo Ciudad (pob., 2000: 173.627 hab.) del norte de Texas, EE.UU. Es la principal del "panhandle" de Texas. Se originó en 1887 con la llegada del ferrocarril y creció después de 1900 a medida que la agricultura cobraba importancia en la región. El descubrimiento de petróleo y gas natural en la década de 1920 impulsó aún más su desarrollo.

Amarillo, mar *chino* **Huang Hai** Extensa bahía del océano Pacífico occidental, situada entre el nordeste de China y la península de Corea. Famoso por su abundante pesca, está conectado con el mar de CHINA ORIENTAL por el sur; la península de SHANDONG se proyecta en su seno desde el oeste. Tiene una superficie de 466.200 km² (180.000 mi²) con una profundidad máxima de 103 m (338 pies). Su nombre se debe al color del agua cargada de sedimentos que son descargados por el HUANG HE (río Amarillo) y otros importantes ríos chinos, incluido el YANGTZÉ y el LIAO HE. Entre las principales ciudades portuarias figuran TIANJIN en China, INCHON en Corea del Sur y Namp'o en Corea del Norte.

Amarillo, río ver HUANG HE

Amarna, Tell el- Antigua ciudad de Egipto. Localizada a medio camino entre TEBAS y MENFIS, en la orilla del río Nilo, fue construida en el s. XIV AC por el rey egipcio (faraón) AJNATÓN, quien trasladó allí a sus súbditos para fundar una nueva religión monoteísta. Entre los restos arqueológicos descubiertos en ella en el s. XIX, había cientos de tablillas de escritura CUNEIFORME. Esculturas y pinturas son parte de los hallazgos de fines del s. XX.

Amaterasu (Omikami) En la tradición sintoísta (ver SINTOÍSMO), diosa del Sol, de quien la familia real japonesa tradicionalmente declara descender. A ella se le dio dominio del cielo mientras su hermano Susanoo, dios de la tormenta, reinó sobre el mar. Entre ambos tuvieron hijos, pero Susanoo comenzó a comportarse de manera grosera y destructiva y, en protesta, Amaterasu se retiró a una gruta, hundiendo al mundo en la oscuridad. Los demás dioses y diosas lograron sacarla de su escondite con engaño y pusieron una soga en la entrada de la gruta para evitar que volviera a esconderse. Su principal centro de culto es el gran santuario de ISE, el más importante del sintoísmo.

Amati, familia Familia de violeros de Cremona, Italia, en los s. XVI y XVII. Andrea (n. c. 1520–m. c. 1578) diseñó la forma del violín moderno. Sus dos hijos, Antonio (n. c. 1550–m. 1638) y Girolamo (n. 1561–m. 1630) trabajaron juntos y se les conoció como los hermanos Amati. El hijo de Girolamo, Nicolò (n. 1596–m. 1684), trabajó en Cremona tal como sus antepasados y es considerado el mejor artesano de la familia. Entre sus discípulos famosos destacaron ANDREA GUARNERI y ANTONIO STRADIVARI. Nicolò fue sucedido por su hijo Girolamo (n. 1649–m. 1740). La gran contribución de los Amati al desarrollo del violín fue su elaboración del modelo delgado y angosto, el cual, mejorado por Stradivari, puede producir un tono de soprano.

amatista Variedad de CUARZO transparente y de grano grueso, apreciada como gema semipreciosa por su color violeta. Contiene un poco más de óxido de hierro (Fe_2O_3) que cualquier otra variedad de cuarzo y su color probablemente se deba a su contenido de hierro. Al calentarla, su color se desvanece o se transforma en el amarillo de la CITRINA; así se produce gran parte de la citrina comercial. Se encuentran grandes yacimientos en Brasil y Uruguay, Ontario (Canadá) y Carolina del Norte (EE.UU.). Es la piedra preciosa de los nacidos en febrero. A menudo, es facetada con cortes escalonados o cortes de esmeralda, pero también se ha utilizado desde la antigüedad en grabados y joyas talladas como los camafeos.

Amatista de punta blanca, apreciada como gema semipreciosa, de Guerrero, México.
LEE BOLTIN

amazona En la mitología GRIEGA, integrante de una raza de mujeres guerreras. Uno de los trabajos de Hércules (ver HERACLES) consistió en obtener el cinto de Hipólita, la reina de las amazonas. En otra leyenda, TESEO atacó a las amazonas y ellas respondieron invadiendo el Ática, donde fueron derrotadas; Teseo se casó con la amazona Antíope. En el arte griego antiguo, las amazonas primero se asemejan a ATENEA (que porta armas y casco), pero después lucen como ARTEMISA (que usa un vestido delgado, con un lazo en la cintura, que le permitía moverse con agilidad).

Amazonas, río Río del norte de Sudamérica. Es el río más grande del mundo en caudal y superficie de la cuenca hidrográfica, sólo superado en longitud por el NILO, en el nordeste de África. Nace a sólo 160 km (100 mi) del océano Pacífico, en los ANDES peruanos y recorre casi 6.400 km (4.000 mi), cruzando el norte de Brasil hasta desembocar en el océano Atlántico. Se forma en el Perú en la confluencia de los ríos Marañón y Ucayali; el tramo entre la frontera brasileña y la confluencia del río NEGRO (afluente del Amazonas) toma el nombre de río Solimões. Sus más de 1.000 afluentes conocidos nacen en el macizo de las Guayanas y de las mesetas brasileñas y, principalmente, en los Andes; siete de ellos superan los 1.600 km (1.000 mi) de largo, y el MADEIRA sobrepasa los 3.200 km (2.000 mi) de longitud. El Amazonas es navegable río arriba para cargueros de gran calado hasta la ciudad de MANAUS, Brasil, a 1.600 km (1.000 mi) del Atlántico. La primera incursión europea fue encabezada por Francisco de Orellana en 1542; se dice que le habría dado ese nombre al río tras informar de batallas contra tribus de mujeres, a quienes les atribuyó un parecido con las AMAZONAS de la leyenda griega. Pedro Teixeira fue el primero en remontar el río en 1637–39, a pesar de que permaneció casi inexplorado hasta mediados del s. XIX. Muchos pueblos indígenas vivían a orillas del río, pero luego se movilizaron hacia el interior, huyendo de las bandas de exploradores y aventureros (ver *BANDEIRA*) que querían esclavizarlos. El río fue abierto al tráfico naviero internacional en la década de 1860. Con la llegada del comercio del caucho, el tráfico aumentó de manera exponencial hasta alcanzar su apogeo c. 1910 y luego declinar. En esta región se encuentra la mayor extensión de selva lluviosa del planeta, que alberga una enorme diversidad de aves y vida salvaje. Desde la década de 1960, los efectos de la sobreexplotación económica de los recursos naturales y la erosión de la selva lluviosa han generado gran preocupación en todo el mundo.

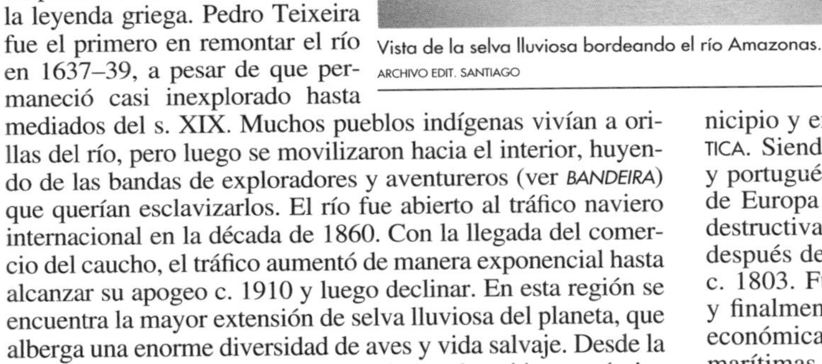
Vista de la selva lluviosa bordeando el río Amazonas.
ARCHIVO EDIT. SANTIAGO

Amazonia, parque nacional de la Parque del centro-norte de Brasil, a mitad de camino entre las ciudades de MANAUS y BELÉM, aledaño al río TAPAJÓS. Establecido en 1974, se ha expandido gradualmente hasta cubrir aprox. 10.100 km^2 (3.900 mi^2), albergando una amplia diversidad de flora y fauna.

amban (manchú: "ministro"). Representante de los emperadores chinos de la dinastía QING que residía en el territorio de un estado tributario o posesión. En 1793, el emperador Qing QIANLONG cambió el procedimiento para elegir al DALAI LAMA y los tibetanos tuvieron que convencer al *amban* de que lo habían cumplido. En 1904, cuando los británicos trataban de obligar al Tíbet a firmar un tratado comercial, el *amban* afirmó que no estaba facultado para negociar por los tibetanos, confesión que cuestionó el grado de control que China ejercía sobre el Tíbet. El rol y la autoridad del *amban* continúan siendo objeto de debate entre el gobierno chino y los partidarios de la independencia tibetana en sus esfuerzos por apoyar sus reivindicaciones antagónicas sobre el estatus del Tíbet.

ámbar Resina de árbol fosilizada que aparece como nódulos irregulares, barras o en forma de gotas en todos los tonos de amarillo, con matices de color naranjo, marrón y raras veces, rojo. Las variedades blanquecinas y opacas se denominan ámbar hueso. Cientos de especies de insectos y plantas se encuentran como fósiles dentro del ámbar. El ámbar translúcido a transparente de color intenso posee el valor de una gema; numerosos objetos tallados ornamentales y cuentas están hechos de ámbar. Se ha encontrado ámbar en todo el mundo, pero los depósitos más grandes están en las costas del mar Báltico.

ámbar gris Sustancia cerosa (un 80% de COLESTEROL) que se forma en el intestino de los CACHALOTES y se utiliza principalmente en el Oriente como especia y en Occidente para fijar el aroma de los PERFUMES finos. Se piensa que forma una especie de acumulación de heces, que envuelven las partes indigeribles de calamar y otras presas del cachalote. El ámbar gris fresco es suave, negro y maloliente; expuesto a la luz del sol, al aire y al agua de mar, se endurece, se decolora y adquiere un aroma agradable. Puede ser arrastrado a la costa, encontrarse flotando o en los cuerpos de ballenas sacrificadas. Generalmente, los trozos son pequeños, pero los más grandes han pesado casi 450 kg (1.000 lb).

Amberes *francés* **Anvers** *flamenco* **Antwerpen** Ciudad (pob., est. 2000: 446.500 hab.), capital de la provincia de Amberes, Bélgica. Uno de los puertos marítimos más importantes del mundo, se ubica a 88 km (55 mi) al sudeste del mar del Norte. Por estar ubicado en la parte flamenca de Bélgica, es la capital oficiosa de FLANDES. En 1291 adquirió la categoría de municipio y en 1315 ingresó como miembro de la Liga HANSEÁTICA. Siendo un centro de distribución del comercio español y portugués, se convirtió en la capital comercial y financiera de Europa en el s. XVI. Como consecuencia de invasiones destructivas entró en decadencia, pero comenzó a recobrarse después de las mejoras del puerto realizadas por NAPOLEÓN I c. 1803. Fue parte del reino de los Países Bajos (1815–30) y finalmente fue cedida a los nacionalistas belgas. Su vida económica actual se centra en las actividades portuarias y marítimas y la industria pesada.

ambientalismo Defensa de la preservación o del mejoramiento del medio ambiente, en especial los movimientos sociales y políticos que abogan por el control de la contaminación ambiental. Otros de los objetivos específicos del ambientalismo son el control del crecimiento demográfico, la conservación de los recursos naturales, la limitación de los efectos adversos de la tecnología moderna y la adopción de formas de organización política y económica inocuas para el medio ambiente. La defensa medioambiental a nivel internacional, realizada por ORGANIZACIONES NO GUBERNAMENTALES y algunos Estados, ha culminado en tratados, convenciones y demás instrumentos del derecho ambiental que abordan problemas como el calentamiento global, el agotamiento de la CAPA DE OZONO y el riesgo de contaminación transfronteriza a causa de accidentes nucleares. Entre los ambientalistas influyentes de EE.UU. y Gran Bretaña cabe mencionar a TOMAS ROBERT MALTHUS, JOHN MUIR, RACHEL CARSON, BARRY COMMONER, PAUL R. EHRLICH y EDWARD O. WILSON. En ciencias sociales, el término se refiere a toda teoría que enfatice la importancia de los factores medioambientales en el desarrollo de la cultura y la sociedad.

Ambler, Eric (28 jun. 1909, Londres, Inglaterra–22 oct. 1998, Londres). Escritor británico, autor de novelas policiales y de espionaje. Algunos de sus libros son *Las fronteras som-*

brías (1936), *Epitafio para un espía* (1938), *La máscara de Dimitrios* (1939), *Viaje al miedo* (1940; película, 1942) y *The Light of Day* [Luz de día] (1962). En contraste con las novelas británicas de espías del período anterior, en las que héroes románticos y xenófobos triunfaban sobre vastas conspiraciones para dominar el mundo, los relatos de Ambler tratan de ingleses comunes e instruidos, que por accidente o curiosidad se ven enfrentados al peligro. Notable por su descarnado realismo, la narrativa de Ambler ejerció una gran influencia en escritores como Graham Greene y John le Carré.

Amboise, Jacques d' *orig.* **Jacques Joseph Ahearn** (n. 28 jul. 1934, Dedham, Mass., EE.UU.). Bailarín y coreógrafo estadounidense. Después de estudiar en la School of American Ballet, debutó a la edad de 12 años. Se incorporó al New York City Ballet a los 15 y desde la década de 1950 hasta la de 1970 interpretó papeles principales en ballets, como *Western Symphony* (1954), *Stars and Stripes* (1958) y *Who Cares?* (1970). D'Amboise fue admirado por sus interpretaciones atléticas, tanto en papeles de carácter como en los clásicos. También actuó en películas. Luego fundó y dirigió el National Dance Institute, agrupación sin fines de lucro dedicada a enseñar danza en escuelas públicas.

Ambon, isla *o* **isla Anboina** Isla de las Molucas, Indonesia. Ubicada en el archipiélago Malayo, tiene una extensión de 50 km (31 mi) y un ancho de 16 km (10 mi), así como una superficie de 761 km² (294 mi²). Su puerto principal también se llama Ambon (pob., est. 1995: 249.312 hab.). La isla está expuesta a terremotos y actividad volcánica. Su cumbre más alta es el monte Salhatu (1.038 m [3.405 pies]). El comercio del clavo de olor atrajo a los portugueses, quienes en 1521 fundaron un asentamiento. En 1605, los holandeses expulsaron a los portugueses, tomaron el control del comercio de especias y en 1623 asesinaron a los colonos ingleses en la masacre de Amboina. Los británicos ocuparon Ambon en 1796 y en 1810, pero en 1814 fue restituida a los holandeses. Fue un protectorado independiente hasta que fue unido con Ternate para formar el gobierno de las Molucas (1927). Durante la segunda guerra mundial fue ocupada por los japoneses. En 1950, un efímero movimiento independentista se reprimió rápidamente.

Ambracia, golfo de ver golfo de Arta

Ambrosia Género de la familia de las Compuestas, con alrededor de 15 especies de plantas herbáceas, muchas de ellas nativas de Norteamérica. Crecen como malezas y son de tallos ásperos y vellosos, con hojas generalmente lobuladas o partidas y diminutas flores verdosas asentadas en cabezuelas. Liberan polen en abundancia a fines del verano, lo que constituye la causa principal de fiebre del heno en el este y centro de Norteamérica. Dado que es una especie anual, se puede erradicar, si se corta antes de la polinización. La ambrosia común (*A. artemisiifolia*) es una maleza de amplia distribución.

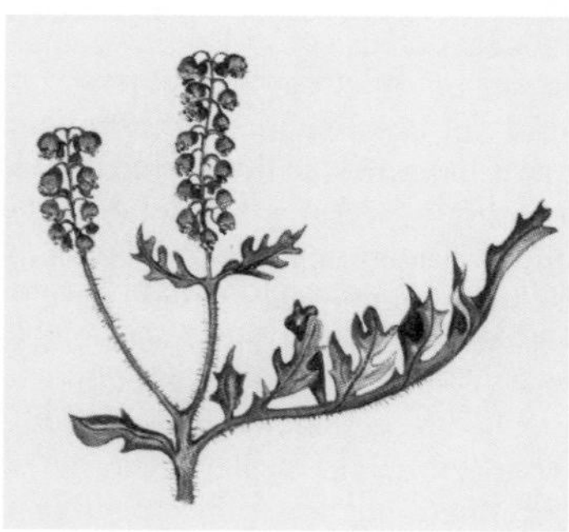

A. artemisiifolia, especie del género Ambrosia.

Ambrosio, san (339, Augusta Treverorum, Bélgica, Galia–397, Milán, festividad: 7 de diciembre). Obispo de Milán. Criado en Roma, llegó a ser gobernador provincial romano. En 374, como candidato de consenso fue ascendido inesperadamente de simple catecúmeno a obispo de Milán. Ambrosio tuvo capital importancia en la enunciación de preceptos doctrinales. Estableció el concepto medieval del emperador cristiano, sujeto al consejo y censura episcopal, al obligar al emperador Teodosio a solicitar el perdón del obispo, y se opuso a tener tolerancia con los adherentes del arrianismo. Escribió tratados teológicos influenciados por la filosofía griega, entre otros, las obras *Acerca del Espíritu Santo* y *Acerca de los deberes de los ministros*, así como una serie de himnos. Sus brillantes sermones y su ejemplo personal influyeron en la conversión de san Agustín.

San Ambrosio, detalle de un fresco de Pinturicchio, década de 1480; iglesia Sta. María del Popolo, Roma.

Alinari–Art Resource/EB Inc.

AMC ver American Motors Corp.

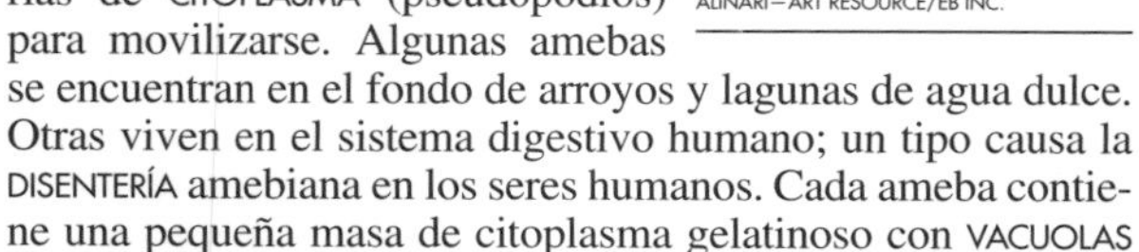

ameba Protozoo unicelular que puede formar extensiones transitorias de citoplasma (pseudopodios) para movilizarse. Algunas amebas se encuentran en el fondo de arroyos y lagunas de agua dulce. Otras viven en el sistema digestivo humano; un tipo causa la disentería amebiana en los seres humanos. Cada ameba contiene una pequeña masa de citoplasma gelatinoso con vacuolas y un núcleo. Los alimentos son captados y los materiales excretados en cualquier punto de la superficie celular. Las amebas se emplean ampliamente en investigación celular con el fin de determinar las correspondientes funciones y las interacciones del núcleo y el citoplasma.

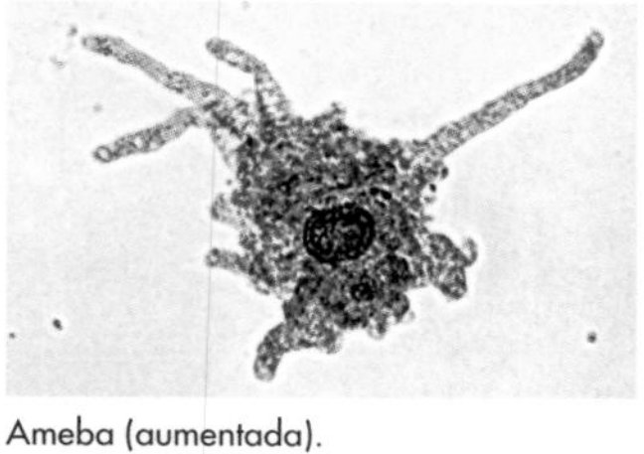

Ameba (aumentada).

Russ Kinne–Photo Researchers

amén Expresión de acuerdo o de confirmación usada en el culto por judíos, cristianos y musulmanes. La palabra deriva de una raíz semítica que significa "fijo" o "seguro". El Antiguo Testamento griego normalmente lo traduce como "así sea"; en la Sagrada Biblia o Biblia de Jerusalén, se emplea amén sin traducción. En el s. IV ac, amén era una respuesta comunitaria a una doxología u otra rogativa en la liturgia del templo judío. En el s. II dc, los cristianos habían adoptado el amén en la liturgia de la Eucaristía y, en la adoración cristiana, un amén final a menudo resume y confirma una plegaria o himno. Aunque es menos común en el Islam, se suele decir amén después de la lectura del primer sura.

amenaza y agresión Delitos distintos, pero que guardan relación entre sí. La agresión es el uso ilegítimo de fuerza física sobre una persona; la amenaza es el intento de agredir o un acto que puede causar razonable temor de ser objeto de una agresión inminente. Junto con el cuasidelito de homicidio y el homicidio, estos conceptos tienen por objeto proteger contra el contacto físico violento y no deseado, o contra la amenaza de ellos. La agresión no requiere de un grado mínimo de fuerza, ni que esta se aplique directamente; tanto administrar veneno como transmitir una enfermedad pueden constituir agresión, no así los accidentes ni la negligencia ordinaria, ni la fuerza razonable utilizada en el cumplimiento de un deber (p. ej., por un funcionario policial). Ver también violación.

Amenemes I *o* **Amenemhet I** (c. siglo XX ac). Faraón egipcio (r. 1938–08 ac) que fundó la XII dinastía (1938–1756). Mediante gobernadores provinciales restauró la unidad de Egipto después de la guerra civil que siguió a la muerte de su predecesor, Mentuhotep IV. Trasladó la capital desde Tebas a las cercanías de la actual Al–Lisht, al sur de Menfis. Extendió el dominio egipcio al alto Nilo y fortificó el delta. Reafirmando el carácter divino de la monarquía egipcia, amplió el templo de Amón en Tebas. En 1918 ac convirtió a su hijo, Sesostris I, en cogobernante. Fue asesinado 10 años más tarde.

Amenhotep IV ver AJNATÓN

Amenofis II *o* **Amenhotep II** (c. siglo XV AC). Faraón egipcio (r. 1514–1493 AC), hijo y sucesor de Amosis I. Extendió el dominio egipcio hacia el sur hasta la tercera catarata del Nilo, manteniendo al mismo tiempo el control en el nordeste. Inició la transición de las tumbas piramidales a las tumbas talladas en roca en el valle de los REYES, en el oeste de Tebas. Durante su reinado, los templos funerarios reales fueron construidos al borde del desierto, aunque se desconoce la ubicación de su propia tumba.

Cristóbal Colón a su llegada a Guanahaní, que bautizó como San Salvador, en América Central; cromolitografía de Louis Prang and Company, 1893.
FOTOBANCO

Amenofis III *o* **Amenhotep III** (c. siglo XIV AC). Faraón egipcio (r. 1390–53 AC) durante una época de prosperidad. A principios de su reinado, emprendió una campaña militar al sur de Egipto, pero en general su gobierno fue pacífico. Su reinado se destacó por la expansión de sus vínculos diplomáticos con Siria, Chipre, Babilonia y Asiria, y la construcción de edificios públicos en Menfis, Tebas y Nubia, incluidas secciones de los templos en Luxor y Karnak. Rompió la tradición al casarse con Tiy, una plebeya, con quien compartió el gobierno. Fue sucedido por su hijo AJNATÓN.

amenorrea Ausencia de MENSTRUACIÓN. Los signos de amenorrea primaria (falta de menarquia a los 16 años) comprenden órganos reproductivos infantiles, falta de desarrollo mamario y del vello pubiano, enanismo y un desarrollo muscular deficiente. En la amenorrea secundaria (cesación anormal de los ciclos una vez iniciados estos), los genitales se atrofian y el vello pubiano disminuye. La amenorrea, que no constituye propiamente una enfermedad, refleja un desequilibrio entre el hipotálamo, la hipófisis, los ovarios y el útero; los tumores, las lesiones y afecciones de estos órganos pueden provocar amenorrea. Otras causas son las enfermedades sistémicas, el choque emocional, el estrés, la producción excesiva o insuficiente de hormonas, la anorexia nerviosa, la ausencia de ovarios o útero, el embarazo, la lactancia y la menopausia. Las menstruaciones infrecuentes y la amenorrea que no resultan de enfermedades orgánicas no son dañinas.

amento Inflorescencia alargada de flores unisexuales, generalmente sin pétalos y con BRÁCTEAS escamosas. Los amentos están presentes en muchos árboles, como el SAUCE, el ABEDUL y el ROBLE. El viento transporta el polen desde los amentos masculinos a los femeninos, o desde los amentos masculinos a flores femeninas que asumen una forma distinta (p. ej., en espigas).

Livingston, localidad en el límite oriental de Guatemala, golfo de Honduras, América Central.
ARCHIVO EDIT. SANTIAGO

América Central *o* **Centroamérica** Porción de América (pob., est. 2002: 37.036.000 hab.), definida por los geógrafos como parte de América del Norte, que se extiende desde la frontera sur de México hasta la frontera nordeste de Colombia, y desde el océano Pacífico hasta el mar Caribe. Comprende GUATEMALA, BELICE, HONDURAS, EL SALVADOR, NICARAGUA, COSTA RICA y PANAMÁ. Algunos geógrafos incluyen además cinco estados de México: QUINTANA ROO, YUCATÁN, CAMPECHE, TABASCO y CHIAPAS. Superficie: 521.840 km^2 (201.480 mi^2). El 66% de la población está constituida de la mezcla de amerindio y ancestro español. Idioma: español (oficial), excepto en Belice (inglés, oficial); también se hablan lenguas amerindias. Religión: mayoritariamente católica. La región es bastante escarpada o montañosa con pantanos húmedos y tierras bajas que se extienden a lo largo de ambas costas. El volcán TAJUMULCO, en el oeste de Guatemala, es la cumbre más alta, con una elevación de 4.220 m (13.845 pies). La región tiene unos 40 volcanes, muchos de ellos activos y proclives a la actividad sísmica intensa. La zona volcánica posee tierra fértil y es un área agrícola productiva. América Central fue habitada desde tiempos remotos por pueblos indígenas, como los MAYAS, antes de la llegada y conquista de los españoles a inicios del s. XVI. Estos mantuvieron su dominio por cerca de 300 años. CRISTÓBAL COLÓN bordeó la costa atlántica desde Honduras hasta el golfo de Darién en 1502; el primer asentamiento europeo (1510) se situó en ese lugar. España denominó a la región (excepto Chiapas y Panamá) la Capitanía General de Guatemala (c. 1560). Los ingleses llegaron en el s. XVII, colonizando lo que se convirtió posteriormente en la Honduras Británica (Belice). Se independizaron del dominio español en 1821, y en 1823 formaron las Provincias Unidas de América Central (Guatemala, El Salvador, Honduras, Nicaragua y Costa Rica). Honduras Británica, aún bajo dependencia colonial, no se unió a esta federación y Panamá se mantuvo como parte de Colombia. En 1824, la federación adoptó una constitución, pero en 1838 Costa Rica, Honduras y Nicaragua se separaron, terminando de hecho con la federación. Se redactaron tratados de concordia en la Conferencia de Estados Centroamericanos en Washington, D.C. (1923). El Mercado Común Centroamericano fue establecido en 1960 para crear una unión aduanera y promover la cooperación económica.

Tucán, ave típica de mediano tamaño y largo pico, que habita el trópico americano.
ARCHIVO EDIT. SANTIAGO

América, Copa *inglés* **America's Cup** La competencia de velerismo internacional de mayor prestigio. Se disputó por primera vez en 1851 en Gran Bretaña con otro nombre. El trofeo lo ganó fácilmente el yate América de Nueva York y por ello fue conocida desde entonces como Copa América. Este certamen se realiza habitualmente cada cuatro años entre la embarcación defensora del trofeo y un velero que desafía al campeón. Las naves deben ser diseñadas y construidas en el país que representan. El circuito de la regata tiene una extensión de 36,4 km (22,6 mi), dividido en ocho mangas. Los representantes de EE.UU. dominaron completamente la competencia hasta 1983, año en que fueron derrotados por Australia. Nueva Zelanda ganó la copa en 1995 y la retuvo en 2000, al vencer al desafiante de Italia, primera competición en que no participó EE.UU.

América, Copa *ofic.* **Campeonato Sudamericano de Fútbol Copa América** Campeonato continental de selecciones nacionales de FÚTBOL, en que participan los diez países iberoamericanos de América del Sur. Es el más antiguo del mundo y fue instaurado desde 1916, cuya primera edición se disputó en la Argentina, como parte de la conmemoración del centenario de la independencia de dicho país. Organizado cada dos años por la Confederación Sudamericana de Fútbol (Conmebol), máximo organismo rector del fútbol sudamericano, desde 1993 se invitan a participar a dos selecciones de fútbol que no pertenecen a la confederación.

América del Norte *o* **Norteamérica** Continente del hemisferio occidental. El tercer continente más grande de la Tierra que se ubica casi totalmente entre el círculo polar ÁRTICO y el trópico de CÁNCER. Está rodeado casi en su totalidad por grandes masas de agua: el océano Pacífico, el estrecho de Bering, el océano Ártico, el océano Atlántico, el mar Caribe y el golfo de México. Superficie: 24.247.039 km^2 (9.361.791 mi^2). Población (est. 2001): 454.225.000 hab. Con forma de triángulo invertido, se cree que fue el primer continente en alcanzar su actual forma y tamaño aproximado. Su estructura geológica está construida alrededor de una plataforma estable de roca precámbrica llamada el ESCUDO CANADIENSE. Al sudeste están los montes APALACHES y al oeste están las cordilleras más jóvenes y altas. Estas cordilleras se extienden a todo lo largo del continente y ocupan alrededor de un tercio del total del territorio. Las montañas ROCOSAS forman la cordillera oriental. El punto más alto es el monte MCKINLEY. La cuenca del río MISSISSIPPI, junto con sus afluentes mayores, el MISSOURI y el OHIO, ocupa más de 12% de la superficie total del continente. Generalmente prevalece el clima templado. La tierra cultivable constituye alrededor de 12% de la superficie del territorio y los bosques alrededor de 33%. Predomina el inglés, idioma principal de EE.UU., seguido por el español; el francés se habla en algunas zonas de Canadá. La mayor parte de la población del continente de origen europeo se encuentra en EE.UU. y Canadá. Fue común el matrimonio mixto entre blancos e indígenas en México, donde los MESTIZOS constituyen alrededor del 60% de la población mexicana. América del Norte tiene una mezcla de economías desarrolladas, parcialmente desarrolladas y en desarrollo, reservas adecuadas de la mayoría de los metales, y las reservas más grandes del mundo de cadmio, cobre, plomo, molibdeno, plata y cinc. Es el principal productor de alimentos del mundo, en gran parte debido a la agricultura mecanizada y científica en EE.UU. y Canadá. Entre los países del continente regidos por gobiernos democráticos están Canadá, México y EE.UU. Las naciones de América del Norte han buscado la unidad del hemisferio como miembros de la OEA (Organización de los Estados Americanos), que también comprende a países de AMÉRICA DEL SUR. También han procurado afianzar los lazos económicos, y en 1992 Canadá, EE.UU. y México suscribieron el TLC que propiciaba la eliminación de la mayoría de los aranceles y demás barreras entre los tres países. Los primeros habitantes fueron los AMERINDIOS, que emigraron del Asia hace unos 20.000 años. Las mayores civilizaciones precolombinas estuvieron en Mesoamérica (ver civilizaciones MESOAMERICANAS) e incluían a los OLMECAS, MAYAS, TOLTECAS y AZTECAS, estos últimos conquistados por los españoles. Por largo tiempo el continente permaneció escasamente poblado y subdesarrollado. A comienzos del s. XVII experimentó una profunda transformación con la llegada de los europeos y los africanos que introdujeron como esclavos. El estilo de vida se hizo latinoamericano al sur del río Grande del Norte (ver río BRAVO) y angloamericano al norte, con enclaves de cultura francesa en Canadá y Luisiana. La esclavitud, practicada entre los s. XVI–XIX, agregó una importante minoría cultural de origen africano, especialmente en EE.UU. y el Caribe (ver INDIAS OCCIDENTALES). La enorme economía industrial de EE.UU., sus abundantes recursos y su poder militar le dan al continente una influencia global considerable.

Vista del acantilado La Quebrada, zona desde donde se lanzan los clavadistas en Acapulco, México.
ARCHIVO EDIT. SANTIAGO

Vista de las colosales efigies de cuatro presidentes de EE.UU. en el monte Rushmore, obra del escultor estadounidense Gutzon Borglum.
FOTOBANCO

Miembros de la Real Policía Montada de Canadá, cuya misión es resguardar la seguridad de la ciudadanía.
FOTOBANCO

América del Sur *o* **Sudamérica** Continente del hemisferio occidental. El cuarto continente más grande del mundo, limita con el mar Caribe al noroeste, con el océano Atlántico al nordeste, este y sudoeste, y con el Pacífico al oeste. Está separado de la Antártida por el paso DRAKE y unido a América del Norte por el istmo de Panamá. Superficie: 17.858.520 km^2 (6.895.210 mi^2). Población (est. 2002): 350.977.000 hab. Cuatro grandes grupos étnicos han poblado América del Sur: los indígenas, habitantes precolombinos del continente; españoles y portugueses, quienes dominaron el continente desde el s. XVI hasta comienzos del s. XIX; los africanos traídos como esclavos, y los inmigrantes llegados de ultramar con posterioridad a la independencia, mayoritariamente alemanes y europeos del sur, así como libaneses, sudasiáticos y japoneses. El 90% de la población es cristiana, en su gran mayoría católica. El español es el idioma oficial en la región, con excepción de Brasil (portugués), Guayana Francesa (francés), Guyana (inglés) y Surinam (holandés); también se hablan varias lenguas aborígenes. En América del Sur se destacan tres regiones geográficas principales. En el oeste, la cordillera de los ANDES, con gran actividad sísmica, que se prolonga a lo largo del continente. El ACONCAGUA, que se eleva a 6.959 m (22.831 pies), es la cumbre más alta del hemisferio occidental. Las tierras altas se extienden al norte y al este, limitadas por las cuencas sedimentarias de las tierras bajas que comprenden el río AMAZONAS, la hoya hidrográfica más grande del mundo, y la PAMPA del centro-sur de la Argentina, cuyas tierras fértiles constituyen una de las zonas agrícolas más productivas de América del Sur. Otras hoyas hidrográficas importantes son los ríos ORINOCO y SÃO FRANCISCO y el sistema PARANÁ-PARAGUAY-RÍO DE LA PLATA. El 80% de América del Sur se ubica en el trópico, pero también posee regiones climáticas templadas, áridas y frías. Menos del 10% de la tierra es cultivable; sus productos principales son el maíz, el trigo y el arroz, y cerca del 25% se utiliza como pastura permanente. Alrededor de la mitad está cubierta por bosques, principalmente por la enorme selva de la cuenca del Amazonas, que disminuye en forma sostenida. Casi un 25% de todas las especies animales conocidas viven en los bosques lluviosos, mesetas, ríos y pantanos del continente. América del Sur tiene un 16% de los yacimientos de hierro del mundo y un 25% de las reservas de cobre. La explotación de estos y otros numerosos recursos minerales son importantes para la economía de muchas regiones. Los cultivos comerciales incluyen bananas, frutos cítricos, azúcar y café; la pesca es importante a lo largo de la costa del Pacífico. El narcotráfico (casi todo de exportación) es una fuente importante de ingreso en algunos países. La mayoría de las naciones sudamericanas tienen economías de libre mercado o mixtas (empresas estatales y privadas). La distribución del ingreso tiende a ser muy desigual; hay un gran número de pobres y un pequeño grupo de familias acaudaladas, con una clase media que, aunque va en aumento, sigue en minoría en la mayoría de los países.

Panorámica de la austral ciudad chilena de Punta Arenas, con el estrecho de Magallanes de fondo.

ARCHIVO EDIT. SANTIAGO

Vista del típico barrio de La Boca, Buenos Aires, Argentina.

ARCHIVO EDIT. SANTIAGO

Se cree que los primeros colonos en llegar al continente hace aproximadamente 12.000 años eran cazadores y recolectores asiáticos. El crecimiento de la agricultura c. 2500 AC (había comenzado unos 6.000 años antes) dio paso a un período de rápida evolución cultural, cuyo máximo desarrollo ocurrió en la región de los Andes centrales y culminó con el Imperio INCA. La exploración europea comenzó cuando CRISTÓBAL COLÓN, en su cuarto viaje (1498), desembarcó en las costas sudamericanas; más adelante aventureros (ver CONQUISTADORES) españoles y portugueses abrieron el continente para saquearlo y luego colonizarlo. De acuerdo con los términos del tratado de TORDESILLAS, Portugal recibió la parte oriental del continente, mientras que España recibió el resto. Los indígenas fueron diezmados en este encuentro, y la mayoría de los que sobrevivieron fueron reducidos a una especie de servidumbre. El continente se liberó del dominio europeo a inicios del s. XIX, con excepción de las GUAYANAS. La mayoría de los países adoptaron formas de gobierno republicano, sin embargo, las desigualdades económicas y sociales o disputas fronterizas provocaron revoluciones periódicas en muchos de ellos. Ya a principios del s. XX, varias naciones habían caído bajo alguna forma de dominio autocrático. Todas ellas se incorporaron a las Naciones Unidas después de la segunda guerra mundial (1939–45) y a la OEA (Organización de los Estados Americanos) en 1948. En la segunda mitad del s. XX, la mayoría de los países había comenzado a integrar sus economías en los mercados mundiales, y en la década de 1990 casi todos habían adoptado un régimen de gobierno democrático. Este proceso de democratización ha impulsado la creación de espacios de cooperación mutua, como la Comunidad Andina y el Mercosur.

La famosa playa Copacabana, ubicada en la entrada de la bahía de Guanabara, Río de Janeiro, Brasil.

ARCHIVO EDIT. SANTIAGO

América Joven, movimiento Concepto político estadounidense, popular en la década de 1840. Inspirado en los movimientos juveniles europeos de la década de 1830 (ver JOVEN ITALIA), la agrupación estadounidense se formó en 1845 como organización política, por obra de Edwin de León y GEORGE H. EVANS. Era partidaria del libre comercio, de la expansión territorial hacia el sur y del apoyo a los movimientos republicanos en el exterior. En la década de 1850 se convirtió en una facción del Partido Demócrata. El senador STEPHEN A. DOUGLAS promovió su programa nacionalista en una tentativa infructuosa de zanjar las diferencias internas.

América Latina *o* **Latinoamérica** Países de AMÉRICA DEL SUR y AMÉRICA DEL NORTE (incluida AMÉRICA CENTRAL y las islas del mar CARIBE) situados al sur de EE.UU. El término a menudo se circunscribe a los países de habla hispana y portuguesa. La época colonial de América Latina comienza en los s. XV y XVI, cuando exploradores como CRISTÓBAL COLÓN y AMÉRICO VESPUCIO realizaron viajes de descubrimiento al Nuevo Mundo. Los CONQUISTADORES que siguieron, como HERNÁN CORTÉS y FRANCISCO PIZARRO, pusieron bajo dominio español a gran parte de la región. En 1532 se instaló el primer asentamiento portugués en Brasil. La Iglesia católica pronto estableció numerosas misiones en América Latina. El CATOLICISMO ROMANO continúa siendo la religión predominante en la mayoría de los países latinoamericanos, no obstante haber aumentado el número de protestantes y evangélicos. Los colonos españoles y portugueses que llegaron en gran cantidad esclavizaron a la población indígena, la que fue diezmada rápidamente por las enfermedades y el mal trato. Entonces comenzaron a traer esclavos africanos para reemplazarlos. Una serie de movimientos independentistas, liderados por JOSÉ DE SAN MARTÍN, SIMÓN BOLÍVAR y otros, remecieron América Latina a comienzos del s. XIX. Se promulgaron repúblicas federales en la región, pero muchos de los nuevos países se sumieron en el caos político y sus gobiernos fueron tomados por dictadores o juntas militares, una situación que persistió hasta el s. XX. En la década de 1990 resurgieron tendencias hacia formas democráticas de gobierno. En países de régimen socialista se privatizaron muchas empresas estatales y se aceleraron los esfuerzos para avanzar hacia la integración económica regional.

American Airlines Compañía aérea de EE.UU., actualmente la principal línea aérea de este país. Creada a partir de la fusión de varias aerolíneas pequeñas, se transformó en sociedad anónima en 1934. La empresa se expandió a través de la compra de rutas a otras líneas aéreas, y llegó a ser un operador de transporte internacional en la década de 1970; sus rutas abarcan América del Sur, el Caribe, Europa y el Pacífico occidental. Su compañía matriz, AMR Corp., también tiene inversiones en otras áreas como el servicio de alimentos, hoteles y servicios terrestres de aeropuertos. La compañía adquirió TRANS WORLD AIRLINES, INC. (TWA) en 2001.

American Association of Retired Persons ver AARP

American Ballet Theatre Destacada compañía de ballet establecida en Nueva York. Fundada en 1939 como Ballet Theatre (cambió el nombre en 1958) por Lucia Chase y Richard Pleasant para promover obras "de carácter estadounidense". Oliver Smith reemplazó a Pleasant como codirector en 1945; MIJAÍL BARYSHNIKOV fue su director artístico de 1980 a 1989, después de haber bailado en la compañía durante la década de 1970. AGNES DE MILLE, JEROME ROBBINS, TWYLA THARP y ANTONY TUDOR crearon nuevos ballets para esta compañía; MICHEL FOKINE también reestrenó para ellos varias de sus obras anteriores. Entre sus bailarines principales se cuentan ALICIA ALONSO, ERIK BRUHN, ANTON DOLIN y NATALIA MAKÁROVA.

American Bar Association (ABA) Asociación voluntaria de abogados, jueces y otros profesionales del derecho estadounidenses fundada en 1878. Es la asociación de abogados más importante de EE.UU. y su objeto es mejorar el ejercicio de la profesión, asegurar que los servicios legales estén al alcance de toda la ciudadanía y perfeccionar la administración de justicia. Lleva a cabo proyectos educacionales y de investigación, auspicia reuniones profesionales y publica una revista mensual. A comienzos del s. XXI tenía más de 400 mil miembros.

American Broadcasting Co. ver ABC

American Civil Liberties Union (ACLU) Organización fundada en Nueva York en 1920 por ROGER BALDWIN y otras personas para promover las libertades constitucionales en EE.UU. Se ocupa de tres aspectos fundamentales: las libertades de expresión, de conciencia y de asociación; el DEBIDO PROCESO, y la IGUALDAD ANTE LA LEY. Desde su creación ha intervenido en cuestiones no resueltas o casos que se ventilan actualmente en los tribunales. Puede prestar asesoramiento legal, o presentar escritos en calidad de AMICUS CURIAE. Una de las causas emblemáticas en que intervino fue el juicio Scope; brindó asesoramiento letrado en el caso SACCO Y VANZETTI. En las décadas de 1950 y 1960 se opuso a las listas negras de presuntos subversivos de izquierda, y se esforzó por garantizar la libertad de culto y los derechos del INCULPADO. Trabaja con voluntarios y personal de tiempo completo, incluso abogados que proporcionan asesoramiento legal gratuito. Ver también LIBERTADES CIVILES.

American Civil War ver guerra de SECESIÓN

American Express Co. Sociedad financiera y de servicios estadounidense. Fundada en 1850 como una empresa de servicios de transporte rápido, originalmente atendía Nueva York y la zona del medio oeste. En 1891, la empresa introdujo al mercado los cheques de viajeros y en 1895 abrió su primera oficina europea en París. Sus negocios actuales abarcan tarjetas de crédito, servicios para viajeros (como paquetes turísticos y reservas de vehículos de alquiler), además de servicios bancarios y de inversiones.

American Federation of Labor-Congress of Industrial Organizations ver AFL-CIO

American Fur Co. Empresa fundada por JOHN JACOB ASTOR en 1808, que dominó el comercio peletero estadounidense a comienzos del s. XIX. La firma, que se considera el primer monopolio comercial de EE.UU., absorbió a sus rivales o los desplazó de toda la parte central y occidental del país. Las exploraciones de sus tramperos y traficantes contribuyeron a abrir la frontera a la colonización. En 1834, cuando Astor vendió su compañía, esta ya era la empresa comercial más grande de EE.UU.

American Indian Movement (AIM) ver movimiento INDIO AMERICANO

American Legion (inglés: "Legión estadounidense"). Organización de veteranos de guerra estadounidenses. Fundada en 1919, se ocupa del cuidado de ex combatientes minusválidos y enfermos, y promueve el otorgamiento de indemnizaciones y pensiones a los discapacitados, viudas y huérfanos. Apolítica y no sectaria, su único requisito para ingresar es haber servido con honor y haber sido licenciado honrosamente. Tuvo un papel clave en el establecimiento de hospitales para veteranos y patrocinó la creación de la Administración de veteranos de guerra en 1930. En 1944 tuvo una participación importante en la aprobación de la GI Bill (ley de readaptación de las fuerzas armadas). La American Legion dice contar con unos tres millones de socios distribuidos en unos 15.000 puestos o grupos locales.

American Motors Corp. (AMC) Ex fabricante estadounidense de automóviles. AMC fue formada en 1954 tras la fusión de dos fabricantes pioneros de automóviles: Nash-Kelvinator Corp. (sucesor de Nash Motor Co., fundada en 1916) y Hudson Motor Car Co. (fundada en 1909). AMC producía autos compactos marca AMC, camiones y buses para todo uso marca AM, y hasta 1968, artefactos marca Kelvinator. En 1970, los jeeps se incorporaron a la línea de productos después de que AMC comprara Kaiser-Jeep Corp. (1903). En 1987, AMC se transformó en subsidiaria de CHRYSLER CORP., la que a su vez se fusionó con Daimler-Benz en 1998 para formar DAIMLERCHRYSLER AG.

American Museum of Natural History Principal centro de investigación y educación de las ciencias naturales, establecido en la ciudad de Nueva York en 1869. Fue pionero en organizar expediciones en terreno y crear dioramas y otras exhibiciones naturalistas para mostrar los hábitats naturales con su vida animal y vegetal. Sus colecciones de investigación contienen decenas de millones de especímenes, y sus colecciones de insectos y fósiles están entre las mayores del mundo. El Museo realiza investigaciones en antropología, astronomía, entomología, herpetología, ictiología, biología de invertebrados, mamalogía, mineralogía, ornitología y paleontología de vertebrados, y mantiene estaciones de investigación permanentes en

Bahamas, y en los estados de Nueva York, Florida y Arizona en EE.UU. También alberga uno de los planetarios más grandes del mundo.

American Saddlebred *o* **American Saddle Horse** (español: "caballo de silla norteamericano"). Raza de CABALLOS livianos originarios de EE.UU. La raza fue desarrollada mediante la cruza de machos PURASANGRE, MORGAN y STANDARDBRED con yeguas nativas de suave andar. Tiene una alzada de 15–16 palmos (1,5–1,6 m [5–5,3 pies]) y es de color bayo, pardo, negro, gris o castaño. Estos animales son usados en dos pruebas de equitación: las categorías de tres y de cinco andares. Los tres andares naturales son el paso, el trote y el medio galope. La otra, de cinco andares, agrega dos andares de adiestramiento, la ambladura y el galope suave. La raza también es conocida por su elegancia como caballo de tiro en espectáculos.

American Stock Exchange (AMEX) Bolsa de comercio de EE.UU. Se inició c. 1850 en la ciudad de Nueva York como un mercado al aire libre, y en ese tiempo fue conocida como "the Curb". En 1921 se trasladó a su ubicación actual en la zona de Wall Street. Considerada otrora un mercado para aquellos VALORES cuya reputación les impedía operar en la Bolsa de Valores de NUEVA YORK (NYSE), con el correr de los años se hizo igualmente respetable, con su propia lista de requisitos de admisión. En 1998 se fusionó con la Asociación Nacional de Operadores de Valores (NASD), entonces propietaria de la Bolsa NASDAQ, para formar el Grupo de Mercados Nasdaq-Amex. Después de que NASD vendió su participación en NASDAQ en 2000, AMEX se mantuvo como subsidiaria de NASD.

American System of manufacture Producción de muchas piezas idénticas y su montaje en forma de productos terminados. Aun cuando se haya atribuido a ELI WHITNEY el mérito de esta innovación, las ideas habían aparecido antes en Europa y se practicaban en fábricas de armamento en EE.UU. (ver ARMOURY PRACTICE). MARC BRUNEL, mientras trabajaba para el almirantazgo británico (1802–08), ideó un proceso para producir aparejos de polea de madera mediante operaciones secuenciales de máquinas, con las que 10 hombres (en vez de los 110 que se necesitaban anteriormente) podían fabricar 160.000 aparejos por año. No fue sino hasta la exposición del Palacio de CRISTAL de Londres (1851) que los ingenieros británicos comenzaron a aplicar el sistema al ver exhibiciones de máquinas usadas en EE.UU. para producir PIEZAS INTERCAMBIABLES. Transcurridos 25 años, el American System se estaba aplicando en la fabricación de un sinnúmero de productos industriales. Ver también FÁBRICA; LÍNEA DE MONTAJE.

El quechua y el aymara son las lenguas amerindias con más hablantes en la región andina.

FOTOBANCO

American Telephone and Telegraph Co. ver AT&T CORP.

American University Universidad privada en Washington, D.C., EE.UU. Fue constituida en 1891, mediante una ley del congreso, como escuela de graduados y centro de investigación, pero los cursos sólo se iniciaron en 1914. Se fundó una división de pregrado en 1925, que incluye facultades de derecho y de negocios, así como facultades de diplomacia y asuntos públicos. Por su ubicación, la American University tiene una fuerte orientación gubernamental y de servicio público.

Americana, Liga Junto a la Liga NACIONAL, una de las dos asociaciones que agrupan a los equipos profesionales de las ligas mayores de BÉISBOL de EE.UU. y Canadá. Esta liga fue fundada en 1900 y tiene tres divisiones: la del este (que incluye a los Baltimore Orioles, Boston Red Sox, New York Yankees, Tampa Bay Devil Rays y Toronto Blue Jays), la central (que agrupa a los Chicago White Sox, Cleveland Indians, Detroit Tigers, Kansas City Royals y Minnesota Twins) y la del oeste (donde juegan Anaheim Angels, Oakland Athletics, Seattle Mariners y Texas Rangers).

Los New York Yankees, con más de un siglo de existencia, conforman el equipo más exitoso de la Liga Americana, 2005.

FOTOBANCO

americio ELEMENTO QUÍMICO sintético, radiactivo, símbolo químico Am y número atómico 95. El cuarto elemento TRANSURÁNICO en ser descubierto, se produjo por primera vez en un reactor nuclear en 1944, a partir de PLUTONIO 239. El ISÓTOPO americio 241 se prepara por kilogramo y se usa en una variedad de aplicaciones de medición que utilizan su radiación gamma. Su uso más conocido es en los detectores de humo domésticos.

amerindias, lenguas Lenguas habladas por los habitantes originarios de las Américas y las Indias Occidentales y por sus descendientes actuales. Estas lenguas poseen una diversidad estructural extraordinaria y los intentos de unirlas en un pequeño número de agrupaciones genéticas no han tenido aceptación general. Antes de la llegada de Colón, una población estimada de dos a siete millones de habitantes hablaba más de 300 lenguas diferentes en el territorio situado al norte de México. Actualmente, existen menos de 170 lenguas, de las cuales la gran mayoría las hablan con soltura sólo los adultos mayores. Un reducido número de familias de lenguas que se extendieron ampliamente (ALGONQUINAS, IROQUESAS, SIOUX, MUSKOGEANAS, ATAPASCO, UTOAZTECAS, SALISH) dan cuenta de muchas de las lenguas del este y del interior de América del Norte, aun cuando el lejano oeste fue una región de extrema diversidad (ver HOKA; PENUTIAS). Se estima que en México y en el norte de América Central (Mesoamérica), alrededor de 15 a 20 millones de personas hablaban más de 300 lenguas en la época precolombina. Las grandes familias OTOMANGUE y MAYA, más una lengua única, el NÁHUATL, compartían Mesoamérica con muchas familias pequeñas y lenguas aisladas. Más de diez de estas lenguas y grupos de lenguas todavía cuentan con más de 100.000 hablantes. América del Sur y las Indias Occidentales tenían una población precolombina estimada en diez a 20 millones de personas, que hablaban más de 500 lenguas. Las familias de lenguas importantes incluyen el chibcha en Colombia y sur de América Central, el QUECHUA y el aymara en la región andina, y las lenguas ARAWAK, CARIBES y TUPÍ-GUARANÍES en las tierras bajas del norte y centro de América del Sur. Con la excepción del quechua y del aymara, que cuentan con alrededor de diez millones de hablantes, y del tupí-guaraní, actualmente la mayoría de las lenguas indígenas sudamericanas que subsisten tienen muy pocos hablantes y algunas encaran cierto grado de extinción.

amerindio Miembro de los diversos pueblos aborígenes del Nuevo Mundo, con la excepción de los ESQUIMALES (inuit) y los ALEUTIANOS. Sus ancestros eran cazadores nómadas del nordeste de Asia que emigraron por el puente de tierra que existía en el actual estrecho de Bering a América del Norte, probablemente durante el último período glacial (20.000–30.000 años atrás). Alrededor de 10.000 AC ya habían ocupado buena parte del norte, el centro y el sur de América. Ver también cultura ANASAZI; civilizaciones ANDINAS; indio de los BOSQUES ORIENTALES; complejo de CLOVIS; indio de la COSTA NOROCCIDENTAL; complejo de FOLSOM; cultura HOHOKAM; cultura HOPEWELL; indio de las MESETAS; civilizaciones MESOAMERICANAS; cultura del MISSISSIPPI; cultura de MOGOLLON; indios PUEBLO; indio del SUDESTE; indio del SUDOESTE; culturas WOODLAND.

Ames, Fisher (9 abr. 1758, Dedham, Mass., EE.UU.–4 jul. 1808, Dedham, Mass.). Ensayista y político federalista estadounidense. Se graduó en el Harvard College en 1774 y fue maestro de escuela durante cinco años, antes de dedicarse al derecho. Ingresó al cuerpo de abogados en 1781. En la convención constitucional de Massachusetts, Ames, partidario de un gobierno central fuerte, defendió la ratificación de la nueva constitución de EE.UU. Se dio a conocer por su defensa intransable del derecho de propiedad y por su actitud protectora de los intereses comerciales, los que defendió con escritos mordaces y oratoria convincente. En 1788 derrotó a SAMUEL ADAMS en la elección por un escaño en el primer período legislativo de la Cámara de Representantes; fue reelegido tres veces. Su elocuente apoyo al tratado que negoció JOHN JAY para preservar la paz con Inglaterra (1794) convenció a la Cámara de aprobar la asignación de recursos.

amesha spenta En el ZOROASTRISMO, cualquiera de los seis seres divinos (tres masculinos, tres femeninos) creados por AHURA MAZDA para ayudar a gobernar la creación. Los amesha spenta son venerados por separado y cada uno tiene un mes, una fiesta y una flor especiales. Los más importantes son: Asha Vahishta ("Verdad"), que preside el fuego sagrado y resguarda la senda de la justicia y del conocimiento espiritual; Vohu Manah ("Mente Buena"), que recibe a los bienaventurados en el paraíso. Khshathra Vairya ("Dominio Deseable") rige sobre el metal, Spenta Armaiti ("Devoción Benéfica") domina sobre la Tierra y Haurvatat ("Totalidad") y Ameretat ("Inmortalidad") reinan sobre aguas y plantas. En el zoroastrismo tardío, cada amesha spenta tiene un antagonista maléfico u opuesto demoníaco.

ametralladora Arma automática capaz de mantener fuego rápido en forma sostenida, a menudo entre 500 y 1.000 proyectiles por minuto. Desarrollada a fines del s. XIX por inventores como HIRAM MAXIM, cambió profundamente el combate moderno. El campo de batalla de la primera guerra mundial estuvo dominado por la ametralladora con cinta de carga, que permaneció sin grandes cambios hasta la segunda guerra mundial. Las ametralladoras modernas se clasifican en tres grupos: el arma automática de pelotón, con cartucho para munición de rifle de asalto de pequeño calibre y que es operada de manera individual por un soldado; la ametralladora de uso general, que dispara munición de rifle de asalto de calibre regular, operada por dos soldados, y la ametralladora pesada, que dispara proyectiles de 12.7 mm (.5 pulg.) o de mayor calibre y que con frecuencia se monta en vehículos blindados. Ver también SUBAMETRALLADORA.

Soldado estadounidense en una práctica de tiros con ametralladora de asalto.
JOE RAEDLE/REPORTAGE/GETTY IMAGES

AMEX ver AMERICAN STOCK EXCHANGE

amhara Pueblo del altiplano central de Etiopía. Los amhara suman unos 18 millones de personas y constituyen casi el 30% de la población etíope. Su idioma es el amárico, una lengua semítica de la familia de las lenguas CAMITOSEMÍTICAS, y su religión es el cristianismo copto (Iglesia ORTODOXA ETÍOPE). Los amhara, quienes han dominado la historia de su país, descienden de antiguos conquistadores semíticos que se mezclaron con los pueblos indígenas cusitas. Son agricultores y dan gran valor a la propiedad de la tierra.

Venta de algodón por pobladores amhara, Labilela, Etiopía.
VICTOR ENGLEBERT

amhárico ver AMÁRICO

Amherst College Colegio universitario privado de artes liberales ubicado en Amherst, Mass., EE.UU., constituido en 1825. NOAH WEBSTER fue uno de sus fundadores. Considerado como uno de los mejores *colleges* de EE.UU., ofrece una amplia variedad de cursos en humanidades, ciencias sociales y ciencias naturales. Originalmente fue un *college* de varones y pasó a ser mixto en 1975. Participa en programas de intercambio con los *colleges* MOUNT HOLYOKE y SMITH de la vecina Hampshire y con la Universidad de MASSACHUSETTS.

Amherst, Jeffery Amherst, 1er barón (29 ene. 1717, Sevenoaks, Kent, Inglaterra–3 ago. 1797, Sevenoaks). Comandante del ejército británico. En la guerra FRANCESA E INDIA capturó el fuerte francés de Louisbourg, isla de Cabo Bretón, en 1758 y fue ascendido a comandante en jefe en América del Norte. En 1760 dirigió la campaña que capturó Quebec y Montreal, y en 1761 sofocó la sublevación indígena de Pontiac. Una vez asegurado el dominio británico en Canadá, permaneció allí como gobernador general hasta 1763. De regreso en Inglaterra fue nombrado comandante en jefe del ejército británico (1772–95), pero su desempeño se vio empañado por el fracaso en la guerra con las colonias americanas y por graves abusos cometidos en el ejército. Fue nombrado barón en 1776 y mariscal de campo en 1796. Varias ciudades de EE.UU. y el AMHERST COLLEGE llevan su nombre.

amicus curiae (latín: "amigo del tribunal"). En los países anglosajones, persona que presta ayuda al tribunal proporcionándole información o asesorándolo en materias de hecho o de derecho. Una persona natural (u otra entidad, como p. ej., el gobierno de un estado) que no es parte en el juicio, pero que sin embargo tiene gran interés en sus resultados puede, con la autorización del tribunal, presentar un escrito dando a conocer su opinión particular acerca de la materia objeto del juicio. Estos escritos suelen presentarse en casos que involucran el interés público (p. ej., programas de prestaciones, protección del consumidor, derechos civiles).

amida Cualquier miembro de alguna de las dos clases de compuestos orgánicos que contienen NITRÓGENO relacionado con AMONÍACO y AMINAS, y que contienen un grupo carbonilo (—C=O; ver GRUPO FUNCIONAL). Las de la primera clase, las amidas covalentes, se forman reemplazando el grupo hidroxilo (—OH) de un ÁCIDO por un grupo amino (—NR_2, en el cual R puede representar un átomo de HIDRÓGENO o un grupo orgánico que se combina, tal como el metilo). Las amidas formadas de los ácidos CARBOXÍLICOS, llamadas carboxamidas, son sólidas, excepto la más simple, la formamida, que es líquida. No conducen la electricidad, tienen puntos de ebullición elevados y (cuando son líquidas) son buenos SOLVENTES. No existen fuentes naturales prácticas de amidas covalentes simples, pero los PÉPTIDOS y las PROTEÍNAS de los sistemas vivos son cadenas largas (POLÍMEROS) con enlaces peptídicos (ver ENLACE COVALENTE), que son uniones de amidas. La UREA es una amida con dos grupos amino. Las amidas covalentes de importancia comercial comprenden varias utilizadas como solventes; otras son la SULFA y el NAILON. Las de la segunda clase, las amidas iónicas (semejantes a sales) (ver ENLACE IÓNICO) se elaboran tratando una amida covalente, una amina, o amoníaco, con un metal reactivo (p. ej., sodio) y son fuertemente alcalinas.

Amida ver AMITABHA

Amiens *antig.* **Samarobriva** *post.* **Ambianum** Ciudad (pob., 1999: 135.801 hab.) del norte de Francia. Localizada sobre el río SOMME, fue bastión romano. Principal ciudad del condado medieval, pasó a posesión de BORGOÑA en el año 1435 y fue tomada por los españoles en 1597. Recobrada por ENRIQUE IV sirvió como capital de PICARDÍA hasta 1790. Los prusianos ocuparon la ciudad en 1870 y los alemanes la tuvieron brevemente en 1914; dio su nombre a una exitosa contraofensiva de los aliados contra Alemania en 1918. Los alemanes la volvieron a ocupar durante la segunda guerra mundial. Ha sido uno de los principales centros de la industria textil francesa desde el s. XVI y allí se encuentra la catedral gótica de Notre-Dame, la iglesia más grande de Francia.

Amiens, tratado de (27 mar. 1802). Acuerdo suscrito en Amiens, Francia, por Gran Bretaña, Francia, España y la República BÁTAVA (Países Bajos). Mediante este tratado, Francia y sus aliados recuperaron la mayoría de sus colonias a pesar de sus reveses militares en ultramar. El tratado ignoró los permanentes conflictos comerciales entre Gran Bretaña y Francia, pero consiguió pacificar Europa por 14 meses durante las guerras NAPOLEÓNICAS.

amígdala En geología, depósito secundario de minerales que se encuentra en cavidades de roca volcánica, redondeadas, alargadas o almendradas. La expansión de burbujas de gas o vapor dentro de la lava originó las cavidades (vesículas). Como las burbujas de gas tienden a ascender a través de la lava, las amígdalas son más comunes en la zona superior de los flujos. Se han encontrado muchos minerales como amígdalas, incluso algunos especímenes espectaculares de ZEOLITAS para museos.

amígdalas faríngeas Pequeñas masas de TEJIDO LINFÁTICO en la pared de la FARINGE. El término alude habitualmente a las amígdalas palatinas situadas a cada lado de la orofaringe. Se supone que producen anticuerpos que ayudan a prevenir las infecciones respiratorias y digestivas, pero a menudo son ellas mismas las que se infectan (ver AMIGDALITIS), casi siempre en los niños. También hay amígdalas nasofaríngeas, más conocidas como ADENOIDES, y amígdalas linguales en la base de la LENGUA. Estas últimas tienen mejor drenaje que las otras y raras veces se infectan.

amígdalas nasofaríngeas ver ADENOIDES

amigdalitis INFECCIÓN inflamatoria de las AMÍGDALAS FARÍNGEAS, producida habitualmente por ESTREPTOCOCOS hemolíticos o VIRUS. Los síntomas son dolor de garganta, sobre todo al deglutir, fiebre e hipertrofia de los GANGLIOS LINFÁTICOS cervicales. La infección, que por lo general dura unos cinco días, se trata con reposo en cama y gárgaras antisépticas. Para casos de infecciones bacterianas severas se receta DROGA SULFA u otros antibióticos con el fin de prevenir complicaciones. La infección estreptocócica puede propagarse a las estructuras vecinas. Las complicaciones pueden incluir ABSCESOS, NEFRITIS y FIEBRE REUMÁTICA. Las amígdalas con inflamación crónica e hipertróficas pueden requerir su extirpación (amigdalectomía).

Amin (Dada Oumee), Idi (1924/25, Koboko, Uganda–16 ago. 2003, Jiddah, Arabia Saudita). Oficial militar y presidente (1971–79) de Uganda. De religión musulmana y miembro del pequeño grupo étnico kakwa, Amin estuvo estrechamente asociado durante su carrera militar con MILTON OBOTE, primer ministro y presidente de Uganda. En 1971 encabezó un golpe de Estado contra Obote. En 1972 expulsó a todos los asiáticos de Uganda, dio un vuelco a las buenas relaciones de Uganda con Israel, estuvo personalmente involucrado en el secuestro palestino de un avión de pasajeros francés a Entebbe (ver operación ENTEBBE) y ordenó la tortura y el asesinato de 100.000–300.000 ugandeses. En 1978 ordenó un ataque a Tanzania, pero las tropas tanzanias ayudadas por los nacionalistas ugandeses vencieron a los invasores. Cuando las fuerzas tanzanias estaban cerca de Kampala, capital de Uganda, Amin huyó a Libia y finalmente se estableció en Arabia Saudita.

Idi Amin, presidente de Uganda (1971–79).

JANET GRIFFITH/BLACK STAR

amina Nombre genérico de los compuestos orgánicos nitrogenados (ver NITRÓGENO), derivados ya sea en principio o en la práctica, del AMONÍACO (NH_3). Casi todos sus nombres químicos terminan en *-ina*. El reemplazo de uno, dos o de los tres átomos de HIDRÓGENO del amoníaco por grupos orgánicos, produce aminas primarias, secundarias o terciarias, respectivamente. La adición de un cuarto hidrógeno acompañado de una carga positiva en el átomo de nitrógeno, resulta en una amina cuaternaria. Las aminas de origen natural son los ALCALOIDES, presentes en algunas plantas; algunos NEUROTRANSMISORES, que incluyen la DOPAMINA y la EPINEFRINA, y la HISTAMINA. Las aminas de importancia industrial comprenden la ANILINA, la etanolamina y otras, que se utilizan en la fabricación de goma, colorantes, productos farmacéuticos, resinas, fibras sintéticas, y una serie de otras aplicaciones. Un átomo de nitrógeno con uno o dos hidrógenos suele llamarse grupo amino.

aminoácido Nombre genérico de los compuestos orgánicos en los cuales un átomo de CARBONO se ha unido a un grupo amino ($-NH_2$), a un grupo carboxilo ($-COOH$), a un átomo de hidrógeno ($-H$) y a un grupo orgánico lateral (llamado $-R$). Por consiguiente, son ácidos CARBOXÍLICOS y AMINAS a la vez. Las propiedades físicas y químicas particulares de cada uno son el resultado de las propiedades del grupo R, especialmente su tendencia a interactuar con el agua y su carga (si la tiene). Los aminoácidos unidos linealmente por enlaces peptídicos (ver ENLACE COVALENTE) en un orden particular, forman PÉPTIDOS y PROTEÍNAS. De los más de 100 aminoácidos naturales, cada uno con un grupo R diferente, sólo 20 constituyen las proteínas de todos los organismos vivos. Los seres humanos pueden sintetizar 10 de estos (por interconversiones), de entre ellos mismos, o de otras moléculas del METABOLISMO intermediario, pero los otros 10 (aminoácidos esenciales: ARGININA, FENILALANINA, HISTIDINA, ISOLEUCINA, LEUCINA, LISINA, METIONINA, TREONINA, TRIPTÓFANO y VALINA) se deben consumir en la dieta.

Amis, Martin (n. 25 ago. 1949, Oxford, Oxfordshire, Inglaterra). Escritor y crítico británico. Hijo del escritor Sir KINGSLEY AMIS, se graduó en la Universidad de Oxford en 1971. Colaboró con el *Times Literary Supplement* y el *New Statesman* antes de convertirse en escritor profesional. Sus obras –entre ellas las novelas *Dinero* (1984), *Campos de Londres* (1989) y *Tren nocturno* (1998), así como la colección de cuentos *Agua pesada* (1999)– se caracterizan por su agudeza e inventiva y a menudo un escabroso sentido del humor que satiriza los horrores de la vida urbana moderna. Amis ha publicado asimismo una celebrada autobiografía, *Experiencia* (2000), y un volumen muy personal centrado en la figura de STALIN, *Koba el Temible* (2002).

Amis, Sir Kingsley (William) (16 abr. 1922, Londres, Inglaterra–22 oct. 1995, Londres). Novelista, poeta, crítico y académico británico. Su primera novela, *Jim el afortunado*

(1954; película, 1957), resultó ser una obra maestra cómica y tuvo un éxito resonante. A menudo se le encasillaba entre los JÓVENES IRACUNDOS, etiqueta que abominaba. Destacan entre sus más de 40 libros (incluidos cuatro volúmenes de poesía) las mordaces novelas humorísticas *Una extraña sensación* (1955; película, *Only Two Can Play*, 1962), *El hombre verde* (1959; película, 1957), *El caso de Jack* (1978) y *Los viejos demonios* (1986, Premio Booker). Fue el padre de MARTIN AMIS.

amish Miembro de un grupo cristiano conservador de América del Norte conocido como la Vieja Orden Amish de la Iglesia menonita. Los amish nacieron en 1693–97 como seguidores del líder MENONITA Jakob Ammann (n. ¿1644?–m. c. 1730) en Suiza, Alsacia y Alemania. Ammann enseñó que la mentira era motivo de excomunión (lo cual significaba ser excluido y evitado por los demás menonitas), que la ropa debía ser uniforme, las barbas no se debían atusar y que se debía evitar la iglesia oficial. La migración a América del Norte y su asimilación a la población acabó con los amish en Europa. En el s. XVIII se establecieron en Pensilvania. Después de 1850, los amish se separaron en la "vieja orden" (o tradicional) y en la "nueva orden" (las actuales iglesias menonitas). La vieja orden amish está hoy esparcida por Pensilvania, Ohio, Indiana, Iowa, Illinois y Kansas. Cuando los jóvenes amish tienen entre 17 y 20 años, son bautizados y admitidos como miembros plenos de la Iglesia. Los servicios religiosos se celebran en holandés de Pensilvania (un dialecto alemán) con algo de inglés. A pesar de que sus principios teológicos se asemejan a los de los menonitas, los amish visten ropa sencilla y anticuada y se abstienen de utilizar tecnología moderna, habiendo renunciado incluso al uso de automóviles y teléfonos.

Amistad, motín del (2 jul. 1839). Rebelión de esclavos a bordo de la goleta *Amistad*. El motín ocurrió frente a la costa de Cuba, cuando 53 africanos, capturados en Sierra Leona para el tráfico de esclavos, se apoderaron del barco, mataron al capitán y al cocinero, y ordenaron al piloto de poner rumbo a África. El piloto fingió que cumplía, pero navegó con rumbo norte y la goleta fue interceptada, dos meses después, frente a Nueva York. Pese a los intentos del presidente MARTIN VAN BUREN de enviar a los africanos a Cuba, los abolicionistas exigieron un juicio con el argumento de que, según el derecho internacional, los hombres eran libres. Un juez federal se manifestó de acuerdo y el gobierno apeló a la Corte Suprema de EE.UU., ante la cual, en 1841, el abogado defensor JOHN QUINCY ADAMS sostuvo con éxito que los hombres debían quedar en libertad. En 1842, con ayuda de donaciones, los 35 sobrevivientes lograron regresar a Sierra Leona.

El Gran Buda de Kamakura, Japón, representa a Amitabha en reposo; realizado en bronce (1252), mide más de 10 m y pesa más de 100 t.
FOTOBANCO

Amitabha *japonés* **Amida** Deidad redentora venerada por los seguidores del BUDISMO DE LA TIERRA PURA en Japón. Según el *Sukhavati-vyuha-sutra* (SUTRA del Reino Puro), hace muchas eras el monje Dharmakara prometió que una vez que alcanzara la plena conciencia de Buda, todos quienes creyeran en él e invocaran su nombre nacerían en su paraíso (el Reino Puro) y residirían ahí hasta alcanzar el NIRVANA. El culto a Amitabha se asentó primero en China c. 650, para luego extenderse a Japón, donde condujo a la formación de las sectas del Reino Puro y del Verdadero Reino Puro. En Tíbet y en Nepal, Amitabha se considera uno de los cinco Budas eternos (más que como un salvador), quien se habría manifestado como el Gautama BUDA terrenal y como el BODHISATTVA AVALOKITESVARA.

Ammán Ciudad (pob., 1994: 969.598 hab.), capital de JORDANIA. Localizada a 40 km (25 mi) al nordeste del mar MUERTO. Ammán es lejos la ciudad más grande de Jordania. Desde la más remota antigüedad han existido asentamientos fortificados en el área. El más antiguo de ellos data del período neolítico (c. 4000–3000 AC). Llamada Rabbat Ammón, fue la capital de los amonitas. Conquistada por el soberano egipcio TOLOMEO II FILADELFO, la rebautizó como Filadelfia, nombre que conservó durante la época romana. En 635 DC, la tomaron los árabes, y comenzó su decadencia hasta su desaparición posterior. En 1878 el Imperio OTOMANO la repobló. En 1921, cuando los británicos establecieron el país de Transjordania, Ammán se convirtió en su capital. Su desarrollo moderno fue fomentado por la independencia transjordana, en 1946. Junto al resto de Jordania (el nombre del país desde 1950), Ammán ha debido acoger a un gran número de refugiados árabes que huyeron de Palestina durante las guerras ÁRABE-ISRAELÍES.

Ammannati, Bartolommeo *o* **Bartolommeo Ammanati** (18 jun. 1511, Settignano, cerca de Florencia–22 abr. 1592, Florencia). Escultor y arquitecto italiano. Se formó con BACCIO BANDINELLI en Florencia y JACOPO SANSOVINO en Venecia. En 1550 se trasladó a Roma, donde colaboró con GIORGIO VASARI y Giacomo da Vignola en la construcción de la Villa Giulia. En 1555 regresó a Florencia, donde pasó el resto de su carrera trabajando para los MÉDICIS. Terminó la Biblioteca Laurenciana, comenzada por MIGUEL ÁNGEL, pero es más conocido por el puente de Santa Trinità y por sus agregados al palacio Pitti de FILIPPO BRUNELLESCHI, entre ellos el patio. Sus edificios marcan la transición del Renacimiento clasicista al estilo barroco más exuberante.

Ammonium ver SĪWA

ammonoideo Cualquier miembro de un grupo extinto de CEFALÓPODOS, con concha externa, parientes del nautilo moderno. Comúnmente, se encuentran como fósiles en rocas marinas desde el DEVÓNICO hasta el CRETÁCICO (410–65 millones de años atrás). La mayoría de los ammonoideos eran depredadores. Las conchas, rectas o espirales, servían de protección y soporte estructural y permitían a los animales compensar los efectos de diferentes profundidades del agua. Los ammonoideos son importantes índices FÓSILES debido a su amplia distribución geográfica en aguas marinas poco profundas, a su rápida evolución y a sus características que los hacen fáciles de reconocer. (Ver también BELEMNITES).

amnesia Pérdida de la MEMORIA como resultado de un deterioro o una lesión cerebral, un choque emocional, fatiga, uso de drogas, alcoholismo, senilidad, anestesia, enfermedad o reacción neurótica. La amnesia puede ser anterógrada (en la cual se olvidan los acontecimientos posteriores al trauma o enfermedad causal), o retrógrada (en la cual se olvidan los acontecimientos que preceden al trauma o enfermedad). La amnesia puede, a menudo, relacionarse con un severo choque emocional, en cuyo caso se afectan las memorias personales (p. ej., la identidad) más que el material menos personal (p. ej., las habilidades lingüísticas). Este tipo de amnesia representa al parecer una evasión frente a recuerdos perturbadores y es, por tanto, un ejemplo de REPRESIÓN. Generalmente estos recuerdos pueden recuperarse mediante la PSICOTERAPIA o una vez que el estado amnésico ha finalizado. En ocasiones, la amnesia puede durar semanas, meses o incluso años, condición conocida como fuga. Ver también HIPNOSIS.

amniocentesis Inserción quirúrgica de un catéter a través de la pared abdominal en el ÚTERO de una embarazada, para extraer líquido del saco amniótico, con el fin de analizar el líquido y las células fetales. Esto puede revelar el sexo del feto (dato importante cuando hay posibilidades de una enfermedad genética ligada al sexo), alteraciones cromosómicas y otros trastornos. Este procedimiento se realizó por primera vez en la década de 1930 y, por lo general, se hace con anestesia local durante las semanas 15–17 de gestación.

amnistía En el derecho penal, acto soberano de olvido o perdón (del griego *amnestia*, "perdón") concedido por un gobierno, en especial a un grupo de personas que haya cometido delitos (generalmente políticos) en el pasado. A menudo se otorga a condición de que el grupo se comprometa a ser obediente y respetuoso de la LEY en un plazo determinado. Ver también INDULTO.

Amnistía Internacional Organización internacional de DERECHOS HUMANOS. Fue fundada en 1961 por Peter Benenson, abogado londinense que organizó una campaña epistolar en que se exigía amnistía para los "prisioneros de conciencia". Esta organización persigue informar al público acerca de violaciones a los derechos humanos, especialmente de restricciones a la libertad de expresión y culto, y el encarcelamiento y tortura de disidentes políticos. Persigue activamente la liberación de prisioneros políticos y el apoyo para sus familias cuando es necesario. Se dice que sus miembros y colaboradores alcanzan a un millón de personas en unos 140 países. Su primer director, SÉAN MACBRIDE, recibió en 1974 el Premio Nobel de la Paz, mientras que Amnistía Internacional, como organización, obtuvo este mismo premio en 1977.

amolar, máquina de MÁQUINA HERRAMIENTA que usa una muela abrasiva rotatoria para amolar, es decir, para cambiar la forma o las dimensiones de una pieza en elaboración, de material duro, generalmente metálica. La amoladura es el más preciso de todos los procesos básicos de maquinado. Todas las amoladoras usan una muela hecha de uno de los dos ABRASIVOS que se fabrican, carburo de silicio u óxido de aluminio. Para amolar una forma cilíndrica, la pieza gira a medida que se hace avanzar contra la muela. Para amolar una superficie interna, una muela pequeña se desplaza dentro del hueco de la pieza, la que está sujeta en un plato portaherramienta rotatorio. En una máquina de amolar plana, la pieza se fija sobre una mesa que se desplaza bajo la rueda abrasiva rotatoria.

Amón Deidad egipcia venerada como rey de los dioses. Amón pudo haberse originado como una deidad local en Jmun durante el Imperio Medio. Su culto se extendió a Tebas, donde se convirtió en el patrono de los faraones en tiempos del reinado de Mentuhotep I (n. 2008–m. 1957 AC) y se identificó con RA, el dios solar. Representado como un humano, un carnero o ambos, Amón-Ra era adorado con la diosa MUT y el juvenil dios Jonsu. AJNATÓN dirigió sus reformas contra el culto a Amón, pero con poco éxito, y el prestigio del culto a esta divinidad fue restaurado en plenitud en los s. XIV–XIII AC. Durante el Imperio Nuevo, Amón llegó a ser considerado uno de los elementos divinos de la tríada junto con PTAH y Ra, y en los s. XI–X AC fue honrado como dios universal, capaz de intervenir en los asuntos de estado hablando a través de los oráculos.

Detalle de un fresco de Amón, dios universal del Antiguo Egipto representado como ser humano y carnero.

FOTOBANCO

amoníaco Gas compuesto de NITRÓGENO e HIDRÓGENO, de olor acre, incoloro, con fórmula química NH_3. Se licua fácilmente por compresión o enfriamiento, para usarlo en equipos de refrigeración y climatización; se fabrica en grandes cantidades. El amoníaco se obtiene mediante el proceso de HABER-BOSCH (ver FRITZ HABER). Su principal uso es como FERTILIZANTE; se aplica directamente al suelo desde tanques que almacenan el gas licuado. También se emplean como fertilizantes las SALES de amoníaco, incluido el fosfato de amonio y nitrato de amonio (este último se utiliza también en explosivos de alto poder). El amoníaco tiene muchos otros usos industriales como materia prima, CATALIZADOR y ÁLCALI. Se disuelve con facilidad en agua para formar hidróxido de amonio, una solución alcalina (ver BASE) conocida como limpiador doméstico.

amoníaco, proceso al ver proceso SOLVAY

amoníaco, proceso sintético de ver proceso de HABER-BOSCH

amor cortés Código amoroso de la Baja Edad Media, que prescribía las rígidas convenciones en que se enmarcaban el comportamiento y las emociones de las damas aristocráticas y sus amantes. Dio pie a una vasta literatura, que se inaugura con la poesía trovadoresca (ver TROVADOR) de fines del s. XI en Francia y que pronto inundó Europa. El cultor del amor cortés, que se veía a sí mismo como un esclavo de la pasión en la que debía guardar decoro, servía y adoraba devotamente a su dama ideal. El amor cortés era invariablemente adúltero, básicamente porque los matrimonios de la clase alta de la época solían ser resultado de intereses económicos o el sello de alianzas de poder. Se cree que sus fuentes poéticas se hallan en la literatura árabe, transmitida a Europa por la España musulmana; el creciente culto religioso a MARÍA influyó también en la medida en que ensalzó a la mujer. Ejemplos de obras inspiradas, en mayor o menor medida, en este ideal son el *Roman de la rose*, los sonetos a Laura de PETRARCA, la *Divina Comedia* de DANTE y los poemas líricos de los TROVEROS y los "cantantes de amor" llamados MINNESINGERS. Ver también CABALLERÍA.

amortiguador Dispositivo para controlar los barquinazos de un vehículo montado sobre resortes. En un automóvil los RESORTES actúan como una almohadilla entre los ejes y la carrocería y reducen los impactos producidos por las asperezas del camino. Puesto que algunas combinaciones de superficie vial y velocidad del automóvil pueden ocasionar un vaivén excesivo de la carrocería, los amortiguadores –que ahora son dispositivos hidráulicos que se oponen a la compresión y al estiramiento de los resortes– hacen que estos movimientos vibratorios sean más lentos y reducen su magnitud. Ver también AMORTIGUAMIENTO.

amortiguamiento En física, la limitación de movimientos vibratorios, como las oscilaciones mecánicas, el RUIDO y las CORRIENTES ELÉCTRICAS alternas, por efecto de la disipación de ENERGÍA. A menos que un niño impulse constantemente un columpio, su movimiento pendular decrece; el amortiguamiento producido por la fricción del aire se opone al movimiento y resta energía al sistema. El amortiguamiento por viscosidad es causado por pérdidas de energía, como las que se producen en los líquidos lubricantes entre partes en movimiento o en un líquido forzado a pasar por el pequeño orificio de un pistón, como en los amortiguadores de automóviles. El amortiguamiento por histéresis entraña la pérdida de energía al interior de la propia estructura en movimiento. Otros tipos de amortiguamiento son la RESISTENCIA eléctrica, la RADIACIÓN y el amortiguamiento magnético.

amortización En finanzas, el reembolso sistemático de una DEUDA; en contabilidad, el castigo sistemático de una cuenta en un período de años. Un ejemplo de lo primero es el crédito hipotecario, que se cancela en cuotas mensuales e incluye el interés y una disminución gradual del capital. Tal disminución sistemática es más segura para el acreedor, ya que al deudor le es más fácil pagar una serie de pequeños pagos en vez de una sola suma total. En el segundo sentido, con la amortización contable una empresa puede reducir gradualmente la valorización en su balance de los activos sujetos a depreciación tales como edificios, maquinarias o activos mineros. El gobierno de EE.UU. en algunas ocasiones ha autorizado la amortización acelerada de los activos, medida que incentiva el desarrollo industrial al decrecer la carga impositiva de la empresa durante los años inmediatamente posteriores a la compra de un bien. Esta práctica es también aplicada en varios países del mundo.

Amós (c. siglo VIII AC). Primer PROFETA hebreo (uno de los doce profetas menores) en tener un libro bíblico homónimo. Nació en Tecoa, Judá y fue pastor de ovejas. De acuerdo con su libro, Amós viajó al reino del norte de Israel, más rico y poderoso, para predicar sus visiones de destrucción divina y el mensaje de que la soberanía absoluta de Dios exigía justicia por igual para ricos y pobres, y que el pueblo escogido por Dios no estaba exento del orden moral. Amós predijo la devastación y ruina del reino del norte y de Judá, y se adelantó a las predicciones de condena y destrucción hechas por profetas bíblicos posteriores.

amosita Variedad del silicato cummingtonita, fuente del asbesto. La cummingtonita es un ANFÍBOL, silicato de hierro y magnesio, que se encuentra en rocas metamórficas en forma de largos cristales fibrosos aciculares.

ampelis Cualquiera de las tres especies (familia Bombycillidae) de elegantes aves canoras conocidas por sus pequeñas manchas rojo vivo en las puntas de las plumas secundarias. Todas las especies son gris pardas y tienen una cresta ahusada. El ampelis común o bohemio (*Bombycillia garrulus*) es de 20 cm (8 pulg.) de largo y tiene marcas de color amarillo, blanco y rojo en las alas. Cría en los bosques del norte de Eurasia y América. El ampelis del cedro (*B. cedrorum*), más pequeño y menos colorido, cría en Canadá y en el norte de EE.UU. En invierno, las bandadas de ampelis pueden invadir parques y jardines urbanos, en búsqueda de bayas. El ampelis japonés (*B. japonica*) habita sólo el nordeste de Asia.

Ampelis del cedro (*Bombycilla cedrorum*).

Ampère, André Marie (22 ene. 1775, Lyon, Francia–10 jun. 1836, Marsella). Físico francés, fundador de la ciencia del electromagnetismo. Niño prodigio, a los 12 años de edad ya dominaba todo el campo conocido de la matemática. Fue profesor de física, química y matemática. Formuló la ley del electromagnetismo, llamada ley de AMPÈRE, que describe la fuerza magnética entre dos corrientes eléctricas. Diseñó un instrumento para medir el flujo de electricidad, que posteriormente fue perfeccionado como el GALVANÓMETRO. Su principal obra publicada fue *Sobre la teoría matemática de los fenómenos electrodinámicos* (1827). El amperio (A) la unidad de intensidad de corriente eléctrica, recibió ese nombre en su honor.

Ampère, ley de Ley del ELECTROMAGNETISMO que describe matemáticamente la FUERZA MAGNÉTICA entre dos CORRIENTES ELÉCTRICAS. Lleva el nombre de ANDRÉ MARIE AMPÈRE, quien descubrió la existencia de estas fuerzas. Si dos corrientes fluyen en la misma dirección, la fuerza generada entre los dos alambres es atractiva; si fluyen en direcciones opuestas, la fuerza es repulsiva. En ambos casos, la fuerza es directamente proporcional a las corrientes.

amplificador Dispositivo que responde a una pequeña señal de entrada (voltaje, corriente o potencia) y entrega una señal de salida mayor con las mismas características en forma de onda. Los amplificadores se usan en receptores de radio y de televisión, en equipos de audio de alta fidelidad y en computadoras. La amplificación pueden proporcionarla dispositivos electromecánicos (p. ej., TRANSFORMADORES y GENERADORES) y TUBOS DE VACÍO, pero la mayoría de los sistemas electrónicos emplean ahora microcircuitos de estado sólido. Un amplificador suele ser insuficiente, de modo que su salida se introduce en un segundo amplificador cuya salida se introduce en un tercero, y así sucesivamente, hasta que el nivel de salida sea satisfactorio.

amplitud modulada ver AM

ampolla Lesión elevada y redondeada de la piel en el que un líquido rellena una separación entre capas de la epidermis o entre esta última y la dermis. El líquido suele ser claro; es amarillento si contiene pus, y rojo si contiene sangre. Las ampollas ocurren a menudo en las palmas o en las plantas de los pies cuando, a causa de la presión y la fricción, una capa dérmica se desplaza de un lado a otro sobre la subyacente. Una pequeña fisura se produce entre ellas, la cual se llena de líquido. Esta forma sana por lo general espontáneamente, dejando a veces una callosidad gruesa. Las ampollas que se producen como síntomas de DERMATITIS de contacto, infecciones virales o enfermedades AUTOINMUNES pueden aparecer en cualquier lugar del cuerpo y dejar cicatrices.

amputación Habitualmente, la extirpación de una parte o el total de una extremidad. La amputación congénita significa la ausencia de una extremidad al nacer (ver AGENESIA). La amputación quirúrgica puede ser una medida para salvar la vida, a fin de prevenir pérdidas excesivas de sangre por heridas graves o impedir la diseminación de infecciones, gangrena o tumores malignos de tejidos blandos u óseos. La cirugía reconstructiva, el tratamiento urgente con sangre y plasma, y la rehabilitación han hecho que la amputación sea menos frecuente que antes. Las PRÓTESIS reducen la minusvalidez de los amputados, cuyas operaciones pueden haberse ideado teniéndolas presente.

ʿAmr ibn al-ʿĀṣ (m. 663, Al-Fusṭāṭ, Egipto). Conquistador árabe de Egipto. Después de convertirse al Islam (c. 630), dirigió una expedición militar a Omán, donde convirtió a los gobernantes de la región. Fue uno de los jefes del ejército musulmán que conquistó el sudoeste de Palestina en la década de 630, pero alcanzó celebridad cuando por iniciativa propia emprendió la conquista de Egipto, lo que consiguió en 642, tras una campaña de dos años. Buen político y administrador, a finales de su vida ayudó al gobernador de Siria, MUʿĀWIYAH I, en su lucha contra ʿALĪ, cuarto califa del Islam. Fue recompensado con la gobernación de Egipto al comienzo de la dinastía OMEYA (661).

Amritsar, matanza de (1919). Incidente en el que tropas británicas dispararon sobre una multitud de manifestantes indios. En 1919, el gobierno británico de India promulgó las leyes Rowlatt, que prorrogaron los poderes extraordinarios vigentes durante la primera guerra mundial para combatir las actividades subversivas. El 13 de abril, una gran multitud se reunió en Amritsar, en el Panjab (o Punjab), para protestar contra estas medidas; las tropas abrieron fuego, matando a 379 personas e hiriendo a unas 1.200. La matanza lesionó en forma profunda y permanente las relaciones entre India y Gran Bretaña, y fue el preludio del movimiento de no cooperación de MOHANDAS K. GANDHI de 1920–22.

Amsterdam, ciudad de los Países Bajos, atravesada por innumerables canales comunicados mediante 400 puentes.
ARCHIVO EDIT. SANTIAGO

Amsterdam Ciudad (pob., 2001: aglomeración urbana: 1.002.868 hab.) del oeste de los Países Bajos. Se ubica en la punta del lago IJSSEL. Es la capital nominal de los Países Bajos, cuya sede de gobierno está en La HAYA. Originalmente un poblado pesquero, fue constituido como ciudad en 1300. Se incorporó a la Liga HANSEÁTICA en 1369 y creció de manera sostenida entre los s. XIV y XV. Luego de la decadencia de AMBERES a fines del s. XVI, Amsterdam se convirtió en la base del creciente poderío naval y comercial holandés. Fue el centro de la COMPAÑÍA HOLANDESA DE LAS INDIAS ORIENTALES y de la Compañía Holandesa de las Indias Occidentales y se transformó en el principal centro comercial de Europa. Pasó a formar parte del reino de Holanda, el que se incorporó al reino de los Países Bajos en 1815. Sufrió una declinación transitoria en el s. XVIII, pero su prosperidad se incrementó cuando fue conectada, a través de un canal, con el mar del Norte en 1875. Fue ocupada por Alemania durante la segunda guerra mundial. Después de la guerra, Amsterdam se convirtió en un lugar reconocido por su liberalismo y tolerancia. La ciudad es ahora uno de los principales puertos de Europa y un centro del comercio y las finanzas internacionales.

Amsterdam, Universidad de *neerlandés* **Universiteit van Amsterdam** Universidad pública de los Países Bajos, cuyos orígenes se remontan a la creación del Ilustre Ateneo en 1632, dedicado a los estudios de filosofía y comercio. En 1877 se transformó en la Universidad de Amsterdam, que otorgaba los más altos grados académicos en diversas disciplinas. En la actualidad es una organización integral de enseñanza superior e investigación en más de 60 disciplinas, con excepción del área de tecnología. Cuenta con siete facultades en Amsterdam: humanidades, ciencias sociales, derecho, economía, medicina, odontología, y ciencias, en las que se otorgan grados de licenciatura y de posgrado. A principios del s. XX, cuatro científicos de esta universidad fueron distinguidos con el Premio Nobel.

Amtrak *ant.* **National Railroad Passenger Corp.** Corporación subvencionada por el gobierno federal que opera casi la totalidad de los trenes interurbanos de pasajeros en EE.UU. Fue establecida por el congreso en 1970, en vista de las fuertes pérdidas financieras de los ferrocarriles privados. Se redujeron las rutas drásticamente y sólo se mantuvo el servicio de transporte en las zonas con gran densidad poblacional y entre las ciudades más grandes del país. Amtrak paga a las empresas ferroviarias por operar trenes de pasajeros y los compensa por el uso de las vías y de los terminales. Amtrak absorbe el total de los costos de administración y organiza los horarios, planifica las rutas y se encarga de la venta de pasajes. A pesar de los ingresos provenientes de los pasajes y de los servicios de correo, Amtrak requiere de la subvención federal para cubrir sus costos operativos. Ver también RAILWAY EXPRESS AGENCY.

Amu Daryá, río *ant.* **río Oxus** Río de Asia central. Es uno de los ríos más extensos de Asia central, con 2.540 km (1.578 mi) de largo, medido desde los manantiales más remotos del río Piandzh; su otro afluente principal es el Vajsh. Corre en sentido oeste-noroeste hasta su desembocadura en el mar de ARAL. Forma parte de las fronteras de Afganistán con Tayikistán, Uzbekistán y Turkmenistán y parte de la frontera de Uzbekistán con Turkmenistán.

amugronamiento Método de propagación en el cual se induce las plantas a regenerar partes faltantes a partir de segmentos aún adheridos a la planta madre. Se produce en forma natural en el caso de los tallos del FRAMBUESO negro o de la FORSITIA, cuyas puntas rastreras se arraigan en el lugar de contacto con el suelo. Luego emergen brotes nuevos de la parte recién arraigada de la planta. Para el amugronamiento subterráneo, las ramas más bajas se doblan hasta el suelo y se las cubre con tierra húmeda de buena calidad. Para el amugronamiento aéreo, se hace un corte profundo en la rama y se cubre la incisión con una bola de tierra o musgo, manteniéndola húmeda hasta que broten las raíces; luego, la rama se corta y se trasplanta. El amugronamiento lo practicaron los antiguos egipcios y griegos. Ver también ESQUEJE.

Amundsen, golfo de Extensión sudoriental del mar de BEAUFORT en el océano Ártico. Se extiende por 400 km (250 mi) aprox. El golfo está delimitado por la isla VICTORIA en el este y separa la isla BANKS (al norte) del territorio canadiense continental (al sur). En 1850, el explorador británico Robert McClure ingresó en él desde el oeste. Fue llamado así en honor a ROALD AMUNDSEN.

Amundsen, Roald (Engelbregt Gravning) (16 jul. 1872, Borge, cerca de Oslo, Noruega–desaparecido ¿18 jun. 1928?, océano Ártico). Explorador noruego que dirigió el primer grupo que llegó al POLO SUR. En 1897 participó en una expedición belga que fue la primera en invernar en la Antártida. En 1903–05 fue el primero en navegar por el paso del NOROESTE. Planeó una expedición al Polo Norte, pero después de saber que ROBERT E. PEARY había alcanzado esa meta, partió al Polo Sur en 1910. Preparó su expedición cuidadosamente y en octubre de 1911 se puso en camino con cuatro hombres, 52 perros y cuatro trineos. Alcanzó el Polo Sur en diciembre de 1911, un mes antes que el malogrado intento de ROBERT FALCON SCOTT. Regresó a Noruega y se estableció con un exitoso negocio naviero. En 1926, él y Umberto Nobile (n. 1885–m. 1978) volaron sobre el Polo Norte en un dirigible. Amundsen desapareció en 1928 cuando volaba para rescatar a Nobile cuyo dirigible se había estrellado.

Roald Amundsen, 1923.
UPI/BETTMANN

Amur, río *chino* **Heilong Jiang** *o* **Hei-lung Chiang** Río del nordeste de Asia. Nace en la confluencia de los ríos Shilka y ARGÚN y tiene una longitud de 2.824 km (1.755 mi). Fluye de este a sudeste a lo largo de la frontera ruso-china hasta Jabárovsk, Siberia, luego atraviesa territorio ruso hacia el nordeste para desembocar en el estrecho de TARTARIA. Entre sus afluentes se encuentran los ríos Zeya, Bureya y USSURI. Desde el s. XVIII, los rusos se han establecido en la ribera norte del río y los chinos en la ribera sur, situación que ha dado origen a algunos conflictos limítrofes.

An Hyang ver AN YU

An Lushan, rebelión de Rebelión que comenzó en 755 en China encabezada por An Lushan (n. 703–m. 757), general de origen turco. En la década de 740, An Lushan ascendió paso a paso en el ejército de la dinastía TANG, llegando a ser gobernador militar y favorito del emperador XUANZONG. En 755, dirigió sus tropas contra Luoyang, capital oriental, y después de capturarla se proclamó emperador. Seis meses después, sus fuerzas tomaron CHANG'AN, la capital occidental. Fue asesinado en 757 y la revuelta fue sofocada en 763. Sin embargo, el gobierno Tang quedó muy debilitado y la segunda mitad del período de la dinastía Tang y el subsecuente de las CINCO DINASTÍAS sufrieron en forma crónica el problema de los caudillos militares.

An Yu *o* **An Hyang** (1243–1306). Erudito y educador coreano neoconfucianista. En 1287 acompañó al rey Chungnyol a la corte imperial mongola de Beijing (Pekín), donde conoció los textos de ZHU XI. Al volver a Corea, An Yu se basó en el pensamiento neoconfuciano como fundamento para promover la educación. Ayudó a reconstituir la Academia Nacional (Kukhak) y estableció un presupuesto estatal para la educación nacional. Más tarde se convirtió en director del Munmyo, institución nacional coreana para la preservación de la cultura confuciana. An Yu fue conocido como un antagonista del budismo Sŏn (Zen) en Corea y como el experto del sistema confuciano más famoso de su época. Ver también NEOCONFUCIANISMO.

Ana Bolena, dibujo de Hans Holbein, c. 1534–35; Museo Británico.

© MUSEO BRITÁNICO

Ana Bolena (¿1507?–19 may. 1536, Londres, Inglaterra). Consorte real británica. Después de pasar parte de su infancia en Francia, vivió en la corte de ENRIQUE VIII, quien pronto se enamoró de ella e inició maniobras secretas para librarse de su primera esposa CATALINA DE ARAGÓN. Durante seis años, el papa CLEMENTE VII rehusó conceder la anulación. En 1533, Enrique y Ana se casaron en secreto, y Enrique hizo que el arzobispo de Canterbury, THOMAS CRANMER, anulara su matrimonio anterior. Ana dio a luz a la futura ISABEL I, pero no pudo dar a Enrique el heredero varón que este quería. El rey perdió interés en ella y en 1536 la hizo encarcelar bajo dudosos cargos de adulterio e incesto, siendo condenada y decapitada.

Ana Comneno (2 dic. 1083–c. 1153). Historiadora bizantina. Hija del emperador ALEJO I COMNENO, conspiró con su madre contra su hermano JUAN II COMNENO. Cuando el complot fue descubierto, fue obligada a entrar en un convento. Allí escribió *La Alexiada*, una biografía de su padre y un relato pro bizantino de las primeras CRUZADAS.

Ana de Austria (22 sep. 1601, Valladolid, España–20 ene. 1666, París, Francia). Reina consorte (1615–43) de LUIS XIII de Francia y regente (1643–51) de su hijo LUIS XIV. Hija de FELIPE III de España y Margarita de Austria, Ana contrajo matrimonio a los 14 años de edad con Luis XIII en 1615. Este la trató con frialdad y el poderoso cardenal RICHELIEU intentó limitar su influencia sobre su esposo. A la muerte de Luis XIII, fue declarada única regente. Se esforzó para asegurar que su hijo tuviera el mismo poder absoluto que Richelieu había ganado para Luis XIII. Junto con su primer ministro, el cardenal MAZARINO, enfrentó la serie de revueltas conocidas como La FRONDA. Su regencia terminó en 1651, cuando Luis XIV fue proclamado en edad de gobernar.

Ana de Austria, detalle de un retrato por Peter Paul Rubens; Rijksmuseum, Amsterdam.

GENTILEZA DEL RIJKSMUSEUM, AMSTERDAM

Ana de Bretaña (25 ene. 1477, Nantes, Francia–9 ene. 1514, Blois). Duquesa de Bretaña y dos veces reina consorte de Francia. Tras suceder a su padre en el ducado en 1488, Ana estableció una alianza con MAXIMILIANO I de Austria. Más tarde fue obligada a romper esa alianza y en 1491 contrajo matrimonio con CARLOS VIII de Francia, iniciando así el proceso de unificación de Bretaña con la corona francesa. Después de la muerte de Carlos (1498), se casó con su sucesor, LUIS XII. A lo largo de su vida, Ana se dedicó a salvaguardar la autonomía de Bretaña dentro del reino.

Ana de Clèves (22 sep. 1515–16 jul. 1557, Londres, Inglaterra). Cuarta esposa de ENRIQUE VIII de Inglaterra. Enrique contrajo matrimonio con Ana, a quien encontraba fea, con el fin de formar una alianza con su hermano Guillermo, duque de Clèves, líder de los protestantes alemanes occidentales. Se consideró que la alianza, concertada por THOMAS CROMWELL, era necesaria, pues parecía que las principales potencias católicas, Francia y el Sacro Imperio romano germánico, proyectaban atacar a la Inglaterra protestante. Cuando esa amenaza se disipó, el matrimonio se convirtió en un estorbo político y fue anulado por una asamblea anglicana en 1540.

Ana Estuardo (6 feb. 1665, Londres, Inglaterra–1 ago. 1714, Londres). Reina de Gran Bretaña (1702–14) y última monarca de la casa de los ESTUARDO. Segunda hija de JACOBO II, quien fue derrocado por GUILLERMO III en 1688, Ana se convirtió en reina a la muerte de Guillermo (1702). Aunque deseaba gobernar por sí misma, sus limitaciones intelectuales y mala salud la llevaron a confiar en consejeros, como el duque de MARLBOROUGH. Su reinado estuvo marcado por la UNION ACT (ley de unión) de 1707 con Escocia y por las encarnizadas rivalidades entre whigs y tories. Debido a que ella nunca dio a luz un sucesor, la corona pasó a los descendientes hannoverianos de Jacobo.

Ana Ivánovna (28 ene. 1693, Moscú, Rusia–17 oct. 1740, San Petersburgo). Emperatriz de Rusia (1730–40). Después de la muerte de PEDRO II, el alto consejo secreto, cuerpo gobernante efectivo de Rusia, ofreció el trono a Ana (como hija de IVÁN V) si aceptaba ceder el poder efectivo al consejo. Ella aceptó en un principio, pero más tarde rompió el acuerdo, abolió el consejo y restableció la autocracia, impulsando un severo régimen represivo. Se ocupó ante todo de regalarse extravagantes pasatiempos, confiando la conducción del Estado a su amante Ernst Johann Biron (n. 1690–m. 1772) y a un grupo de consejeros alemanes. Poco antes de su muerte nombró sucesor a su sobrino nieto Iván (luego IVÁN VI).

Anna Ivánovna, miniatura esmaltada por un artista desconocido, s. XVIII; colección de la señora Merriweather Post, Hillwood, Washington, D.C.

GENTILEZA DE HILLWOOD, WASHINGTON, D.C.

Anabaena Género de algas azul-verdosas (CIANOBACTERIA). Se encuentran como PLANCTON en aguas superficiales y suelo húmedo, en forma aislada o en colonias y son capaces de fijar nitrógeno. Durante el verano boreal, el extenso crecimiento de *Anabaena* puede dar lugar a florecimientos que permanecen suspendidos en el agua, en lugar de formar una espuma superficial. Produce una sustancia tóxica que es fatal para el ganado y otros animales si alcanza una concentración suficiente en los abrevaderos.

anabaptista Miembro de un movimiento de la REFORMA que se caracterizaba por recibir el BAUTISMO en edad adulta. El anabaptismo sostiene que los niños no son sujetos de castigo por el PECADO, porque no tienen conciencia del bien y del mal, por lo que aún no pueden ejercer la libre voluntad ni el arrepentimiento, tampoco aceptar el bautismo. Al negar la validez del bautismo infantil proponen a cambio el bautismo adulto como único válido. Por ello se les llamó "anabaptistas" (del griego, rebautizadores). Seguros de vivir en los últimos tiempos, los primeros anabaptistas quisieron restaurar las instituciones y el espíritu de la Iglesia primitiva. Los primeros bautismos de adultos se realizaron en las afueras de Zürich, a principios de 1525. La mayoría de los anabaptistas eran pacifistas y se negaban a prestar juramento civil. Como paradoja, Thomas Müntzer propuso una escatología más violenta que llamaba a la rebelión de los pobres contra los ricos. Fue ejecutado después de encabezar la revuelta campesina de Turingia (1525). Otro grupo de anabaptistas, guiados por Juan de Leiden, se apoderó de la ciudad de Münster y quiso establecer el reino milenario. Sus excesos llevaron a su eliminación violenta en 1535, seguida de la persecución y el martirio de los anabaptistas. Muchos anabaptistas se establecieron en Moravia, donde buscaron reconstruir la comunidad de bienes a la manera de la Iglesia primitiva de Jerusalén. Esta rama continuó como el movimiento HUTTERITA, surgido en el oeste de EE.UU. y Canadá. Cada vez más perseguidos en Europa, los anabaptistas de los Países Bajos y del norte de Alemania se unieron bajo el liderazgo de MENNO SIMONSZ y subsisten como movimiento MENONITA.

Anacleto II *orig.* **Pietro Pierleoni** (Roma–25 ene. 1138, Roma). ANTIPAPA (1130–38). Nombrado cardenal en Roma en 1116, fue elegido papa por una mayoría de cardenales en 1130, mientras que la minoría provocaba un cisma al elegir a Inocencio II. Anacleto obligó a su rival a huir a Francia, donde Inocencio fue apoyado por un concilio eclesiástico y especialmente por BERNARDO DE CLARAVAL. Los partidarios de Inocencio, incluidos los emperadores del Sacro Imperio romano y del Imperio bizantino, invadieron Italia en un infructuoso esfuerzo por restaurarlo. Una segunda expedición en 1136 desgastó el apoyo a Anacleto, quien murió antes de que la disputa fuese resuelta cuando su sucesor se sometió a Inocencio.

anaconda Cualquiera de las dos especies de serpientes constrictoras sudamericanas del género *Eunectes* (familia Boidae). La corpulenta anaconda gigante, o gran boa acuática, generalmente no mide más de 5 m (16 pies) de largo, pero puede alcanzar más de 7,5 m (24 pies), comparable con la longitud de las serpientes PITONES más grandes. La anaconda amarilla es mucho más pequeña. La anaconda gigante, de típico color verde oscuro con manchas ovaladas negras, habita los ríos tropicales al este de los Andes y en Trinidad. Es cazadora nocturna, acecha a sus presas en el agua, pudiendo constreñir animales del tamaño de un cerdo juvenil o caimán y, ocasionalmente, sube a los árboles en busca de pájaros. Puede parir 75 crías vivas a la vez.

Anaconda (*Eunectes murinus*).

Anacreonte (c. 582 AC, Teos, Jonia–c. 485). El último gran poeta lírico de la Grecia anatólica. De su obra sólo quedan fragmentos. Aunque compuso algunos poemas serios, sus poemas citados por autores posteriores están dedicados principalmente al elogio del amor, el vino y el jolgorio. Sus ideas y su estilo fueron ampliamente imitados, en el tipo de composición poética llamado anacreóntica.

anacreóntica, poesía (francés: "vers de société"). Tipo de poesía ingeniosa, generalmente irónica y liviana, y al mismo tiempo, escrita con refinamiento y naturalidad, cuya finalidad era entretener a una audiencia sofisticada. Floreció en las sociedades cultas, particularmente en los círculos cortesanos y los salones literarios, desde la época de ANACREONTE (s. VI AC). En este tipo de poesía se tratan con ingenio y familiaridad temas triviales, y el tono liviano prevalece incluso cuando el tema es un asunto de interés social. La poesía de Ogden Nash, que aborda de manera irónica el desamparo del autor en la adultez, es un ejemplo de este tipo de lírica en el s. XX.

ánade friso Pequeño PATO NADADOR (*Anas strepera*), popular ave de caza que habita todo el hemisferio norte superior. Las mayores poblaciones de Norteamérica se encuentran en ambas Dakotas y en las provincias de las praderas (grandes llanuras) canadienses. Tiene color gris parduzco con parches blancos en la parte trasera de las alas, los que son visibles sólo durante el vuelo. Su dieta preferida son tallos y hojas de plantas acuáticas, complementada con semillas y algas. A menudo vive en lagunas someras de agua dulce y pantanos, habitualmente entremezclado con bandadas de ÁNADE SILBÓN. A diferencia de estos, rara vez se alimentan en tierra.

ánade rabudo Cualquiera de las cuatro especies (género *Anas*, familia Anatidae) de PATO NADADOR, de plumaje suave y brillante, de cola y cuello largos, vuelo rápido y populares como aves de caza. El ánade rabudo común o del norte (*A. acuta*), diseminado en el hemisferio norte, vuela grandes distancias. Algunas de estas aves que habitan en Alaska invernan en Hawai. Tiene una longitud de 66–75 cm (26–30 pulg.). El macho tiene el pecho blanco, el dorso gris y la cola negra. La hembra es de color pardo jaspeado. Su dieta preferida son las semillas. El ánade rabudo pardo o de pico amarillo y el ánade rabudo de Bahamas o de mejillas blancas se encuentran principalmente en América del Sur. El ánade rabudo de pico rojo es una especie africana de color grisáceo.

Ánade rabudo común (*Anas acuta*).

ánade silbón Cualquiera de cuatro especies de PATOS NADADORES, aves comestibles y de caza bien conocidas. El ánade silbón europeo (*Anas penelope*) macho tiene cabeza rojiza, frente color crema y dorso gris. El ánade silbón americano o pato cabeciblanco americano (*A. americana*) macho tiene una coronilla blanca, franja ocular verde y dorso pardo; y estos pacen a menudo pastos tiernos. La cerceta de El Cabo (*A. capensis*), de África, se alimenta de noche.

anafilaxis Reacción corporal grave, inmediata y potencialmente fatal al contacto con una sustancia (ANTÍGENO), a la cual un individuo ha sido expuesto en forma previa. A menudo desencadenada por antisueros, antibióticos o picaduras de insectos, los síntomas de la reacción incluyen enrojecimiento de la piel, edema bronquial (con dificultad para respirar) e inconciencia. Puede devenir en CHOQUE. En los casos más leves puede implicar RONCHAS y severo dolor de cabeza intenso. El tratamiento, que consiste en inyecciones de EPINEFRINA, seguido de ANTIHISTAMÍNICOS, CORTISONA o drogas similares, debe iniciarse dentro de pocos minutos. La anafilaxis puede ser causada por pequeñísimas cantidades de antígeno.

Anaheim Ciudad (pob., 2000: 328.014 hab.) del sudoeste de California, EE.UU. Ubicada en el valle del río Santa Ana a 40 km (25 mi) al sudeste de Los Ángeles, fue fundada por inmigrantes alemanes en 1857 como una cooperativa agrícola. A partir de 1950, sus plantaciones de cítricos y viñedos casi desaparecieron producto de la expansión urbano-industrial de los Los Ángeles-Co., Orange. Disneylandia, el primer parque de diversiones de WALT DISNEY, abrió ahí sus puertas en 1955. Hoy es un importante centro de convenciones.

anal, canal Porción terminal del canal ALIMENTARIO; se distingue del RECTO por la transición de una capa de la membrana mucosa interna a una de un tejido similar a la piel y por su menor diámetro. Los excrementos se desplazan desde el recto hacia el canal anal. El canal anal humano mide 2,5–4 cm (1–1,5 pulg.) de largo y está compuesto de tres partes: la superior, con pliegues longitudinales (columnas rectales); la inferior, con músculos constrictores involuntarios y voluntarios (esfínteres) que controlan la descarga de las heces y la abertura anal propiamente tal. La dilatación de los extremos de las venas rectales y anales se denominan HEMORROIDES.

Analectas ver LUNYU

Anales de primavera y otoño ver CHUNQIU

analgésico Droga que alivia el dolor sin bloquear la conducción de impulsos nerviosos ni alterar notoriamente la función sensorial (ver sistema NERVIOSO). Se definen dos clases por el tipo de la acción que alivia el dolor. Los opiáceos (NARCÓTICOS sintéticos; ver OPIO), que actúan sobre los receptores del ENCÉFALO para inhibir los impulsos del dolor. Se pueden utilizar para aliviar el dolor a corto o largo plazo, generalmente con receta, pero implica un riesgo de DROGADICCIÓN. Los no opiáceos se utilizan en su mayor parte para alivio a corto plazo y ante un dolor moderado; están disponibles sin receta, y comprenden AINE (como ASPIRINA e IBUPROFENO) y ACETAMINOFENO; todos actúan inhibiendo la síntesis de las PROSTAGLANDINAS, moléculas involucradas en la percepción periférica del dolor.

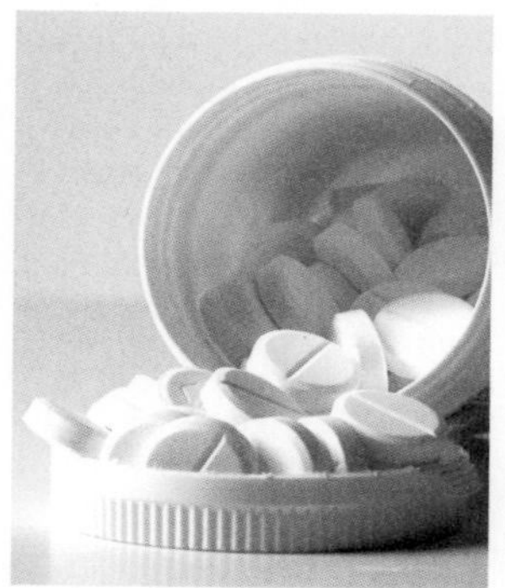

Analgésico, droga que alivia el dolor.
ARCHIVO EDIT. SANTIAGO

análisis En química, la determinación de las propiedades y la composición de muestras de materiales; el análisis cualitativo establece qué contiene y el análisis cuantitativo mide cuánto contiene. Desde sus orígenes, un gran volumen de procedimientos sistemáticos (química analítica) ha evolucionado en estrecha asociación con otras ramas de las ciencias físicas. La muestra de un COMPUESTO único se puede analizar para establecer su composición elemental (ver ELEMENTO QUÍMICO, PESO MOLECULAR) o su estructura molecular; muchas mediciones utilizan ESPECTROSCOPIA y ESPECTROFOTOMETRÍA. Generalmente, una muestra mezclada se analiza por separación, detección e identificación de sus componentes, por métodos que dependen de las diferencias en sus propiedades (p. ej., volatilidad, movilidad en un campo eléctrico o gravitacional, distribución entre líquidos que no se mezclan). Los distintos tipos de CROMATOGRAFÍA son cada vez más útiles, en particular con muestras biológicas y bioquímicas.

análisis Campo de la matemática que incorpora los métodos del álgebra (ver ÁLGEBRA Y ESTRUCTURAS ALGEBRAICAS) y del CÁLCULO –específicamente los LÍMITES, la CONTINUIDAD y la SERIE INFINITA– para analizar clases de FUNCIONES y ECUACIONES que poseen propiedades generales (p. ej., diferenciabilidad). El análisis se desarrolla a partir de los trabajos de G.W. LEIBNIZ y de ISAAC NEWTON, al investigar las aplicaciones de la DERIVADA y la INTEGRAL. Se han desarrollado varios subcampos diferenciados pero afines, como el cálculo de variaciones, las ECUACIONES DIFERENCIALES, el análisis de Fourier (ver TRANSFORMADA DE FOURIER), el análisis complejo, el ANÁLISIS TENSORIAL y vectorial, el análisis real y el ANÁLISIS FUNCIONAL. Ver también ANÁLISIS NUMÉRICO.

análisis de sangre Examen de laboratorio de las propiedades físicas y químicas, y de los componentes de una muestra de SANGRE. El análisis comprende el número de glóbulos rojos y blancos (ERITROCITOS y LEUCOCITOS); el volumen de los glóbulos rojos, la velocidad de sedimentación (asentamiento) y la concentración de HEMOGLOBINA; la CLASIFICACIÓN DE LA SANGRE; la forma y estructura celular; la estructura de la hemoglobina y de otras PROTEÍNAS; la actividad de las ENZIMAS; y la química sanguínea. Con pruebas especiales se detectan sustancias características de determinadas infecciones.

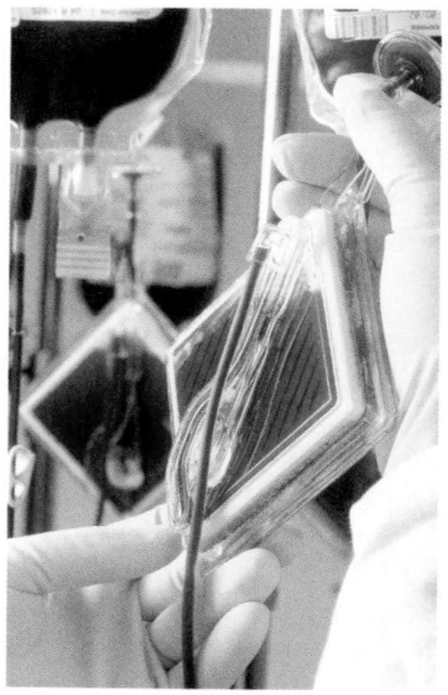

Análisis de las propiedades físicas y químicas de la sangre.
STEVE DUNWELL/THE IMAGE BANK/GETTY IMAGES

análisis dimensional Técnica usada en las ciencias físicas y en la ingeniería para reducir propiedades físicas como aceleración, viscosidad, energía y otras, a sus dimensiones fundamentales de longitud, masa y tiempo. Esta técnica facilita el estudio de las relaciones entre sistemas (o modelos de sistemas) y sus propiedades. La aceleración, p. ej., se expresa como longitud por unidad de tiempo al cuadrado; carece de importancia si las unidades de longitud están expresadas en el sistema inglés o en el sistema métrico. El análisis dimensional constituye a menudo la base de modelos matemáticos de situaciones reales.

análisis espectroquímico Cualquiera de un grupo de métodos de ANÁLISIS químicos que dependen de la medición de la LONGITUD DE ONDA y de la intensidad de la RADIACIÓN ELECTROMAGNÉTICA. Se utiliza principalmente para determinar la disposición de átomos y electrones en las moléculas, sobre la base de las cantidades de ENERGÍA que se absorbe durante los cambios en su estructura o movimiento. En su definición más común, se refiere a la ESPECTROSCOPIA de emisión ultravioleta (UV) y visible, o a la ESPECTROFOTOMETRÍA de absorción UV, visible e infrarroja (IR).

análisis funcional Rama del ANÁLISIS matemático que se ocupa de funcionales, o FUNCIONES de funciones. Surgió como un campo aparte en el s. XX, cuando se advirtió de que diversos procesos matemáticos, desde la aritmética hasta los procedimientos de CÁLCULO, presentaban propiedades muy similares. Un funcional, como una función, es una relación entre objetos, aunque los objetos pueden ser números, vectores o funciones. Una agrupación de tales objetos se llama espacio. La DERIVACIÓN es un ejemplo de un funcional, porque define una relación entre una función y otra (su derivada). La INTEGRACIÓN también es un funcional. El análisis funcional se centra en clases de funciones, como aquellas que pueden diferenciarse o integrarse.

análisis numérico Rama de la matemática aplicada que estudia métodos para resolver ecuaciones complicadas, utilizando operaciones aritméticas a menudo tan complejas que requieren de una computadora para aproximar los procesos de ANÁLISIS (i.e., de CÁLCULO). El modelo aritmético para dicha aproximación se llama ALGORITMO, el conjunto de procedimientos que la computadora ejecuta se denomina PROGRAMA COMPUTACIONAL, y los comandos que realizan los procedimientos se llaman CÓDIGO. Un ejemplo es un algoritmo para determinar por aproximación π mediante el cálculo de los perímetros de un polígono regular, haciendo que el número de lados sea muy grande. El análisis numérico no sólo se preocupa del resultado numérico de tal proceso, sino también de determinar si el ERROR en cada etapa está dentro de tolerancias aceptables.

análisis tensorial Rama de la matemática que se ocupa de las relaciones o leyes que conservan su validez independientemente del sistema de COORDENADAS utilizado para especificar las cantidades. Los tensores, inventados como una extensión de los VECTORES, son esenciales en el estudio de las VARIEDADES. Todo vector es un tensor, pero los tensores son más generales y no son fácilmente imaginables como objetos geométricos. Un tensor puede concebirse como un objeto abstracto definido como un conjunto de componentes (como coordenadas geométricas) que, bajo una TRANSFORMACIÓN de coordenadas, experimentan un cambio de tipo específico. Aun cuando las investigaciones sobre los tensores antecedieron a ALBERT EINSTEIN, el éxito de su teoría general de la RELATIVIDAD condujo a que se ampliara su investigación y se difundiera su uso entre los matemáticos y los físicos.

anamorfosis Técnica de dibujo o pintura que proporciona una imagen distorsionada del sujeto cuando se observa desde el punto de vista habitual, pero cuando se mira desde un ángulo particular o cuando se refleja en un espejo curvo muestra su verdadera proporción. Su propósito es el de entretener o mistificar. Fue un subproducto curioso del descubrimiento de la PERSPECTIVA en los s. XIV–XV y fue considerado un despliegue de virtuosismo técnico. Los primeros ejemplos aparecen en los cuadernos de LEONARDO DA VINCI.

ananás *o* **piña** Planta fructífera (*Ananas comosus*) de la familia de las Bromeliáceas, originaria de los trópicos y subtrópicos del Nuevo Mundo, pero introducida también en otros lugares. El ananás se sirve fresco en lugares donde está disponible y enlatado en el resto del mundo. Es un ingrediente clave de la cocina polinésica. Como las AGAVÁCEAS y algunas especies del género YUCA, la planta tiene una roseta de 30–40 hojas rígidas, suculentas, asentadas en un tallo grueso y carnoso. Unos 15–20 meses después de la plantación, se forma una inflorescencia bien definida. Tras la fecundación, la gran cantidad de flores lavanda se fusionan y se tornan carnosas y forman el fruto de 1–2 kg (2–4 lb). Madura en 5–6 meses.

Ananás (*Ananas comosus*).

Ananda (c. siglo VI AC, India). Primo hermano y discípulo de BUDA. El más cercano y fiel servidor de Buda, se le llamó Venerable Ananda y se le recuerda como el "discípulo amado". Fue él quien persuadió a Buda de que permitiese a las mujeres hacerse monjas. Según la tradición, Ananda era el único discípulo íntimo de Buda que no había logrado la iluminación antes de la muerte del maestro. Ananda logró el estado de liberación absoluta en vísperas del primer concilio budista (c. 544 ó 480 AC), cuando recitó de memoria el SUTTA PITAKA. Ananda es reconocido como autor de varios discursos budistas.

anarquismo Teoría política que sostiene que toda forma de autoridad estatal es innecesaria e inconveniente, y preconiza una sociedad basada en la cooperación voluntaria y en la libre asociación de personas y grupos. El término sólo fue usado peyorativamente hasta que PIERRE-JOSEPH PROUDHON, considerado hoy el fundador del anarquismo, la adoptó en su obra *¿Qué es la propiedad?* (1840). El anarquista MIJAÍL BAKUNIN se enfrentó con KARL MARX en la PRIMERA INTERNACIONAL; cuando esta fue disuelta en 1872, los seguidores de Bakunin retuvieron el control de las organizaciones de trabajadores en países latinos como España e Italia. Incluso aquellos anarquistas que creían que la transición a una sociedad sin Estado requería de una revolución violenta, estaban en desacuerdo respecto a la índole de dicha transición. El anarco-SINDICALISMO, que surgió a fines de la década de 1880, ponía de relieve la importancia de los sindicatos obreros y llamaba a huelgas generales para paralizar el Estado. En los s. XIX y XX, el anarquismo inspiró también la creación de algunas comunidades experimentales, como la de New Lanark en Gran Bretaña y la BROOK FARM en EE.UU. Durante los primeros meses de la guerra civil ESPAÑOLA, las milicias anarquistas tuvieron virtualmente bajo su control gran parte del este de España, donde establecieron cientos de cooperativas anarquistas. Suprimido por el fascismo en la década de 1930 como movimiento organizado, el anarquismo resurgió en las décadas de 1950 y 1960, a través de su influencia en el movimiento por los DERECHOS CIVILES y en los movimientos estudiantiles en EE.UU. y Europa. El movimiento radical por la ECOLOGÍA, en la década de 1970, también estaba inspirado en ideas anarquistas. A partir de 1999, las manifestaciones callejeras promovidas por anarquistas contra el BANCO MUNDIAL y el FMI recibieron una publicidad sin precedentes e inspiraron el nacimiento de nuevos grupos, periódicos y sitios en internet de corte anarquista. Temas propios del anarquismo se encuentran reflejados en la obra de muchos artistas, escritores y músicos del s. XX, como PABLO PICASSO, los poetas norteamericanos del movimiento BEAT, el director español de cine surrealista LUIS BUÑUEL y el compositor estadounidense JOHN CAGE.

anasazi, cultura Civilización indígena de América del Norte que se desarrolló c. 100 DC hasta tiempos históricos, especialmente en el territorio donde confluyen hoy las fronteras de los estados de Arizona, Nuevo México, Colorado y Utah, en EE.UU. Anasazi corresponde a la palabra navajo que significa "antiguo enemigo"; los hopi prefieren el término hisatsinom, que significa "pueblo antiguo". También es un término usado habitualmente para referirse a los ancestros de los actuales indios PUEBLO. Se distinguen distintos períodos de esta cultura: fabricantes de cestos (10–500 DC), fabricantes de cestos modificados (500–700), pueblo evolutivo (700–1050), pueblo clásico (1050–1300), pueblo regresivo (1300–1700) y pueblo moderno (1700–hasta el presente). Tal como ocurre ahora entre los indios pueblo, la religión de esta cultura era sumamente desarrollada, centrándose en ritos que realizaban parcialmente en cámaras circulares subterráneas llamadas KIVAS. Sus ruinas más conocidas son las moradas excavadas en los acantilados de MESA VERDE (Col.) y cañón del Chaco (N.M.).

Anastasia *ruso* **Anastasia Nikolaievna** (18 jun. 1901, Peterhof, Rusia–16/17 jul. 1918, Yekaterinburg). Gran duquesa de Rusia, la más joven de las hijas del zar NICOLÁS II. Fue ejecutada a la edad de 17 años con los demás miembros de su familia directa por los bolcheviques en la REVOLUCIÓN RUSA DE 1917. Después de las ejecuciones, varias mujeres fuera de Rusia reivindicaron su identidad, convirtiéndola en tema recurrente de las publicaciones y de la especulación popular. Algunas también sostuvieron ser las herederas de la fortuna Románov depositada en bancos suizos. La más famosa fue Anna Anderson (m. 1984), una polaca casada con un profesor de historia estadounidense; su demanda fue finalmente rechazada en 1970 y pruebas genéticas posteriores demostraron que no existían vínculos entre Anderson y los Románov.

Anastasio I (¿430?, Dirraquio, Epiro–9 jul. 518, Constantinopla). Emperador bizantino (491–518). En un principio miembro de la guardia de ZENÓN, le sucedió como emperador y se casó con su viuda. Anastasio reformó los sistemas monetario y tributario, y expulsó a las tribus rebeldes de Constantinopla, construyendo una muralla para proteger la capital de los invasores. Reconoció a TEODORICO como gobernante de Italia (497), pero más tarde envió una flota para que asolara la costa italiana. La guerra con Persia (502–5) finalizó cuando aceptó rendir pleitesía al rey persa. Aceptó la herejía MONOFISITA, una postura que causó inquietud en Bizancio, pero que favoreció la paz con Egipto y Siria.

Anat Principal diosa semítica occidental del amor y la guerra, hermana y compañera de BAAL, a quien rescató desde el reino de los muertos. Una de las deidades cananeas más conocidas, Anat era famosa por su vigor juvenil y ferocidad en la batalla. En Egipto era representada desnuda, erguida sobre un león y sosteniendo flores en sus manos. Durante el período helenístico, Anat y ASTARTÉ se fundieron en ATARGATIS.

Anatolia *o* **Asia Menor** *turco* **Anadolu** Península que conforma el extremo occidental de Asia. Limita al norte con el mar Negro, al sur con el mar Mediterráneo y al oeste con el mar Egeo. Su límite oriental está determinado en su mayor parte por los montes Antitauros. A grandes rasgos, Anatolia corresponde a la parte asiática de la moderna república de TURQUÍA. Durante largo tiempo fue el escenario de numerosas migraciones y conquistas, a causa de su ubicación como punto de encuentro entre Asia y Europa. Fue la cuna del Imperio HITITA (c. 1700–1180 AC). Con posterioridad, poblaciones indoeuropeas, probablemente tracias, establecieron el reino de FRIGIA. En el s. VI AC, estuvo dominada por la dinastía persa AQUEMÉNIDA, y en el 334 BC fue conquistada por ALEJANDRO MAGNO. A comienzos del s. I AC, fue incorporada a la República e Imperio de ROMA. Cuando el imperio se dividió en 395 DC, Anatolia pasó a formar parte del Imperio BIZANTINO. Resistió invasiones árabes, turcas, cruzadas, mongolas y del ejército turco de TAMERLÁN antes de que el Imperio OTOMANO tomara el control total de la península en el s. XV. Desde 1923, su historia ha sido la de Turquía moderna.

anatolias, lenguas Rama de la familia de lenguas INDOEUROPEAS hablada en Anatolia, en el segundo y primer milenio AC. Las lenguas anatolias que se han documentado son la hitita, palaito, luvita (luvilí), luvita jeroglífica, licia y lidia. La lengua hitita, que cuenta con documentación mucho mayor que las otras del grupo, es conocida principalmente por un vasto archivo de tablillas CUNEIFORMES que datan de los s. XVI a XIII AC, encontrado en 1905 en Hattusa (ahora Bogazköy, en el centro-norte de Turquía), la capital del imperio HITITA. En el período romano tardío o, a más tardar, hacia comienzos del bizantino, todas las lenguas anatolias se habían extinguido. Varias lenguas no indoeuropeas de la antigua Anatolia, conocidas a través de textos cuneiformes, en ocasiones también son consideradas como lenguas anatolias: el hatti, hablado en Anatolia central antes de la llegada de los hititas y que se conoce solamente por palabras y textos que preservaron los escribas hititas; el hurrita, hablado en el segundo milenio AC en el norte de Mesopotamia y sudeste de Anatolia, y el urarteo, conocido a través de textos anatolios del noroeste de los s. IX a VII AC.

anatomía Campo de la biología que trata de las estructuras corporales reveladas por la disección. HERÓFILO fue el primero en establecer los cimientos objetivos de la anatomía macroscópica, o el estudio de estructuras de tamaño suficiente para examinarlas a simple vista. Las ideas de GALENO representaban la autoridad anatómica en Europa hasta que los métodos de ANDREAS VESALIUS la situaron sobre los firmes cimientos de la observación de los hechos. El microscopio permitió el descubrimiento de pequeñas estructuras (p. ej., capilares y células), sujetos de la anatomía microscópica. Los avances cruciales en esta esfera, como el micrótomo, el cual rebana los especímenes en cortes finísimos, y las tinciones, condujeron a los nuevos campos de la CITOLOGÍA y la HISTOLOGÍA. El MICROSCOPIO ELECTRÓNICO inauguró el estudio de las estructuras subcelulares, y la difracción de RAYOS X dio origen a la nueva subespecialidad de anatomía molecular. La anatomía comparada coteja estructuras similares entre diferentes animales para observar cómo estos han cambiado con la EVOLUCIÓN.

Retrato de Andreas Vesalius, médico que amplió el campo de la anatomía en el s. XVI.
FOTOBANCO

anatoxina TOXINA bacteriana que se ha inactivado, pero que aún puede combinarse con ANTICUERPOS o estimular su formación. En muchas enfermedades BACTERIANAS, la bacteria produce una toxina que causa las manifestaciones de la enfermedad. Calentar o tratar químicamente la toxina la convierte en una anatoxina inofensiva, que puede ser inyectada a un ser humano o a un animal para conferirle INMUNIDAD frente a una INFECCIÓN posterior. Las VACUNAS para el TÉTANO y la DIFTERIA son anatoxinas.

Anaxágoras (c. 500, Clazómenas, Anatolia–c. 428 AC, Lámpsaco). Filósofo griego. Aunque sólo se conservan algunos fragmentos de sus escritos, se lo recuerda por su cosmología y su descubrimiento de la verdadera causa de los eclipses. Su cosmología emanó del esfuerzo de PRESOCRÁTICOS anteriores a él por explicar el universo físico en términos de un elemento único. El aspecto más original de su sistema fue su doctrina del *nous* ("inteligencia" o "razón"), según la cual el cosmos, que abarca todas las cosas vivas, fue creado por el nous en un proceso de atracción de lo "semejante por lo semejante"; el nous explica también la capacidad de las cosas vivas de extraer alimento de las sustancias circundantes.

Anaximandro (610 AC, Mileto–546/545 AC). Filósofo griego, a menudo llamado el fundador de la astronomía. Autor presunto de tratados sobre geografía, astronomía y cosmología que perduraron por varios siglos. Además, confeccionó un mapa del mundo conocido. Fue el primer pensador en desarrollar una COSMOLOGÍA. Era un racionalista que gustaba de la simetría; usó la geometría y las proporciones matemáticas para mapear los cielos. Sus teorías se apartaron de las concepciones anteriores, más místicas y prefiguraron los logros de astrónomos posteriores. Mientras que teorías anteriores habían sugerido que la Tierra estaba suspendida o sostenida desde alguna parte en los cielos, Anaximandro afirmó que la Tierra se mantenía sin soporte alguno en el centro del universo debido a que no había razón para que esta se moviera en ninguna dirección.

Mosaico de Anaximandro representado con una esfera solar, s. III DC; Museo de Renania, Trier, Alemania.
GENTILEZA DEL LANDESMUSEUM, TRIER, ALEMANIA

Anaxímenes (c. 545–480 AC). Filósofo griego de la naturaleza. Anaxímenes, TALES DE MILETO y ANAXIMANDRO son los tres pensadores milesios (ver MILETO) considerados tradicionalmente los primeros filósofos del mundo Occidental. Definió la esencia de la materia como *aer* ("aire") y explicó la densidad de los diferentes tipos de materia en términos de diversos grados de condensación de la humedad. Sus escritos se perdieron, y de ellos sólo restan las citas hechas por autores posteriores.

ANC ver CONGRESO NACIONAL AFRICANO

anchoa Cualquiera de las más de 100 especies de peces de agua salada que viven en cardúmenes (familia Engraulidae) parientes del ARENQUE. Se caracterizan por el gran tamaño de su boca aguzada, la que se extiende casi siempre hasta detrás de los ojos. La mayoría de las especies habitan mares tropicales o templados poco profundos, adentrándose habitualmente en aguas salobres alrededor de las desembocaduras de los ríos.

Anchoa (*Engraulis mordax*).

Los adultos miden 10–25 cm (4–10 pulg.) de largo. Las anchoas de aguas templadas, como la europea y la del norte, son importantes peces comestibles. Las especies tropicales como la anchoa tropical o anchoveta, revisten importancia como peces de carnada. Ver también COMPORTAMIENTO DE CARDUMEN.

Anchorage Puerto marítimo, mayor ciudad (pob., 2000: 260.283 hab.) y principal centro comercial de Alaska. Ubicada en la cabecera de COOK INLET, cerca de la base de la península de Kenai. Fue fundada en 1914 como un campamento para la construcción del ferrocarril a Fairbanks. Durante la segunda guerra mundial se convirtió en un centro clave de la aviación y defensa de EE.UU., y hoy es una escala regular de las rutas aéreas entre EE.UU. y el Asia oriental. Anchorage experimentó un rápido crecimiento poblacional hacia fines del s. XX. En 1964, un fuerte terremoto causó un gran número de muertos y cuantiosos daños materiales.

Ancona Puerto marítimo (pob., 2001: 100.402 hab.), capital de la región de Las Marcas, Italia central. Fundada por los colonizadores de SIRACUSA c. 390 AC, fue conquistada por los romanos en el s. II AC. Se convirtió en un puerto floreciente, particularmente favorecido por TRAJANO, quien amplió la rada. Fue anexada al Sacro Imperio romano en el s. XII; desde el s. XVI estuvo bajo la tutela de la Santa Sede hasta 1861, cuando Ancona volvió a ser parte de Italia. Sufrió severos bombardeos durante la segunda guerra mundial, pero muchas de las notables ruinas romanas y medievales subsisten.

Anda ver ALTAN

Andalucía Comunidad autónoma (pob., 2001: 7.357.558 hab.) y región histórica del sur de España. Ocupa una superficie de 87.599 km² (33.822 mi²); su capital es SEVILLA. La cruzan cordones montañosos, entre los que se encuentran la sierra Morena y la sierra Nevada; su principal río es el GUADALQUIVIR. Andalucía tiene una larga historia de poblamiento: por fenicios (en la actual Cádiz, c. 1100 AC), cartagineses (480 AC) y romanos. El nombre árabe Al-Andalus fue originalmente aplicado por los moros a toda la península Ibérica. Cuando la dinastía OMEYA estableció su corte en CÓRDOBA, esta zona se convirtió en el centro intelectual y político de la península. Retornó a manos de los españoles en 1492 y permaneció como una provincia hasta que, en 1833, fue dividida en las actuales ocho provincias. Región que destaca por su minería y agricultura, Andalucía también posee playas a lo largo de la Costa del Sol, de gran atractivo para la industria del turismo.

Andamán, mar de Mar marginal del océano Índico, en BENGALA. Limita con las islas ANDAMÁN Y NICOBAR, MYANMAR, la península de MALACA, el estrecho de MALACA y SUMATRA; tiene una superficie de unos 565.000 km² (218.000 mi²). Desde tiempos remotos ha sido utilizado por embarcaciones comerciales. Parte de la antigua ruta comercial de cabotaje entre India y China, desde el s. VIII se utilizó como ruta entre India (y Sri Lanka) y Myanmar. Los puertos modernos más importantes son George Town (Malasia) y YANGON (Myanmar).

Andamán y Nicobar, islas Territorio de la Unión (pob., est. 2001: 356.265 hab.), India. Está compuesto por dos grupos de islas ubicados en el golfo de BENGALA, a unos 650 km (400 mi) al oeste de Myanmar; su superficie total es de 8.249 km² (3.185 mi²). Las islas principales son Andamán del norte, Andamán central, Andamán del sur (grupo conocido en su conjunto como la Gran Andamán) y la Pequeña Andamán. El grupo Nicobar comprende Car Nicobar, Camorta (Kamorta) y Nancowry y Gran Nicobar. La mayor parte de la población vive en el grupo Andamán. El primer asentamiento europeo se estableció en PORT BLAIR, Andamán del sur, actual capital del Territorio de la Unión. En el grupo Nicobar existen evidencias de ocupación humana que datan de 1050 DC.

andamio Plataforma temporal usada para elevar y sostener a obreros y materiales durante la construcción de una estructura o máquina. Consiste en uno o más tablones de madera, soportados por estructuras de madera, de acero tubular o de aluminio (el bambú es usado también en algunas partes de Asia). El andamiaje puede subir o bajar mediante cables controlados por un trinquete o por un motor eléctrico.

Andania, misterios de Antiguo culto mistérico griego, en honor a la diosa DÉMETER y a su hija Ceres (PERSÉFONE) en Andania, Mesenia. Era oficiado por individuos consagrados de ambos sexos, provenientes de diferentes tribus. La iniciación estaba abierta a cualquiera que lo deseara. Los trajes eran sencillos y baratos, salvo para aquellos que se vestían como deidades. Se realizaba una procesión y tal vez un espectáculo al aire libre o una pieza teatral; antes de la ceremonia principal, se llevaban a cabo sacrificios a distintas deidades.

andarríos *o* **correlimos** Cualquiera de las numerosas aves costeras (familia Scolopacidae) que se reproducen o invernan en casi todo el mundo. Los andarríos tienen una longitud de 15–30 cm (6–12 pulg.), un pico y patas moderadamente largas, alas largas y estrechas y una cola bastante corta. Su plumaje presenta un complejo patrón parecido al "pasto seco" de colores pardos, negros y anteados en el dorso y blanco o crema en el vientre. Corren por playas y marismas, recogiendo insectos, crustáceos y gusanos y emitiendo sonidos finos y agudos. Muchas especies migran en grandes bandadas del Ártico a Sudamérica y Nueva Zelanda.

Andarríos de lomo rojo (*Erolia alpina pacifica*).

Andersen, Grete ver Grete WAITZ

Hans Christian Andersen.

Andersen, Hans Christian (2 abr. 1805, Odense, cerca de Copenhague, Dinamarca–4 ago. 1875, Copenhague). Escritor danés de CUENTOS DE HADAS. Aunque criado en la pobreza, recibió una educación universitaria. En sus numerosas colecciones de cuentos, publicadas entre 1835 y 1872, desestimó la tradición literaria y prefirió las locuciones y construcciones del lenguaje hablado. Sus relatos combinan con imaginación elementos universales de las leyendas folclóricas y que son títulos tan célebres como "El patito feo" y "El traje nuevo del emperador". Algunos revelan una creencia optimista en el triunfo final de la bondad y la belleza (p. ej., "La reina de las nieves"), pero otros son profundamente pesimistas. Los cuentos de Andersen resultan conmovedores en buena parte por la forma en que se identifican con los infortunados y los marginados. También escribió obras teatrales, novelas, poemas, libros de viajes y varias autobiografías.

Anderson, Elizabeth Garret (9 jun. 1836, Aldeburgh, Suffolk, Inglaterra–17 dic. 1917, Aldeburgh). Médico británica. Se le negó el ingreso a las escuelas de medicina y estudió privadamente con médicos en hospitales de Londres, y fue la primera mujer licenciada en medicina en Gran Bretaña (1865). Designada médico general tratante del St. Mary's Dispensary (Dispensario de Santa María) (1866), posteriormente llamado New Hospital for Women (Nuevo Hospital de Mujeres), creó una escuela de medicina para mujeres, y en 1918 se bautizó con su nombre el hospital.

Anderson, (James) Maxwell (15 dic. 1888, Atlantic, Pa., EE.UU.–28 feb. 1959, Stamford, Conn.). Dramaturgo estadounidense. Trabajó como periodista antes de coescribir su primera obra exitosa, *El precio de la gloria* (1924), a la que siguió *Hijos del sábado* (1927). Sus dramas en verso *La reina Isabel* (1930) y *María Estuardo* (1933) fueron adaptados al cine. Retornó a la prosa con la sátira *Vuestras dos casas* (1933, Premio Pulitzer) y la tragedia *Winterset* (1935), para después retomar el verso con *High Tor* (1936), una comedia romántica. Colaboró con KURT WEILL en los musicales *Knickerbocker Holiday* (1938) y *Perdido en las estrellas* (1949). Su última obra, *La mala semilla* (1954), se convirtió en una película exitosa.

Maxwell Anderson, dramaturgo estadounidense.
BROWN BROTHERS

Anderson, Laurie (n. 5 jun. 1947, Wayne, Ill., EE.UU.). Actriz teatral estadounidense. En 1973, después de estudiar en el Barnard College y en la Universidad de Columbia, comenzó a dar representaciones en Nueva York mientras enseñaba historia del arte en la Universidad de la Ciudad de Nueva York. Al combinar elementos de la música, el teatro (danza, pantomima), el cine, la tecnología y el lenguaje hablado, satirizó la cultura de los medios de comunicación masiva mediante el uso de las herramientas que estos mismos proveen. Su éxito de música pop, la canción "O Superman" (1980), la llevó a grabar dos álbumes, *Big Science* (1982) y *Mister Heartbreak* (1984). Su principal obra en la década de 1980 fue la espectacular producción multimedial *United States*. Otras de sus creaciones son *Stories from the Nerve Bible* (1993) y una pieza multimedial basada en *Moby Dick* (1999).

Anderson, Leroy (29 jun. 1908, Cambridge, Mass., EE.UU.–18 may. 1975, Woodbury, Conn.). Compositor de música orquestal ligera estadounidense. Estudió composición y alemán además de lenguas escandinavas en la Universidad de Harvard. Dominaba nueve idiomas; en dos guerras fue intérprete del ejército. En 1936 comenzó una larga asociación con ARTHUR FIEDLER y la orquesta Boston Pops, y piezas como "Syncopated Clock", "Sleigh Ride", "Bugler's Holiday" y la *Irish Suite* se hicieron clásicas.

Anderson, Lindsay (17 abr. 1923, Bangalore, India–30 ago. 1994, cerca de Angulema, Francia). Director de cine y crítico inglés. Fue el director fundador de la revista de cine *Sequence*, y desde 1948 dirigió una serie de documentales, entre los que figura *Los niños del jueves* (1955, premio de la Academia). Acuñó el término "Free Cinema" (cine libre) para el movimiento fílmico británico inspirado en la obra *Mirando hacia atrás con ira* de JOHN OSBORNE. Su primera película, *El ingenuo salvaje* (1963), es un clásico del cine realista y social británico. Dirigió varias producciones teatrales antes de realizar su siguiente película, *If...* (1968). Luego de dirigir los estrenos de obras de David Storey, continuó haciendo películas como *Un hombre afortunado* (1973) y *Las ballenas de agosto* (1987).

Marian Anderson.
GENTILEZA DE RCA RECORDS

Anderson, Marian (27 feb. 1897, Filadelfia, Pa., EE.UU.–8 abr. 1993, Portland, Ore.). Cantante estadounidense. Fue reconocida de inmediato por la belleza de su voz y talento artístico desde que debutó en Nueva York en 1924. Pero el hecho de ser afroamericana le imposibilitó dar conciertos o hacer carrera en la ópera en EE.UU. Su debut en Londres en 1930 y las giras por Escandinavia la afianzaron en Europa donde trabajó exclusivamente hasta 1935. Cuando en 1939 la fundación Daughters of the American Revolution (Hijas de la guerra de independencia de EE.UU.) le negó el uso del Constitution Hall en Washington, D.C., ELEANOR ROOSEVELT dispuso que cantara en el Lincoln Memorial, difundiéndose el concierto con gran éxito. Su estreno en el Metropolitan Opera, la primera actuación realizada allí por una cantante afroamericana, tuvo lugar en 1955, cuando frisaba los 60 años.

Anderson, Sherwood (13 sep. 1876, Camden, Ohio, EE.UU.–8 mar. 1941, Colón, Panamá). Escritor estadounidense. Anderson tuvo una escolaridad informal. Ya casado, abandonó abruptamente a su familia y dejó su carrera de negocios para convertirse en escritor en Chicago. *Winesburg en Ohio* (1919), colección de bocetos y relatos interrelacionados sobre las oscuras vidas de los ciudadanos de una pequeña comunidad, fue su primera obra madura y cimentó su reputación literaria. Sus cuentos están compilados en *The Triumph of the Egg* [El triunfo del huevo] (1921), *Horses and Men* [Caballos y hombres] (1923) y *Muerte en el bosque* (1933). La prosa de Anderson, basada en el lenguaje cotidiano e influenciada por la escritura experimental de GERTRUDE STEIN, influyó a su vez en autores como ERNEST HEMINGWAY y WILLIAM FAULKNER.

Andersonville Aldea del centro-sudoeste de Georgia, EE.UU. Ahí se ubicaba una prisión militar de la Confederación durante la guerra de SECESIÓN. Tristemente célebre por sus terribles condiciones, sólo proporcionaba un refugio improvisado para los prisioneros de la Unión, de los cuales falleció más de un 25%. El cementerio nacional de Andersonville, dentro del cual se encontraba la prisión, contiene las tumbas de 12.912 prisioneros de la Unión que murieron allí. En 1865, el cap. Henry Wirz, comandante a cargo de la prisión, fue juzgado por un tribunal militar y condenado a la horca.

Andes, cordillera de los Sistema montañoso en el oeste de América del Sur. Una de las grandes formaciones naturales del planeta, la cordillera de los Andes tiene una extensión de norte a sur de unos 8.850 km (5.500 mi). Bordea la costa del mar Caribe en Venezuela, para luego desviarse hacia el sudoeste y entrar en Colombia. En este país se forman tres diferentes macizos: la cordillera Oriental, la Central y la Occidental. En Ecuador se forman dos cordilleras paralelas, una enfrenta el Pacífico y la otra desciende hacia la cuenca del río Amazonas. Estas cordilleras se extienden luego al sudoeste hacia el Perú. La cumbre más alta del Perú es el monte

Huascarán en la cordillera Blanca, que alcanza los 6.768 m (22.205 pies). En Bolivia vuelve a formar dos regiones distintas; entre ellas se extiende el ALTIPLANO ANDINO. A lo largo de la frontera entre Chile y la Argentina forma una compleja cadena que incluye la cumbre más alta, el ACONCAGUA, que se eleva a 6.959 m (22.831 pies). En el sur de Chile, parte de la cordillera se sumerge en el mar, formando numerosas islas. De la cordillera de los Andes emerge una gran cantidad de volcanes que forman parte de la cadena que circunda el Pacífico, conocida como CINTURÓN DE FUEGO. En el sistema montañoso de los Andes nacen muchos ríos, entre los que destacan el ORINOCO, el AMAZONAS y el PILCOMAYO.

Andes, Universidad de los Universidad privada de Colombia, creada en 1948, y la primera de carácter laico. Es una institución integral de enseñanza superior e investigación que cuenta con nueve facultades: administración, arquitectura y diseño, artes y humanidades, ciencias, ciencias sociales, derecho, economía, ingeniería, y medicina. En ellas se ofrecen 28 programas de pregrado y 61 de posgrado, entre grados de magíster, Ph.D. y especializaciones. Además organiza programas de educación permanente y de extensión. Su campus está ubicado en el centro de la ciudad de Bogotá.

andesita Cualquier miembro de una gran familia de rocas que aparecen en la mayoría de las zonas volcánicas del mundo, principalmente como depósitos superficiales y en menor medida como diques y pequeños tapones. Los Andes, de donde proviene su nombre, y gran parte de la cordillera (cadenas montañosas paralelas) de América Central y América del Norte, están formados en especial de andesita. También se encuentra en abundancia en volcanes a lo largo de casi todo el margen de la cuenca del Pacífico. Las andesitas son casi siempre rocas porfídicas (con cristales visibles en una base de grano fino).

Andhra Pradesh Estado (pob., est. 2001: 75.727.541 hab.) del sudeste de India. Localizado en el golfo de BENGALA, limita con los estados de TAMIL NADU, KARNATAKA, MAHARASHTRA, CHATTISGARH y ORISSA. Con 275.068 km^2 (106.204 mi^2) de superficie, fue creado en 1953 por encargo del estado de Madrás (ver CHENNAI); su capital es HYDERABAD. Su nombre deriva del pueblo Andhra de habla telugu, antiguos habitantes de la zona. A partir del s. III AC muchas dinastías florecieron en el lugar. Durante el s. XVII, el territorio cayó bajo el dominio británico; en el s. XIX, los andhras jugaron un rol decisivo en el surgimiento del nacionalismo indio. La economía del estado es principalmente agrícola.

andinas, civilizaciones Conjunto de culturas aborígenes que se desarrollaron en la región andina (ver cordillera de los ANDES) del oeste de América del Sur, antes del arribo de los CONQUISTADORES españoles en el s. XVI. A diferencia de los pueblos de las civilizaciones MESOAMERICANAS, ninguno de los pueblos aborígenes andinos desarrolló un sistema de escritura, si bien los INCAS implementaron un sofisticado sistema de contabilidad (quipus). Sin embargo, por su nivel de desarrollo cultural y dominio técnico de las artes y oficios, esta civilización constituye el equivalente americano de las del antiguo Egipto, China y Mesopotamia. Ver también CHIBCHA; CHIMÚ; MOCHICA; TIAHUANACO.

Andizhán Ciudad (pob., est. 1998: 288.000 hab.) del este de Uzbekistán. Data a partir del s. IX DC. Durante el s. XV fue un importante centro comercial debido a su ubicación en la ruta de la SEDA. Durante el s. XVIII formó parte del kanato de Kokand (ver QO'QON) y en 1876 fue capturada por los rusos. El área que la circunda es la más densamente poblada de Uzbekistán y la principal región productora de petróleo del país.

Andócides (c. 440–390 AC). Orador y político ateniense. Partió al exilio (415–403 AC) después de verse implicado y haber informado de los responsables de la mutilación de los sagrados bustos de Hermes en vísperas de la expedición ateniense a Sicilia. Regresó al restaurarse la democracia ateniense. Cooperó en la preparación de un tratado con ESPARTA luego de la guerra de Corinto (392), pero Atenas lo rechazó y fue exiliado junto con los demás embajadores.

ANDORRA

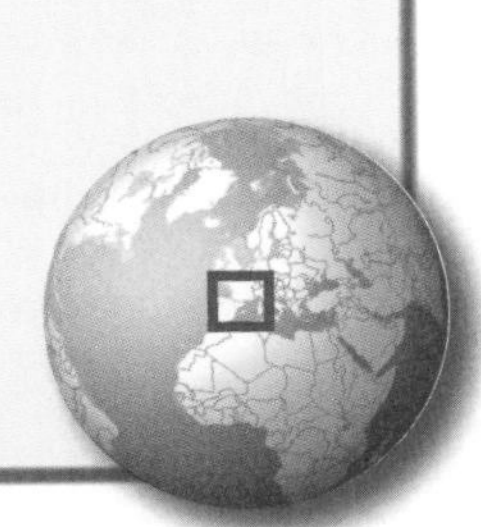

- **Superficie:** 464 km^2 (179 mi^2)
- **Población:** 74.800 hab. (est. 2005)
- **Capital:** ANDORRA LA VELLA
- **Moneda:** euro

Andorra *ofic.* **Principado de Andorra** Coprincipado independiente del sudoeste de Europa. Ubicado en las laderas meridionales de los PIRINEOS, consiste en un grupo de valles montañosos cuyos riachuelos forman el río Valira; limita con España y Francia. La mayoría de su población es española; una minoría es andorriana. Idioma: catalán (oficial). Religión: católica. La independencia de Andorra es generalmente adjudicada a CARLOMAGNO, quien recuperó la zona de los musulmanes en 803 dc. Fue puesta bajo la tutela conjunta de los condes franceses de Foix y los obispos españoles de Urgel en 1278, y desde entonces fue gobernada conjuntamente por el obispo español de Urgel y el gobernante de Francia. Este sistema feudal de gobierno, el último de Europa, duró hasta 1993, cuando se aprobó una constitución que transfería la mayor parte de los poderes del gobierno al Consejo General de Andorra, elegido por votación popular. Andorra ha tenido por mucho tiempo una fuerte afinidad con Cataluña; sus instituciones están basadas en leyes catalanas y es parte de la diócesis de Urgel (España). La economía tradicional estaba basada en la crianza de ovejas. Desde la década de 1950, el turismo ha crecido en importancia hasta convertirse, a comienzos del s. XXI, en parte central de la economía de Andorra.

Andorra la Vella Ciudad (pob., est. 2001: 20.800 hab.), capital de Andorra. Se encuentra ubicada cerca de la confluencia de los ríos Valira y Valira del Norte. La ciudad permaneció por largo tiempo relativamente aislada del mundo exterior, pero su población empezó a aumentar después de la segunda guerra mundial, cuando comenzaron a llegar turistas a las zonas deportivas aledañas. Debido a su condición de zona franca, se ha convertido en un centro de comercio al detalle para otros europeos.

Andrada e Silva, José Bonifácio de *llamado* **José Bonifácio** (c. 1763, Santos, Brasil–6 abr. 1838, Niterói). Principal artífice de la independencia de Brasil. Nació en Brasil pero fue educado en Portugal, donde se convirtió en un distinguido académico. A su regreso a Brasil, en 1819, se desempeñó como primer ministro del príncipe regente portugués (luego emperador PEDRO I), quien había dejado Portugal con los demás miembros de la familia real huyendo de Napoleón. Fue el principal defensor intelectual de la eman-

Andrada e Silva, retrato de un artista desconocido.
GENTILEZA DEL ARCHIVO NACIONAL DE BRASIL

cipación. Después de que Pedro I declaró la independencia del Brasil en 1822, ofició como primer ministro y tutor del niño emperador PEDRO II, quien llegó a ser un monarca eficiente e ilustrado.

Andrade, Mario (Raul) de (Morais) (9 oct. 1893, São Paulo, Brasil–25 feb. 1945, São Paulo). Escritor brasileño. Su importancia reside en haber introducido una prosa de tono personal y coloquial. Figura importante en el movimiento modernista, junto con OSWALD DE ANDRADE organizó en 1922 lo que sería un evento clave en la vida artística de Brasil, la "Semana da Arte Moderna". Allí presentó *Paulicéia desvairada* [Ciudad alucinada] (1922), posteriormente reconocida como la obra más influyente de la poesía moderna brasileña. Fue ministro de cultura desde 1935 hasta su fallecimiento. Dio especial importancia al folclor y a la música popular, como lo demuestra su novela *Macunaíma* (1928). La obra *Poesías completas* fue recopilada y publicada en forma póstuma en 1955.

Andrade, Oswald de (11 ene. 1890, São Paulo, Brasil–22 oct. 1954, São Paulo). Escritor e intelectual brasileño. Junto con su amigo, el poeta MARIO DE ANDRADE, fue uno de los organizadores de la "Semana da Arte Moderna" en 1922, donde se establecieron las bases del movimiento modernista brasileño. En 1928 publicó su *Manifiesto antropófago*, obra de gran influencia en el posterior desarrollo de la "poesía concreta brasileña", en la que plantea un modernismo basado en la asimilación y recomposición de las tendencias estéticas extranjeras desde una óptica brasileña. Entre 1922 y 1934 publicó la denominada "Trilogía del exilio", compuesta por las novelas *Os condenados* [Los condenados] (1922), *Estrela de absinto* [Estrella del ajenjo] (1927) y *A escada vermelha* [La escalera roja] (1934).

Andrássy Gyula, conde (3 mar. 1823, Kassa, Hungría, Imperio austríaco–18 feb. 1890, Volosco, Istria, Austria-Hungría). Político húngaro. Partidario de LAJOS KOSSUTH, Andrássy ayudó a dirigir la fracasada revuelta de 1848–49, y luego huyó al exilio hasta 1857. Apoyó la creación de la monarquía dual de Austria-Hungría y jugó un importante papel en la negociación del COMPROMISO DE 1867. Fue primer ministro de Hungría (1867–71) y más tarde ministro de asuntos exteriores (1871–79), contribuyendo al fortalecimiento de la posición internacional de Austria-Hungría. Justo antes de renunciar, firmó la fatídica alianza AUSTROALEMANA (1879), que ligó a las dos potencias hasta el fin de la primera guerra mundial.

Andre, Carl (n. 16 sep. 1935, Quincy, Mass., EE.UU.). Escultor estadounidense. Hijo de un dibujante de una empresa de construcción naval, asistió a la Academia Phillips Andover y a la Universidad Northeastern. Se mudó a Nueva York en 1957 y pronto realizó esculturas horizontales de gran formato, hechas de placas de acero, losas de granito, tablas de poliestireno, ladrillos y bloques de cemento, utilizando un sistema reticular basado en simples principios matemáticos. La obra de este período a menudo estaba destinada a ser instalada directamente en el piso de la galería o museo; su austeridad monumental fue capital para el movimiento minimalista (ver MINIMALISMO). En la década de 1970 comenzó también a experimentar con esculturas en madera de gran formato.

André, John (2 may. 1750, Londres, Inglaterra–2 oct. 1780, Tappan, N.Y., EE.UU.). Oficial de ejército y espía británico. Desde 1774 fue el jefe de inteligencia del comandante británico HENRY CLINTON, en Nueva York. En 1779 inició una correspondencia con el gral. BENEDICT ARNOLD, quien se había desilusionado de la causa estadounidense. En 1780 consiguió que Arnold aceptara la entrega del fuerte West Point. Durante su regreso a Nueva York, fue capturado y se descubrió que en una de sus botas llevaba documentos que lo incriminaban. Fue declarado culpable de espionaje y murió en la horca.

Andrea del Sarto *orig.* **Andrea d'Agnolo** (16 jul. 1486, Florencia–28 sep. 1530, Florencia). Pintor italiano que trabajó en Florencia. Luego de ser aprendiz de PIERO DI COSIMO, llegó a establecerse como uno de los pintores florentinos sobresalientes, sobre todo como pintor de frescos y retablos en el estilo del Alto Renacimiento. Su sensibilidad por el color y el ambiente no tuvo rivales entre los pintores florentinos. Uno de sus logros más sorprendentes fue la serie de frescos en grisalla sobre la vida de san Juan Bautista (1511–26) en el Claustro de los Descalzos. Su obra destaca especialmente por su perfección técnica.

"Matrimonio de Santa Catalina", óleo sobre panel de Andrea del Sarto, 1512–13; Gemäldegalerie Alte Meister, Dresde, Alemania.

SACHSISCHE LANDESBIBLIOTHEK/ABTEILUNG DEUTSCHE FOTOTHEK/A. ROUS

Andreanof, islas Grupo perteneciente a las islas ALEUTIANAS, al sudoeste de Alaska, EE.UU. Ubicadas entre el océano Pacífico y el mar de BERING, las islas se extienden de este a oeste por aprox. 430 km (270 mi) entre los grupos de islas Fox y Rat. Durante la segunda guerra mundial adquirieron importancia estratégica cuando EE.UU. construyó bases militares allí, especialmente en la isla Adak. Otras islas del grupo son Atka, Tanaga y Kanaga.

Andreini, familia Actores italianos. Después de contraer matrimonio, Francesco Andreini (n. 1548–m. 1624) e Isabella Canali Andreini (n. 1562–m. 1604) fundaron la Compagnia dei Gelosi, una de las primeras y más famosas *troupes* de la COMMEDIA DELL'ARTE. El hijo de ambos, Giovambattista Andreini (n. ¿1579?–m. 1654), actuó en la compañía de sus padres hasta c. 1601, año en que formó su propia *troupe*, la Compagnia dei Fedeli. Esta *troupe* fue invitada a la corte francesa en París, donde Giovambattista Andreini escribió la obra *Adamo* (1613), que supuestamente habría inspirado al poeta inglés JOHN MILTON para crear su *Paraíso perdido*.

Andrés II *húngaro* **Endre** (1175–26 oct. 1235). Rey de Hungría (1205–35). Su reinado estuvo marcado por la controversia con la nobleza terrateniente, que agotó las arcas reales y redujo a Hungría a una situación casi anárquica. Nobles rebeldes asesinaron a su primera esposa, Gertrudis de Meran, en 1213. Andrés encabezó una CRUZADA a Tierra Santa en 1217. A su regreso, aceptó promulgar la Bula de Oro de 1222, que limitó los derechos reales, garantizó el derecho a recibir justicia, prometió mejorar la acuñación de monedas y otorgó a los nobles el derecho a resistir los decretos reales. Fue padre de santa ISABEL DE HUNGRÍA.

Andrés, san (m. 60/70 DC, Patras, Acaya; festividad: 30 de noviembre). Uno de los doce APÓSTOLES, hermano de san PEDRO, santo patrono de Escocia y Rusia. Según los Evangelios, Andrés era pescador y discípulo de san JUAN BAUTISTA. La temprana tradición bizantina distingue a Andrés como *protokletos*, "primero en ser llamado". Él y Pedro fueron sacados de sus labores de pesca por JESÚS, quien les prometió hacerlos pescadores de hombres. Leyendas de la Iglesia primitiva dan cuenta del trabajo misionero de Andrés alrededor del mar Negro. Una tradición del s. IV dice que fue crucificado; otra más tardía del s. XIII afirma que la cruz tenía forma de X. Las reliquias de san Andrés fueron cambiadas de lugar varias veces después de su muerte; la cabeza se conservó en la basílica de San Pedro en Roma desde el s. XV hasta 1964, cuando el papa la devolvió a Grecia como un gesto de buena voluntad.

Andretti, Mario (Gabriel) (n. 28 feb. 1940, Montona, Italia). Piloto de automovilismo deportivo estadounidense de origen italiano. Cobró interés en las carreras de autos en Italia, antes de trasladarse a EE.UU. en 1955. Sus notables triunfos incluyen tres campeonatos del Automóvil Club de EE.UU. (USAC, por su sigla en inglés) en 1965–66 y 1969; las 500 millas de Daytona de autos de serie (1967), el Grand Prix de Sebring (1967, 1970), las 500 millas de INDIANÁPOLIS (1969) y el campeonato mundial de pilotos de Fórmula Uno (1978). Se retiró de las competencias en 1994.

Andrews, Dame Julie *orig.* **Julia Elizabeth Wells** (n. 1 oct. 1935, Walton-on-Thames, Surrey, Inglaterra). Actriz y cantante angloestadounidense. Debutó en Londres a los 12 años en un espectáculo revisteril y más tarde en los escenarios de Nueva York con *El novio* (1954). Fue una estrella destacada de los musicales de Broadway, donde interpretó los papeles de Eliza Doolittle en *Mi bella dama* (1956) y Guinevere en *Camelot* (1960). También protagonizó *Mary Poppins* (1964, premio de la Academia) y *Victor/Victoria* (1982), una de las muchas películas que hizo con su esposo, el director de cine BLAKE EDWARDS. En el 2000 fue nombrada Dama del Imperio británico.

Nebulosa de Andrómeda, galaxia distante a unos dos millones de años luz de la Tierra.
ARCHIVO EDIT. SANTIAGO

Andrews, Roy Chapman (26 ene. 1884, Beloit, Wis., EE.UU.–11 mar. 1960, Carmel, Cal.). Naturalista, explorador y escritor estadounidense. En 1906 entró a trabajar en el American Museum of Natural History, donde habría de pasar buena parte de su vida laboral. Ahí reunió una de las mejores colecciones de cetáceos del mundo, antes de dedicarse a la exploración de Asia. Encabezó expediciones al Tíbet, China sudoccidental y Birmania (1916–17); China septentrional y Mongolia Exterior (1919); y Asia central. Entre sus descubrimientos más importantes se cuentan los primeros huevos de dinosaurio conocidos, partes del esqueleto del *Baluchitherium* (el mamífero terrestre más grande que se conoce) y pruebas de vida humana prehistórica. Entre sus numerosos libros de divulgación se cuentan *Across Mongolian Plains* [Cruzando las llanuras de Mongolia] (1921) y *This Amazing Planet* [Este planeta asombroso] (1940).

Andrić, Ivo (10 oct. 1892, Dolac, cerca de Travnik, Bosnia–13 mar. 1975, Belgrado, Yugoslavia). Escritor bosnio. Cimentó su reputación con *Ex Ponto* (1918), el cual escribió estando recluido por sus actividades políticas nacionalistas en la primera guerra mundial. Posteriormente fue diplomático yugoslavo. Se han publicado colecciones de sus cuentos desde 1920 en adelante. De sus tres novelas, escritas durante la segunda guerra mundial, dos –*Un puente sobre el Drina* (1945) y *Bosnian Story* [Historia bosnia] (1945)– se refieren a la historia de Bosnia. En 1961 fue galardonado con el Premio Nobel de Literatura.

Ivo Andrić, 1961.
GENTILEZA DEL SERVICIO DE INFORMACIONES, YUGOSLAVIA (ACTUAL SERBIA Y MONTENEGRO)

andrógeno Cualquiera de un grupo de HORMONAS que influye principalmente en el desarrollo del sistema REPRODUCTIVO masculino. El andrógeno principal y más activo es la TESTOSTERONA, producida por las células de los TESTÍCULOS. Los andrógenos producidos en menor cantidad, principalmente por las GLÁNDULAS SUPRARRENALES pero también por los testículos, apoyan las funciones de la testosterona. Los andrógenos causan los cambios corporales normales de la PUBERTAD en los niños y más tarde influyen en la formación de espermios, en el interés y las conductas sexuales, y el patrón masculino de la calvicie. Las mujeres producen trazas de andrógenos, la mayor parte en las glándulas suprarrenales y también en los ovarios.

Andrómeda En la mitología GRIEGA, la esposa de PERSEO. Andrómeda era hija de Casiopea y Cefeo, monarcas de Jopa en Palestina (llamada Etiopía). Su madre se jactaba de que Andrómeda superaba en hermosura a las NEREIDAS. POSEIDÓN castigó a la reina enviando un monstruo marino a devastar Jopa. Para apaciguar a los dioses, Andrómeda fue encadenada a una roca y abandonada ahí para ser devorada por el monstruo. Perseo, que sobrevolaba el lugar montado en PEGASO, se enamoró de ella y mató al monstruo. Andrómeda lo desposó y le dio seis hijos y una hija. Al morir, Andrómeda se convirtió en una constelación.

Andrómeda, galaxia *o* **M31** Gran GALAXIA espiral en la constelación de Andrómeda. Es la galaxia espiral fuera de la VÍA LÁCTEA más cercana y una de las pocas visibles a simple vista, con la apariencia de una mancha lechosa. Distante a unos 2 millones de años-luz de la Tierra, tiene un diámetro de unos 200.000 años-luz, convirtiéndola en la galaxia más grande del GRUPO LOCAL. Por siglos, los astrónomos la consideraron parte de la Vía Láctea; sólo en la década de 1920, EDWIN HUBBLE determinó de manera concluyente que era una galaxia aparte.

Andrónico I Comneno (1118, Constantinopla–sep. 1185, Constantinopla). Emperador bizantino (1183–85), el último de la dinastía de los Comneno. Primo de MANUEL I COMNENO, reclutó un ejército y tomó el poder en 1182, provocando una matanza de occidentales en Constantinopla. Fue coronado coemperador con Alejo II en 1183. Dos meses más tarde hizo estrangular a Alejo y se casó con su viuda de 13 años de edad. Andrónico reformó el gobierno bizantino y declaró la independencia de la Iglesia oriental, lo que provocó una invasión de normandos sicilianos. Las noticias sobre el avance de los normandos causaron una revuelta, en la que Andrónico fue asesinado por una turba e ISAAC II ÁNGELO fue coronado emperador.

Andrónico II Paleólogo (c. 1260, Constantinopla–13 feb. 1332, Constantinopla). Emperador bizantino (1282–1328). Hijo de MIGUEL VIII PALEÓLOGO, fue un intelectual y teólogo más que militar y estadista. Durante su reinado, el Imperio BIZANTINO pasó a tener un papel secundario. En 1300 los turcos otomanos controlaban Anatolia y los serbios dominaban los Balcanes. En la guerra entre Génova y Venecia, Andrónico se abanderó con la primera, lo que provocó un ataque de la armada veneciana. A pesar del creciente desorden político, fomentó el arte bizantino y la independencia de la Iglesia ortodoxa oriental. Depuesto por su nieto ANDRÓNICO III PALEÓLOGO, ingresó a un monasterio.

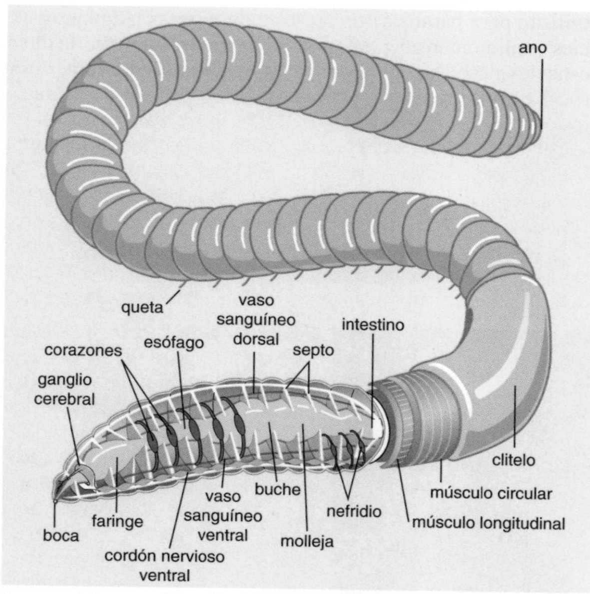

Esquema del cuerpo de una lombriz. Los tabiques (septos) dividen la cavidad corporal (celoma) en más de 100 segmentos. Los músculos circulares y longitudinales operan junto con las quetas para que la lombriz avance. La tierra es aspirada por la acción succionadora de la faringe; el buche libera lentamente el alimento hacia la molleja, donde la tierra es molida, para liberar y desmenuzar la materia orgánica. El ganglio cerebral o "cerebro" controla todas las funciones y movimientos corporales mediante un cordón nervioso ventral. La contracción de los corazones (arcos aórticos) y del vaso sanguíneo ventral impulsan la sangre por el cuerpo, la que retorna por el vaso sanguíneo dorsal. El desecho nitrogenado es eliminado por los túbulos de los nefridios. El clitelo secreta moco para el apareamiento y además un capullo en el que se depositan los huevos.

Andrónico III Paleólogo (25 mar. 1297, Constantinopla–15 jun. 1341, Constantinopla). Emperador bizantino (1328–41). Obligó a su abuelo ANDRÓNICO II PALEÓLOGO a nombrarlo coemperador (1325) y luego lo hizo abdicar (1328). Le encomendó a JUAN VI CANTACUCENO reformar las cortes y reconstruir la armada imperial. Cedió a Serbia el control de Macedonia (1334) y perdió territorio a manos de los turcos otomanos en Anatolia, pero recuperó algunas islas egeas que estaban en poder de los genoveses y reafirmó el dominio bizantino sobre Epiro y Tesalia.

Andrópov, Yuri (Vladimírovich) (15 jun. 1914, Nagutskoie, Rusia–9 feb. 1984, Moscú, Rusia, U.R.S.S.). Líder soviético. Ingresó al Partido Comunista en 1939 y ascendió rápidamente en la jerarquía partidaria. Su desempeño como jefe de la KGB (1967–82) se caracterizó por la supresión de la disidencia política. En 1982 sucedió a LEONID BRÉZHNEV como secretario general del comité central del partido, pero pronto enfermó, siendo poco más lo que pudo hacer antes de morir 15 meses más tarde.

Andros, isla Isla (pob., 2000: 7.686 hab.) ubicada en Bahamas. La mayor isla de Las Bahamas se extiende a lo largo de 160 km (100 mi) de norte a sur y por 72 km (45 mi) aprox. de este a oeste; su superficie es de 6.000 km^2 (2.300 mi^2). Frente a su costa oriental se encuentra el tercer arrecife de coral más grande del mundo.

Andros, Sir Edmund (6 dic. 1637, Londres, Inglaterra–24 feb. 1714, Londres). Administrador colonial inglés en América del Norte. Nombrado gobernador de Nueva York y Nueva Jersey, en 1674, fue retirado en 1681 debido a quejas de los colonos. Regresó en 1686 con el cargo de gobernador del Dominio de Nueva Inglaterra, especie de supercolonia que impuso Gran Bretaña. Su injerencia en el gobierno local despertó un fuerte resentimiento entre los colonos, quienes se rebelaron en 1688 y lo encarcelaron. Fue llamado otra vez a Inglaterra, pero volvió como gobernador de Virginia (1692) y Maryland (1693–94).

anélido Cualquier miembro de un filo de animales INVERTEBRADOS (Annelida), que posee una cavidad corporal (celoma), cerdas móviles (quetas) y el cuerpo dividido en segmentos en forma de anillos (somitos), conocido como GUSANO segmentado. Los anélidos se dividen en tres clases: gusanos marinos (Polychaeta; ver POLIQUETO), LOMBRICES (Oligochaeta) y SANGUIJUELAS (Hirudinea).

anemia Dolencia en que los ERITROCITOS están reducidos en cantidad o volumen, o son deficientes en HEMOGLOBINA. El paciente suele verse notoriamente pálido. Existen cerca de 100 variedades (entre ellas, la ANEMIA APLÁSTICA, la ANEMIA PERNICIOSA y la ANEMIA DREPANOCÍTICA) que se distinguen por sus causas, tamaño y forma de los eritrocitos, contenido de hemoglobina y síntomas. La anemia puede ser consecuencia de pérdidas de sangre, aumento de la destrucción, disminución de la producción o inhibición de la formación de glóbulos rojos, o deficiencia hormonal. El tratamiento puede implicar el mejoramiento de la nutrición, la remoción de tóxinas, la medicación, la cirugía o las transfusiones. Ver también ANEMIA POR DEFICIENCIA DE ÁCIDO FÓLICO; ANEMIA FERROPÉNICA.

anemia aplástica *o* **anemia por falla de la médula ósea** Formación inadecuada de células sanguíneas en la MÉDULA ÓSEA. La pancitopenia es la carencia de todos los tipos de células sanguíneas (ERITROCITOS, LEUCOCITOS y PLAQUETAS), pero pueden faltar en cualquier combinación. La enfermedad es causada a menudo por drogas, exposición a agentes químicos o radiaciones, pero en casi la mitad de los casos es de causa desconocida. Puede ocurrir a cualquier edad. La enfermedad aguda puede agravarse rápidamente e incluso ser fatal; en su forma crónica los síntomas incluyen debilidad, disnea, dolor de cabeza, fiebre y palpitaciones. Suele haber una palidez cerosa. Se producen hemorragias en las mucosas, la piel y otros órganos. La falta de glóbulos blancos disminuye la resistencia a las infecciones y constituye la principal causa de muerte. La reducción extrema del número de plaquetas puede ocasionar hemorragias considerables. La mejor opción de tratamiento es el trasplante de médula ósea. De lo contrario, el tratamiento implica evitar cualquier agente tóxico conocido, administrar líquidos, glucosa y proteínas (a menudo intravenosos) como también componentes sanguíneos y antibióticos.

anemia drepanocítica *o* **anemia de células falciformes** Trastorno hematológico (ver HEMOGLOBINOPATÍA), presente especialmente en personas con ancestros del África subsahariana y su descendencia, así como en aquellas del Medio Oriente, Mediterráneo e India. A nivel mundial, alrededor de una de cada 400 personas de raza negra padece esta enfermedad, originada por la herencia de dos copias de un gen recesivo que hace a los que sólo tienen una copia (1 de cada 12 afroamericanos) resistentes al PALUDISMO. El gen determina una variedad de HEMOGLOBINA (hemoglobina S o Hb S) que deforma los glóbulos rojos (ERITROCITOS) en forma de hoces rígidas (falciformes). Estos glóbulos se atascan en los capilares, dañando o destruyendo diversos tejidos. Los síntomas comprenden ANEMIA crónica, disnea, fiebre y "crisis" episódicas (dolor abdominal, óseo o muscular). El tratamiento con hidroxiurea provoca la formación de hemoglobina fetal (Hb F), la cual no se deforma, disminuyendo considerablemente la gravedad de las crisis y aumentando la esperanza de vida, que antes sólo llegaba hasta los 45 años.

anemia ferropénica *o* **anemia por deficiencia de hierro** La forma más común de ANEMIA, que puede establecerse por grandes pérdidas de hierro y por agotamiento de los depósitos de este elemento (p. ej., crecimiento rápido, embarazo, menstruaciones) o por ingestión de dietas pobres en hierro o ingesta ineficiente del mismo (p. ej., inanición, parásitos intestinales, GASTRECTOMÍA). Gran parte de la población mundial tiene algún grado de deficiencia de hierro. Los síntomas son falta de energía y a veces palidez, disnea, extremidades frías, ardor en la lengua o piel seca. En casos avanzados, los glóbulos rojos son pequeños, pálidos y pobres en HEMOGLOBINA; la concentración de hierro en la sangre es baja y los depósitos corporales están agotados. El tratamiento con hierro produce habitualmente una rápida mejoría.

anemia perniciosa Enfermedad de curso lento en la que una deficiencia de vitamina B_{12} (ver complejo de VITAMINA B) altera la producción de glóbulos rojos. Puede obedecer a falta de vitamina B_{12} en la dieta o a que el factor intrínseco, una sustancia necesaria para la absorción intestinal de vitamina B_{12}, no es secretado por la mucosa gástrica o no puede ligarse a la vitamina. Causa debilidad, palidez cerosa de la piel, lengua lisa y problemas estomacales, intestinales y nerviosos. Su curso lento puede hacer que la ANEMIA sea muy intensa cuando se diagnostica. Las inyecciones intramusculares mensuales de vitamina B_{12} revierten pronto la anemia, pero deben seguir colocándose de por vida.

anemia por deficiencia de ácido fólico ANEMIA causada por la escasez de ácido FÓLICO, el cual es necesario para la maduración de los glóbulos rojos (ver ERITROCITO). A menudo también son bajos los niveles de glóbulos blancos y de plaquetas. Se desarrollan problemas gastrointestinales progresivos, que pueden obedecer a dietas pobres, mala absorción, CIRROSIS hepática o medicamentos anticonvulsivantes; también puede ocurrir en los últimos tres meses del embarazo y en las anemias hemolíticas intensas (en estas, los glóbulos rojos se destruyen). El perfil hematológico es parecido al de la ANEMIA PERNICIOSA. La ingestión de ácido fólico lleva a una rápida mejoría; una dieta adecuada cura los casos causados por malnutrición.

anemómetro Instrumento para medir la velocidad de una corriente de aire. Los instrumentos más conocidos para medir velocidades de viento son las copas giratorias que accionan un generador eléctrico (alcance útil 5–100 nudos aprox.). Las velocidades de aire muy bajas se miden con otro instrumento que emplea aspas giratorias que hacen funcionar un contador para medir la velocidad. Para velocidades de viento fuerte y constante (en túneles aerodinámicos y a bordo de una aeronave en vuelo) se usa a menudo un anemómetro del tipo tubo de PITOT; se puede medir la diferencia de presión entre el interior del tubo y la del aire circundante y hacer la conversión a velocidad del aire.

anémona Cualquiera de unas 120 especies de plantas perennes que pertenecen al género *Anemone* de la familia de las Ranunculáceas (ver RANÚNCULO), muchas de las cuales se cultivan por sus coloridas flores. Presentes en todo el mundo, las anémonas son más frecuentes en bosques y praderas de la zona templada del hemisferio norte. Muchas variedades de la anémona tuberosa *A. coronaria* se cultivan para jardines y floristerías. Las especies florales de primavera más comunes son *A. apennina*, *A. blanda* y *A. pavonina*. La anémona japonesa (*A. hupehensis*) es una planta de bordura favorita de floración otoñal. La anémona leñosa europea *A. nemorosa* causa ampollas en la piel y otrora se usaba como ingrediente en medicamentos.

anémona marina Cualquiera de las más de 1.000 especies de CNIDARIOS del orden Actiniaria que habita desde las zonas mareales de todos los océanos hasta más de 10.000 m (30.000 pies) de profundidad y, ocasionalmente, en aguas salobres. Su diámetro varía desde menos de 3 cm (1 pulg.) hasta 1,5 m (5 pies). La boca, situada en el extremo superior del cuerpo cilíndrico, está rodeada de tentáculos de colores, semejantes a pétalos, dotados de nematocistos urticantes que utilizan para paralizar sus presas, como peces. Algunas especies se alimentan sólo de microorganismos. La mayoría de las especies permanecen adheridas a una superficie dura, como rocas o caparazones de cangrejo.

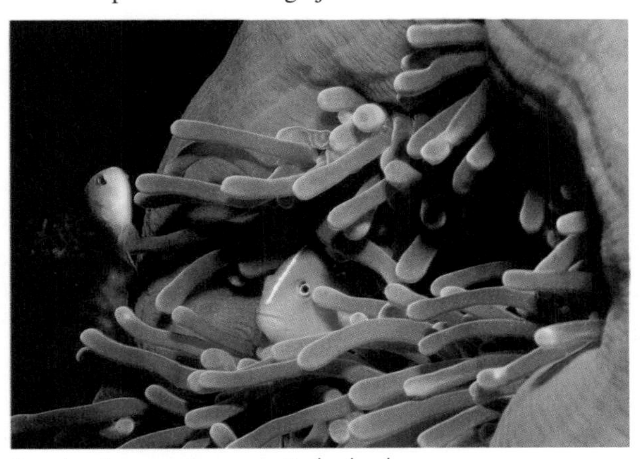

Boca de anémona marina y sus tentáculos de colores.
FOTOBANCO

anestésico Agente que produce una pérdida local o general de la sensación, incluido el dolor, y por eso es útil en CIRUGÍA y ODONTOLOGÍA. La anestesia general induce la pérdida del conocimiento, casi siempre mediante HIDROCARBUROS (p. ej., ciclopropano, etileno); hidrocarburos halogenados (ver HALÓGENO) (p. ej., CLOROFORMO, cloruro de etilo, tricloroetileno); ÉTERES (p. ej., éter etílico o éter vinílico); u otros compuestos, como tribromoetanol, ÓXIDO NITROSO o BARBITÚRICOS. La anestesia local induce pérdida de sensación en un área del cuerpo por medio del bloqueo de la conducción nerviosa (ver sistema NERVIOSO, NEURONA), generalmente con ALCALOIDES como COCAÍNA o sustitutos sintéticos (p. ej., lidocaína). Ver también ANESTESIOLOGÍA.

anestesiología Especialidad médica que trata de la anestesia y materias afines, e incluye la reanimación y el dolor. Ocupada en un principio sólo de anestesia general en la sala de operaciones, esta disciplina comprende ahora la anestesia raquídea (inyección de ANESTÉSICOS locales en el líquido cerebroespinal, la que suprime la sensación de dolor por debajo del punto infiltrado); la respiración artificial complementaria durante operaciones que requieren medicamentos paralizantes que impiden respirar al paciente; el manejo clínico de todo paciente inconsciente; el manejo del dolor y de los problemas de resucitación cardíaca y respiratoria; la terapia respiratoria y de trastornos de líquidos, electrólitos y metabólicos. Los progresos de la anestesiología permiten hacer operaciones cada vez más complejas y en pacientes más graves. El rol de los anestesiólogos se ha vuelto cada vez más importante y complejo.

aneurisma Dilatación anormal localizada de la pared de un vaso sanguíneo (por regla general una ARTERIA y particularmente la AORTA). La enfermedad o lesión debilita la pared de tal modo que la PRESIÓN SANGUÍNEA normal la dilata. Por lo general, se rompen las dos capas internas y la externa se abulta. En el falso aneurisma se rompen las tres capas y los tejidos circundantes contienen la sangre. Los síntomas varían con el tamaño y la localización. Los aneurismas tienden a crecer con el tiempo y las paredes de los vasos sanguíneos se debilitan con la edad. Muchos aneurismas finalmente se rompen, causando graves hemorragias internas, incluso masivas; la rotura de un aneurisma aórtico produce intenso dolor y colapso inmediato. La rotura de aneurismas cerebrales es la causa principal de ACCIDENTE VASCULAR CEREBRAL. El tratamiento puede ser tan simple como ligar un vaso pequeño; los aneurismas más complejos requieren de cirugía para reemplazar el sector arterial dañado con material sintético.

anfetamina Compuesto orgánico, prototipo de una clase de drogas sintéticas (p. ej., bencedrina, dexedrina, metanfetamina), que estimula el sistema NERVIOSO central. Fue sintetizada por primera vez en 1887. Las anfetaminas causan desvelo, euforia, disminución de la fatiga y aumento de la capacidad de concentración. Puesto que mitigan el apetito, se han utilizado para bajar de peso. Se usan (a menudo en forma ilícita) para permanecer despierto. En niños afectados de déficit de atención (hiperactividad), tienen un efecto calmante, ayudándoles a concentrarse. Los efectos inconvenientes son sobreestimulación, con paranoia, desasosiego, insomnio, temblor, irritabilidad y una profunda DEPRESIÓN cuando el efecto de la droga desaparece. Esto, junto con el desarrollo rápido de la tolerancia que requiere de dosis crecientes, puede conducir a la DROGADICCIÓN.

anfibio Cualquier miembro de una clase (Amphibia) de animales VERTEBRADOS de sangre fría que abarca más de 4.400 especies congregadas en tres grupos: RANAS y SAPOS (orden Anura), SALAMANDRAS (orden Caudata) y CECÍLIDOS (orden Apoda). Probablemente evolucionados a partir de ciertas especies de peces del DEVÓNICO temprano (417–391 millones de años atrás), los anfibios fueron los primeros vertebrados provenientes de un ambiente acuático que se adaptaron a uno terrestre. La mayoría de las especies tienen larvas acuáticas o RENACUAJOS, estado del cual se metamorfosean en adulto terrestre. Sin embargo, algunas especies viven toda su vida en el agua. Habitan en todo el mundo, pero se concentran en los trópicos.

anfíbol Cualquier miembro de un grupo de minerales de SILICATO hidratados litogénicos. Los anfíboles se encuentran en muchas rocas ígneas, como componentes pequeños o grandes, y constituyen el elemento principal de muchos GNEIS y ESQUISTOS. Algunas formas demasiado fibrosas se conocen colectivamente como ASBESTO.

anfibolita Roca ígnea o metamórfica compuesta mayormente de ANFÍBOLES. Para las rocas ígneas es común el término hornablendita y es más restrictivo; la HORNABLENDA es el anfíbol más típico. Las anfibolitas metamórficas son más comunes y variables que las variedades ígneas. Por lo general son de grano medio a grueso y se componen de hornablenda y PLAGIOCLASA. La anfibolita puede provenir de rocas ígneas básicas, como basaltos y gabros (ver ROCAS ÁCIDAS Y BÁSICAS).

Anfión y Zeto En la mitología GRIEGA, los hijos gemelos del dios ZEUS con la mortal Antíope. Siendo unos infantes, fueron abandonados para que muriesen en el monte Citerón, pero fueron encontrados y criados por un pastor. Anfión creció y se convirtió en un gran músico y cantante, mientras que Zeto se hizo cazador y pastor. Según la leyenda, estos hermanos construyeron la ciudad de TEBAS, haciendo que los bloques de piedra se erigieran en muros por sí solos con el sonido de la lira de Anfión. Anfión devino rey de Tebas y se unió en matrimonio con NÍOBE, de quien tuvo seis hijos y seis hijas. Cuando sus hijos fueron asesinados por los dioses, Anfión se suicidó.

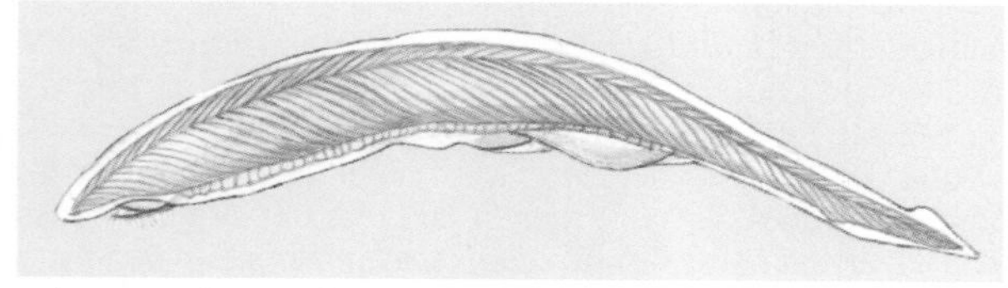

Anfioxo (*Branchiostoma lanceolatus*).

anfioxo Cualquiera de ciertos pequeños CORDADOS marinos (invertebrados del subfilo Cephalochordata) que habitan a lo largo de las costas tropicales y subtropicales y, con menos frecuencia, en aguas templadas. Rara vez miden más de 8 cm (3 pulg.) de largo; parecen pececillos delgados, sin ojos y sin una cabeza definida. Se agrupan en distintas especies dentro de dos géneros (*Branchiostoma* o *Amphiouxus* y *Epigonichthyes* o *Asymmetron*). Si bien pasan la mayor parte del tiempo enterrados en la arena o en el fango del fondo oceánico, son capaces de nadar y comer, filtrando partículas de alimento del agua que pasa por sus agallas. No poseen cerebro ni corazón diferenciado.

Anfípolis Antigua ciudad de Macedonia oriental, cerca de la desembocadura del río STRUMA. Anfípolis fue un centro de transporte estratégico que controlaba el puente fluvial y la ruta desde el norte de Grecia hasta los Dardanelos. Colonizada por ATENAS en 437 AC, fue luego conquistada por ESPARTA en 424 AC. Consiguió su independencia sólo para ser conquistada por FILIPO II de Macedonia en 358 AC. Más tarde, bajo dominio romano, fue el cuartel general del gobernador romano de Macedonia.

Anfiteatro romano en el interior del Coliseo, Roma, Italia.

ARCHIVO EDIT. SANTIAGO

anfiteatro Estructura autoestable al aire libre, circular u ovalada, con una pista central y gradas de asientos concéntricas. El anfiteatro se originó en la antigua Italia (Etruria y Campania) y refleja las formas populares de diversión del lugar, como los juegos de gladiadores y las luchas entre animales o de hombres con animales. El anfiteatro más antiguo existente es uno construido en POMPEYA (c. 80 AC). Ejemplos perduran repartidos en todas las antiguas provincias del Imperio romano, del cual el más famoso es el COLISEO de Roma.

anfiteatro *o* **arena** Teatro en que el escenario está ubicado en el centro del auditorio con la audiencia sentada a su alrededor. La forma tuvo su origen en el teatro griego y se usaba en tiempos medievales. Desde el s. XVII, el escenario con PROSCENIO limitó la zona destinada a la audiencia al área ubicada directamente frente al escenario. En la década de 1930, las obras del teatro realista de Moscú se montaron en escenarios abiertos rodeados de público y el anfiteatro comenzó a ganar adeptos en Europa y EE.UU. Sus ventajas son la informalidad y el vínculo que se crea entre el público y los actores; sin embargo, requiere que los actores giren constantemente para dirigirse a los distintos sectores de la audiencia.

Ang Voddey ver NORODOM I

Angará, río Río del sudeste de Rusia central. Desaguadero del lago BAIKAL, es un afluente mayor del río YENISÉI con el que se une cerca de Yeniseisk. Tiene 1.779 km (1.105 mi) de longitud y muchos rápidos que le dan un gran potencial para la generación de energía hidroeléctrica. Algunas represas y centrales hidroeléctricas alimentan el área industrial de IRKUTSK.

Vista del río Angará, Irkutsk, Rusia.

ALEXANDER M. CHABE

ángel Principalmente en las religiones occidentales, cualquiera de los numerosos seres espirituales benévolos que median entre el cielo y la Tierra. Suelen servir de mensajeros o sirvientes de Dios o de guardianes de un individuo o de una nación. En el ZOROASTRISMO, los AMESHA SPENTA se clasifican en una jerarquía de siete. El JUDAÍSMO y el CRISTIANISMO basan su noción de los ángeles en referencias de las Escrituras hebreas sobre los sirvientes divinos y anfitriones celestiales. Dos arcángeles (MIGUEL y GABRIEL) son mencionados en el ANTIGUO TESTAMENTO y otros dos más (RAFAEL y Uriel) en los textos APÓCRIFOS. En las Escrituras cristianas se menciona profusamente a los ángeles, y la tradición cristiana identifica nueve órdenes de ángeles. En el ISLAM, la jerarquía angélica va en orden descendente desde los cuatro portadores del trono de Dios, continúa con el querubín que alaba a Dios, sigue con los cuatro arcángeles hasta los ángeles menores como los *ḥafaẓah* (ángeles guardianes). Ver también QUERUBÍN; SERAFÍN.

Ángel, salto de ver SALTO DE ÁNGEL

Angelico, Fra *orig.* **Guido di Pietro** (c. 1400, Vicchio, Florencia [Italia]–18 feb. 1455, Roma). Pintor y fraile dominico italiano que desarrolló su obra en Florencia. Ingresó al convento de Santo Domingo en Fiesole entre 1417 y 1425, y al inicio de su carrera artística iluminó manuscritos y pintó retablos. Fue influenciado por MASACCIO en el uso de la perspectiva arquitectónica. Entre sus primeras obras maestras figura un gran tríptico, el *Retablo Linaiuoli* (1433–36), realizado para el gremio de los mercaderes del lino, que está emplazado en una capilla de mármol diseñada por LORENZO GHIBERTI. Sus obras más notables son los frescos del convento de San Marcos, en Florencia (c. 1440–45), y los de la capilla del papa Nicolás V en el Vaticano (c. 1448–49). Fue uno de los pintores de frescos más sobresalientes del s. XV e influenció a maestros como FRA FILIPPO LIPPI. BENOZZO GOZZOLI fue uno de sus alumnos.

angelote Cualquiera de las 10–12 especies (género *Squatina*, familia Squatinidae) de TIBURONES con cabeza y cuerpo aplanados, aletas pectorales y pélvicas similares a alas, que los asemejan a las RAYAS. La cola tiene dos aletas dorsales y detrás de cada ojo posee un prominente espiráculo. Los angelotes crecen hasta medir 2,5 m (6,25 pies) de largo. Habitan aguas tropicales y templadas de las plataformas continentales de todo el mundo. El tiburón ángel (*S. squatina*) es a menudo capturado para el consumo en Europa. El término angelote se usa también para denominar especies comestibles no relacionadas del género *Lophius*, pejesapos de los fondos marinos con enormes bocas y que poseen una suerte de "caña de pescar" con un señuelo carnoso que se extiende desde su cabeza.

Estatua de un ángel guardián entre los tejados de St. Giacomo, Italia.
ARCHIVO EDIT. SANTIAGO

Angelou, Maya *orig.* **Marguerite Johnson** (n. 4 abr. 1928, St. Louis, Mo., EE.UU.). Poetisa estadounidense. Fue violada cuando tenía ocho años, y cayó en un cuadro de mudez. Sus escritos autobiográficos, que exploran temas económicos, raciales y de opresión sexual, incluyen *Yo sé por qué canta el pájaro enjaulado* (1970), *The Heart of a Woman* [El corazón de una mujer] (1981) y *All God's Children Need Traveling Shoes* [Todos los niños de Dios necesitan zapatos para caminar] (1986). Sus colecciones de poesía comprenden *Just Give Me a Cool Drink of Water 'fore I Diiie* [Sólo denme un trago de agua fría] (1971), *And Still I Rise* [Y sigo en pie] (1978) y *I Shall Not Be Moved* [No me moverán] (1990). Su declamación de un poema que escribió para la primera asunción presidencial (1993) de BILL CLINTON la lanzó a la fama. En 2002 publicó el sexto volumen de sus memorias, *A Song Flung Up to Heaven* [Una canción subió al cielo].

angevina, dinastía ver casa de ANJOU

Angilberto, san (c. 740, Aquisgrán, reino de los francos–18 feb. 814, Céntula, Picardía). Poeta y prelado franco de la corte de CARLOMAGNO. De familia noble, fue educado en la escuela palaciega de Aquisgrán y fue discípulo de ALCUINO. En 794 fue nombrado abad laico de Céntula (St.-Riquier), Picardía. En 800 acompañó a Carlomagno a Roma. Sus elegantes y sofisticados poemas en latín ofrecen un retrato de la vida en el círculo imperial. Angilberto y Berta, hija de Carlomagno, fueron los padres del historiador Nitardo.

angina de pecho *o* **angina pectoris** Dolor en el pecho causado por un aporte sanguíneo insuficiente para la demanda de oxígeno del corazón, por lo general, debido a una CARDIOPATÍA CORONARIA. El dolor es profundo y opresivo en el área del corazón y del estómago, y comúnmente se irradia al brazo izquierdo. El esfuerzo y el estrés emocional pueden provocar angina, obligando al paciente a descansar hasta que el dolor amaine. Si el reposo no ayuda, ciertos medicamentos pueden dilatar los vasos sanguíneos. A medida que la enfermedad cardíaca empeora, la angina recidiva con esfuerzos menores.

angiocardiografía Método de IMAGINOLOGÍA DIAGNÓSTICA que muestra el paso del flujo sanguíneo por el CORAZÓN y los grandes vasos. Se usa para evaluar pacientes que pudiesen requerir de cirugía cardiovascular. Se introduce un MEDIO DE CONTRASTE mediante un catéter en una cámara cardíaca. Una serie de imágenes radiológicas o de otra índole muestra dónde se estrecha el flujo, indicando, por ejemplo, el bloqueo de un vaso sanguíneo por ATEROESCLEROSIS.

angiografía *o* **arteriografía** Examen por IMAGINOLOGÍA DIAGNÓSTICA de las arterias y venas con un MEDIO DE CONTRASTE para distinguirlas de los órganos circundantes. El medio de contraste se introduce a través de un catéter para mostrar los vasos sanguíneos y las estructuras que irrigan, incluidos los órganos. La angiografía preoperativa es necesaria en la cirugía correctiva de las arterias enfermas de las piernas, del cerebro o del corazón. Ver también ANGIOCARDIOGRAFÍA.

Angiolini, Gasparo *o* **Angelo Gasparini** (9 feb. 1731, Florencia, Italia–6 feb. 1803, Milán). Coreógrafo italiano. En 1757 llegó a ser maestro del ballet de la corte de Viena; en 1761 colaboró con el compositor CHRISTOPH WILLIBALD GLUCK en la producción de *Don Juan* y luego realizó la coreografía de otros ballets con la música de Gluck. En 1765, Angiolini pasó a ser maestro del Ballet del Teatro Imperial de San Petersburgo. Fue uno de los primeros en integrar danza, música y trama en la puesta en escena de los ballets, desarrollando así la forma conocida como *ballet d'action*. Mantuvo una rivalidad con JEAN-GEORGES NOVERRE y discrepaba de su interpretación del *ballet d'action*.

angioplastia Abertura terapéutica de un vaso sanguíneo bloqueado. Usualmente se infla un globo cerca del extremo de un catéter (ver CATETERIZACIÓN) para aplastar las placas (ver ATEROESCLEROSIS) contra la pared arterial. Realizada en las arterias coronarias, la angioplastia es una alternativa menos invasiva que la cirugía de PUENTES CORONARIOS (bypass) en el tratamiento de la CARDIOPATÍA CORONARIA. Las complicaciones como las EMBOLIAS y desgarros son raras, y sus resultados excelentes, pero las placas tienden a reproducirse nuevamente después del procedimiento. La angioplastia también se usa para expandir válvulas cardíacas muy obstruidas.

angiosperma Cualquiera de las más de 250.000 especies de plantas con flores (división Magnoliophyta) que poseen raíces, tallos, hojas y un tejido conductivo bien desarrollado (XILEMA y FLOEMA). Generalmente se diferencian de las GIMNOSPERMAS por su producción de semillas en una cámara cerrada (el ovario) ubicada dentro de la flor, aunque esta distinción no siempre es clara. Las angiospermas se dividen en dos clases: monocotiledóneas y dicotiledóneas (ver COTILEDÓN). Las monocotiledóneas tienen flores cuyas partes son múltiplos de tres y vasos conductores dispersos en los tallos; suelen poseer una nervadura prominente paralela en las hojas y carecen de CÁMBIUM. Las dicotiledóneas tienen flores cuyas partes son múltiplos de cuatro o cinco, vasos conductores ordenados en un cilindro, nervadura reticulada en las hojas y un cambium. Las angiospermas o plantas con flores presentan una gran diversidad de tamaños, formas y hábitos de crecimiento. Están representadas por más de 300 familias y habitan en todos los continentes, incluso en la Antártida. Las angiospermas se han adaptado a casi todos los hábitats y la mayoría se reproduce sexualmente por semillas a través de órganos reproductores especializados presentes en sus flores.

Vista de las ruinas de Angkor Wat, conjunto de templos hindúes y budistas construidos en forma ortogonal, Angkor, Camboya.
FOTOBANCO

Angkor Sitio arqueológico del noroeste de Camboya. Localizado 6 km (4 mi) al norte de la actual ciudad de Siem Reap, entre los s. IX y XV fue la capital del Imperio JMER (camboyano). Sus monumentos más imponentes son el ANGKOR WAT, un complejo de templos construido en el s. XII por el rey SURYAVARMAN II, y Angkor Thom, un complejo de templos construido c. 1200 por el rey JAYAVARMAN VII. Durante el período de la gran construcción, que duró más de 300 años, hubo muchos cambios tanto en su arquitectura como en el enfoque religioso, el que varió del hinduismo al budismo. Después de la conquista del Jhmer por los siameses en el s. XV, la ciudad en ruinas y sus templos quedaron sepultados en la selva. Cuando se estableció el régimen colonial francés en 1863, el lugar se convirtió en un centro de interés académico. Las revueltas políticas de fines del s. XX en Camboya causaron algunos daños, pero el mayor de todos fue su estado de abandono. En 1992 fue declarado PATRIMONIO DE LA HUMANIDAD.

Angkor Wat Complejo de templos en Angkor (en la actualidad, en el noroeste de Camboya), obra cúspide de la arquitectura jmer. De aproximadamente 1.550 m (1.700 yardas) de largo por 1.400 m (1.500 yardas) de ancho, es la construcción religiosa más grande del mundo. Dedicada a VISNÚ, fue construida en el s. XII por SURYAVARMAN II. El Wat, una montaña artificial originalmente rodeada por un vasto muro exterior y un foso, se levanta en tres recintos hacia una cumbre plana. Las cinco torres (santuarios) restantes en la cima presentan la típica forma escalonada de la arquitectura asiática.

Anglesey, isla de *antig.* **Mona** Cond. (pob., 2001: 66.828 hab.) de Gales. Abarca la isla de Anglesey, la más grande de Inglaterra y Gales (715 km^2 [276 mi^2]) y la isla Holy. La isla de Anglesey es conocida por su historia antigua y por sus vestigios prehistóricos y celtas. Para el 100 AC, los celtas habían colonizado la isla, la cual se convirtió en un famoso centro DRUIDA y más tarde en un bastión de la resistencia contra los romanos. Finalmente cayó ante CNEO JULIO AGRÍCOLA en 78 DC. Fue gobernada por los príncipes de Gales en los s. VII–XIII hasta que fue capturada por EDUARDO I. El turismo es actualmente una parte importante de la economía del condado.

Anglia ver INGLATERRA

Anglia Oriental Región tradicional de Inglaterra. Está formada por los condados históricos de NORFOLK y SUFFOLK y partes de CAMBRIDGESHIRE y ESSEX. Su centro tradicional es la ciudad de NORWICH. Es la región más oriental de Inglaterra y ha estado habitada por miles de años. Colchester, la ciudad más antigua de que se tenga registro en el país, era importante antes y durante la época romana. Anglia Oriental fue uno de los reinos de la Inglaterra anglosajona y, en el s. IX, estuvo bajo dominio danés. Durante la Edad Media era conocida por sus productos de lana, pero la economía moderna de la región es predominantemente agrícola. En su litoral hay muchos puertos pesqueros importantes y centros turísticos.

anglo Cualquier miembro de un pueblo germánico que, junto a jutos y SAJONES, invadieron Inglaterra en el s. V DC. Según BEDA, su patria era Angulus, tradicionalmente identificada con la región de Angeln en Schleswig (Alemania). Abandonaron esta área cuando invadieron Gran Bretaña, donde se instalaron en los reinos de Mercia, Northumbria, Anglia Oriental y Anglia Central. Su lengua era conocida, ya en esa época, como Englisc, y ellos le dieron su nombre a Inglaterra.

anglo-afganas ver guerras AFGANAS

anglo-birmanas, guerras (1824–26, 1852, 1885). Conflictos bélicos entre británicos y birmanos en la actual Myanmar. Cuando el rey BODAWPAYA conquistó Arakan, los enfrentamientos entre las tropas birmanas y los combatientes arakaneses se desplazaron hasta los límites con el territorio de India bajo control británico. Al cruzar los birmanos la frontera con Bengala, los británicos contraatacaron capturando Rangún (actual Yangôn). La guerra duró dos años y finalizó con un tratado que cedió Arakan y Assam a Gran Bretaña, y obligó a los birmanos a pagar una indemnización. Otra guerra se originó 25 años más tarde cuando un oficial naval británico se apoderó de un navío que pertenecía al rey birmano; los británicos invadieron y pronto ocuparon por completo la baja Birmania. Una tercera guerra estalló a causa de las negociaciones birmanas con Francia y las amenazas al monopolio británico de la madera de teca en la baja Birmania; la guerra finalizó con la anexión británica de la alta Birmania (formalizada en 1886), dando así término a la independencia birmana.

anglo-estadounidense, guerra (1812). Conflicto entre EE.UU. y Gran Bretaña surgido de las quejas estadounidenses por las prácticas marítimas opresivas de Gran Bretaña durante las guerras NAPOLEÓNICAS. Con el fin de hacer cumplir su bloqueo de puertos franceses, los británicos abordaron buques estadounidenses y otras naves neutrales para revisar la carga que sospechaban se estaba enviando a Francia y para enganchar a marineros presuntos desertores de la marina británica. EE.UU. reaccionó con la aprobación de leyes como la ley de EMBARGO (1807). Los war hawks ("halcones de la guerra") en el congreso pidieron la expulsión de los ingleses de Canadá para afianzar la seguridad de la frontera. Cuando EE.UU. exigió que se pusiera fin a la intervención, Gran

Bretaña se negó y, el 18 de junio de 1812, EE.UU. declaró la guerra. Pese a las primeras victorias navales de EE.UU., especialmente el duelo entre el CONSTITUTION y el *Guerrière*, Gran Bretaña mantuvo su bloqueo de los puertos orientales de EE.UU. Tropas británicas quemaron edificios públicos de Washington, D.C., entre ellos la CASA BLANCA, en represalia por actos similares de EE.UU. en York (Toronto), Canadá. La guerra se tornó cada vez más impopular, especialmente en Nueva Inglaterra, donde se originó un movimiento separatista en la convención de HARTFORD. El 24 de diciembre de 1814, ambos bandos suscribieron el tratado de Gante que, en esencia, devolvía los territorios capturados por cada parte. Antes de que la noticia del tratado llegara a EE.UU., la victoria de este país en la batalla de NUEVA ORLEANS lo indujo, más tarde, a proclamar que había triunfado en la guerra. Ver también batallas de CHÂTEAUGUAY; CHIPPEWA; THAMES; FRANCIS SCOTT KEY; OLIVER PERRY.

anglogermano, acuerdo naval (1935). Acuerdo bilateral entre Gran Bretaña y Alemania que aprobó la existencia de una armada alemana, pero limitándola a un 35% del tamaño de la armada británica. Como parte del proceso de APACIGUAMIENTO previo a la segunda guerra mundial, el acuerdo permitió que Alemania violara las restricciones impuestas por el tratado de VERSALLES, lo que concitó la crítica internacional y provocó un quiebre entre Francia y Gran Bretaña.

anglo-holandesas, guerras *o* **guerras holandesas** Cuatro conflictos navales entre Inglaterra y la República Holandesa en los s. XVII–XVIII. La primera (1652–54), segunda (1665–67) y tercera (1672–74) guerras anglo-holandesas surgieron de la rivalidad comercial entre ambas naciones. Ganadas todas ellas por Inglaterra, establecieron su poderío naval. Después de un siglo de alianza entre ambos países, la cuarta guerra anglo-holandesa (1780–84) estalló por la injerencia holandesa en la guerra de independencia de los ESTADOS UNIDOS DE AMÉRICA. Hacia 1784, la República Holandesa había perdido gran parte de su poder y prestigio.

anglojaponesa, alianza (1902–23). Alianza entre Gran Bretaña y Japón para proteger sus respectivos intereses en China y Corea. Dirigida contra el expansionismo ruso, la alianza ayudó a Japón en la guerra RUSO-JAPONESA, desalentando a Francia de entrar en la guerra del lado ruso. Más tarde la alianza alentó a Japón a entrar en la primera guerra mundial del lado de los aliados. Gran Bretaña dejó que la alianza languideciera en la posguerra, cuando dejó de temer una invasión rusa a China.

Anglonormandas, islas *inglés* **Channel Islands** Territorio ultramar del Reino Unido. Ubicadas en el canal de la MANCHA, a 16– 48 km (10–30 mi) de la costa occidental francesa, con una superficie de 194 km² (75 mi²), comprenden las islas de JERSEY, GUERNESEY, Alderney y Sark, además de varias islas menores. Son internamente independientes del gobierno británico. Los monumentos megalíticos, como los MENHIRES, constituyen pruebas de que fueron habitadas en tiempos prehistóricos. Después de formar parte de NORMANDÍA en el s. X DC, las islas pasaron a dominio británico en la época de la conquista NORMANDA en 1066. Inglaterra y Francia se disputaron las pequeñas islas de Ecrehous y Les Minquiers hasta 1953, cuando la Corte Internacional de Justicia confirmó su soberanía británica. A fines del s. XX, se reavivó la disputa debido a que la soberanía de las islas determina los derechos sobre el desarrollo económico de la plataforma submarina (especialmente petróleo). Las islas Anglonormandas fueron el único territorio británico que ocuparon los alemanes en la segunda guerra mundial. Son famosas por su crianza de ganado, especialmente las razas JERSEY y GUERNESEY.

Vista de la isla Sark, en el canal de la Mancha; junto a otras integran las islas Anglonormandas.
FOTOBANCO

Anglo-Persian Oil Co., Ltd., British Petroleum Co. PLC ver BP PLC

anglo-rusa, entente (1907). Pacto mediante el cual Gran Bretaña y Rusia resolvieron sus disputas coloniales en Persia, Afganistán y Tíbet. Delineó las esferas de influencia en Persia, estipuló que ningún país interferiría en los asuntos internos del Tíbet y reconoció la influencia británica sobre Afganistán. El acuerdo llevó a la creación de la TRIPLE ENTENTE.

anglosajón ver INGLÉS ANTIGUO

anglosajón, arte Pintura, escultura y arquitectura producida en Gran Bretaña desde fines del s. V hasta la conquista NORMANDA. Antes del s. IX, la iluminación de manuscritos fue la forma de arte predominante, con dos escuelas: Canterbury, que produjo obras ligadas a la tradición clásica traída por los misioneros romanos; y una escuela más influyente, en Northumbria, que realizó obras inspiradas en el renacimiento del saber que fomentaron los misioneros irlandeses. Las formas curvilíneas, las espirales y los patrones entrelazados de la tradición celta, traídos por monjes irlandeses, fueron integrados a la ornamentación abstracta y los colores brillantes de la metalistería anglosajona tradicional. Después de los efectos destructivos de las invasiones danesas del s. IX, se restauraron los monasterios y se desarrolló el interés por la arquitectura. La actividad constructora consistía en pequeñas iglesias, influenciadas por tipos continentales, particularmente de la Francia normanda (p. ej., la abadía de WESTMINSTER original, c. 1045–50, reconstruida en 1245). El renacimiento monástico llevó a la producción de muchos libros y a la formación de la escuela de iluminación de Winchester (fines del s. X). Ver también estilo HIBERNO-SAJÓN.

anglosajón, derecho Conjunto de principios legales que prevalecieron en Inglaterra desde el s. VI hasta la conquista NORMANDA (1066). Recibió la influencia directa del primitivo derecho escandinavo como consecuencia de las invasiones vikingas de los s. VIII y IX e indirecta (principalmente a través de la Iglesia) del derecho ROMANO. El derecho anglosajón se componía de tres elementos: leyes promulgadas por el rey, prácticas consuetudinarias –como las que regulaban las relaciones de parentesco– y recopilaciones privadas. Hacía hincapié en el derecho penal, pero también se ocupaba de problemas relacionados con la administración pública, el orden público y los asuntos eclesiásticos.

anglosajona, literatura Literatura escrita en INGLÉS ANTIGUO c. 650–c. 1100. La poesía anglosajona que conocemos subsiste, casi en su totalidad, en cuatro manuscritos. El BEOWULF es la epopeya germánica más antigua que se conoce y el más extenso de los poemas en inglés antiguo. Otras obras señaladas son *The Wanderer* [El errante], *El navegante*, *The Battle of Maldon* [La batalla de Maldon], además del *Dream of the Rood* [Sueño del crucifijo]. La poesía es aliterada; una de sus características es el "kenning", que consiste en el uso de una frase metafórica en lugar de un sustantivo común (p. ej., "camino de los cisnes" por "mar"). Entre las obras en prosa notables cabe mencionar la *Anglo-Saxon Chronicle* [Crónica anglosajona], recuento histórico que se inicia en la época del reinado del rey ALFREDO (871–899) y que abarca más de tres siglos. Ver también CAEDMON.

ANGOLA

- **Superficie:** 1.246.700 km² (481.354 mi²)
- **Población:** 11.827.000 hab. (est. 2005)
- **Capital:** LUANDA
- **Moneda:** nuevo kwanza

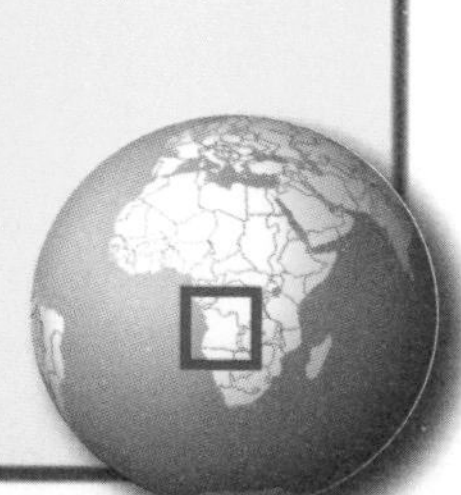

Angola *ofic.* **República de Angola** *ant.* **África Occidental Portuguesa** País de África meridional. Su litoral más septentrional, denominado enclave de Cabinda, está separado del resto del territorio angoleño por un estrecho corredor, de territorio de la República Democrática del Congo. La población está formada principalmente por pueblos de habla bantú (ver lenguas BANTÚES); los principales grupos étnicos son el OVIMBUNDU y el MBUNDU, mientras que los SAN (bosquimanos), de habla khoisan, habitan el sudeste de Angola. Idiomas: portugués (oficial), lenguas autóctonas. Religiones: cristianismo (catolicismo, protestantismo), credos tradicionales. El país posee una serie de regiones altiplánicas que se separan en tres sistemas hidrográficos diferentes. El primero, en el nordeste, alimenta la cuenca del río CONGO; el segundo, en el sudeste, alimenta el sistema del ZAMBEZE; el último, que corre hacia el oeste hasta el Atlántico, proporciona la mayor parte de la energía hidroeléctrica de Angola. Aproximadamente el 40% de la extensión territorial es boscosa; menos del 10% es arable. Debido a la devastación causada por la prolongada guerra civil, y a pesar de poseer ricas reservas de petróleo, la economía de Angola no ha sido capaz de sacar provecho de sus recursos. Nominalmente, es una república unicameral; el jefe de Estado y de Gobierno es el presidente. La llegada de población de habla bantú durante el primer milenio DC condujo al dominio del área c. 1500 DC. El reino bantú más importante fue el Kongo (ver KONGO); al sur del Kongo estaba el Ndongo, reino del pueblo mbundu. En 1483 arribaron exploradores portugueses y extendieron su dominio paulatinamente. Durante el s. XIX, otras potencias europeas determinaron las fronteras de Angola, pero no sin fuerte resistencia de los pueblos indígenas. En 1951, su condición de colonia portuguesa fue modificada por el de provincia de ultramar. En 1961, la resistencia al dominio colonial condujo al estallido de la lucha que culminó con su independencia en 1975. Después de la independencia, las facciones rivales siguieron en combate. En 1994 se alcanzó un acuerdo de paz, pero las fuerzas lideradas por JONAS SAVIMBI continuaron resistiendo el control del gobierno hasta su muerte en 2002, tras la cual se suscribió un acuerdo de paz.

Cabra angora, cotizada por su pelo de fibras fuertes y elásticas.

© R.T. WILLBIE/ANIMAL PHOTOGRAPHY

Angora ver ANKARA

angora, cabra Raza de CABRA doméstica cuyos antepasados provienen de la zona de Angora en Asia Menor. Su pelo sedoso se comercializa como mohair. Generalmente es más pequeña que otras cabras domésticas y que la oveja; tiene orejas largas y caídas. Ambos sexos son cornudos. La industria occidental del mohair se desarrolló después de que estos animales fueron llevados a Sudáfrica, a mediados del s. XIX. Rápidamente se importaron a EE.UU. y su crianza se ha concentrado en el sudoeste de ese país. Su pelo, compuesto de fibras fuertes y elásticas, difiere de la LANA principalmente por su suavidad y su brillo.

angora turco, gato Raza de GATO DOMÉSTICO pelilargo que probablemente surgió de un gato domesticado por los tártaros que migraron a Turquía, donde actualmente es considerado un tesoro nacional. Tiene un cuerpo alargado, huesos finos, una cara puntiaguda y un pelaje sedoso de longitud mediana. El color más común es el blanco, pero puede tener cualquiera de varios colores lisos, o cualquier diseño de dos o más colores.

Ångström, Anders Jonas (13 ago. 1814, Lögdö, Suecia–21 jun. 1874, Uppsala). Físico sueco. Desde 1839 enseñó en la Universidad de Uppsala. Ideó un método para medir la conductividad térmica, demostrando que ella es proporcional a la conductividad eléctrica, y dedujo que un gas incandescente emite rayos de la misma refrangibilidad que la de aquellos que puede absorber. Fue uno de los fundadores de la ESPECTROSCOPIA; descubrió que el hidrógeno está presente en la atmósfera del Sol; publicó un mapa del espectro solar normal y fue el primero en examinar el espectro de la aurora boreal, así como en detectar y medir la característica línea brillante en su región amarilla-verde. El angstrom (10^{-10} m), una unidad de longitud, recibió ese nombre en su honor.

Anders Jonas Ångström, c. 1865.

GENTILEZA DE LA KUNGLIGA BIBLIOTEKET, ESTOCOLMO

anguila Cualquiera de las más de 500 especies de peces delgados, alargados y casi siempre sin escamas (orden Anguilliformes), con largas aletas dorsal y anal que contornea su extremo caudal. Se encuentran en todos los mares, desde las regiones costeras hasta profundidades medias. Las anguilas de agua dulce son peces dinámicos, predadores con pequeñas escamas engastadas. Crecen hasta el estado adulto en agua dulce y retornan al mar para desovar y morir. El juvenil transparente es arrastrado por las corrientes hacia la costa e inicia su camino río arriba. Las anguilas de agua dulce, consideradas una exquisitez, incluyen especies de 10 cm (4 pulg.) hasta alrededor de 3,5 m (11,5 pies) de largo. Ver también MORENA.

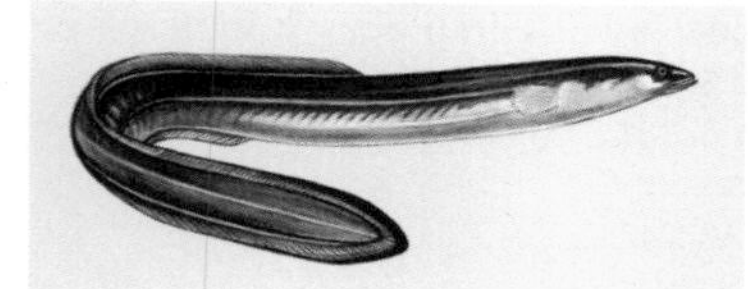

Anguila (*Anguilla rostrata*).

© ENCYCLOPÆDIA BRITANNICA, INC.

anguila babosa Cualquiera de las casi 30 especies de peces primitivos sin mandíbula que pertenecen a dos familias de la clase Agnatha. Los mixinoideos se encuentran en todos los océanos, y también la Eptatretidae, salvo en el Atlántico norte. Las anguilas babosas son anguiliformes, sin escamas y su piel es suave; tienen un par de barbas ubicadas al final del hocico y su tamaño adulto alcanza los 40–80 cm (16–32 pulg.) de largo. Las anguilas babosas tienen un esqueleto cartilaginoso y su hocico es una hendidura succionadora con dientes córneos. Habitan mares fríos o a profundidades superiores a 1.200 m (4.000 pies) y permanecen habitualmente enterradas en madrigueras del fondo arenoso. Se alimentan de invertebrados y peces mutilados o muertos y, en ocasiones, pueden horadar los cuerpos de los peces atrapados en redes de pesca y devorarlos. Secretan una gran cantidad de líquido viscoso al ser manipuladas. Ver también LAMPREA.

anguila eléctrica Pez sudamericano anguiliforme (*Electrophorus electricus*) capaz de producir una fuerte descarga eléctrica, suficiente para aturdir a un ser humano. La anguila eléctrica (no es una verdadera ANGUILA), es un habitante perezoso de aguas dulces lentas, que emerge periódicamente a tragar aire. Es de forma alargada, cilíndrica, sin escamas y de color gris-marrón; puede alcanzar una longitud de 2,75 m (9 pies) y un peso de 22 kg (49 lb). La zona de la cola, delimitada debajo por una larga aleta anal que el pez ondula para desplazarse, contiene los órganos eléctricos. La descarga (hasta 650 volts) la utiliza principalmente para inmovilizar peces u otras presas.

Anguila, isla Isla (pob., 2001: 11.300 hab.) del conjunto de las islas de SOTAVENTO en las Antillas. Territorio dependiente del Reino Unido, es la más septentrional de estas islas y cubre una superficie de 90 km^2 (35 mi^2) aprox. Su territorio comprende las islas Scrub, Seal, Dog y Sombrero, y los cayos de Prickly Pear. La mayoría de su población desciende de esclavos africanos. La lengua oficial es el inglés y la religión predominante es el protestantismo. Colonizada en 1650 por habitantes que provenían de SAINT KITTS, fue incorporada a la administración británica. Desde 1825 estuvo estrechamente asociada con Saint Kitts, situación resistida en Anguila. Fue unificada con Saint Kitts y Nevis en 1882. Cuando en 1967 se formó una nación que comprendía a las tres islas, Anguila declaró su independencia. El gobierno británico intervino y Anguila fue finalmente separada en 1980; a cambio de retener cierta autonomía aceptó permanecer bajo dominio británico.

anguílula Cualquiera de varias especies de NEMATODO, cuyo nombre se debe a su semejanza con las angulas. Las anguílulas son autónomas o parasitarias, y la mayoría mide aprox. 0,1–1,5 mm (0,005–0,05 pulg.) de largo. Se encuentran en todo el mundo. Las formas autónomas habitan en agua salada, agua dulce y suelo húmedo. Las formas parasitarias se encuentran en las raíces de muchas especies vegetales; el nematodo dorado, por ejemplo, es una plaga grave de las patatas. Algunas especies se presentan tanto en plantas como animales.

Angulema Ciudad (pob., 1999: 43.171 hab.) del sudoeste de Francia, a orillas del río CHARENTE. CLODOVEO I arrebató la ciudad a los VISIGODOS en 507, y desde el s. IX fue el centro de un condado. Disputada por los franceses e ingleses en la guerra de los CIEN AÑOS, fue cedida a los ingleses en 1360, pero fue restituida a Francia en 1373. Pasó a la casa de Orleans en 1394. La ciudad se destaca por la fabricación de papel y en ella se encuentra la catedral de Saint Pierre, construida en el s. XII.

ángulo En geometría, un par de rayos (ver RECTA) que comparten un mismo punto de intersección (el vértice). Un ángulo puede concebirse como la rotación de un solo rayo desde una posición inicial a una final. Una rotación en el sentido de los punteros del reloj se considera negativa, y positiva en el sentido opuesto. Puede ser medido tanto en grados (una rotación completa = 360°) como en radianes (una rotación completa = 2π rad). Un ángulo de 90° se llama ángulo recto. Un ángulo menor de 90° es un ángulo agudo. Un ángulo mayor de 90° y menor de 180° es un ángulo obtuso.

Un antiguo carro bomba promociona la famosa cerveza de la compañía Anheuser-Busch Co., Inc. en el desfile del Florida Strawberry Festival, EE.UU.
FOTOBANCO

Angus Raza de ganado bovino de color rojo o negro, sin cuernos. Antes conocido como Aberdeen Angus, es originario del nordeste de Escocia, aunque se desconoce su ancestro. Los Angus tienen un cuerpo compacto y de baja altura. La excelente calidad de su carne y su elevado porcentaje de rendimiento a la faena lo convierten en una raza cárnica de primera clase. En EE.UU. fue introducida en 1873, difundiéndose ampliamente desde entonces en ese y otros países.

Ejemplar de raza Angus de color negro.
© PHIL REID LIVESTOCK PHOTOGRAPHY

Anhalt Antiguo estado alemán ubicado en lo que ahora es Alemania central. La zona que rodea el curso superior del río ELBA de la que el Anhalt fue constituido era todavía, en el s. XI, parte del ducado de SAJONIA. Alcanzó la condición de territorio independiente en 1212. Fue subdividido y reunificado en repetidas oportunidades, para ser finalmente reconstituido como el ducado de Anhalt por Leopoldo IV en 1863. En 1871 pasó a ser parte del Imperio alemán. Reconstituido después de la segunda guerra mundial como Sajonia-Anhalt, posteriormente se convirtió en parte de Alemania Oriental y, en 1990, en parte de la Alemania reunificada.

Anheuser-Busch Co., Inc. La mayor productora mundial de CERVEZA. Tiene su sede en St. Louis, Mo., EE.UU. Sus orígenes se remontan a una pequeña cervecería, establecida en 1852, que fue comprada en 1860 por el fabricante de jabones Eberhard Anheuser. En 1861, su hija contrajo matrimonio con Adolphus Busch, proveedor de productos para cervecería. Busch fue pionero en el uso de vagones refrigerados y en la PASTEURIZACIÓN en la industria cervecera. En 1876, la empresa introdujo una cerveza clara llamada Budweiser; bajo August Anheuser Busch, Jr. (presidente 1946–75) y A.A. Busch III (presidente desde 1975) se convirtió en la marca de cerveza más vendida en EE.UU. La compañía también produce la marca Michelob. Entre otros haberes de la empresa se cuentan plantas de fabricación de envases de bebidas, plantas de reciclaje, grupos de publicidad, medios de comunicación y parques de entretenciones, como los parques temáticos Sea World y Busch Gardens (Tampa, Fla.).

anhídrido Cualquier COMPUESTO químico que se obtiene, ya sea en la práctica o en principio, por eliminación del AGUA (H_2O) de otro compuesto. Ejemplos de anhídridos inorgánicos son el trióxido de azufre, SO_3, que deriva del ácido sulfúrico, H_2SO_4, y el óxido de calcio, CaO, que deriva del hidróxido de calcio $Ca(OH)_2$. El anhídrido orgánico más importante es el anhídrido acético $(CH_3CO)_2O$, una materia prima para fabricar acetato de celulosa (que se utiliza en películas, fibras y artículos de plástico) y la ASPIRINA. El anhídrido acético puede considerarse como ácido ACÉTICO menos agua. Los anhídridos orgánicos son materias primas muy importantes para la síntesis orgánica, ya que en condiciones apropiadas pueden dar origen a ácidos CARBOXÍLICOS, ÉSTERES o AMIDAS.

anhidrita Mineral litogénico, sulfato de calcio anhidro ($CaSO_4$), que difiere químicamente del yeso (en el cual se transforma en condiciones húmedas) por no tener agua de cristalización. La anhidrita aparece con frecuencia en depósitos de sal asociados al yeso, como en la roca de cobertura de los domos salíferos de Texas-Luisiana, EE.UU. La anhidrita es uno de los principales minerales en los depósitos de EVAPORITA; también está presente en dolomitas, piedra caliza y en vetas de mineral. Se usa como agente secante en masillas y cemento.

anhinga *o* **pájaro serpiente** Cualquier ave ictiófaga de la familia Anhingidae (orden Pelecaniformes), considerada a veces una especie única (*Anhinga anhinga*) sólo con variantes geográficas. Los anhingas alcanzan una longitud cercana a 90 cm (35 pulg.); son esbeltos y de cuello largo. En su mayoría son de color negro, con marcas plateadas en las alas. En los machos, de un verde lustroso, el plumaje cefálico se torna descolorido con una "melena" oscura durante la época reproductiva. Los anhingas viven en pequeñas colonias a lo largo de lagos y ríos en las regiones tropicales y templado-cálidas, excepto en Europa. Nadan casi sumergidos, serpenteando, con la cabeza y el cuello sobre el agua, lo que les vale su nombre.

Anhinga o pájaro serpiente (*Anhinga anhinga*).

Anhui *convencional* **Anhwei** Provincia (pob., est. 2000: 59.860.000 hab.) del centro-este de China. Está rodeada por las provincias de JIANGSU, ZHEJIANG, JIANGXI, HUBEI y HENAN. Con una superficie de 139.900 km² (54.000 mi²) es una de las provincias más pequeñas de China; su capital es HEFEI. Anhui fue la primera región de China meridional en ser colonizada por la dinastía HAN, a fines del primer milenio AC. Bien irrigada por los ríos Huai y YANGTZÉ, durante siglos fue la principal zona agrícola del imperio. La dinastía MING la gobernó entre los s. XIV y XVII. Durante la segunda guerra mundial fue ocupada por los japoneses; al finalizar la guerra, los nacionalistas mantuvieron brevemente el poder de la provincia antes de que los comunistas se apoderaran de esta. Hoy es un importante productor agrícola.

Aniakchak National Monument and Preserve Parque en la costa sur de la península de ALASKA, EE.UU. Situado en la cordillera Aleutiana, de gran actividad volcánica, consiste principalmente en una gran caldera apagada que hizo erupción por última vez en 1931. El cráter tiene un diámetro promedio de 10 km (6 mi). Fue declarado monumento nacional en 1978 y cubre una superficie de 2.440 km² (942 mi²).

Aníbal (247 AC, África del norte–c. 183–181 AC, Libyssa, Bitinia). General cartaginés, uno de los grandes líderes militares de la antigüedad. Su padre, el general cartaginés Amílcar Barca (m. 229/228 AC), lo llevó a Hispania y lo hizo jurar eterna enemistad con Roma. Luego de las muertes de su padre y de su cuñado, asumió el mando del ejército de Cartago en Hispania (221). Asegurada la región, cruzó el río Ebro hacia territorio romano e ingresó a Galia. Cruzó los Alpes hacia Italia: estorbado por los elefantes y los caballos, acosado por las tribus galas, un invierno crudo y la deserción de sus tropas españolas. Derrotó a CAYO FLAMINIO pero fue severamente hostigado por QUINTO FABIO MÁXIMO. En 216 ganó la batalla de CANNAS. En 203 marchó al norte de África para ayudar a Cartago a repeler las fuerzas de ESCIPIÓN EL AFRICANO. Perdió irremediablemente frente al aliado de Escipión, MASINISA, en la batalla de ZAMA, pero escapó. Presidió el gobierno cartaginés (c. 202–195); forzado a huir, buscó refugio con ANTÍOCO III, cuya flota comandó contra Roma, con resultados desastrosos. Luego de la batalla de Magnesia (190) los romanos demandaron que les fuera entregado; los eludió hasta que, no viendo escapatoria, se envenenó.

Aniene, río Río de Italia central. Nace en los montes Simbruini al sudeste de Roma y serpentea 108 km (67 mi) hasta unirse con el TÍBER al norte de Roma. En su curso superior, NERÓN creó un grupo de lagos artificiales y construyó una villa, de la cual aún quedan restos.

anilina Una de las BASES orgánicas más importantes, sustancia matriz de muchos colorantes y drogas. La anilina pura es un líquido incoloro, altamente venenoso, aceitoso, con un olor característico. Se obtuvo por primera vez (1826) del ÍNDIGO; ahora se prepara en forma sintética. Es una AMINA aromática primaria, débilmente básica, y participa en muchas reacciones con otros compuestos. Se utiliza para fabricar productos químicos que se emplean en la elaboración de goma, colorantes y productos intermedios, químicos fotográficos, farmacéuticos, espumas de uretano, explosivos, herbicidas y fungicidas, así como para procesar químicos que se utilizan en la refinación del petróleo.

anillas Disciplina de la GIMNASIA masculina en la que un par de anillas metálicas, cubiertas de goma y pendientes del techo o de un travesaño, se emplean para hacer maniobras de equilibrio, suspensión y balanceo. Las anillas deben permanecer inmóviles. Debe haber a lo menos dos posiciones invertidas en un ejercicio, una lograda a través de la fuerza, y otra usando el impulso del cuerpo. Los movimientos de fuerza son la cruz de hierro (sosteniendo el cuerpo vertical con los brazos totalmente extendidos hacia los lados) y la palanca (con los brazos estirados en forma vertical y el cuerpo totalmente horizontal).

Tim Daggett, gimnasta olímpico estadounidense de anillas.

anillo Banda circular de oro, plata u otro material precioso o decorativo que generalmente se usa en los dedos de la mano, pero a veces también en los dedos del pie, las orejas o la nariz. Los primeros ejemplares se encontraron en las tumbas del antiguo Egipto. Además de usarse como ornamentos, los anillos han funcionado como símbolos de autoridad, fidelidad o nivel social. En la temprana república romana, la mayoría de los anillos estaba hecho de hierro, reservándose el oro para las personas de alto nivel social. En el s. III AC cualquiera podía usar un anillo de oro, excepto un esclavo. Se cree que los anillos de compromiso se originaron entre los romanos, para simbolizar una promesa de matrimonio. En la Edad Media, los anillos de sello eran importantes para las transacciones religiosas, legales y comerciales. Los anillos de recuerdo, con inscripciones y de regalo tenían propósitos sentimentales. Los anillos esotéricos supuestamente tenían poderes mágicos, había otros con engastes huecos que podían ser llenados con veneno con fines suicidas u homicidas.

anillo En álgebra moderna (ver ÁLGEBRA Y ESTRUCTURAS ALGEBRAICAS), un conjunto de elementos con dos operaciones, denominadas "adición" y "multiplicación", que satisfacen ciertas condiciones. Estas especifican que el conjunto es cerrado bajo ambas operaciones; las leyes de ASOCIATIVIDAD y de DISTRIBUTIVIDAD rigen para ambas operaciones, la ley de CONMUTATIVIDAD rige para la suma. Hay una identidad aditiva (llamada cero), y cada elemento tiene un aditivo inverso (ver FUNCIÓN INVERSA). El conjunto de los ENTEROS es un anillo. Ver también teoría de CAMPOS.

anillo anual ver ANILLO DE CRECIMIENTO

anillo de crecimiento En una sección transversal del tronco de una planta leñosa, la cantidad de madera adicionada durante un mismo período de crecimiento. En las regiones templadas, este período corresponde generalmente a un año, en cuyo caso, el anillo de crecimiento puede denominarse anillo anual. En las regiones tropicales, los anillos pueden ser indistinguibles o no ser anuales. Aun en las regiones templadas, los anillos de crecimiento faltan ocasionalmente y a veces puede formarse un segundo o "falso" anillo durante un mismo año (p. ej., después de una defoliación por insectos). No obstante, los anillos anuales se han usado para datar antiguas estructuras de madera, en especial aquellas provenientes de los nativos norteamericanos que habitaron el sudoeste árido de EE.UU. Los cambios en el ancho de los anillos son una fuente de información sobre el clima del pasado.

Corte transversal de un tronco que muestra los anillos de crecimiento.
FOTOBANCO

animación Proceso de infundir un efecto de movimiento ilusorio a dibujos, modelos u objetos inanimados. Desde mediados de 1850, la ilusión de animación se produjo gracias a artefactos ópticos como el zeotropo. El fotograma permitió la producción de películas de dibujos animados. Los diseños innovadores y las técnicas de montaje de WALT DISNEY pronto lo ubicaron a la cabeza de la industria de la animación. De esa forma llegó a producir una serie de clásicos del cine animado, comenzando con *Blancanieves y los siete enanitos* (1937). Los hermanos FLEISCHER y los animadores de Warner Brothers ofrecían dibujos animados más irreverentes que a menudo atraían al público adulto. En Europa se desarrollaron nuevas técnicas de animación alternativas al dibujo lineal, como por ejemplo, la animación con marionetas (a veces hechas de arcilla). A fines del s. XX la animación computarizada, como la primera película animada generada completamente por computador, *Toy Story* (1995), llevó este arte a nuevos umbrales.

animación asistida por computadora *llamada* **imágenes generadas por computadora (IGC)** Tipo de gráficos animados que han reemplazado la ANIMACIÓN de "fotogramas" de modelos a escala de marionetas o dibujos. Los esfuerzos por reducir el trabajo y los costos de animación han llevado a la simplificación y computarización. Las computadoras pueden usarse en cada etapa de la animación sofisticada, por ejemplo, para automatizar el movimiento de la cámara de primer plano o para proporcionar los dibujos de relleno que completan la animación. Cuando una figura tridimensional se traduce en términos computacionales (digitalización), la computadora puede generar y desplegar secuencias de imágenes que parecen mover o rotar el objeto en el espacio. De ahí que la animación asistida por computadora permite simular movimientos muy complejos para investigaciones médicas y otras áreas científicas, así como para la producción de largometrajes.

animal Cualquier miembro del reino animal (ver TAXONOMÍA). Se define como un grupo de organismos pluricelulares que difiere de los miembros de los otros dos reinos multicelulares: vegetal (ver PLANTA) y HONGOS, por una serie de características. Los animales poseen músculos desarrollados, que les permiten ejecutar movimientos espontáneos (ver LOCOMOCIÓN), un sistema sensorial y un sistema nervioso más elaborados y mayores niveles de complejidad general. A diferencia de las plantas, los animales son incapaces de producir su propio alimento, razón por la cual están adaptados para conseguir y digerir los alimentos. En los animales, la pared celular se encuentra ausente o está compuesta de un material diferente del que compone la pared celular de las plantas. Los animales corresponden a unas tres cuartas partes de las especies vivientes. Algunos organismos unicelulares presentan características vegetales y animales. Ver también ALGA; ARTRÓPODO; BACTERIA; CORDADO; INVERTEBRADO; PROTISTA; PROTOZOO; VERTEBRADO.

animales, crueldad con los Producción de dolor, sufrimiento o muerte a un animal, deliberada o gratuitamente, o su abandono intencional o doloso. Quizás la primera ley contra la crueldad en el mundo, alusiva al trato de los animales domésticos, fue la incorporada en el código de la colonia de la bahía de Massachusetts (1641); una legislación similar se promulgó en Gran Bretaña en 1822. La primera sociedad para el bienestar animal, la Sociedad Protectora de Animales, se fundó en Inglaterra en 1824; La Sociedad americana para la prevención de la crueldad con los animales se constituyó en 1866. Con diversos matices, la crueldad con los animales es ilegal en la mayoría de los países y el interés en las ESPECIES EN PELIGRO DE EXTINCIÓN dio mayor impulso al movimiento contra la crueldad a fines del s. XX. Como reflejo de dicho interés, se han promulgado muchas leyes, aunque raras veces se hacen cumplir, a menos que la presión pública se haga sentir. El movimiento se ha dirigido a situaciones que van desde el maltrato a los animales domésticos hasta la TAUROMAQUIA y la VIVISECCIÓN. La AGRICULTURA INDUSTRIAL, que involucra por cierto varias prácticas crueles, ha permanecido en gran medida al margen del escrutinio legal. Ver también derechos de los ANIMALES.

animales, derechos de los Derechos, fundamentalmente a no ser maltratado ni tratado con crueldad, que poseerían los animales superiores no humanos (p. ej., el chimpancé), así como muchos animales inferiores, en virtud de su capacidad de sentir. El respeto del bienestar de los animales es un precepto de algunas antiguas religiones orientales, como el JAINISMO, que profesa el *ahimsa* ("no dañar") hacia todas las formas de vida, y el BUDISMO, que prohíbe la matanza innecesaria de animales, especialmente (en India) las vacas. En Occidente, el JUDAÍSMO y el CRISTIANISMO tradicionales enseñaban que los animales fueron creados por Dios para servir a los seres humanos incluso como alimento. Muchos pensadores cristianos argumentaban que los seres humanos no tenían deberes morales de ninguna especie con los animales, incluso el deber de no tratarlos con crueldad, dado que carecían de racionalidad o porque no fueron creados a imagen de Dios como el hombre. Esta visión prevaleció hasta fines del s. XVIII, cuando etólogos como JEREMY BENTHAM aplicaron los principios del UTILITARISMO para inferir el deber moral de no infligir un sufrimiento innecesario a los animales. En la segunda mitad del s. XX, el etólogo Peter Singer junto a otros pensadores intentaron demostrar que el deber de no dañar a los animales, derivaba directamente de principios morales simples y ampliamente aceptados como p. ej.: "es malo causar sufrimiento innecesario". También sostuvieron que no existía "diferencia moral relevante" entre humanos y animales que justificara la crianza de animales, pero no de humanos, para alimento en sistemas de "AGRICULTURA INDUSTRIAL", utilizarlos en experimentos científicos o para ensayar productos (p. ej., de cosméticos). Otro punto de vista contrario sostenía que los seres humanos no tienen deberes morales con los animales, porque estos son incapaces de suscribir un hipotético "contrato moral" de respetar los intereses de otros seres racionales. El movimiento moderno por los derechos de los animales se inspiró en parte en los trabajos de Singer. A fines del s. XX habían surgido numerosos grupos dedicados a distintas causas afines, como la protección de especies amenazadas, la protesta contra métodos dolorosos o brutales de atrapar o matar animales (p. ej., para obtener pieles), impedir el uso de animales en investigación de laboratorio y la promoción entre sus adherentes de los beneficios para la salud y las virtudes morales del VEGETARIANISMO.

animales, señor de los En las tradiciones de pueblos cazadores, figura sobrenatural considerada el protector de los animales de caza. En algunas tradiciones es quien gobierna los bosques y el guardián de todas las especies; en otras, es el guardián de una sola especie, normalmente un animal valioso y de gran tamaño, que puede tener características tanto humanas como animales. Él exige que los cazadores tengan un trato respetuoso hacia los animales sacrificados. De no cumplirse la exigencia, puede acabar con la cacería, a menos que sea apaciguado a través de una ceremonia o por medio de un CHAMÁN.

animé Estilo de animación popular del cine japonés. Las películas *animé* están orientadas sobre todo al mercado japonés, por lo tanto, emplean muchas referencias culturales exclusivas de ese país. Por ejemplo, los grandes ojos de los personajes de *animé* se perciben generalmente en Japón como "ventanas del alma" multifacéticas. Gran parte del género está dirigido al mercado infantil, pero a veces las películas *animé* tratan temáticas y contenidos para adultos. El *animé* moderno comenzó en 1956 y alcanzó un éxito duradero en 1961 con el establecimiento de la compañía productora Mushi de Ozamu Tezuka, una figura destacada de la *manga* (historietas japonesas) moderna. *Animé* tales como *Akira* (1988), *La princesa Mononoke* (1997) y la serie de películas *Pokémon* han alcanzado popularidad internacional.

Hayao Miyazaki, creador de *La princesa Mononoke*, uno de los directores de *animé* más populares de Japón.
FOTOBANCO

animismo Creencia en la existencia de espíritus separables de los cuerpos. Tradicionalmente este tipo de creencias se ha identificado con sociedades de pequeña escala ("primitivas"), aunque también están presentes en las principales religiones del mundo. El primero en estudiarlas competentemente fue EDWARD BURNETT TYLOR en su libro *Primitive Culture* [Cultura primitiva] (1871). El animismo clásico, según Tylor, consiste en otorgar vida consciente a objetos o fenómenos naturales, práctica que en definitiva dio origen a la noción de ALMA. Ver también CHAMÁN.

anión Átomo o grupo de átomos que tienen una CARGA ELÉCTRICA negativa, señalada por un índice sobreescrito de signo negativo después del símbolo químico. En un líquido sometido a un campo eléctrico, los aniones emigran hacia el electrodo positivo (ÁNODO). Algunos ejemplos son el hidroxilo ($—OH^-$; ver HIDRÓXIDO), el CARBONATO ($—CO_3^{2-}$) y el FOSFATO ($—PO_4^{3-}$). Ver también ION; comparar CATIÓN.

aniquilación En física, una reacción en la cual una partícula y su antipartícula (ver ANTIMATERIA) colisionan y desaparecen. La aniquilación libera una energía equivalente a la masa original m multiplicada por el cuadrado de la velocidad de la luz c, o $E = mc^2$, de acuerdo a la teoría de la RELATIVIDAD especial de ALBERT EINSTEIN. La energía puede aparecer directamente como RAYOS GAMMA o puede convertirse en partículas y antipartículas (ver PRODUCCIÓN DE PARES).

Planta de anís (*Pimpinella anisum*).
A-Z BOTANICAL COLLECTION

anís Hierba anual (*Pimpinella anisum*) de la familia de las Umbelíferas (ver PEREJIL), cultivada principalmente por su fruto, llamado semilla de anís, de un sabor parecido al REGALIZ. Nativo de Egipto y de la región del Mediterráneo oriental, el anís se cultiva en todo el mundo. La semilla de anís se usa como saborizante e infusión calmante. El anís estrellado es el fruto seco del árbol SIEMPREVERDE *Illicium verum* (familia de las Magnoliáceas [ver MAGNOLIO]), nativo del sudeste de China y Vietnam. Su sabor y usos son similares a los del anís.

Anjou Región histórica ubicada en el valle inferior del LOIRA, en el noroeste de Francia. Organizada durante el período galorromano como la *Civitas Andegavenisis*, más tarde se convirtió en un condado y, desde 1360, en el ducado de Anjou. Su capital era Angers. Bajo la dinastía CAROLINGIA fue nominalmente gobernada por un conde en representación del monarca francés. En 1152, la región quedó en manos del rey inglés ENRIQUE II, cuando se casó con LEONOR DE AQUITANIA, fundando así el imperio angloangevino de la dinastía PLANTAGENET. Los franceses recuperaron Anjou en 1259 y fue incorporada a Francia en 1487. Dejó de existir como departamento en 1790.

Anjou, casa de *o* dinastía angevina Descendientes de un conde de ANJOU del s. X (de donde deriva el adjetivo angevino). La dinastía de Anjou se traslapa con la casa de PLANTAGENET; pero generalmente se considera que esta casa está compuesta exclusivamente por los reyes ingleses ENRIQUE II, RICARDO I y JUAN (sin Tierra). Enrique estableció el Imperio angevino en la década de 1150, cuando tomó el control de Normandía, Anjou, Maine y Aquitania (a través de su matrimonio con LEONOR DE AQUITANIA). Cuando se convirtió en rey de Inglaterra en 1154, Enrique extendió sus dominios desde Escocia hasta los Pirineos. Las reivindicaciones inglesas de territorio francés provocaron la guerra de los CIEN AÑOS. En 1558, los ingleses habían perdido todas sus antiguas posesiones francesas.

Anjova (*Pomatomus saltatrix*).

anjova Pez comestible escurridizo y objeto de la pesca deportiva (*Pomatomus saltatrix*), que habita las regiones cálidas y tropicales de los océanos Atlántico e Índico. Vive en cardúmenes y es un voraz predador de animales más pequeños, especialmente de otros peces. Su cuerpo es estilizado, posee una cola ahorquillada y una gran boca con poderosos dientes puntiagudos. Es de color azul o verdoso y crece hasta alcanzar 1,2 m (4 pies) de largo y un peso cercano a 11,5 kg (25 lb).

Ankara *ant.* **Angora** Ciudad (pob., 1997: 2.984.099 hab.), capital de Turquía. Localizada aprox. a 200 km (125 mi) al sur del mar Negro, ha estado habitada desde la edad de piedra. Fue conquistada en 334 AC por Alejandro Magno e incorporada al Imperio romano por Augusto. En 1073, mientras pertenecía al Imperio bizantino, fue conquistada por los turcos, los que fueron expulsados en 1101 por el cruzado Raimundo IV de Toulouse. En 1403 cayó bajo el poder del Imperio otomano. Después de la primera guerra mundial (1914–18), Mustafá Kemal Atatürk convirtió a Ankara en el centro de la resistencia, tanto contra los otomanos como contra los invasores griegos. En 1923, Ankara se convirtió en capital de la república de Turquía. Después de Estambul, es hoy el principal centro industrial del país. Su historia se ve reflejada en su arquitectura y ruinas romanas, bizantinas y otomanas, además de importantes museos históricos.

Mausoleo de Atatürk, Ankara, Turquía.

ankh Antiguo jeroglífico egipcio que significa "vida" y que consiste en una cruz coronada por un lazo. En las inscripciones funerarias se representaba frecuentemente a dioses y faraones sosteniendo el ankh, el que forma parte de jeroglíficos que expresan conceptos como salud y felicidad. El ankh se usa como cruz en la Iglesia copta ortodoxa.

Ankobra, río Río de Ghana meridional. Nace al nordeste de Wiawso y recorre 209 km (130 mi) aprox. hacia el sur hasta el golfo de Guinea, justo al oeste de Axim. Los ríos Mansi y Bonsa son sus principales afluentes; gran parte de su cuenca es compartida con el río Tano por el oeste.

Ann Arbor Ciudad (pob., 2000: 114.024 hab.) del sudeste de Michigan, EE.UU. Fundada en 1824, se convirtió en un centro agrícola con la llegada del ferrocarril en 1839. La Universidad de Michigan, que se trasladó desde Detroit en 1837, ha jugado un rol central en el crecimiento de Ann Arbor. La investigación industrial privada y los institutos universitarios de ciencia y tecnología hacen de la ciudad un importante centro de investigación espacial y nuclear del medio oeste de EE.UU.

Ann, cabo Cabo al nordeste de Boston, Mass., EE.UU. Protege la bahía de Ipswich y en él se encuentran los puertos de Annisquam en el norte y de Gloucester en el sur. El peñón, pintoresco promontorio bautizado en honor a la reina Ana (esposa de Jacobo I), es famoso por sus antiguos poblados de pescadores y colonias de artistas. Sus pueblos principales son Gloucester y Rockport.

Annaba *ant.* **Bona** Ciudad portuaria (pob., 1998: 348.554 hab.) del nordeste de Argelia. Identificada con el antiguo puerto de Hipona (o Hippo Regius) por el sur, hasta c. 300 DC era una rica ciudad del África romana. Entre 396 y 430 fue el hogar de san Agustín. En el año 431 sufrió la devastación de los vándalos, pero fue reconstruida y rebautizada por los árabes como Bona en el s. VII. En 1832 fue ocupada por los franceses, cuando estos tomaron el control de toda el área. La Annaba actual es el principal exportador de minerales de Argelia; es también un puerto comercial y de escala.

Annales, escuela de los Escuela histórica, establecida por Lucien Febvre (n. 1878–m. 1956) y Marc Bloch (n. 1886–m. 1944) fundada en la revista *Annales: économies, sociétés, civilisations* [Anales: economías, sociedades y civilizaciones], nueva versión de una revista fundada por Febvre y Marc Bloch. Bajo la dirección de Fernand Braudel, la escuela de los Annales promovió una nueva forma de escribir historia, que sustituye el estudio de las figuras prominentes por las vidas de la gente común, y el de la política, la diplomacia y las guerras por investigaciones sobre el clima, demografía, agricultura, comercio, tecnología, transporte y comunicaciones, como también sobre grupos sociales y mentalidades. Esta aspiración a la "historia total" no obsta a que produzca cautivadores microestudios locales y regionales. Su influencia internacional sobre la historiografía ha sido enorme.

Annam Reino histórico del centro de Vietnam. Alrededor de 200 AC, el territorio fue conquistado por los chinos, quienes le dieron su nombre (el cual nunca ha sido usado por los habitantes indígenas). Se independizó en el s. XV DC, lo que abrió paso a un sostenido desplazamiento vietnamita hacia el delta del río Mekong. Cuando Vietnam fue unificado en 1802, la ciudad de Hue se convirtió en su capital y el área fue gobernada por el emperador de Annam. La parte central de Vietnam cayó gradualmente bajo dominio francés en el s. XIX. Entre 1883 y 1885 se convirtió en protectorado, dejando sólo con un poder nominal a la corte de Hue. En 1954, el territorio fue dividido entre Vietnam del Norte y Vietnam del Sur. El último emperador de Annam fue depuesto en 1955.

Annan, Kofi (Atta) (n. 8 abr. 1938, Kumasi, Costa de Oro, actual Ghana). Séptimo Secretario General de las Naciones Unidas (NU) (desde 1997), quien compartió con dicha organización el Premio Nobel de la Paz de 2001. Es hijo de un gobernador provincial y jefe supremo hereditario de la tribu de los fanti. Realizó estudios superiores en el Instituto de Estudios Internacionales Avanzados de Ginebra y en el Massachusetts Institute of Technology (MIT). Ha desarrollado casi toda su carrera en el seno de las Naciones Unidas, donde comenzó en la OMS (1962). Como Secretario General adjunto de operaciones de mantenimiento de la paz (desde 1993), transfirió las operaciones de pacificación en Bosnia de la ONU a la OTAN. Elegido en diciembre de 1996, se convirtió en el primer Secretario General de las Naciones Unidas proveniente de África subsahariana, y se le otorgó un mandato para reformar la burocracia de la organización. Criticó el fracaso de las Naciones Unidas en cuanto a impedir o

Kofi Annan, Secretario General de las Naciones Unidas (1997-2006).

minimizar el genocidio en Ruanda (1994) y provocó inquietud cuando declaró que las Naciones Unidas deberían ocuparse de las violaciones a los derechos humanos cometidas por los gobiernos contra sus propios pueblos. Sus prioridades consideraban reformar las Naciones Unidas, restaurar la confianza pública en la organización, y fortalecer las actividades de las Naciones Unidas en pro de la paz y del desarrollo. Annan fue designado para un segundo período en 2001.

Annapolis Ciudad (pob., 2000: 35.838 hab.), capital del estado de Maryland, EE.UU. Se levanta a orillas del río Severn en la bahía de CHESAPEAKE. Fundada en 1649 como Providence por los puritanos de Virginia, después fue conocida como Ann Arundel Town. Devino a ser la capital del estado en 1694 y posteriormente fue rebautizada en honor a la princesa (después reina) ANA ESTUARDO. Su economía está ligada a servicios gubernamentales, y es sede de la ACADEMIA NAVAL DE LOS ESTADOS UNIDOS DE AMÉRICA.

Annapolis ver ACADEMIA NAVAL DE LOS ESTADOS UNIDOS DE AMÉRICA

Annapolis, convención de (sep. 1786). Reunión celebrada en Annapolis, Md., EE.UU., que condujo a la convocatoria de la CONVENCIÓN CONSTITUCIONAL. Los delegados de cinco estados se reunieron para debatir problemas del comercio marítimo, pero vieron que no podían resolverlos sin modificar los artículos de la CONFEDERACIÓN. Convocaron a todos los estados a una reunión en 1787, en Filadelfia, para resolver las dificultades.

Annapurna Cadena montañosa de Nepal. Forma una cordillera de 48 km (30 mi) de largo con cuatro cumbres principales. El Annapurna I (8.091 m, o 26.545 pies), escalado por primera vez en 1950 por una expedición francesa, se convirtió en la primera cumbre de más de 8.000 m (26.000 pies) en ser conquistada. En 1970, un grupo de mujeres japonesas llegó hasta la cumbre del Annapurna III (7.555 m, o 24.786 pies).

anodización Método para revestir metal a fin de lograr resistencia a la corrosión, aislamiento eléctrico, control térmico, resistencia a la abrasión, sellado, mejorar la adhesión de pintura y acabado decorativo. La anodización consiste en depositar eléctricamente una película de ÓXIDO de una solución acuosa sobre la superficie de un metal, a menudo ALUMINIO, que sirve de ÁNODO en una cuba electrolítica. En el baño de ácido sulfúrico al 15%, que se emplea para el tipo más común de anodización, se pueden agregar colorantes al proceso de oxidación para obtener una superficie coloreada. El aluminio, anodizado y coloreado de este modo, se usa ampliamente en artículos para regalos, artefactos caseros y decoración arquitectónica.

ánodo Terminal o ELECTRODO del cual se desprenden ELECTRONES de un sistema. En una BATERÍA u otra fuente de CORRIENTE CONTINUA, el ánodo es el terminal negativo. En una carga pasiva es el terminal positivo. En un tubo electrónico, los electrones del CÁTODO se mueven por el tubo hacia el ánodo; en una cuba galvanoplástica, los iones negativos se depositan en el ánodo.

anomia En las ciencias sociales, condición de inestabilidad social o desasosiego personal que resulta de una situación de quiebre de las normas y valores o de la carencia de propósitos o ideales. El término fue introducido en 1897 por ÉMILE DURKHEIM, quien postulaba que se originaba un tipo de SUICIDIO (anómico) a partir del quiebre de las normas sociales que las personas necesitan y utilizan para regular sus conductas. ROBERT K. MERTON estudió las causas de la anomia en EE.UU., y observó que era más aguda entre quienes carecían de los medios necesarios para lograr sus metas culturales. La delincuencia, el crimen y el suicidio son, a menudo, reacciones a la anomia. Ver también ALIENACIÓN.

anomópodo Cualquiera de unas 450 especies (orden Anomopoda) de CRUSTÁCEOS microscópicos, generalmente de agua dulce, distribuidos en todo el planeta. Las especies del género *Daphnia* se encuentran en toda Europa y Norteamérica. Los anomópodos tienen la cabeza pequeña con antenas. El caparazón encierra todo o casi todo el cuerpo, excepto en el *Leptodora*, un anomópodo predador gigante (hasta 18 mm [0,7 pulg.] de longitud), cuyo caparazón es sólo un pequeño saco incubador. La mayoría de las especies se propulsan dando vigorosos golpes con sus antenas, los que a veces producen movimientos ascendentes y descendentes alternados. Casi todas las especies predadoras usan miembros torácicos especializados para filtrar la materia orgánica del agua. Ver también COPÉPODO.

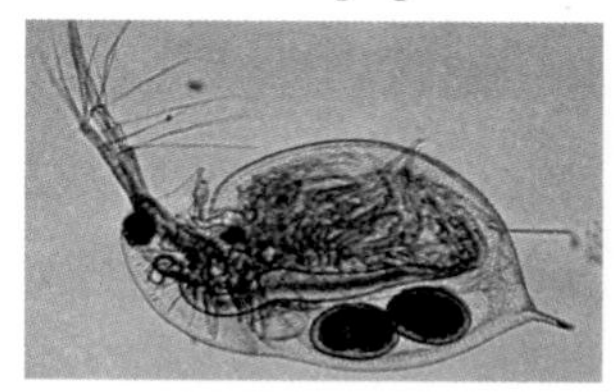

Anomópodo del género *Daphnia* (ampliado unas 30 veces).
ERIC V. GRAVE—PHOTO RESEARCHERS

anorexia nerviosa Incapacidad para mantener un peso normal como resultado del anhelo de ser delgado, del temor a aumentar de peso, o de la alteración de la imagen corporal. Habitualmente, esta enfermedad comienza en la adolescencia tardía y ocurre mayormente en mujeres jóvenes. La afectada hace todo lo posible por no comer y perder peso, recurriendo incluso a la BULIMIA y ejercicios vigorosos. Un síntoma usual es la AMENORREA. Las complicaciones médicas pueden implicar riesgo vital. El tratamiento comprende terapia psicológica y social.

anortita FELDESPATO, aluminosilicato de calcio ($CaAl_2Si_2O_8$), que aparece como cristales vidriosos, frágiles, de color blanco o grisáceo. Es principalmente un mineral litogénico y se usa en la fabricación de vidrio y cerámica. La anortita se encuentra en las rocas ígneas básicas (ver ROCAS ÁCIDAS Y BÁSICAS).

anortosita Tipo de ROCA ÍGNEA compuesta principalmente de FELDESPATOS ricos en calcio. Es bastante menos abundante que el basalto o el granito, pero los yacimientos en los que se encuentra son a menudo muy grandes. Todas las anortositas encontradas en la Tierra están formadas por cristales gruesos, pero algunas provenientes de la Luna están formadas por cristales finos.

Anouilh, Jean (-Marie-Lucien-Pierre) (23 jun. 1910, Burdeos, Francia–3 oct. 1987, Lausana, Suiza). Dramaturgo francés. Después de estudiar derecho, escribió su primera obra, *El armiño* (1932), seguida de la exitosa *Viajero sin equipaje* (1937). Entre sus obras más importantes figuran *Antígona* (1944), *La alondra* (1953) y *Becket o el honor de Dios* (1959), en las que usó técnicas como el teatro en el teatro, escenas retrospectivas y anticipatorias y el intercambio de papeles. Fue un talentoso exponente de la PIÈCE BIEN FAITE y rechazó el naturalismo y el realismo en favor de un regreso al TEATRO TOTAL.

Jean Anouilh, dramaturgo francés.
H. ROGER-VIOLLET

ANPK ver MIG

anṣār (árabe: "ayudante, auxiliador"). Término aplicado originalmente a algunos de los miembros de los COMPAÑEROS DEL PROFETA. Cuando MAHOMA abandonó La Meca y se trasladó a MEDINA, los anṣār eran los medineses que lo ayudaron, quienes se convirtieron en sus seguidores más devotos y sirvieron en su ejército. El término fue revivido en el

s. XIX para referirse a los seguidores del sudanés al-MAHDI, al sucesor de este o a sus descendientes.

ánsar común Representante más común del llamado GANSO gris euroasiático (*Anser anser*) y ancestro de todos los gansos domésticos occidentales. Nidifica en regiones templadas y migra en invierno de Gran Bretaña a África del norte, India y China. Es de color gris pálido con patas rosadas; el pico es rosado en la especie oriental y naranja en la occidental.

Anschluss (alemán: "anexión"). Unificación política de Austria con Alemania, ocurrida cuando ADOLF HITLER anexó Austria. En 1938, el canciller austríaco KURT VON SCHUSCHNIGG fue forzado a cancelar un plebiscito sobre la unificación con Alemania, que esperaba que los austríacos rechazaran. El canciller renunció a su cargo y ordenó al ejército austríaco no resistir a los alemanes. Estos invadieron el 12 de marzo y el entusiasmo demostrado por los austríacos persuadió a Hitler de anexar Austria al día siguiente. Aunque Francia y Gran Bretaña protestaron contra los métodos de Hitler, ambos países –al igual que otros– aceptaron el hecho consumado.

Destacamento alemán que ingresa a Imst, Austria, luego del Anschluss de marzo de 1938.
FOTOBANCO

Anselmo de Canterbury, san (1033/34, Aosta, Lombardía–21 abr. 1109, posiblemente Canterbury, Kent, Inglaterra; festividad: 21 de abril). Fundador de la ESCOLÁSTICA. Anselmo ingresó al monasterio benedictino de Bec (en Normandía) en 1057 y fue nombrado abad en 1078. En 1077 escribió el *Monologium* para demostrar la existencia de Dios y de sus atributos sólo a través de la razón. Posteriormente escribió el *Proslogium*, en el que estableció el ARGUMENTO ONTOLÓGICO de la existencia de Dios. En 1093 fue investido arzobispo de Canterbury y no tardó en verse envuelto en discrepancias con GUILLERMO II sobre la independencia de la Iglesia y el derecho de apelar al papa, posición que le significó sufrir el destierro. Aunque fue invitado a volver por ENRIQUE I, Anselmo se enfrentó nuevamente con el rey acerca de la investidura por laicos (ver QUERELLA DE LAS INVESTIDURAS). En 1099 completó *Cur Deus homo?* [¿"Por qué Dios se hizo hombre"?], obra que aportaba un nuevo entendimiento de la redención de la humanidad por Jesús y revelaba el creciente énfasis sobre su humanidad. Anselmo fue declarado doctor de la Iglesia en 1720.

Ansgar, san (probablemente 801, cerca de Corbie, Austrasia–3 feb. 865, Bremen, Sajonia; festividad: 3 de febrero). Misionero, primer arzobispo de Hamburgo y santo patrón de Escandinavia. Fue enviado por LUIS I (el Piadoso) para que ayudara al rey Harald a cristianizar Dinamarca y al rey Bjorn a cristianizar Suecia. Inició una labor misionera dirigida a todos los escandinavos y eslavos, y fue nombrado arzobispo de Hamburgo (832). Pero en 845, Suecia y Dinamarca regresaron al paganismo y Ansgar tuvo que reiterar toda su obra evangelizadora. Frustró una nueva rebelión pagana y poco después de su muerte fue reconocido como santo.

Anshan Ciudad (pob., est. 1999: 1.285.849 hab.) de la provincia de LIAONING, en el nordeste de China. Fue establecida como una estación de correos en 1387 y en 1587 fortificada como parte de las defensas erigidas por la dinastía MING contra el creciente poderío de los MANCHÚES. Fue destruida por el fuego durante la rebelión de los BÓXERS y severamente dañada durante la guerra RUSO-JAPONESA (1904–05). En la década de 1930, los japoneses ocuparon Anshan y la convirtieron en un centro siderúrgico. La ciudad fue bombardeada por la fuerza aérea de EE.UU. en 1944 y saqueada por los soviéticos al terminar la segunda guerra mundial. Más tarde, los chinos la volvieron a levantar como un centro industrial dedicado a la producción de acero, cemento y productos químicos.

ansiedad En psicología, sentimiento de pavor, miedo o aprehensión, que a menudo no tiene una justificación clara. La ansiedad se diferencia del miedo auténtico, en que más que una respuesta a un peligro real y evidente, se caracteriza por ser el producto de estados emocionales internos y subjetivos. Se caracteriza por presentar signos fisiológicos, como sudoración, tensión y aceleración del pulso, y porque el individuo duda, tanto de la existencia real de la amenaza percibida y de la naturaleza de esta, como de su propia capacidad para enfrentarla. Es normal que a veces, y en forma inevitable, surja en el diario vivir algo de ansiedad. Sin embargo, la presencia de ansiedad persistente, crónica, intensa o recurrente, no explicable por el estrés de la vida cotidiana, es considerada usualmente como un signo de trastorno emocional. Ver también ESTRÉS.

Antakya ver ANTIOQUÍA

Antananarivo *ant.* **Tananarive** Ciudad (pob., 1993: 3.601.128 hab.), capital de Madagascar. Está ubicada en el centro de la isla de Madagascar, a una altura de 1.250 m (4.100 pies) sobre el nivel del mar. La ciudad, fundada en el s. XVII, fue parte del reino de Merina desde 1793 hasta fines del s. XIX, cuando los franceses la convirtieron en la capital de su colonia, al tomar el control de la región, y la rebautizaron como Tananarive. Después de la revolución de 1972 se le dio el nombre actual de Antananarivo. Allí se encuentra la Universidad de Madagascar (1961), y plantas de procesamiento de tabaco y alimentos. Un ferrocarril la comunica con Toamasina, el principal puerto de la isla.

antárticas, regiones Zona constituida por la ANTÁRTIDA y las aguas australes de los océanos Pacífico, Atlántico e Índico (a veces se utiliza el término "océano Antártico", lo que es incorrecto). El sector se caracteriza en su mayor parte por condiciones climáticas subsolares y plataformas de hielo y hielos marinos que se extiende mucho más allá de los límites del continente. Se ha registrado una profundidad máxima de las aguas de 6.414 m. (21.043 pies). El agua enfriada por las masas de hielo costeras del continente antártico se hunde y fluye hacia el norte por el fondo del océano y es reemplazada en la superficie por agua más tibia que fluye hacia el sur desde los océanos Índico, Pacífico y Atlántico. El punto de encuentro de estas corrientes es la convergencia antártica, un área rica en fitoplancton y krill, que son fundamentales para las variadas especies de peces, pingüinos y aves marinas.

antártico, círculo polar Paralelo de latitud aproximada 66,5° sur que circunscribe la zona helada austral. Marca el límite norte del área dentro de la cual, durante un día o más al año, el sol no sale ni se pone. La duración del día y la noche aumenta del círculo polar antártico hacia el sur y llega a durar seis meses en el POLO SUR.

Antártida Quinto continente más grande del planeta. La Antártida se ubica en forma concéntrica alrededor del POLO SUR. Su masa terrestre está casi enteramente cubierta por un vasto manto de hielo que alcanza como promedio los 2.000 m (6.500 pies) de espesor. Está dividida en dos subcontinentes: la Antártida oriental, que consiste principalmente en una gran meseta cubierta de hielo, y la Antártida occidental, formada en su mayoría por un archipiélago de islas montañosas cubiertas de hielo. Su superficie terrestre es de aprox. 14,2 millones de km² (5,5 millones de mi²). Está rodeada por las aguas meridionales de los océanos Pacífico, Atlántico e Índico (ver regiones ANTÁRTICAS). La Antártida sería circular si no fuera por el espolón de la península antártica y dos grandes bahías, el mar de Ross y el mar de Weddell, que no encajan en este círculo hipotético. La Antártida occidental y la oriental están separadas por la larga cadena de montañas transantárticas (3.000 km o 1.900 mi). El manto de hielo que cubre el continente representa el 90% de los hielos glaciares del planeta. Es el continente más helado; ostenta las temperaturas más bajas registradas en el mundo: -89,2 ºC (-128,6 ºF), medida en 1983. El clima sólo permite la existencia de una pequeña comunidad de plantas terrestres, pero la rica provisión de alimentos del litoral mantiene a los pingüinos y a inmensos criaderos de aves marinas. No hay asentamientos humanos permanentes. El ruso F.G. von Bellingshausen (n. 1778–m. 1852), el inglés Edward Bransfield (n. ¿1795?–m. 1852) y el estadounidense Nathaniel Palmer (n. 1799–m. 1877), sostienen haber sido los primeros en avistar el continente en 1820. El período comprendido entre esa fecha y c. 1900 estuvo dominado por las exploraciones de los mares antárticos y subantárticos. A comienzos del

Banquisas en la Antártida, el continente más frío del mundo y hábitat de comunidades de pingüinos.
FOTOBANCO

s. XX, la "era heroica" de las exploraciones antárticas dio lugar a expediciones que se adentraron en el continente, primero la de ROBERT FALCON SCOTT y luego la de ERNEST SHACKLETON. El Polo Sur fue alcanzado por ROALD AMUNDSEN en diciembre de 1911 y por Scott en enero de 1912. La primera mitad del s. XX también fue el período colonial de la Antártida. En el Año Geofísico Internacional de 1957–58, doce naciones establecieron más de 50 estaciones en el continente para estudios cooperativos. En 1959 estos mismos países suscribieron el Tratado Antártico (que entró en vigor en 1961) que reservaba la Antártida exclusivamente para la investigación científica libre y sin fines políticos, y establecía que ninguna de sus disposiciones implicaba renuncia alguna a los derechos de soberanía territorial o a las reclamaciones territoriales en la Antártida que hubieren hecho valer precedentemente siete de los países firmantes. En 1991, un acuerdo impuso una moratoria de 50 años a la explotación de minerales.

Antelami, Benedetto (c. 1150, probablemente Lombardía–c. 1230, Parma). Escultor y arquitecto italiano. Es posible que perteneciera a los Magistri Antelami, un gremio de constructores civiles de la región del lago Como. En la catedral de Parma hay un temprano relieve en mármol con su firma, *El descendimiento de la cruz* (1178); su extenso ciclo de esculturas en el baptisterio de Parma se inició en 1196. Se le atribuyen las decoraciones escultóricas de la catedral de Fidenza y de la catedral de Ferrara. Se cree que su última obra fue la decoración y (al menos en parte) la construcción de la iglesia de San Andrés en Vercelli, en cuya arquitectura combinó con acierto el románico toscano con características góticas (como los arbotantes, los rosetones y las bóvedas con nervaduras), lo que le dio un renombre perdurable.

antena Componente de sistemas de RADIO, TELEVISIÓN y RADAR que dirige la recepción y emisión de ondas de radio. Hechas generalmente de metal, las antenas varían de forma y tamaño, desde aparatos semejantes a un mástil, usados para radio y teledifusión, hasta los grandes reflectores parabólicos que se utilizan para concentrar las señales satelitales y las ondas de radio generadas por objetos astronómicos distantes y reflejarlas hacia el receptor situado en el centro. Las antenas fueron inventadas en la década de 1880 por HEINRICH HERTZ; GUGLIELMO MARCONI introdujo muchas mejoras.

antena En zoología, órgano sensorial par delgado y segmentado, sobre la cabeza de los INSECTOS, miriápodos (p. ej., CIEMPIÉS, MILPIÉS) y CRUSTÁCEOS. Las antenas de los insectos son móviles y se supone que sirven como receptores táctiles y odoríferos. En algunas especies, el desarrollo de apéndices plumosos o terminaciones en cepillo, han planteado la sugerencia de que también sirven para oír. De esto sólo existe evidencia para el MOSQUITO, cuyas antenas poseen estructuras especializadas que son estimuladas por las vibraciones de su tallo. En los insectos sociales (p. ej., HORMIGAS), los movimientos de las antenas servirían para comunicarse.

Antenor (floreció c. 530–510 AC). Escultor griego que desarrolló su obra en Atenas. En la antigüedad fue famoso por su grupo en bronce de los *Tiranicidas* (c. 510 AC) que realizó para el ÁGORA ateniense, aunque las estatuas ya no existen. En la obra había elementos de movimiento y precisión en el detalle anatómico que marcaron la transición entre la era arcaica y la clásica. También se le atribuye una gran KORÉ de mármol (c. 520 AC) de la Acrópolis encontrada en 1886, considerada uno de los ejemplos más finos de la escultura arcaica tardía.

anteojos LENTES insertos en marcos para emplearlos como ayuda visual o para corregir defectos visuales (ver OFTALMOLOGÍA, OPTOMETRÍA). Su empleo en la hipermetropía y la miopía se conoce desde la Edad Media tardía. BENJAMIN FRANKLIN inventó los lentes bifocales, divididos para visión distante y cercana. Los anteojos también pueden corregir el ASTIGMATISMO. La mayoría de los lentes son de vidrio o plástico (más livianos y menos quebradizos que los de vidrio, pero se rayan fácilmente). Los anteojos de sol son teñidos para reducir el deslumbramiento y, a menudo, tratados para disminuir la exposición a los rayos ultravioleta. Ver también LENTES DE CONTACTO.

antepasados, culto a los Prácticas o creencias religiosas que implican dedicar oraciones u ofrendas a los espíritus de parientes fallecidos. Existió entre los antiguos griegos, pueblos mediterráneos y los antiguos habitantes de Europa. El culto a los antepasados también desempeña un rol fundamental en las religiones AFRICANAS tradicionales. Los muertos están vinculados a la familia, al clan, a la tribu, o a la aldea, relación que podría incluir a los antepasados míticos. Estos podían ser amistosos o disgustarse y en tal caso requerir propiciación. A veces se celebran ceremonias conmemorativas en tumbas o en monumentos que pueden incluir plegarias, ofrendas, sacrificios y fiestas de homenaje. El culto a los antepasados individuales es común; puede combinarse con formas comunitarias de culto, como fue el caso del culto al emperador romano. Un antepasado cuyos hechos son considerados heroicos, puede devenir un dios. En China y Japón, el culto a los antepasados (o más precisamente, veneración de los antepasados) ha declinado junto con la disminución en tamaño e importancia de los grupos emparentados.

Antesteria Fiesta ateniense en honor a DIONISO, que se celebraba durante el mes de Antesterion (feb.–mar.) para celebrar el comienzo de la primavera y la maduración del vino guardado desde la vendimia anterior. Duraba tres días e incluía libaciones al dios de los odres recién abiertos, festejos populares, una ceremonia matrimonial secreta entre Dioniso y la esposa del rey, y ritos orgiásticos.

anthem Composición coral con textos en inglés que se usa en los servicios religiosos. Se desarrolló a mediados del s. XVI como la versión anglicana del MOTETE católico en latín. El "full anthem" es para coro sin acompañamiento, mientras que el "verse anthem" emplea uno o más solistas y, por lo general, posee acompañamiento instrumental. Ambos tipos utilizan a menudo canto antifonal, que es la alternancia de dos medios coros (la palabra *anthem* deriva de *antífona*). WILLIAM BYRD, THOMAS TALLIS, HENRY PURCELL y GEORG FRIEDRICH HÄNDEL escribieron *anthems* bien conocidos.

Susan B. Anthony luchó por el sufragio femenino en EE.UU.
GENTILEZA DE LA BIBLIOTECA DEL CONGRESO, WASHINGTON, D.C.

Anthony, Susan B(rownell) (15 feb. 1820, Adams, Mass., EE.UU.–13 mar. 1906, Rochester, N.Y.). Pionera estadounidense del SUFRAGIO FEMENINO. Fue una niña precoz, aprendió a leer y escribir a los tres años de edad. Realizó sus estudios en un internado de Filadelfia y luego ingresó como maestra a un seminario cuáquero del norte del estado de Nueva York. Enseñó en una academia femenina (1846–49) y luego se retiró al hogar de la familia, cerca de Rochester, N.Y. Allí conoció a numerosos abolicionistas destacados, entre ellos FREDERICK DOUGLASS y WILLIAM LLOYD GARRISON. El desaire que sufrió en Albany en 1852 cuando intentó hablar ante una reunión antialcohólica, la indujo a unirse a ELIZABETH CADY STANTON en la organización de la Sociedad femenina antialcohólica del estado de Nueva York. De allí en adelante fue una incansable promotora de la abolición y de los derechos de la mujer. Durante la fase inicial de la guerra de Secesión colaboró en la organización de la Women's National Loyal League (Liga nacional de mujeres leales), que defendió la causa de la emancipación. Terminada la guerra procuró sin éxito obtener una modificación del texto de la XIV enmienda, en el sentido de otorgar el sufragio a las mujeres así como a los "negros". En 1868 representó a la Asociación de mujeres obreras de Nueva York, que acababa de organizar, ante la Convención nacional de sindicatos. En enero de 1869 organizó una convención a favor del sufragio femenino en Washington, D.C., y en mayo del mismo año, junto con Elizabeth Stanton, formaron la Asociación nacional del sufragio femenino (NWSA). Con el fin poner a prueba la legalidad de la disposición sobre el sufragio que figuraba en la XIV enmienda, emitió su voto en la elección presidencial de 1872, en Rochester. Fue detenida, condenada (el veredicto del juez que la declaró culpable ya estaba redactado antes de comenzar el juicio) y multada; pese a que se negó a pagar la multa, el juicio no pasó más allá. Fue presidenta de la Asociación nacional estadounidense del sufragio femenino (1892–1900) y dio conferencias en todo el país en pro de una enmienda federal para el sufragio femenino.

antiácido Cualquier sustancia, como el bicarbonato de sodio, el hidróxido de magnesio o el hidróxido de aluminio, que se utiliza para aliviar las molestias causadas por la indigestión, gastritis y varias formas de úlceras. Los antiácidos contrarrestan o neutralizan la acidez gástrica hasta por tres horas después de ingerir una sola dosis. Los antiácidos deberían ingerirse cuando es más probable que la acidez gástrica aumente, de una a tres horas después de cada comida, y a la hora de acostarse.

antialcohólica, Liga Movimiento social internacional dedicado a combatir el consumo de alcohol mediante la promoción de la moderación y la abstinencia. Comenzó en EE.UU. como un movimiento auspiciado por la Iglesia a principios del s. XIX. Atrajo la labor de muchas mujeres y ya en 1833 había 6.000 ligas antialcohólicas locales en dicho país. La primera sociedad antialcohólica europea se formó en Irlanda en 1826. En Utica, N.Y., EE.UU., en 1851, comenzó un movimiento internacional que se extendió a Australia, Asia, Europa, India, África occidental y meridional y América del Sur. Ver también la PROHIBICIÓN; UNIÓN CRISTIANA DE MUJERES POR LA TEMPERANCIA.

Antibes *antig.* **Antípolis** Puerto marítimo (pob., 1999: 72.412 hab.) del sudeste de Francia. Localizado en la costa mediterránea al sudoeste de NIZA, fue un centro de comercio griego establecido por los focios c. 340 AC. Se convirtió en un pueblo romano y posteriormente en un feudo de la familia Grimaldi (ver MÓNACO) desde 1384 hasta 1608. Es conocida como un balneario de invierno y por sus ruinas romanas.

antibiótico Sustancia química que en soluciones diluidas puede inhibir el crecimiento de los microorganismos o destruirlos, con daño escaso o nulo para el huésped infectado. Los primeros antibióticos fueron productos microbianos naturales, pero los químicos han modificado las estructuras de muchos de ellos para producir otros semisintéticos, e incluso totalmente sintéticos. Desde el descubrimiento de la penicilina (1928), los antibióticos han revolucionado el tratamiento de las enfermedades BACTERIANAS, micóticas (ver HONGOS) y algunas otras. Muchos ACTINOMICETES los producen (p. ej., ESTREPTOMICINA, TETRACICLINA), al igual que otras BACTERIAS (p. ej., polipéptidos como la bacitracina) y hongos (p. ej., PENICILINA). Los antibióticos pueden ser de amplio espectro (activos contra una amplia gama de agentes patógenos) o específicos (activo contra uno o una clase). Las desventajas son la actividad contra microorganismos beneficiosos, que a menudo causa DIARREA; ALERGIAS, y el desarrollo de cepas de los microorganismos atacados resistentes a la droga.

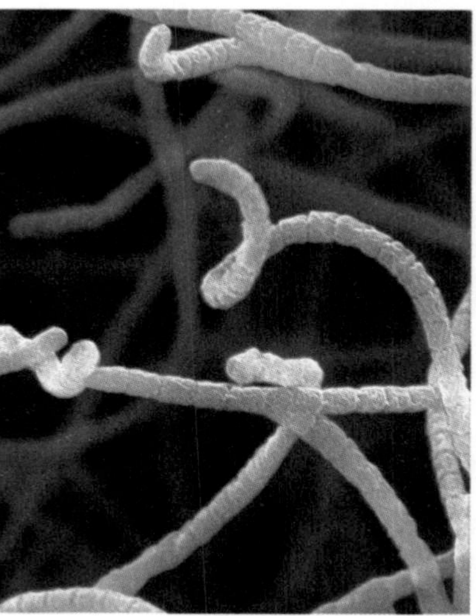
Microfotografía de *Streptomyces virginiae*, bacteria filamentosa gram positiva productora de antibióticos.
FREDERICK MERTZ/VISUALS UNLIMITED/GETTY IMAGES

anticoagulante Sustancia que impide la coagulación de la sangre, suprimiendo la síntesis o la función de varios factores de COAGULACIÓN. Los anticoagulantes se usan para prevenir la TROMBOSIS y para extraer y almacenar sangre. Existen dos tipos principales de anticoagulantes: la HEPARINA y los antagonistas de la vitamina K (p. ej., WARFARINA). Estos últimos son de efecto más duradero e interfieren el metabolismo de la VITAMINA K en el hígado, suprimiendo la síntesis de los factores de coagulación que dependen de ella. El tratamiento anticoagulante conlleva un alto riesgo de HEMORRAGIAS incontrolables.

anticongelante Cualquier sustancia que disminuye el PUNTO DE CONGELAMIENTO del AGUA, y protege a un sistema de los efectos dañinos de la formación de hielo. Anticongelantes, como el ETILENGLICOL o el propilenglicol, que se agregan al agua del sistema de enfriamiento de los automóviles, impiden que los radiadores se dañen. Los aditivos que impiden el congelamiento del agua en la gasolina (p. ej., Drygas) contienen generalmente METANOL o isopropanol.

Los organismos que deben sobrevivir a temperaturas de congelamiento usan varios compuestos químicos para inhibir la formación de cristales de hielo en sus células y tejidos: GLICEROL o DIMETIL SULFÓXIDO en los insectos; glicerol o trehalosa en otros invertebrados (NEMATODOS, ROTÍFEROS), y PROTEÍNAS en los peces antárticos.

Anticosti, isla Isla del golfo de SAN LORENZO. Situada en la desembocadura del río SAN LORENZO en el sudeste de Quebec, tiene una longitud de 225 km (140 mi); una anchura máxima de 56 km (35 mi). En 1534 fue explorada por JACQUES CARTIER y fue incorporada a la provincia de Quebec en 1774. Port-Menier es hoy su único poblado. En la actualidad constituye principalmente un lugar recreativo.

Anticristo El enemigo principal de Cristo que reinaría al final de los tiempos, mencionado por primera vez en las epístolas de san JUAN EVANGELISTA. La idea de un soberano poderoso que aparecerá al final de la historia para luchar contra las fuerzas del bien provino del judaísmo; a su vez, este concepto judío había sido influenciado por mitos babilónicos e iraníes acerca de la batalla que Dios libraría contra el DIABLO al final de los tiempos. En el libro de DANIEL, el mal está encarnado en ANTÍOCO IV EPIFANES, jefe militar que persiguió a los judíos. En varios libros del Nuevo Testamento, el Anticristo es un tentador que obra por medio de signos y prodigios y busca honores divinos. Para la cristiandad medieval, el Anticristo fue un concepto poderoso que concitó la atención de muchos comentaristas, entre ellos, Adso de Montier-en-Der, cuya obra se convirtió en el tratado medieval básico sobre el Anticristo. Durante la Edad Media, los papas y emperadores que se enfrentaron por el poder, a menudo se denunciaban recíprocamente como el Anticristo, y durante la Reforma, MARTÍN LUTERO y otros líderes protestantes identificaron al propio papado romano con el Anticristo.

anticuerpo Molécula del sistema INMUNE que circula en la sangre y en la LINFA, en respuesta a la invasión de un ANTÍGENO. Los anticuerpos son GLOBULINAS producidas en los TEJIDOS LINFÁTICOS por las CÉLULAS B, cuyos receptores están especializados para ligarse a antígenos específicos. Estos receptores se copian como anticuerpos que atacan a los antígenos destinatarios, ligándose a ellos para neutralizarlos o para desencadenar una reacción del COMPLEMENTO. Los puntos de ligazón de los anticuerpos son muy variados y ofrecen protección contra una amplia gama de agentes infecciosos y tóxicos. Los anticuerpos obtenidos del suero de personas o animales infectados se usan a menudo como antisuero para inmunizar prestamente contra microbios o toxinas de acción rápida. En 1975, CÉSAR MILSTEIN y colaboradores idearon un proceso para producir cantidades casi ilimitadas de anticuerpos; estos anticuerpos monoclonales pueden entregar radiaciones o medicamentos directamente a los antígenos específicos. Ver también ANTITOXINA; sistema RETICULOENDOTELIAL.

antidepresivo Cualquier medicamento empleado para tratar la DEPRESIÓN. Los tres tipos principales inhiben el metabolismo de la SEROTONINA y la NOREPINEFRINA en el cerebro. El propósito es impedir que estas monoaminas NEUROTRANSMISORAS desciendan a niveles asociados a la depresión. Los efectos de estas drogas pueden tardar algunas semanas en aparecer. Los antidepresivos tricíclicos, que frenan la inactivación de la norepinefrina y la serotonina, alivian a más del 70% de los pacientes. Los inhibidores de la monoaminoxidasa (MAO), aparentemente bloquean la acción de la MAO, enzima que ayuda a la destrucción de la noradrenalina, serotonina y DOPAMINA en las neuronas. Tienen efectos secundarios impredecibles y suelen usarse sólo si los compuestos tricíclicos no sirven. Los inhibidores selectivos de la recaptación de serotonina (ISRS) aparentemente bloquean sólo la reabsorción de serotonina, permitiendo que sus niveles aumenten en el cerebro. Los ISRS, como la fluoxetina (marca registrada Prozac), sirven a menudo en depresiones que no alivian los tricíclicos o inhibidores de la MAO, y sus efectos secundarios son menores.

antídoto Remedio para contrarrestar los efectos de un VENENO o una TOXINA. Administrado por vía oral, intravenosa, o a veces sobre la piel, puede neutralizar directamente el veneno; causar un efecto opuesto en el cuerpo; fijar el veneno para impedir su absorción, inactivarlo o evitar que calce con un receptor en el sitio de acción; o fijar el antídoto a un receptor para evitar que el veneno se fije allí, bloqueando su acción. Algunos venenos no son activos hasta que son transformados en el cuerpo; sus antídotos interrumpen tal transformación.

Antietam, batalla de (17 sep. 1862). Batalla sangrienta y decisiva de la guerra de SECESIÓN, que detuvo el avance de las fuerzas confederadas sobre Maryland. Luego del triunfo en la segunda batalla de BULL RUN, el gral. ROBERT E. LEE trasladó sus tropas a Maryland, con miras a capturar Washington, D.C. Las tropas de la Unión, al mando de GEORGE B. MCCLELLAN, detuvieron su avance en el arroyo de Antietam, Md. Las bajas confederadas sumaron alrededor de 13.700 y las unionistas, unas 12.400. McClellan recibió críticas por haber permitido que las fuerzas de Lee emprendieran la retirada a Virginia, pero la victoria animó al pdte. ABRAHAM LINCOLN a emitir una versión preliminar de la proclamación de la EMANCIPACIÓN.

Detalle del monumento conmemorativo al séptimo regimiento de Pensilvania que participó en la batalla de Antietam, Maryland, EE.UU.

FOTOBANCO

antifederalistas Dirigentes estadounidenses opuestos al gobierno central fuerte que se contemplaba en la Constitución de los ESTADOS UNIDOS DE AMÉRICA de 1787. Sus iniciativas condujeron a la formulación de la BILL OF RIGHTS (Declaración de derechos). Aun cuando reconocía la necesidad de modificar los artículos de la CONFEDERACIÓN, temían que un gobierno federal fuerte violara los DERECHOS DE LOS ESTADOS. Los partidarios del grupo, entre ellos GEORGE MASON, PATRICK HENRY, THOMAS PAINE, SAMUEL ADAMS y GEORGE CLINTON, eran tan numerosos como los militantes del PARTIDO FEDERALISTA, pero su influencia era débil en las zonas urbanas y sólo Rhode Island y Carolina del Norte votaron en contra de ratificar la constitución. Los antifederalistas fueron poder durante la presidencia de THOMAS JEFFERSON, cuando formaron el núcleo del futuro PARTIDO DEMÓCRATA.

Antifonte (c. 480–411 AC). Orador y estadista. Primer ateniense conocido que practicó la retórica en forma profesional; escribía discursos para terceros, pero rehuía aparecer en debates públicos. Instigador presunto de la revolución del oligárquico consejo de los CUATROCIENTOS, un intento de tomarse el gobierno ateniense en medio de la guerra. Cuando cayó la oligarquía, defendió su rol en el derrocamiento con un discurso considerado por TUCÍDIDES una defensa insuperable, lo que no impidió que fuera ejecutado por traición.

antígeno Sustancia extraña en el organismo que induce una respuesta inmune. Los antígenos estimulan a los LINFOCITOS a producir anticuerpos o a atacar directamente al antígeno (ver ANTICUERPO; INMUNIDAD). Virtualmente, cualquier molécula extraña grande puede actuar como antígeno, a saber, bacterias, virus, parásitos, alimentos, venenos, componentes sanguíneos y células y tejidos de varias especies, incluso de otros seres humanos. En la superficie del antígeno hay lugares que calzan con moléculas receptoras de la superficie de los linfocitos y se fijan a ellas, estimulándolos a multiplicarse e iniciar una respuesta inmune que neutraliza o destruye el antígeno.

Antígona En la leyenda griega, la hija nacida de la relación incestuosa entre EDIPO y su madre, Yocasta. Después de que Edipo se castigara a sí mismo cegándose, Antígona y su hermana Ismene, le sirvieron de lazarillos y lo acompañaron al destierro. Tras morir Edipo, Antígona volvió a TEBAS, donde sus hermanos Eteocles y Polinices libraban una guerra, en la que ambos encontraron la muerte. Creonte, el nuevo rey, declaró que Polinices había sido un traidor, por lo que su cadáver debía permanecer insepulto. Contraria a permitir que el cuerpo de su hermano fuese profanado, Antígona le dio sepultura. Por ese acto, Creonte la condenó a muerte, pero ella antes se ahorcó. Su historia fue dramatizada por SÓFOCLES y EURÍPIDES (en la versión de Eurípides, Antígona escapa y se une a su amado Hemón, el hijo del cruel rey Creonte).

Antígona guiando a su padre ciego, Edipo; dibujo de Emil Teschendorff, c. 1823.
FOTOBANCO

Antigónidas, dinastía de los (306–168 AC). Casa reinante de la antigua Macedonia. ANTÍGONO I fue proclamado rey en 306 AC luego de que su hijo Demetrio conquistara Chipre, con lo cual su padre tomó el control del Egeo, el Mediterráneo oriental y la mayor parte de Medio Oriente. Bajo Demetrio II (r. 239–229), Macedonia se debilitó por la guerra con las ligas AQUEA y ETOLIA. Antígono III (m. 221) restableció la alianza helénica, colocando a Macedonia en una posición de fuerza dentro de Grecia. Bajo FILIPO V, Macedonia se enfrentó con Roma, en 215. La derrota de Filipo alteró el equilibrio del poder y Roma se convirtió en una fuerza decisiva en el Mediterráneo oriental. La derrota de su sucesor, PERSEO, en Pidna en 168 AC marcó el fin de la dinastía.

Antígono I Monoftalmos *o* **Antígono I Cíclope** (latín: "tuerto") (382–301 AC, Frigia, Asia Menor). Fundador de la dinastía macedonia de los ANTIGÓNIDAS. Sirvió como general bajo ALEJANDRO MAGNO. De los complots, alianzas y guerras entre los sucesores de Alejandro, surgió dominando Asia Menor y Siria, pero cedió pronto los territorios al este del Éufrates a SELEUCO I NICÁTOR. En 307, su hijo DEMETRIO I expulsó al gobernador de Atenas y conquistó Chipre, lo que dio a Antígono el control del Mediterráneo oriental, el Egeo y Asia Menor. En 306 fue proclamado rey del imperio por una asamblea del ejército. En 302, él y su hijo renovaron la Liga panhelénica (compuesta por todos los estados helénicos excepto Esparta, Mesenia y Tesalia), a fin de asegurar la paz en la Hélade y proteger a Antígono. Sus sueños de apoderarse de Macedonia y la totalidad del antiguo imperio de Alejandro terminaron con su muerte en la batalla de IPSO (301), la única batalla que perdió.

Antígono II Gonatas (c. 320–239 AC). Rey de Macedonia (276–239 AC). Hijo de DEMETRIO I POLIORCETES, derrotó a los gálatas en Grecia (279) y en Asia Menor (277), ocupó ciudades clave y concertó alianzas. Derrotó a PIRRO, rey del Epiro, en Grecia (272) para consolidar su dominio en Macedonia. En la guerra cremonida (267–261), logró una victoria duradera sobre Egipto, Esparta y Atenas. Se alió con la Liga ETOLIA y los tiranos locales para impedir las incursiones de la Liga AQUEA. Derrotó a la flota egipcia en Andros (¿244?) lo que aseguró la hegemonía macedonia en el Egeo.

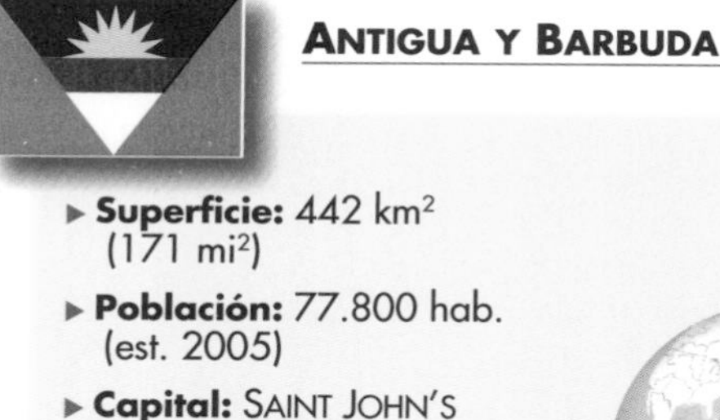

ANTIGUA Y BARBUDA

- **Superficie:** 442 km² (171 mi²)
- **Población:** 77.800 hab. (est. 2005)
- **Capital:** SAINT JOHN'S (en Antigua)
- **Moneda:** dólar del Caribe oriental

Antigua y Barbuda Estado insular de las ANTILLAS Menores. Comprende tres islas, Antigua, Barbuda y Redonda. La mayoría de la población es descendiente de esclavos africanos traídos durante la colonia. Idioma: inglés (oficial). Religión: cristianismo. La más grande de las islas es Antigua, 280 km² (108 mi²), que carece de bosques, montañas y ríos, y está sujeta a sequías. El principal fondeadero es el puerto de gran calado de Saint John's. Barbuda, 40 km (25 mi) al norte de Antigua, es una reserva de vida salvaje de 161 km² (62 mi²) habitada por una variada fauna, entre ellos ciervos salvajes; su único poblado es Codrington, en su costa occidental. Redonda, una roca deshabitada de 1,3 km² (0,5 mi²), se encuentra al sudoeste de Antigua. El turismo es el sostén principal de la economía del país; la banca extraterritorial está creciendo. CRISTÓBAL COLÓN descubrió Antigua en 1493 y la nombró en honor a una iglesia de SEVILLA en España. Fue colonizada por los ingleses en 1632, quienes trajeron esclavos africanos para cultivar tabaco y caña de azúcar. Barbuda fue colonizada por los ingleses en 1678. En 1834, los esclavos de la isla fueron emancipados. Antigua (con Barbuda) fue parte de la colonia británica de las islas de Sotavento desde 1871 hasta que la colonia se separó de la federación en 1956. Las islas obtuvieron su plena independencia en 1981.

Antiguo régimen Sistema político y social de Francia antes de la REVOLUCIÓN FRANCESA. Bajo este régimen, todos eran súbditos del rey de Francia así como miembros de un estado y provincia. Todos los derechos y rangos provenían de las instituciones sociales, divididas en tres órdenes: clero, nobleza y otros (el TERCER ESTADO). No existía ciudadanía nacional.

Antiguo Testamento Sagradas escrituras del JUDAÍSMO y, sumadas al NUEVO TESTAMENTO, del CRISTIANISMO. Redactado casi por completo en lengua hebrea (ver HEBREO), entre los años 1200 y 100 AC, el Antiguo Testamento (también llamado Biblia hebrea o Tanakh) es una cuenta de la relación de Dios con los hebreos, como pueblo elegido. Los primeros seis libros de la Biblia hebrea relatan cómo se constituyó el pueblo de Israel y cómo se establecieron en la Tierra Prometida. Los siguientes siete libros describen la evolución de la monarquía de Israel y los mensajes de los profetas, y los últimos once libros contienen poesía, teología y algunos trabajos históricos adicionales. Los cristianos dividieron algunos de los libros hebreos originales en dos o más partes; específicamente, Samuel, Reyes y Crónicas, (en dos partes cada uno); Esdras-Nehemías, (dos libros independientes) y los profetas menores (doce libros separados). El contenido del Antiguo Testamento varía según la tradición religiosa. Los cánones judío, católico y protestante difieren entre sí por los libros que incluyen en sus propias biblias. Ver también APÓCRIFOS; BIBLIA.